AF238075

ACCESO GRATIS a la Lectura en la Nube
+ Formularios online

Para visualizar el libro electrónico en la nube de lectura envíe junto a su nombre y apellidos una fotografía del código de barras situado en la contraportada del libro y otra del ticket de compra a la dirección:

ebooktirant@tirant.com

En un máximo de 72 horas laborables le enviaremos el código de acceso con sus instrucciones.

La visualización del libro en **NUBE DE LECTURA** excluye los usos bibliotecarios y públicos que puedan poner el archivo electrónico a disposición de una comunidad de lectores. Se permite tan solo un uso individual y privado.

FORMULARIOS COMENTADOS DE DERECHO DE SUCESIONES

COMITÉ CIENTÍFICO DE LA EDITORIAL TIRANT LO BLANCH

María José Añón Roig
Catedrática de Filosofía del Derecho de la Universidad de Valencia

Ana Cañizares Laso
Catedrática de Derecho Civil de la Universidad de Málaga

Jorge A. Cerdio Herrán
Catedrático de Teoría y Filosofía de Derecho. Instituto Tecnológico Autónomo de México

José Ramón Cossío Díaz
Ministro en retiro de la Suprema Corte de Justicia de la Nación y miembro de El Colegio Nacional

Eduardo Ferrer Mac-Gregor Poisot
Juez de la Corte Interamericana de Derechos Humanos Investigador del Instituto de Investigaciones Jurídicas de la UNAM

Owen Fiss
Catedrático emérito de Teoría del Derecho de la Universidad de Yale (EEUU)

José Antonio García-Cruces González
Catedrático de Derecho Mercantil de la UNED

Luis López Guerra
Catedrático de Derecho Constitucional de la Universidad Carlos III de Madrid

Ángel M. López y López
Catedrático de Derecho Civil de la Universidad de Sevilla

Marta Lorente Sariñena
Catedrática de Historia del Derecho de la Universidad Autónoma de Madrid

Javier de Lucas Martín
Catedrático de Filosofía del Derecho y Filosofía Política de la Universidad de Valencia

Víctor Moreno Catena
Catedrático de Derecho Procesal de la Universidad Carlos III de Madrid

Francisco Muñoz Conde
Catedrático de Derecho Penal de la Universidad Pablo de Olavide de Sevilla

Angelika Nussberger
Catedrática de Derecho Constitucional e Internacional en la Universidad de Colonia (Alemania) Miembro de la Comisión de Venecia

Héctor Olasolo Alonso
Catedrático de Derecho Internacional de la Universidad del Rosario (Colombia) y Presidente del Instituto Ibero-Americano de La Haya (Holanda)

Luciano Parejo Alfonso
Catedrático de Derecho Administrativo de la Universidad Carlos III de Madrid

Consuelo Ramón Chornet
Catedrática de Derecho Internacional Público y Relaciones Internacionales de la Universidad de Valencia

Tomás Sala Franco
Catedrático de Derecho del Trabajo y de la Seguridad Social de la Universidad de Valencia

Ignacio Sancho Gargallo
Magistrado de la Sala Primera (Civil) del Tribunal Supremo de España

Tomás S. Vives Antón
Catedrático de Derecho Penal de la Universidad de Valencia

Ruth Zimmerling
Catedrática de Ciencia Política de la Universidad de Mainz (Alemania)

Procedimiento de selección de originales, ver página web:

www.tirant.net/index.php/editorial/procedimiento-de-seleccion-de-originales

FORMULARIOS COMENTADOS DE DERECHO DE SUCESIONES

2ª Edición

Directora
MARÍA ELENA COBAS COBIELLA

Autores
MARÍA ELENA COBAS COBIELLA
JOAQUÍN COLLADO SEVILLA
LUZ MARTÍNEZ VELENCOSO
MARÍA DE LOS REYES SÁNCHEZ MORENO
MARÍA ÁNGELES SÁNCHEZ SILVESTRE
CARMEN URIOL EGIDO

tirant lo blanch
Valencia, 2022

Copyright ® 2022

Todos los derechos reservados. Ni la totalidad ni parte de este libro puede reproducirse
o transmitirse por ningún procedimiento electrónico o mecánico, incluyendo fotocopia,
grabación magnética, o cualquier almacenamiento de información y sistema de recuperación sin permiso escrito de los autores y del editor.

En caso de erratas y actualizaciones, la Editorial Tirant lo Blanch publicará la pertinente
corrección en la página web www.tirant.com.

© María Elena Cobas Cobiella (Directora)

© TIRANT LO BLANCH
EDITA: TIRANT LO BLANCH
C/ Artes Gráficas, 14 - 46010 - Valencia
TELFS.: 96/361 00 48 - 50
FAX: 96/369 41 51
Email:tlb@tirant.com
www.tirant.com
Librería virtual: www.tirant.es
DEPÓSITO LEGAL: V-1321-2022
ISBN: 978-84-1130-319-4

Si tiene alguna queja o sugerencia, envíenos un mail a: *atencioncliente@tirant.com*. En caso de no ser atendida
su sugerencia, por favor, lea en *www.tirant.net/index.php/empresa/politicas-de-empresa* nuestro procedimiento
de quejas.

Responsabilidad Social Corporativa: http://www.tirant.net/Docs/RSCTirant.pdf

ÍNDICE

II. FORMULARIOS COMENTADOS DEL PROCESO CIVIL

III. FORMULARIOS COMENTADOS DE DERECHO TRIBUTARIO

PRESENTACIÓN

Los formularios de Derecho de Sucesiones responden a la necesidad de actualización y puesta al día de la materia en cuestión. A pesar de tratarse de una disciplina extensa que genera interminables debates y disquisiciones teóricas y práctica y que ha sido objeto de estudio por especializados autores, sigue siendo en el orden práctico una de las materias más complejas del Derecho civil, fundamentalmente por la multidisciplinariedad que le caracteriza, a pesar de tratarse de una disciplina de derecho privado y por lo complejo de la instituciones propias de ésta.

Razón por la cual los formularios se han diseñados en tres grandes ámbitos, en primer lugar en sede de Derecho Notarial, en segundo lugar desde el punto de vista del Proceso civil y con especial incidencia en los expedientes de jurisdicción voluntaria y en tercer lugar y no por ello menos importante en orden al Impuesto de sucesiones, desarrollando en los formularios la doctrina y la jurisprudencia más debatida. Con la finalidad esencial de sistematizar el recorrido hereditario, facilitando a los abogados y otros operadores jurídicos un documento de referencia en el ámbito de la sucesión mortis causa, por ello se ha intentado por los autores centrarse en cuestiones más de la práctica cotidiana en la materia.

Los formularios comentados de Derecho Notarial se han estructurado siguiendo las fases de la adquisición de la herencia, comenzando por las clases de testamento, seguido por los pactos sucesorios, el contenido del testamento, la sucesión abintestato, la adquisición de la herencia, la partición de la herencia y derecho internacional sucesorio. Los citados formularios contienen comentarios, normativa y jurisprudencia.

Los formularios comentados de Derecho Procesal se han estructurado en tres grandes apartados procedimiento ordinario y procedimiento verbal, división judicial de la herencia y expedientes de jurisdicción voluntaria. Los citados formularios contienen comentarios, normativa y jurisprudencia.

Los formularios comentados de Derecho Tributario recorren toda la gama de escritos referidos a los Impuestos sucesorios. Los citados formularios contienen normativa y la jurisprudencia que los autores han considerado necesaria, así como una referencia bibliográfica por tema.

La segunda Edición de esta obra se adapta a las recientes modificaciones legislativas en la materia, en concreto a lo dispuesto en la Ley 8/2021, de 2 de junio por la que se reforma la legislación civil y procesal para el apoyo a las personas con discapacidad en el ejercicio de su capacidad jurídica. Téngase en cuenta que dada la reciente aprobación de la citada norma todavía no existe jurisprudencia y los trabajos doctrinales son escasos y están sujetos a apreciaciones subjetivas sobre la aplicación de la normativa.

La directora de la obra
María Elena Cobas Cobiella

ABREVIATURAS

CC   Código Civil.

DGT   Dirección General de Tributos (si no se especifica que es de una Comunidad Autónoma determinada, se refiere al órgano dependiente del Ministerio de Hacienda).

LGT   Ley 58/2003, de 17 de diciembre, General Tributaria.

LJV   Ley 15/2015, de 2 de julio, de la Jurisdicción Voluntaria.

LISD   Ley 19/1987, de 18 de diciembre, del Impuesto de Sucesiones y Donaciones.

Núm.   Número.

RGR   Real Decreto 939/2005, de 29 de julio, por el que se aprueba el Reglamento General de Recaudación.

RISD   Real Decreto 1629/1991, de 8 de noviembre, por el que se aprueba el Reglamento del Impuesto sobre Sucesiones y Donaciones.

SAN   Sentencia Audiencia Nacional.

TEAC   Tribunal Económico-administrativo Central.

STS   Sentencia del Tribunal Supremo.

STSJ   Sentencia del Tribunal Superior de Justicia.

I. FORMULARIOS COMENTADOS DE DERECHO NOTARIAL

1. CLASES DE TESTAMENTO
En Derecho común

TESTAMENTO

NÚMERO ....

En ...., mi residencia, siendo las .... del día ....

Ante mí, ...

COMPARECE

DOÑA ....

INTERVIENE

En su propio nombre y derecho ....

Me aseguro de su identidad por la documentación reseñada, fotocopia de la cual se incorpora a esta matriz aunque no se trasladará a las copias.

A mi juicio, el testador comprende el alcance de lo que dispone en este testamento y puede manifestarlo.

Yo, Notario, he procurado que el testador desarrolle su propio proceso de toma de decisiones de acuerdo con sus deseos y preferencias y hecho lo necesario para apoyarlo en su razonamiento, en la comprensión de este testamento y en la manifestación de su voluntad.

(****En su caso, determinar qué medio técnico o humano, se ha utilizado para establecer la comunicación).

Manifiesta que nació en..............el día.............., que es hija de los cónyuges ...., ambos fallecidos, y que se encuentra casada en únicas nupcias con DON, de cuyo matrimonio tiene.............. hijos llamados: ....

Que tiene vecindad civil común..............

Hechas estas manifestaciones dispone su última voluntad bajo las siguientes:..............

CLÁUSULAS

PRIMERA.– Lega a su citado esposo, el usufructo universal y vitalicio de la herencia, libre de fianza e inventario, quedando facultado el legatario para tomar posesión del mismo por sí, sin trámite alguno...............

Su citado esposo podrá elegir en sustitución del usufructo, la parte de libre disposición de su herencia en pleno dominio, sin perjuicio de la cuota legal usufructuaria que le corresponda...............

SEGUNDA.– Si alguno de sus herederos no respetase este legado, quedará reducida su parte a su legítima estricta, acreciendo su parte en la mejora y libre disposición a los que se conformen; y si ningún heredero quisiera respetarlo, lega al viudo el tercio de libre disposición además de la cuota legal en usufructo.

Queda prohibida en estos casos la conmutación del usufructo del cónyuge supérstite por los herederos y será obligatoria dicha conmutación para los herederos en caso de ser solicitada por el cónyuge supérstite...............

TERCERA.– Salvo el contenido de la cláusula anterior, instituye herederos, por partes iguales, en todos sus bienes, derechos, créditos y acciones, tanto presentes como futuros, a sus dos citados hijos, sustituyéndoles vulgarmente para los casos de premoriencia, conmoriencia, indignidad o incapacidad para suceder, por sus respectivos descendientes ....

CUARTA.– Nombra albacea-contador-partidor, para el caso de que lo requiera alguno de los herederos, a Doña ...., con las más amplias facultades y por el máximo plazo posible.

Para el caso de que no se requiriese la intervención del albacea-contador-partidor testamentario, es deseo de la testadora, que se solicite consejo o asesoramiento de dicho albacea-contador-partidor, debido a la confianza que tiene en ella la testadora, teniéndose en cuenta, por tanto, su opinión en la partición de la herencia, sin que ello suponga, como ha quedado consignado, su intervención y firma en la escritura...............

QUINTA.– Manifiesta la testadora su voluntad de que por el presente otorgamiento queden revocados cualesquiera otros testamentos, notariales o no, que hubiese otorgado con anterioridad...............

De acuerdo con lo establecido en la Ley Orgánica 3/2018, el compareciente ha sido informado de la incorporación de sus datos y de los interesados en esta escritura a los ficheros automatizados existentes en la Notaria de..............., así como a la Base de Datos del índice único del Notariado, que se conservarán en las mismas con carácter confidencial, sin perjuicio de las remisiones de obligado cumplimiento. Además, queda advertido el compareciente que podrá ejercer en cualquier momento el derecho de acceso, rectificación, cancelación y oposición en los términos establecidos en la Ley Orgánica. Respecto a los ficheros automatizados existentes en la Notaría, el responsable del tratamiento es el Notario autorizante, con domicilio en...............España.

Así lo otorga la compareciente...............

Y LEÍDO por mí, el Notario este testamento íntegramente a la señora compareciente a quien advierto y no usa de su derecho a leerlo por sí, LO APRUEBA ésta y firma conmigo, que **DOY FE**, de identificarle por su Documento de identidad, al principio reseñado, de que el consentimiento ha sido libremente prestado y de que el otorgamiento se adecua a la legalidad y a la voluntad debidamente informada de la otorgante o interviniente, de haberse cumplido el requisito de la unidad de acto y en general de todo lo contenido en el presente instrumento público, extendido en...............

COMENTARIO

Este formulario se encuentra adaptado a la actual redacción del artículo 695 CC: "El testador expresará oralmente, por escrito o mediante cualquier medio técnico, material o humano su última voluntad al Notario. Redactado por este el testamento con arreglo a ella y con expresión del lugar, año, mes, día y hora de su otorgamiento y advertido el testador del derecho que tiene a leerlo por sí, lo leerá el Notario en alta voz para que el testador manifieste si está conforme con su voluntad. Si lo estuviere, será firmado en el acto por el testador que pueda hacerlo y, en su caso, por los testigos y demás personas que deban concurrir.

Si el testador declara que no sabe o no puede firmar, lo hará por él y a su ruego uno de los testigos.

Cuando el testador tenga dificultad o imposibilidad para leer el testamento o para oír la lectura de su contenido, el Notario se asegurará, utilizando los medios técnicos, materiales o humanos adecuados, de que el testador ha entendido la información y explicaciones necesarias y de que conoce que el testamento recoge fielmente su voluntad".

La Convención de Nueva York, en su artículo 23 apartado primero, obliga a los Estados Partes a tomar "medidas efectivas y pertinentes para poner fin a la discriminación contra las personas con discapacidad en todas las cuestiones relacionadas con el matrimonio, la familia, la paternidad y las relaciones personales y lograr que las personas con discapacidad estén en igualdad de condiciones con las demás". Este precepto ha fundamentado muchas de las novedades introducidas en el CC por la ley 8/2021 por la que se reforma la legislación civil y procesal para el apoyo de las personas con discapacidad en el ejercicio de su capacidad jurídica, muy particularmente en el ámbito íntimo y personal de persona vulnerable, donde regirá el principio básico de injerencia mínima.

El notario adquiere protagonismo como autoridad que va a acompañar a dicha persona en muchos de los negocios de su esfera personal, cuidando de que éstos sean realizados efectivamente por la persona vulnerable en la forma que él desea, interpretando el notario, aquí más que en otros casos, su verdadera voluntad, deseos y preferencias, evitando las influencias indebidas, informándola, ayudándola en su comprensión y facilitando que pueda expresarse.

En todos los demás formularios de escrituras se tomará en cuenta esta reforma en las comparecencias de las mismas, en que se adapta el juicio de suficiencia, ahora referido al discernimiento de la persona y no a su capacidad legal, pues este concepto, el de capacidad legal deja de tener sentido al corresponder a todas las personas por igual, de manera que sólo habrá, en su caso, apoyos para que algunas personas puedan ejercer dicha capacidad en igualdad de condiciones con las demás. Ello no quita que la falta de discernimiento motive para el notario la negativa al otorgamiento, pues el discernimiento suficiente es requisito sine qua non para que el negocio jurídico exista. En el caso de los testamentos, además, no existe la posibilidad de otorgar por otro, habiendo desaparecido del CC la sustitución ejemplar como consecuencia de la misma reforma legislativa.

Este primer formulario en particular tiene por objeto la redacción de un testamento abierto con la inclusión de una cautela socini. Téngase en cuenta la siguiente información:

Doctrina

Testamento abierto

El testamento abierto viene definido en el art. 679 CC como aquel en el que el testador manifiesta "su última voluntad en presencia de personas que deben autorizar el acto, quedando enteradas de lo que en él se dispone".

Por lo tanto, el testador da a conocer al notario y en su caso, a los testigos, su voluntad, con lo que el mismo deja de ser secreto. Se critica a este testamento su exceso de formalidades, con el consiguiente riesgo que ello supone para la futura validez del mismo[1].

---

[1]   Refiriéndose al Derecho alemán, apunta KIPP, T., en Enneccerus, L., Kipp, T., y Wolf, M., *Tratado de Derecho civil*, t. V, v. I, Barcelona, 2ª ed., Bosch, 1976, p. 304: *"Si el legislador, en su justificado propósito de obtener una protocolización exacta y al propio tiempo recordar, por así decir, al notario las formalidades que es preciso observar en el acto mismo, dicta preceptos forzosos muy precisos sobre el contenido de la escritura, conseguirá realmente que todas las circunstancias relevantes en el acto de otorgamiento puedan ser luego contrastadas; pero al mismo tiempo se crearán numerosas causas de peligro para la validez del testamento. (................) En consecuencia, a diferencia de lo que antes ocurría, los requisitos exigidos en el testamento público son hoy menos severos que en la autenticación usual según los preceptos de la Ley de jurisdicción voluntaria............... En este sentido hoy puede hablarse incluso de un favor testamenti"*.

No obstante las formalidades antes referidas, se trata de la modalidad de testamento más empleada en la práctica debido a sus grandes ventajas, dada la ventaja que supone la intervención del notario como garante de la fe pública, así como su eficacia inmediata, su valor de documento público y su conservación garantizada.

Cautela socini. Introducción

Pese a la polémica existente sobre la validez de esta cláusula, la misma debe considerarse válida y eficaz, al gozar el testamento del carácter de ley particular que gobierna una determinada sucesión por causa de muerte. De este modo, el 667 CC atribuye al testamento el carácter de ley privada que gobierna una concreta disposición por causa de muerte. El problema es que mediante tipo de cláusulas se estableciese alguna vulneración del derecho que los legitimarios tienen en la sucesión, al configurarse la legítima como un límite a la libertad de testar.

Esta cláusula puede verse como una manifestación del principio de autonomía privada del causante acerca de cómo debe realizarse la partición de sus bienes para después de su muerte, respetando su voluntad, una especie de contrato sucesorio que producirá efectos una vez se haya abierto la sucesión. Como es sabido, en el art. 1271 CC se declara la nulidad de los pactos sobre la sucesión futura, exceptuando lo previsto en el art. 1056 CC (sobre la partición realizada por el propio testador). Asimismo, el art. 658 CC no contempla el contrato sucesorio como uno de los títulos necesarios aptos para regular la sucesión. Una manifestación concreta de esta regla es el art. 816 CC que prohíbe la renuncia o la transacción sobre la legítima futura declarando su nulidad.

Aunque, como se ha dicho anteriormente, la legítima supone un límite de la autonomía privada en el ámbito sucesorio, el testador puede establecer cláusulas de opción compensatoria ("cautela socini"), puede hacer uso de la facultad de mejorar a alguno de los hijos o descendientes, o de la delegación de facultad de mejorar contenida en el art. 813 CC.

Muy importante sobre este tema es la STS, Sala 1ª, de 10 de junio de 2014 donde se pone en relación las cláusulas de opción compensatoria con la partición realizada por el propio testador, o con la institución de heredero en cosa cierta y determinada, conceptuando todas estas opciones como manifestaciones de "la potestad dispositiva y distributiva del testador" que tienen como límite, en todos los casos, el respecto a la legítima de los herederos.

Por un lado, el art. 1056 CC establece que cuando el testador haya realizado la partición se habrá de pasar por ella en cuanto no perjudique la legítima. La legítima se configura, pues, como el único límite a la partición realizada por el propio testador.

Por otro lado, de acuerdo con el art. 768 CC el heredero instituido en una cosa cierta y determinada será considerado como legatario. Se trata de una norma que establece simplemente una presunción, en consecuencia, (vid. López López, A., en AA.VV. coord., López, A., Montés, V. L., Roca, E., *Derecho Civil (V). Derecho de Sucesiones*, p. 47) sería posible desvirtuar esta presunción, por ejemplo, en aquellos casos en los que según el principio "voluntas testantis suprema lex testamenti", lo realmente querido por el testador, pese a la utilización de dicha fórmula que no implica cuota, fue la de instituir heredero. *V.gr.* cuando el testador quiso hacer heredero al instituido "ex re certa", pero adjudicándole ya concretos bienes (lo cual equivaldría a un supuesto de partición hecha por el propio testador, de acuerdo con el art. 1056.1 CC).

Por lo tanto, a juicio de la Sala, en este caso procede valorar si efectivamente la aplicación testamentaria de la denominada "cautela socini" supone realmente un problema teniendo en cuenta el principio de intangibilidad cualitativa de la legítima.

Para clarificar esta cuestión, en la Sentencia se hace una previa labor de interpretación sistemática del sistema de legítimas en un doble plano. Por un lado, la legítima se configura como un límite a la libertad del testador. Por otro lado, la legítima representa un derecho subjetivo del legitimario, de modo que el mismo puede ejercitar todas las acciones en defensa de su legítima, y por lo tanto, en ese plano servirse del auxilio de la autoridad judicial.

A juicio de la Sala, es en el primer plano donde debe residenciarse la posible validez conceptual de esta cautela en relación con el contenido dispositivo del testamento. En este ámbito, "la respuesta debe ser favorable a la admisión testamentaria de la cautela socini".

No se trata, como se había defendido por algunos autores, de un fraude de ley, puesto que desempeña su papel en una sucesión abierta y, por lo tanto, ya diferida, concediendo al legitimario un derecho de opción, entre aceptar la disposición ordenada por el testador, o contravenir la misma y solicitar la intervención judicial, pero recibiendo en este caso, su legítima estricta. Ello sobre la base de quien puede lo más, renunciar a la herencia, puede lo menos, aceptar una herencia que supone un gravamen de su legítima. Al heredero legitimario siempre le queda la posibilidad de exigir su legítima estricta (un tercio). Pero para ello tiene que aceptar la herencia, no se trata de un heredero sujeto a condición, sino que más bien se le concede una opción.

En conclusión, desde esta perspectiva, la validez de la "cautela socini" resulta indiscutible y puede servir en la práctica para flexibilizar el sistema de legítimas y reforzar la voluntad del testador como ley que ha de gobernar la sucesión.

Prueba de ello es que en algunas legislaciones autonómicas que están en fase de reforma legislativa, como la catalana, el legislador ha mostrado cierta sensibilidad hacia aquellos sectores que proponen necesidad social de permitir al causante tener el mayor poder de disposición posible de su herencia flexibilizando el sistema de legítimas. De este modo, el legislador catalán ha seguido en este punto un criterio intermedio, manteniendo por un lado la legítima, pero al mismo tiempo, incluyendo una serie de preceptos que tienden a debilitarla.

Una de estas medidas de flexibilización consiste precisamente en la regulación de la "cautela socini" en el Libro IV del Código Civil de Cataluña. La regla general al respecto es la de que el causante no puede imponer sobre las atribuciones hechas en concepto de legítima o imputables a la misma condición, términos o modos, ni gravarlos con usufructos u otras cargas o someterlos a fideicomisos y, si lo hace, se tendrán por no puestos. Ahora bien, si la disposición sometida a tales limitaciones tiene un valor superior al que corresponde a la legítima, los legitimarios gravados pueden optar por aceptar la legítima gravada o por renunciar a la institución de heredero o al legado y reclamar lo que estrictamente les corresponda. Si el legitimario acepta la herencia o el legado sometidos a alguna limitación se entiende que renuncia al ejercicio de esa opción (cfr. art. 451-9).

Cautela socini. Concepto y requisitos

En sentido amplio se puede definir la "cautela socini" como aquella cláusula testamentaria en la que el testador deja al legitimario una porción de la herencia superior a lo que le corresponde por legítima, pero gravada con algún tipo de carga como un usufructo, fideicomiso, condición, etc., que deberá aceptar con dicho gravamen, pues en otro caso, recibirá su legítima estricta perdiendo lo que se le haya dejado por encima de este importe (Roca Sastre, R. M., *Estudios de Derecho Privado (II) Sucesiones*, Madrid, 1948, p. 174). La filosofía de la figura consiste en suavizar la intangibilidad de la legítima romana y dar mayor libertad al testador.

La "cautela socini" ha de reunir unos requisitos para su validez. En primer lugar, la atribución testamentaria ha de ser en concepto de legítima. El testador ha de contemplar, de forma expresa, la cualidad de legitimario del gravado. Al legitimario se le concede una opción entre aceptar íntegramente la disposición del testador (gravamen sobre la legítima y compensación, en su caso) o limitarse a percibir lo que le corresponde en virtud de la legítima estricta.

Es esta mayor atribución lo que le compensará del importe inferior que se le deja, porque, en caso contrario, no es lógico que le interese lo que el testador le propone en testamento.

La "cautela socini" no tiene una regulación expresa en el Código Civil español, aunque se ha visto una manifestación de la misma la opción concedida a los herederos en el art. 820.3 CC CC en cuanto a la satisfacción de la legítima del cónyuge viudo.

NORMATIVA

Arts. 695, 667, 820.3 CC; Art. 451-9 Libro IV Código Civil de Cataluña.

JURISPRUDENCIA

STS (Sala de lo Civil, Sección 1ª), sentencia núm. 254/2014 de 3 septiembre de 2014 (*Tol 4521095*).
STS (Sala de lo Civil, Sección Pleno), sentencia núm. 838/2013 de 10 junio de 2014 (*Tol 4374204*).
STS (Sala de lo Civil, Sección 1ª), sentencia núm. 464/2018 de 19 julio de 2018 (*Tol 6676446*).
STS (Sala de lo Civil, Sección 1ª), sentencia núm. 717/2014 de 21 abril de 2015 (*Tol 4988929*).

Formulario 2. TESTAMENTO ABIERTO CON FIDEICOMISO DE RESIDUO

TESTAMENTO

NÚMERO...............
En ...., mi residencia, siendo las horas, minutos del día
Ante mí, ...

COMPARECE

DOÑA ....

INTERVIENE

En su propio nombre y derecho...............

Me aseguro de su identidad por la documentación reseñada, fotocopia de la cual se incorpora a esta matriz aunque no se trasladará a las copias.

A mi juicio, el testador comprende el alcance de lo que dispone en este testamento y puede manifestarlo.

Yo, Notario, he procurado que el testador desarrolle su propio proceso de toma de decisiones de acuerdo con sus deseos y preferencias y hecho lo necesario para apoyarlo en su razonamiento, en la comprensión de este testamento y en la manifestación de su voluntad.

(****En su caso, determinar qué medio técnico o humano, se ha utilizado para establecer la comunicación).

Manifiesta que nació en ...., el día ...., que es hija de .... ambos fallecidos y que carece de descendencia...............

Que tiene vecindad civil común...............

Hechas estas manifestaciones dispone su última voluntad bajo las siguientes:...............

CLÁUSULAS

PRIMERA.– Instituye herederos, en todos sus bienes, derechos, créditos y acciones, tanto presentes como futuros, a las siguientes personas y en las siguientes proporciones: ....

– en cuanto a dos terceras partes de su caudal hereditario a su actual pareja

– y en cuanto a la restante tercera parte de su caudal hereditario a su prima

Instituye a ambos herederos con derecho de acrecer entre ellos, y para el caso de premoriencia, conmoriencia, indignidad o incapacidad para suceder del otro, les sustituye por

SEGUNDA.– Respecto de su pareja, establece una sustitución fideicomisaria de residuo a favor del sobrino de la testadora, a quien nombra también sustituta vulgar. DON ....podrá disponer de los bienes heredados a título oneroso por actos inter vivos, sin necesidad de justa causa o necesidad y sin que tenga que acreditar ninguna circunstancia. Al fallecimiento del heredero fiduciario, los bienes de que no hubiese dispuesto y los que han sustituido a aquellos que hubiera dispuesto si se conservasen en su patrimonio pasarán a la fideicomisaria.

TERCERA.– Manifiesta la testadora su voluntad de que por el presente otorgamiento queden revocados cualesquiera otros testamentos, notariales o no, que hubiese otorgado con anterioridad...............

CLÁUSULA DE PROTECCIÓN DE DATOS

Así lo otorga la compareciente...............

Y LEÍDO por mí, el Notario este testamento íntegramente a la señora compareciente a quien advierto y no usa de su derecho a leerlo por sí, LO APRUEBA ésta y firma conmigo, que **DOY FE**, de identificarle por su Documento de identidad, al principio reseñado, de que el consentimiento ha sido libremente prestado y de que el otorgamiento se adecua a la legalidad y a la voluntad debidamente informada de la otorgante o interviniente, de haberse cumplido el requisito de la unidad de acto y en general de todo lo contenido en el presente instrumento público, extendido en...............

COMENTARIO

Este formulario tiene por objeto la redacción de un testamento abierto con la inclusión de una sustitución fideicomisaria con facultad para el fiduciario de disponer de los bienes heredados a título oneroso. Téngase en cuenta la siguiente información:

DOCTRINA

La sustitución fideicomisaria

Como es sabido, la sustitución fideicomisaria es una institución del Derecho de sucesiones en virtud de la cual el testador impone sobre el heredero la carga de que conserve y transmita a un tercero la totalidad o algunos de los bienes de la herencia del causante. A diferencia de la sustitución vulgar consiste en heredar a continuación de otro y no en vez del otro.

Fiduciario es el sujeto sobre el que recae la obligación de conservar y transmitir y fideicomisario es el destinatario final.

El Código civil en su art. 781 establece ciertas limitaciones, así *"surtirán efecto siempre que no pasen del segundo grado", entendido grado como llamamiento por la jurisprudencia, "o que se hagan en favor de personas que vivan al tiempo del fallecimiento del testador".*

Unidad del fenómeno sucesorio y esencialidad del ius delationis

El fideicomisario recibe su delación del fideicomitente y no del fiduciario. Conforme a la doctrina jurisprudencial que se contiene en la STS de 30 de octubre de 2102, para el Tribunal Supremo la idea clave es la equivalencia que existe entre la unidad del *ius delationis* y la unidad del fenómeno sucesorio. Desde esta perspectiva se expone que el fideicomiso de residuo se integra en la unidad y estructura del fenómeno sucesorio, de manera que el fideicomisario trae causa directa del testador o del fideicomitente, sin que el fiduciario fragmente la unidad del fenómeno sucesorio.

Respecto de las sustituciones fideicomisarias puras, es decir, sujetas a la muerte del fiduario, el art. 784 CC establece que "El fideicomisario adquirirá derecho a la sucesión desde la muerte del testador, aunque muera antes que el fiduciario. El derecho de aquél pasará a sus herederos".

En consecuencia, la delación al fidecomisario se produce con la muerte del fideicomitente, por lo tanto, podrá desde ese momento aceptar o renunciar a sus derechos, así como también cederlos *inter vivos* o *mortis causa*. En el caso de que el fideicomisario haya fallecido después del fideicomitente sin poder aceptar o renunciar la herencia transmite a sus propios herederos el *ius delationis*.

De modo diferente sucede en la sustitución fideicomisaria condicional, donde solamente se dará la delación cuando se cumpla la condición, con lo que si el fideicomisario muere antes que el fiduaciario, aquél no transmite derecho alguno a sus herederos.

En relación con la consumación del fenómeno sucesorio en el ámbito de la sustitución fideicomisaria y la aplicación retroactiva del principio constitucional de igualdad se pronuncia la STS (Sala 1ª) 1 marzo 2013. En este caso el testador había dispuesto una sustitución fideicomisaria en el testamento. Se trata de determinar cuándo se ha producido la culminación del fenómeno sucesorio a efectos de la aplicación retroactiva, en su caso, del principio de igualdad consagrado en la Constitución española. En opinión del TS en esta sentencia, debe entenderse que la culminación de dicho proceso se produce con la correspondiente restitución de los bienes hereditarios a los herederos fideicomisarios, sobre los que no recae ya ninguna obligación de conservación o restitución de los mismos.

Según la doctrina contenida en esta Sentencia: "*En el presente caso, el fideicomisario adoptado adquirió su derecho hereditario desde la muerte del testador fideicomitente, transmitiendo dicho derecho a sus herederos tras su propia muerte artículo 784 del Código Civil). Sin embargo, dicha transmisión no operó la consumación o consolidación de la situación sucesoria creada y, con ella, la definitiva adquisición de la herencia, al quedar sujeta tanto a la muerte del heredero fiduciario adoptante, que murió con posterioridad al heredero fideicomisario adoptado, como la aceptación de la herencia fideicomisaria por sus propios herederos, como titulares del derecho hereditario objeto de transmisión, esto es, respecto de la restitución o deber de entrega de los bienes de la herencia a la muerte del heredero fiduciario, en el año 1991, como en relación a la aceptación tácita de los herederos del heredero fideicomisario implícita en la demanda de 10 mayo 1999, que inicia el presente litigio, y por la que declaran su condición de propietarios de los bienes hereditarios. Proceso adquisitivo, abierto y todavía no consolidado, en el que resulta pertinente la aplicación retroactiva del principio constitucional de igualdad o no discriminación (artículos 14 y 39 CE) respecto de sucesiones que aunque abiertas con anterioridad a la Constitución, no obstante como es del caso, no han consolidado o agotado el proceso sucesorio y adquisitivo derivado".*

Alcance de la figura del fideicomiso de residuo

Dentro de la figura de la sustitución fideicomisaria es posible que el fiduciario conserve y transmita, como regla general esta será la situación, pero cabe también la posibilidad, como sucede en este modelo de testamento, que el fiduciario quede facultado para disponer de los bienes de la herencia. Se trata este último del fideicomiso de residuo, interpretando de este modo el art. 783.2 CC ("El fiduciario estará obligado a entregar la herencia al fideicomisario, sin otras deducciones que las que correspondan por gastos legítimos, créditos y mejoras, salvo el caso en que el testador haya dispuesto otra cosa").

Es cuestión debatida en la doctrina si el fideicomiso de residuo comprende o no una sustitución condicional. Una parte minoritaria de la doctrina sostiene la tesis de que el derecho del fideicomisario, en el fideicomiso de residuo, es condicional y sigue, por lo tanto, las reglas de las instituciones bajo condición suspensiva (art. 759 CC). De este modo, el fideicomisario no adquiere derecho alguno hasta que la condición se cumpla, circunstancia que tiene lugar cuando el fiduciario muere.

No obstante, la doctrina mayoritaria sostiene la tesis de que no existe un llamamiento sujeto a condición, sino que más bien, el fideicomisario llamado en segundo lugar, adquiere su derecho al residuo eventual desde la muerte del causante. Esta es la tesis defendida en la STS de 30 de octubre de 2012 (*Tol 3060021*) en cuyo caso debatido el testador incluye en su testamento una sustitución fideicomisaria y autoriza al fiduciario para que disponga de los bienes de la herencia, aunque facultándole solamente para la disposición por actos inter vivos a título oneroso, con el gravamen de conservar los bienes de la herencia que no hubieren sido dispuestos para cubrir las necesidades del heredero. Se entiende que, conforme al principio de subrogación real, producida la venta de un inmueble, el precio de la venta debe integrarse en el fideicomiso.

En cuanto a la facultad de disposición del heredero fiduciario, si está autorizado para negocios a título oneroso por actos inter vivos, aquél puede disponer de los bienes que integran el fideicomiso, dentro de los límites Impuestos por el testador. En el caso de negocios de disposición a título gratuito por actos "inter vivos", la autorización deberá concederse de forma expresa.

Respecto a la aplicación del principio de subrogación real, habrá que atender a distintas circunstancias. Si el testador autoriza al fiduciario para enajenar a título oneroso en caso de necesidad, la contraprestación obtenida será para consumirla, no operando, por lo tanto, el principio de subrogación real. Ello excepto en el supuesto de que lo recibido no lo hubiese gastado en vida el fiduciario, en cuyo caso el residuo estará integrado por ese remanente no consumido.

En el caso de que el testador autorice al fiduciario para enajenar a título oneroso, será de aplicación el principio de subrogación real en la parte de la contraprestación no gastada por el fiduciario. En cualquier caso, será preciso que el fiduciario actúe de buena fe.

De acuerdo con la citada STS de 30 de octubre de 2012 el principio de subrogación real será de aplicación en relación con la contraprestación obtenida, incluso en el caso de la modalidad "si aliquid superit", en aquellos casos en los que el testador haya limitado la facultad de disposición a los actos onerosos. De este modo, la subrogación real permite la finalidad conservativa del fideicomiso, siempre acorde con la voluntad querida por el testador.

NORMATIVA

Arts. 781-786 CC.

JURISPRUDENCIA

STS (Sala de lo Civil, Sección 1ª), sentencia núm. 624/2012 de 30 de octubre de 2012 (*Tol 3060021*).
STS (Sala de lo Civil, Sección 1ª), sentencia núm. 79/2013 de 1 de marzo de 2013 (*Tol 3954611*).

Formulario 3. TESTAMENTO ABIERTO CON SUSTITUCIÓN VULGAR

Hechas estas manifestaciones dispone su última voluntad bajo las siguientes:..............

CLÁUSULAS

PRIMERA.– El testador es español, residente en España, y tiene vecindad común.

De conformidad con el Reglamento (UE) 650/2012, DEL PARLAMENTO EUROPEO Y DEL CONSEJO de 4 de julio de 2012, otorga este testamento de conformidad con la ley de su vecindad civil común, que quiere que le sea aplicada aunque trasladase su residencia a otro país ....

SEGUNDA.– Lega a Don..............., la finca de su propiedad situada en la calle ....en ...., finca registral ....

TERCERA.– Nombra e instituye como herederos a sus hijos y a los hijos que pudiera tener con posterioridad sustituyéndoles vulgarmente para los casos de premoriencia, conmoriencia, indignidad o incapacidad para suceder, por sus respectivos descendientes...............

CUARTA.– ....Mientras sus hijos o los hijos que pudiera tener con posterioridad sean menores de edad, la administración de los bienes integrantes de su herencia será ejercida por su hermano..............., que ejercerá sus funciones con sujeción a las reglas que rigen el ejercicio de la tutela. En caso de que el citado, por cualquier causa, no entrara en el ejercicio de dicha administración, nombra como suplente a .... En ningún caso corresponderá dicha administración a su ex esposa...............

QUINTA.– ....Para el caso de que fallecieran los titulares de la patria potestad, siendo algún hijo menor de edad, o incapacitado, desea que sea nombrado tutor a su hermano ya citado..............., sustituido en caso de imposibilidad para el ejercicio del cargo por el también mencionado ....

Yo, el Notario, advierto que dado que es un simple ruego y que no procederé a la notificación del nombramiento de tutor al Registro Civil correspondiente, dando su consentimiento el testador.

SEXTA.– Nombra albacea-contador-partidor testamentario de los bienes hereditarios a..............., con las más amplias facultades y por el máximo plazo posible...............

SÉPTIMA.– Revoca cualquier disposición testamentaria anterior a ésta.

Me manifiesta a mí, el Notario, su última voluntad como ha quedado expresada...............

CLÁUSULA DE PROTECCIÓN DE DATOS

De acuerdo con lo establecido en la Ley Orgánica 3/2018, el compareciente ha sido informado de la incorporación de sus datos y de los interesados en esta escritura a los ficheros automatizados existentes en la Notaria de..............., así como a la Base de Datos del índice único del Notariado, que se conservarán en las mismas con carácter confidencial, sin perjuicio de las remisiones de obligado cumplimiento. Además, queda advertido el compareciente que podrá ejercer en cualquier momento el derecho de acceso, rectificación, cancelación y oposición en los términos establecidos en la Ley Orgánica.

Respecto a los ficheros automatizados existentes en la Notaría, el responsable del trata-miento es el Notario autorizante, con domicilio en.............. España.

Leo este testamento, íntegramente y en alta voz, a la testadora, previa renuncia que hace al derecho de leerlo por sí, que le advierto tiene; manifiesta la testadora que está conforme con su voluntad, firmándolo conmigo, el Notario, que doy fe de identificar a la testadora, de haberse cumplido en un solo acto todas las formalidades establecidas en la sección correspondiente del vigente Código Civil y, en general, de todo lo contenido en este instrumento público, extendido en ....

COMENTARIO

Este formulario tiene por objeto la redacción de un testamento abierto con la inclusión de una sustitución vulgar. Téngase en cuenta la siguiente información en lo referente a la administración de los bienes de los menores.

Artículo 205

El que disponga de bienes a título gratuito en favor de un menor podrá esta-blecer las reglas de administración y disposición de los mismos y designar la persona o personas que hayan de ejercitarlas. Las funciones no conferidas al administrador corresponden al tutor.

Este precepto ha sustituido con la reforma de la ley 8/2021 al artículo 227 CC, que ya no se refiere en este precepto al incapacitado. De la persona necesitada de apoyo y con este mismo contenido, ahora se ocupa separadamente el artículo 252 CC.

DOCTRINA

La sustitución vulgar

En este testamento instituye herederos a sus hijos y a los hijos que pudiera tener con posterioridad y prevé una sustitución vulgar para los casos de premorien-cia, conmoriencia, indignidad o incapacidad para suceder, por sus respectivos descendientes.

La sustitución vulgar viene regulada en el art. 774 CC según el cual: "*Puede el testador sustituir una o más personas al heredero o herederos instituidos para el caso en que mueran antes que él, o no quieran, o no puedan aceptar la herencia. La sustitución simple, y sin expresión de casos, comprende los tres expresados en el párrafo anterior, a menos que el testador haya dispuesto lo contrario*".

En el modelo de testamento que se comenta se excluye la sustitución vulgar en el caso de renuncia, aunque este supuesto está previsto en el Código Civil. Ello es debido a una cierta práctica notarial que precisamente limita la sustitución a los casos de premoriencia e incapacidad para suceder, dejando al margen la renuncia. Si no existe esta previsión expresa debe entenderse que la sustitución comprendería también los casos de renuncia[2].

En cuanto al supuesto de incapacidad para suceder, se incluyen los casos de incapacidad absoluta, relativa e indignidad sucesoria. Por el contrario, no estarían dentro de su ámbito de aplicación los supuestos de incapacitación.

En este modelo en concreto de testamento abierto se incluye precisamente una cláusula en dónde se prevé que *"(m)ientras sus hijos o los hijos que pudiera tener con posterioridad sean menores de edad o si fuesen declarados incapacitados, la administración de los bienes integrantes de su herencia será ejercida por mi hermano (…), que ejercerá la propiedad con sujeción a las reglas que rigen el ejercicio de la tutela"*. Por lo tanto, se establece que será el hermano del causante el que se encargue de administrar los bienes procedentes de su herencia y no su ex esposa, ya que se trata del testamento de un señor que se encuentra divorciado en el caso de que sus hijos no puedan administrar los bienes por ser menores de edad o fuesen declarados incapacitados.

Conforme se hace constar en la Resolución DGRN de 27 de mayo de 2009: *"Debe concluirse, por tanto, que una sustitución vulgar dispuesta para el caso de "incapacidad" del instituido se extiende a los supuestos de incapacidad de suceder, absoluta o relativa (cfr. artículos 745 y siguientes del Código Civil), que, a falta de dicha disposición testamentaria, desencadenarían el acrecimiento o, en último término, la apertura de la sucesión intestada; y es indudable que este efecto no puede predicarse de la declaración judicial de incapacitación del instituido heredero, toda vez que ésta no comporta el establecimiento de limitaciones a la capacidad para adquirir derechos —en este caso la herencia—, sino*

---

[2]   Vid. STS 10 julio 2003. En este testamento notarial el testador incluye una cláusula de sustitución vulgar de modo que *"lega a sus hijas, María Dolores y Soledad y en defecto y sustitución de cada una de ellas a sus respectivos descendientes la nuda propiedad del tercio de libre disposición de su herencia bajo la condición suspensiva de que todos los legitimarios acepten el gravamen que sobre la legítima corta implica el usufructo universal..............")*. *"Tal designación, en contra de lo señalado en el primer motivo, debe entenderse conforme a la praxis notarial, comprensiva de los tres supuestos de premoriencia, incapacidad y renuncia. Los argumentos de la recurrente para demostrar que el testador quiso referirse tan sólo al caso de premoriencia carecen de fuerza suasoria y resultan inanes. Hay que entender por ello, ante la claridad de tal cláusula, que abarca y comprende los tres supuestos, pues en otro caso se habría especificado a que supuesto se refería, mucho más tratándose de un testamento asesorado por Notario"*. En este sentido, vid. asimismo DGRN núm. 11520/2014, de 26 septiembre; DGRN núm. 9070/2015, de 29 junio.

únicamente restricciones a la capacidad de obrar, al eficaz ejercicio de los derechos de los que sea titular el incapacitado, impuestas como medida de protección del mismo. Por esta razón, la herencia deferida a favor de los incapacitados es adquirida por éstos, si bien no podrá ser aceptada por ellos sino por su tutor —o por cualquier otra persona que respecto de tales bienes tenga la condición de representante legal— (cfr. artículos 992 y 267, 223, 299 y 271 del Código Civil)".

Se entiende asimismo que dentro del supuesto "no poder suceder" quedarían comprendidos también los casos de ineficacia sobrevenida del llamamiento, *v.gr.* aquellas situaciones en las que el concebido no llegue a nacer o se produzca el incumplimiento de una condición suspensiva impuesta al primer llamado.

Por otro lado, dentro del supuesto de premoriencia habría de incluirse también la situación de ausencia del llamado. Así, según preceptúa el art. 191 CC: "Sin perjuicio de lo dispuesto en el artículo anterior, abierta una sucesión a la que estuviere llamado un ausente, acrecerá la parte de éste a sus coherederos, al no haber persona con derecho propio para reclamarla. Los unos y los otros, en su caso, deberán hacer, con intervención del Ministerio Fiscal, inventario de dichos bienes, los cuales reservarán hasta la declaración del fallecimiento".

Entre las personas "con derecho a reclamar" la parte del ausente, cuya existencia tiene como efecto de acrecimiento a los coherederos, se encuentran los sustitutos vulgares nombrados por el testador para el ausente, aunque el testador no se haya referido expresamente a esta situación.

Respecto a la relación entre la sustitución vulgar con otras instituciones de Derecho sucesorio: 1°) en relación con el derecho de transmisión del art. 1006 CC.

En el caso de que el instituido heredero sobreviva al testador, aunque muera sin aceptar ni repudiar la herencia, no entra en juego la sustitución vulgar, excepto en el caso de expresa previsión del testador. En este caso, se daría el efecto propio del derecho de transmisión contemplado en el art. 1006 CC, con lo que el mismo tiene prevalencia sobre la sustitución vulgar[3]. En esta línea se pronuncia la Resolución DGRN núm. 1229/2017 de 20 enero, conforme a la cual la renuncia a la herencia del primer causante por el transmisario no implica

---

[3]   Sobre la naturaleza jurídica del derecho de transmisión vid. STS 11 de septiembre de 2013, que acepta la llamada tesis moderna sobre el derecho de transmisión. De acuerdo con esta tesis moderna, la herencia del primer causante hace tránsito directo al transmisario, con lo que se produce una sola transmisión.

un llamamiento a los sustitutos designados por el transmitente para el caso de renuncia en su propio testamento[4].

2º) en relación con el derecho de acrecer. La sustitución vulgar prevalece sobre el derecho de acrecer, puesto que debe darse un valor primordial a la voluntad expresamente manifestada en el testamento sobre la que presume la Ley.

Por último, debe tenerse en cuenta que la sustitución vulgar no puede perjudicar los derechos de los legitimarios, que tienen derecho a recibir su legítima libre de cargas y gravámenes, aunque si recayeren sobre el tercio destinado a mejora, sólo podrán hacerse a favor de los descendientes.

NORMATIVA

Arts. 679, 774, 191, 1006 CC.

JURISPRUDENCIA

STS (Sala de lo Civil, Sección 1ª), sentencia núm. 715/2003 de 10 de julio de 2003 (*Tol 295860*).
STS (Sala de lo Civil, Sección 1ª), sentencia núm. 539/2011 de 11 de septiembre de 2013 (*Tol 4001236*).
RDGRN de 27 de mayo de 2009.
RDGRN núm. 11520/2014, de 26 septiembre de 2014.
RDGRN núm. 9070/2015, de 29 junio de 2015.
RDGRN núm. 1229/2017 de 20 enero de 2017.

---

[4]   Conforme se establece en la Resolución citada: *"Es importante diferenciar las dos sucesiones —la de doña F. J. B. y la de doña M. D. S. J.— porque la sustitución vulgar señalada en el testamento de doña M. D. S. J. funciona sólo para su sucesión, de manera que sólo referida la renuncia a esa podría entrar en juego la sustitución a favor de don R. A. S. Pero si se acepta la herencia de doña M. D. S. J. y después, en ejercicio de "el mismo derecho que él —M. D.— tenía", se renuncia a la herencia a la que estaba llamada doña M. D. S. J., que es la de su madre, doña F. J. B., entonces serán las normas del título sucesorio de doña F. J. B. las que marquen quien entra en el orden de llamamientos. Al ser sucesión intestada la de doña F. J. B., entraría en juego el llamamiento de sus descendientes y por su falta el acrecimiento a sus hermanos".*

Testamento Ológrafo

Formulario 4. ACTA DE REQUERIMIENTO PARA LA ADVERACIÓN DE TESTAMENTO OLÓGRAFO y ACTA DE PROTOCOLIZACIÓN DE TESTAMENTO OLÓGRAFO

ACTA DE REQUERIMIENTO PARA LA ADVERACIÓN DE TESTAMENTO OLÓGRAFO

COMPARECE

..............., mayor de edad, de nacionalidad española, y con NIF/CIF número ...., según me acredita...............

Manifiesta ser residente en ...., ser casada, y de profesión ....

INTERVIENEN

En su propio nombre y derecho ....

Me aseguro de su identidad por la documentación reseñada. Tiene, a mi juicio, en el concepto en que interviene, discernimiento suficiente para otorgar la presente ACTA DE REQUERIMIENTO para la ADVERACIÓN DE TESTAMENTO OLÓGRAFO, y al efecto,...............

EXPONEN

PRIMERO.– OBJETO DEL REQUERIMIENTO. La requirente de este acta solicita de mí, el Notario, que acredite, por notoriedad, que el testamento ológrafo que me exhibe ha sido otorgado por DON ...., escrito de su puño y letra, y firmado por el testador, lo que le consta ....

SEGUNDO.– ACEPTACIÓN Y COMPETENCIA. Siendo lícito el objeto y fin de este requerimiento, yo, el Notario, acepto el mismo, que cumpliré con sucesivas y separadas diligencias, y yo, el Notario, me declaro competente por serlo para actuar en el lugar en que el causante tuvo su último domicilio o residencia habitual, de conformidad con la nueva redacción del artículo 57 de la Ley del Notariado ....

TERCERO.– FALLECIMIENTO DE DON .... Que DON ...., titular del Documento Nacional de Identidad número, de nacionalidad española y vecindad civil común, hijo de, nacido en el día..............., falleció en, de donde era vecino, el día .... habiendo tenido su ultimo domicilio en..............., calle D...............

CUARTO.– SITUACIÓN FAMILIAR. Que en el momento de su fallecimiento el causante:...............

a) ....Estaba SOLTERO, no teniendo descendencia...............

b) Que sus ascendientes fallecieron con anterioridad, habiendo fallecido su padre el día ....y su madre ....

QUINTO.- ÚLTIMAS VOLUNTADES. Que DON causante a que se refiere este acta, otorgó TESTAMENTO OLÓGRAFO. Del original del mismo que tengo a la vista, por pertinente a este otorgamiento, transcribo los literales siguientes sin que en lo omitido haya nada que altere, restrinja, condicione o de otro modo modifique lo inserto: "(...............)" ....

SEXTO.- Que DOÑA ....se constituye en este acto y me requiere a mí, el Notario, para que notifique la iniciación del presente expediente para la adveración del testamento ológrafo anteriormente indicado, a los parientes colaterales del causante hasta el cuarto grado, por no tener cónyuge ni descendientes y al haber fallecido sus ascendientes, conforme a lo establecido en el artículo 57.3 de la Ley del Notariado en concordancia con el artículo 61.3 del mismo cuerpo legal...............

Que los citados parientes colaterales hasta el cuarto grado son los siguientes:...............

SÉPTIMO.- PROPOSICIÓN Y PRÁCTICA DE PRUEBAS. Que la requirente DOÑA .... propone como prueba testifical a: ....

1. ....

2. ....

3. ....

Yo, el Notario, notificaré y citaré a los citados testigos anteriormente indicados para que comparezcan en esta Notaría...............

Que, asimismo, Dª solicita que se practique prueba documental y de confesión, a cuyo fin me requiere para que obtenga testimonio del testamento ológrafo exhibido, testimonio que quedará protocolizado con esta matriz, cuyo original forma, provisionalmente, parte de este expediente, en depósito, hasta su protocolización si procediere, entregándome: ....

– Certificado de defunción del expedido por el Registro Civil de..............., con fecha .... Testimonio hecho por mí y que considero legítimo se incorpora a la presente. ....

– ....

– ....

Asimismo, me requiere para que se acepte lo manifestado en el contenido de este requerimiento por parte de los testigos, en su caso, como prueba de confesión...............

OCTAVO.- REQUERIMIENTO .... Por lo expuesto, y en base a lo establecido en los artículos 61.4, de la Ley del Notariado de 28 de mayo de 1862, introducidos por la Ley 15/2015, de 2 de julio, de Jurisdicción voluntaria y *dado que no han transcurrido cinco años desde el fallecimiento del causante:* ....

ME REQUIERE

A mí, el Notario, para que emita juicio de notoriedad sobre los hechos expuestos, conforme a lo dispuesto en la Ley del Notariado, previa práctica de la prueba documental y testifical anteriormente indicada, declare la adveración del testamento ológrafo indicado ....

Acepto el requerimiento anterior, cuyo resultado se hará constar por acta posterior de notoriedad ....

Yo, el Notario advierto que, si una vez finalizado el expediente, queda adverado el testamento ológrafo objeto de la presente acta, remitiré el correspondiente parte al Registro General de Actos de Última Voluntad ....

OTORGAMIENTO Y AUTORIZACIÓN

Así lo otorgan los comparecientes, a quienes hago de palabra, las reservas y advertencias legales y en especial las consecuencias de una posible inexactitud de sus manifestaciones.

De acuerdo con lo establecido en la Ley Orgánica 3/2018, el compareciente ha sido informado de la incorporación de sus datos y de los interesados en este acta a los ficheros automatizados existentes en la Notaria de............... así como a la Base de Datos del índice único del Notariado, que se conservarán en las mismas con carácter confidencial, sin perjuicio de las remisiones de obligado cumplimiento. Además, queda advertido el compareciente que podrá ejercer en cualquier momento el derecho de acceso, rectificación, cancelación y oposición en los términos establecidos en la Ley Orgánica. Respecto a los ficheros automatizados existentes en la Notaría, el responsable del tratamiento es el Notario autorizante, con domicilio en..............., España.

Cumplido el requisito de la lectura conforme establece el artículo 193 del Reglamento Notarial, los comparecientes la aprueban y la firman.

De acuerdo con lo establecido en el artículo 17 bis de la Ley del Notariado, yo, el Notario, doy fe de la identidad de los otorgantes, de que a mi juicio tienen suficiente discernimiento y legitimación, de que el consentimiento ha sido libremente prestado por los otorgantes, y de que el otorgamiento se adecua a la legalidad y voluntad debidamente informada de los intervinientes.

De la identificación de los señores comparecientes por la documentación reseñada en esta escritura, y de todo lo demás contenido en este instrumento público, que queda extendido en ...., yo el Notario, **DOY FE**...............

DILIGENCIAS DE NOTIFICACIÓN (...............)

DILIGENCIAS DE RECEPCIÓN DEL AVISO DE RECIBO referida al Acta de REQUERIMIENTO PARA LA ADVERACIÓN DE TESTAMENTO OLÓGRAFO número ....de mi protocolo ordinario correspondiente al año dos mil diecisiete (...............) ....

DILIGENCIA FINAL

En ...., mi residencia, a ....

La extiendo yo, el Notario, para hacer constar que:...............

Una vez finalizada la fase probatoria con resultado positivo, el día veintidós de febrero de dos mil diecisiete, siendo las catorce horas y treinta minutos, no procediendo la notificación en el Tablón de Anuncios del Ayuntamiento de............... por conocerse la identidad y el domicilio de los parientes colaterales hasta el cuarto grado y considerando la relación de parentesco de los interesados con el causante, teniendo además los instituidos el carácter de legatarios, no existiendo oposición y no personándose en este expediente personas distintas de las mencionadas, yo el Notario, considero innecesaria la práctica de otras pruebas y doy por concluido el período probatorio...............

Yo, el Notario, *declaro*, por notoriedad, *adverado el testamento ológrafo referenciado, determinada su autoría, la autografía y el cumplimiento de todas las prescripciones legales, procediéndose a su protocolización* en virtud de Acta autorizada por mí, el día diez de marzo de dos mil diecisiete, bajo el número 848 de mi orden de protocolo...............

Y sin nada más que hacer constar, yo, el Notario, **DOY FE** del contenido íntegro de la presente diligencia, que queda extendida en ...., de todo lo cual, yo, el Notario, **DOY FE**...............

ACTA DE PROTOCOLIZACIÓN DEL TESTAMENTO OLÓGRAFO

POR MÍ Y ANTE MÍ,

Hago constar

I. Que en virtud de acta de Requerimiento autorizada por mí, el día..............., bajo el número .... de mi protocolo ordinario, a la cual me remito en todo su contenido, fui requerido, yo, el Notario, para la adveración de testamento ológrafo otorgado por ....

II. Que se han practicado, con resultado positivo, según consta en las diligencias sucesivas del Acta de Requerimiento reseñado en el párrafo anterior, las pruebas pertinentes, declarándose la adveración del Testamento Ológrafo...............

III. Por todo ello,...............

PROTOCOLIZACIÓN.– Yo, el Notario, protocolizo por la presente el testamento ológrafo que está extendido en .... tres folios de papel común sólo por su anverso, que han sido rubricados por mí...............

Como consecuencia de lo anterior, yo, el Notario, procedo a remitir el parte correspondiente al Registro General de Actos de Última Voluntad ....

Con lo cual doy por concluida esta acta ....

DOY FE de todo lo consignado en este instrumento público, extendido en ....

COMENTARIO

Estos formularios tienen por objeto respectivamente un acta de requerimiento para la adveración de testamento ológrafo, así como un acta de protocolización de testamento ológrafo.

Téngase en cuenta la siguiente información:

DOCTRINA

1. El testamento ológrafo

Las formalidades de este tipo de testamento, si bien mínimas, no ofrecen las garantías de protección de la voluntad del testador que tienen los testamentos notariales. Una de las cuestiones más importantes que deben tenerse en cuenta en este tipo de testamento es valorar, si debido a su forma privada, lo dispuesto por esa persona es realmente una disposición de última voluntad y no la expresión de un deseo o de unas recomendaciones debe ser considerada en sus estrictos términos[5].

Así lo expresó el Tribunal Supremo en su histórica Sentencia de 8 de julio de 1940 (RJ 1940, 689). En esta Sentencia se expresa el Tribunal en el siguiente sentido: "*la calificación jurídica de los testamentos, desde el punto de vista de sus elementos extrínsecos e intrínsecos, y sobre todo la del testamento ológrafo, como la forma más sencilla y simplificada de aquéllos, plantea delicados problemas que requieren, en cada caso, una cuidadosa y racional ponderación de los intereses individuales y sociales que entran en juego, pues si de una parte es deseable que la voluntad de los particulares tenga cumplimiento cuando se mueve y exterioriza dentro de los límites trazados por el derecho, es, de otra, notorio que si se aplican criterios de gran amplitud en la admisión de cuantos documentos ostenten, con mayor o menor perfección, los requisitos formales del testamento ológrafo, sin atender a que su contenido presente un carácter serio y jurídico acreditando en su autor la clara y libre voluntad de testar, se hará de dicho testamento una institución de tonos borrosos y equívocos resultados, y quedarán sin ninguna garantía la seguridad, la independencia y la certeza de esa misma voluntad privada que se trata de favorecer*".

---

[5] Vid. GARCÍA CANTERO, G., "Testamento ológrafo: transformarse o morir", en AA.VV. (dir. Lledó Yagüe, F., Ferrer Vanrell, M. P., Torres Lana, J. A.), *El patrimonio sucesorio. Reflexiones para un debate reformista*, Dykinson, Madrid, 2014, pp. 235-265.

El testamento ológrafo, como ha señalado la doctrina[6] presenta como ventaja indiscutible el hecho de ser secreto, ya que puede otorgarse sin la colaboración de un tercero, incluso sin necesidad de testigos. Como contrapartida, tiene el inconveniente de que esta modalidad de testamento no ofrece las garantías de protección de la voluntad del testador, que sí que se da en los testamentos notariales. Son también mayores las posibilidades de captación de la voluntad del testador, de falsificación, de pérdida o destrucción.

Asimismo, siendo su forma de redacción, privada y secreta, debe exigirse en el testamento ológrafo la garantía de que se trata de una auténtica disposición de última voluntad y no la expresión de simples deseos o recomendaciones, es decir, debe quedar patente la intención del causante de redactar un verdadero testamento. Ha de colegirse también la capacidad del testador en el momento de redactar el testamento.

Además, las disposiciones deben gozar de claridad, puesto que en otro caso el testamento no debería tener validez[7].

En el caso de la STS 19 diciembre 2006 la cuestión litigiosa se centra en la interpretación acerca de si la tarjeta de visita y la carta que la acompañaba, enviadas por don Marco Antonio al demandante desde Francia por correo urgente, a cuya capital se había desplazado para el tratamiento facultativo de una gravísima enfermedad, constituían o no testamento ológrafo, y en definitiva, si aquél instituyó heredero a don Pedro, y dejaba sin efecto su anterior testamento notarial. El referido don Marco Antonio, de 57 años de edad, natural y vecino de Madrid, falleció en esta ciudad el 22 de enero de 1995. El Juzgado estimó la demanda y su sentencia fue revocada en grado de apelación por la de la Audiencia. El TS estima el recurso de casación interpuesto y ratifica la sentencia del Juzgado de Primera instancia.

En opinión del TS: *"En la tarjeta de visita se utiliza la expresión "mi deseo de sustituir", y, según el Diccionario de la Lengua Española, el vocablo "desear" significa "aspirar con vehemencia al conocimiento, posesión o disfrute de una cosa" o "anhelar que acontezca o deje de acontecer un suceso", y la palabra "deseo" expresa el "movimiento enérgico de la voluntad hacia el conocimiento, posesión o disfrute de una cosa"; para el Diccionario de Uso del Español, de*

---

6   LACRUZ BERDEJO, J. L., *et alii*, *Elementos de Derecho Civil*, t. V. *Sucesiones*, Dykinson, Madrid, 2007, p. 187.

7   ROCA SASTRE, R. M., "Notas al Derecho de sucesiones", Kipp, T., en Enneccerus, L., Kipp, T., y Wolf, M., *Tratado de Derecho civil*, t. V, v. I, Barcelona, 2ª ed., Bosch, 1976, pp. 298-299: "Para que exista testamento y, por tanto, testamento ológrafo, es necesaria la esencia de la disposición *mortis causa* en sus palabras, en forma que resulte claramente del documento la intención de testar".

María Moliner, "desear" es "tender con el pensamiento al logro o realización de algo que proporcionaría alegría o pondría fin a un padecimiento o malestar", y "deseo" entre otras acepciones, quiere decir "intención" o "interés"; lo que representa una actitud similar a "voluntad", de la que es sinónima y, en la práctica, es utilizada a veces, en este sentido, en testamentos notariales.

Además, la circunstancia de que don Marco Antonio no acudiera a la notaría para otorgar nuevo testamento con la nominación del actor como heredero, configurada como trascendental para la sentencia de apelación desde el regreso de aquél a Madrid, no era precisa en este caso, en virtud de que el negocio jurídico formal determinado en la tarjeta de visita se había canalizado de acuerdo con las normas prescritas en el Código Civil para el testamento ológrafo (artículo 688 del Código Civil) y el testador no tenía que validar su voluntad mediante otro testamento notarial"[8].

En la más reciente Sentencia del TS de 25 noviembre de 2014 se considera como testamento ológrafo una nota manuscrita, firmada y fechada, con el siguiente contenido: "Gijón a 6 mayo 2002. Socorro desea que un piso de la casa de la NUM001. CALLE000 NUM000 se le entregue a Gema por el tiempo que lleva conmigo tan atenta y cariñosa". Firma "Socorro".

Resulta de especial interés en esta sentencia el modo didáctico con que expone el Tribunal Supremo los requisitos que debe reunir un testamento ológrafo. Uno de ellos es de la existencia de una verdadera voluntad de testar, que se entiende presente en el presente caso. Ello siguiendo la doctrina jurisprudencial anterior, como se contiene en la citada STS 19 diciembre 2006), donde se plantea la cuestión acerca de si la expresión "mi deseo es sustituir a Irene por Pedro" supone la revocación tácita de un testamento notarial anterior, a lo que se responde afirmativamente.

Se cita, asimismo en esta Sentencia, la clásica STS 6 junio 1918 donde se considera la existencia de testamento ológrafo en la expresión "Pacicos de mi vida...............todo para ti, todo...............".

---

8   COBAS COBIELLA, M. E., "Testamento ológrafo realizado de manera inusual. Una Sentencia interesante", *Revista de Derecho Patrimonial*, núm. 19/2007 (BIB 2007/1290). En opinión de la autora, *"los criterios barajados en la misma resultan de manera general acertados, aun cuando valoro que debió darse más importancia al concederle eficacia y validez al testamento ológrafo, a los requisitos formales del mismo y a la claridad que reviste la manifestación o declaración de voluntad del testador en la tarjeta de visita al expresar su deseo de sustituir un heredero por otro, en lo que constituye sin lugar a dudas un testamento ológrafo; habida cuenta que no se trata de un esbozo o proyecto donde el testador se limite a aconsejar sobre el destino de su patrimonio, sino que tal como se deduce y expresa del texto de las líneas expuestas consta con claridad la intención del causante de testar, con toda la esencia de la disposición mortis causa contenida en la manifestación de voluntad".*

Como se viene afirmando, este tipo de testamento genera frecuentes problemas de interpretación, que deben resolverse en un momento en el que ya no es posible preguntar a su autor[9].

La existencia de una verdadera voluntad de testar (*animus testandi*) no depende de que el testador emplee términos técnicos, ni se sirva de expresiones propias de las instituciones testamentarias. Más bien, del escrito ha de desprenderse con certeza que es la voluntad del otorgante la de disponer *mortis causa*.

Respecto del resto de requisitos esenciales para la existencia de tal testamento, es preciso que sea otorgado por persona mayor de edad, así como, desde el punto de vista formal, que sea escrito, firmado y fechado de la mano del testador.

En esta misma línea se sitúa la posterior STS 21 junio 2018 sobre testamento ológrafo. En esta Sentencia el Tribunal Supremo confirma la sentencia de la Audiencia Provincial y reconoce la validez del documento elaborado por el causante, que, aunque no habla de testamento, herencia, legado o muerte, sí contiene, en su opinión, un auténtico *animus testandi*.

En cuanto a los antecedentes de hecho, el JPI había dictado sentencia desestimatoria de la demanda presentada por el hijo natural del testador contra el resto de herederos, para protocolizar y dar validez al testamento de su padre. Según se establece en la sentencia, de la lectura del documento no se podía concluir que se estuviera ante un testamento ológrafo, sino más bien el documento, de fecha 18 de mayo de 1996, contenía una declaración de reconocimiento de que cierta persona era hijo biológico suyo, nacido de una relación extramatrimonial. Señalaba además, *que "al margen de los derechos testamentarios" deseaba donar a este hijo varias propiedades. Y entendió que la expresión "al margen de los derechos testamentarios"* realmente parecían dar al documento una cualidad "distinta" y ajena, hablaba de donar, que es un negocio *inter vivos*, y en ningún momento menciona su muerte.

Con anterioridad a la redacción del citado documento, el causante había otorgado un testamento abierto instituyendo herederos a sus hijos matrimoniales, junto con el hijo extramatrimonial.

Esta sentencia fue objeto de revocación por la Audiencia Provincial, al entender el tribunal que sí que existía intención de testar, representando dicho documento una adición a la disposición testamentaria que firmó con anterioridad ante el Notario. El hecho de que en ningún momento hable de testamento, muerte etc., no es relevante, puesto que el intérprete no debe limitarse a las propias palabras

---

[9]   Cfr. TORRES GARCÍA, T., "Comentario al art. 688 CC", en AA.VV. coord. Orduña Moreno, F. J., et alii, *Comentarios al Código Civil*, Thomson Reuters, 2016.

ni a su análisis gramatical, sino que hay que buscar la voluntad real expresada en el documento en el momento en que lo redactó. En consecuencia, del escrito sí puede extraerse la verdadera voluntad de testar, sin que ello afecte a la validez del testamento abierto suscrito con anterioridad. Dicha sentencia es confirmada por el TS; entendiendo el Alto tribunal que efectivamente existe una voluntad de testar, no siendo la interpretación dada por la Audiencia errónea o ilógica. En opinión del Tribunal, "*la sentencia recurrida, en un documento que reúne todos los requisitos formales de testamento ológrafo (autografía, firma y fecha), basa su calificación en la regla preferente de la voluntad realmente querida por el testador (art. 675 del CC) acorde con una razonabilidad sustentada en la interpretación lógica y sistemática que realiza del documento en cuestión. Por lo que su conclusión o decisión respecto de la validez del testamento otorgado no puede ser tachada de ilógica, absurda o contraria a la voluntad del causante*".

2. La adveración y protocolización del testamento ológrafo

Después de la muerte del testador, se deben llevar a cabo una serie de formalidades para que el testamento ológrafo, documento privado, se eleve a la condición de público y produzca efectos jurídicos. Estas formalidades son la adveración y protocolización del testamento ológrafo, que se llevarán a cabo conforme a lo establecido en los arts. 61 a 63 de la Ley del Notariado (redacción conforme a la Disp. Ad. 11ª Ley 15/2015, de 2 de julio, de Jurisdicción Voluntaria).

De este modo, de acuerdo con el art. 689 CC: "El testamento ológrafo deberá protocolizarse, presentándolo, en los cinco años siguientes al fallecimiento del testador, ante Notario. Este extenderá el acta de protocolización de conformidad con la legislación notarial". En consecuencia, el testamento ológrafo caducará si no se presenta en el citado plazo de 5 años.

Iniciarán este trámite, conforme al art. 690 CC, la persona que tenga en su poder el testamento ológrafo en los diez días siguientes a aquel en que tenga conocimiento del fallecimiento del testador, así como cualquier persona que tenga interés como heredero, legatario, albacea.

Respecto a la competencia notarial, según dispone el art. 61.1 LN, será competente el Notario del lugar en el que hubiese tenido el causante su último domicilio o residencia habitual, también del lugar donde se encuentre la mayor parte de su patrimonio, o en el lugar en el que hubiese fallecido, siempre que se encuentren en España, a elección del solicitante. Asimismo, se puede elegir al Notario de un distrito colindante a los anteriores. En su defecto, será competente el Notario del lugar del domicilio del requirente.

Conforme a la legislación notarial, en el caso de que transcurridos diez días desde el fallecimiento del otorgante el testamento no fuese presentado conforme a lo establecido en el Código Civil, cualquier interesado podrá pedir al Notario que requiera a la persona que tenga en su poder un testamento ológrafo para que lo presente ante él.

Se habrán de acreditar los datos identificativos del causante y mediante información del Registro civil y del Registro General de actos de última voluntad, el fallecimiento del otorgante, así como si éste hubiese otorgado otras disposiciones testamentarias. Si fuese extraño a la familia del fallecido, además deberá expresar en la solicitud el motivo por el que crea tener interés en relación con la presentación del testamento (conforme al art. 61.2 LN).

2.1. La adveración del testamento ológrafo

Según dispone el art. 691 CC, una vez presentado *"el testamento ológrafo y acreditado el fallecimiento del testador, se procederá a su adveración conforme a la legislación notarial"*.

En este trámite, conforme preceptúa el art. 62.1 LN, el Notario deberá requerir para que comparezcan ante él, en el día y hora que señale, el cónyuge sobreviviente, en su caso, los descendientes y ascendientes del testador, y en su defecto, los parientes colaterales hasta el cuarto grado.

En el párrafo 5º del citado precepto se hace constar lo siguiente: *"En el día señalado, el Notario abrirá el testamento ológrafo cuando esté en pliego cerrado, lo rubricará en todas sus hojas y serán examinados los testigos. Cuando al menos tres testigos, que conocieran la letra y firma del testador, declarasen que no abrigan duda racional de que fue manuscrito y firmado por él, podrá prescindirse de las declaraciones testificales que faltaren.*

A falta de testigos idóneos o si dudan los examinados, el Notario podrá acordar, si lo estima conveniente, que se practique una prueba pericial caligráfica".

Se prevé, asimismo, conforme al apartado siguiente (art. 62.6 LN) que: *"Los interesados podrán presenciar la práctica de las diligencias y hacer en el acto las observaciones que estimen oportunas sobre la autenticidad del testamento, que, en su caso, serán reflejadas por el Notario en el acta"*.

Una vez adverado el testamento, acreditada la identidad de su autor, el acto siguiente es la protocolización del testamento, conforme al art. 692 CC. En otro caso, se procederá a archivar el expediente sin protocolizar el testamento, sin perjuicio de que los interesados que no estén conformes puedan ejercer los derechos que les correspondan.

2.2. La protocolización del testamento ológrafo

Establece el art. 693.1 CC que *"el Notario, si considera acreditada la autenticidad del testamento, autorizará el acta de protocolización, en la que hará constar las actuaciones realizadas y, en su caso, las observaciones manifestadas"*.

El acta de protocolización viene definida en el art. 211 del Reglamento Notarial como aquella acta que tiene "las características generales de las de presencia, pero el texto hará relación al hecho de haber sido examinado por el Notario el documento que deba ser protocolado, a la declaración de la voluntad del requirente para la protocolización o cumplimiento de la providencia que la ordene, al de quedar unido el expediente al protocolo, expresando el número de folios que contenga y los reintegros que lleve unidos".

Con la protocolización se otorga al testamento ológrafo la eficacia de documento público (vid. art. 221 Reglamento Notarial). Asimismo, se facilita su conservación, se evita la alteración de su contenido y sirve de título para la inscripción del derecho en favor del heredero o legatario en el Registro de la propiedad.

Conforme establece el párrafo 2º del art. 693 CC, "(a)utorizada o no la protocolización del testamento ológrafo, los interesados no conformes podrán ejercer sus derechos en el juicio que corresponda". La acción procedente en este caso se entiende que es la *actio petitio hereditatis* mencionada en el art. 192 CC, así como en los arts. 1016 y 1021 CC, aunque como tal carece de regulación en el Código Civil.

NORMATIVA

Arts. 61, 62, 63 LN, Arts. 688, 689, 690, 691, 692, 693 CC.

JURISPRUDENCIA

STS (Sala de lo Civil, Sección 1ª), Sentencia de 6 de junio de 1918.
STS (Sala de lo Civil, Sección 1ª), Sentencia de 8 de julio de 1940.
STS (Sala de lo Civil, Sección 1ª), sentencia núm. 1302/2006 de 19 de diciembre de 2006 (*Tol 1022965*).
STS (Sala de lo Civil, Sección 1ª), sentencia núm. 682/2014 de 25 de noviembre de 2014 (*Tol 4560795*).
STS (Sala de lo Civil, Sección 1ª), sentencia núm. 382/2018 de 21 de junio de 2018 (*Tol 6651587*).

2. PACTOS SUCESORIOS
En los Derechos forales

Formulario 1. ESCRITURA DE PACTO SUCESORIO. DERECHO CATALÁN

ESCRITURA DE PACTO SUCESORIO

NÚMERO

En ...., a ...., siendo las .... horas y .... minutos.

ANTE MI, ..., Notario del Ilustre Colegio de ...., con residencia en ....,

COMPARECEN

DOÑA ...., mayor de edad, casada, vecina de ...., con domicilio en .... Exhibe DNI/NIF ....

DON ...., mayor de edad, soltero, vecino de ...., con domicilio en .... Exhibe DNI/NIF ....

DOÑA ...., mayor de edad, soltera, vecina de ...., con domicilio en .... Exhibe DNI/NIF

De vecindad civil catalana (En su caso, se expresará la documentación aportada).

Intervienen en su propio nombre y derecho.

Les identifico por sus expresados Documentos Nacionales de Identidad.

Tienen, a mi juicio, capacidad y legitimación para otorgar esta escritura de **PACTOS SUCESORIOS y DICEN Y OTORGAN**:

I. HEREDAMIENTO A FAVOR DE DESCENDIENTE

PRIMERO.– Don ...., nombra e instituye heredero de todos los bienes que dejare a su fallecimiento a su hijo Don ...., con todos los efectos del heredamiento simple que regula el art. 431-18 del Libro IV del Código Civil de Cataluña y con reserva del usufructo de viudedad a favor de su esposa, Doña ...., la cual acepta.

SEGUNDO.– Queda obligado el hijo nombrado heredero a convivir con el heredante y a trabajar a beneficio de la casa. En caso de cesar la convivencia recibirá el heredero nombrado una cuarta parte de los bienes que en tal momento tuviere su padre.

TERCERO.– Se reserva el heredante la facultad de disponer de hasta la cifra de .... para satisfacer la legítima de los otros hijos y en caso de fallecer sin haberla satisfecho, corresponderá esta obligación al heredero designado hasta completarla.

CUARTO.– Don .... acepta la institución a su favor y sus condiciones.

II. PACTOS ENTRE LOS ESPOSOS

PRIMERO.– Don .... y Doña ...., para el caso de fallecimiento de cualquiera de ellos, se conceden mutuamente el usufructo universal y vitalicio, sin obligación de fianza.

SEGUNDO.– Los mismos Don .... y Doña .... para el caso de tener sucesión común convienen en haber de elegir heredero o herederos entre sus hijos, en la forma que cada uno de ellos, para su herencia, libremente determine; pero para evitar una muerte intestada, preventivamente nombran herederos a todos los hijos que tuvieren de su proyectado enlace y por iguales partes, sustituyendo, por la vulgar, a los premuertos, sus respectivos hijos, a partes iguales. En el caso de que no hubiere descendientes se instituyen mutuamente herederos.

Aceptación: Los comparecientes aceptan esta escritura.

PROTECCIÓN DE DATOS PERSONALES

OTORGAMIENTO Y AUTORIZACIÓN.– Se han hecho las reservas y advertencias legales.

Les leo, por su elección, este documento público, advertidos de su derecho a leerlo por sí, del que no usan, manifiestan quedar enterados de su contenido, la aceptan, se ratifican y firman.

Yo, el Notario, Doy fe de que el consentimiento ha sido libremente prestado y de que el otorgamiento se adecua a la legalidad y a la voluntad debidamente informada de los otorgantes.

Queda extendida en..............

Y de su contenido, **DOY FE**.

COMENTARIO

A partir de la entrada en vigor de la reforma de la legislación procesal operada por la Ley 8/2021, de 2 de junio, Cataluña ha emprendido el proceso de reforma para adaptar su legislación a la Convención de Nueva York y que sirva para dar respuesta a los nuevos procedimientos de provisión de apoyos que se emprendan a partir de ahora en Cataluña. Para evitar incertidumbres, y para ese periodo transitorio, la Generalitat de Catalunya, competente en derecho civil, tiene que llenar este vacío legal hasta que no esté concluida la regulación definitiva. Y a eso responde el Decreto-ley 19/2021, de 31 de agosto, por el que se adapta el Código Civil de Cataluña a la reforma del procedimiento de modificación judicial de la capacidad. Por lo que ahora interesa, y si ya debe operar como premisa la existencia de un único tipo de capacidad también en Cataluña, el juicio de capacidad no debe ser ya de capacidad legal, sino de capacidad o discernimiento.

Al margen de ello, este formulario tiene por objeto una escritura de pacto sucesorio, siendo aplicable al caso el Derecho sucesorio catalán. Téngase en cuenta la siguiente información:

Doctrina

Los pactos sucesorios

El contrato sucesorio podría definirse como un acuerdo bilateral de voluntades en virtud del cual se regula una futura sucesión, que desplegará sus efectos después de la muerte de la persona cuya sucesión viene contemplada en el mismo.

El causante vincula su voluntad mediante el pacto a la de otra persona, por lo que queda privado de la facultad de revocar las disposiciones sucesorias acordadas.

Estos pactos se encuentran prohibidos en el Código civil, conforme a lo dispuesto en el art. 1271. 2 "Sobre la herencia futura no se podrá, sin embargo, celebrar otros contratos que aquéllos cuyo objeto sea practicar entre vivos la división de un caudal y otras disposiciones particionales, conforme a lo dispuesto en el artículo 1056".

No obstante, en algunos Derechos autonómicos como en el Derecho civil catalán la sucesión contractual se encuentra regulada en el Libro IV del Código civil de Cataluña aprobado por la Ley 10/2008, de 10 de julio. Conforme al art. 411-7: "Son nulos los contratos o pactos sobre sucesión no abierta, salvo los admitidos por el presente código". Por lo tanto, la regla general es la no admisibilidad de los mismos, excepto en los casos regulados en el código, en particular en los arts. 431-1 y ss.

También en el Derecho de Aragón se regulan los pactos sucesorios en el Real Decreto legislativo 1/2001, de 22 de marzo, del Código de Derecho Foral de Aragón. En su art. 317 se preceptúa lo siguiente: "La sucesión se defiere por pacto, por testamento o por disposición de la Ley". En Galicia, la Ley 2/2006, de 14 de junio regula en los arts. 209 a 227 los pactos sucesorios. Por su parte, en las Islas Baleares, la regulación de la cuestión se contiene en la Compilación de derecho civil de Illes Balears, modificada por Ley 7/2017, de 3 de agosto. En esta Comunidad autónoma existe una regulación de la cuestión distinta en Mallorca (Libro I), Ibiza y Formentera (Libro III). En el País Vasco esta materia se encuentra regulada en el Capítulo III de la Ley 5/2015, de 25 de junio, de Derecho Civil Vasco. Por último, en Navarra los pactos sucesorios tienen su regulación en las leyes 172 a 183 dentro de la Ley 1/1973 de 1 de marzo, por la que se aprueba la Compilación del Derecho Civil Foral de Navarra.

La sucesión contractual en el Derecho catalán

En este ordenamiento jurídico los pactos sucesorios pueden tener un contenido amplio. Así, el art. 431-5 del Código civil catalán dispone que *"en pacto sucesorio, puede ordenarse la sucesión con la misma amplitud que en testamento. Los otorgantes pueden hacer heredamientos y atribuciones particulares, incluso de usufructo universal, y sujetar las disposiciones, tanto si se hacen a favor de ellos como de terceros, a condiciones, sustituciones, fideicomisos y reversiones. También pueden designarse albaceas, administradores y contadores partidores"*.

El contenido principal del pacto sucesorio puede ser la institución a título universal, de uno o más herederos, así como la atribución a título singular. Cabe también la posible renuncia a la legítima futura en alguno de los tres casos de excepción a la regla general de prohibición en el art. 451-26 CCC.

Es posible también establecer mediante pacto cargas, condiciones, sustituciones, reversiones y fideicomisos. Asimismo, cabe la designación de albaceas, administradores y contadores partidores.

A diferencia de un contrato ordinario, en el contrato sucesorio el favorecido por el pacto no es un obligado contractual, puesto que de los pactos sucesorios no surgen obligaciones recíprocas. Pero ello no obsta a que a aquel se le imponga una carga (*v.gr.* prestar cuidados al futuro causante o a un tercero por él designado).

Cuestiones de forma y de publicidad

Como requisito de validez, el pacto debe hacerse constar en escritura pública. Además, el notario autorizante de la escritura debe comunicarlo al Registro General de Actos de última Voluntad. Ello es debido a que, pese a no ser un acto de última voluntad, puede revocar cualquier testamento anterior, así como provocar la nulidad de cualquier testamento posterior que sea incompatible. Por ello, resulta de gran importancia constatar el otorgamiento de un pacto sucesorio en dicho Registro. Puede, del mismo modo, solicitarse la toma de razón del mismo en otros registros públicos, como el Registro de la Propiedad cuando se trate de un contrato sucesorio que contenga un heredamiento o atribución singular que tenga por objeto bienes inmuebles. En este caso hay que distinguir dos situaciones: a) que la transmisión del dominio sobre el inmueble se difiera a un momento posterior al del pacto, en cuyo caso el heredamiento o disposición particular se hará constar por nota al margen de la inscripción de la finca; b) que la transmisión del inmueble tenga lugar en el momento de perfeccionarse el pacto, en este caso el mismo provocará un asiento de inscripción de dominio a nombre del nuevo propietario, puesto que el pacto en escritura pública es inscribible de acuerdo con el art. 14 LH. En el caso de que el objeto del pacto sea la continuidad de una empresa familiar se puede hacer constar la existencia de dicho pacto en el Registro mercantil territorial donde conste inscrita la sociedad.

Tipos de pactos sucesorios en el Derecho catalán

a) Pactos sucesorios de institución

Su efecto es el de dotar, como regla general, de modo irrevocable a una o más personas la cualidad de heredero del futuro causante. Ya no se exige como anteriormente que se otorgue en atención a un matrimonio, así como tampoco que se instituya a un único heredero.

Puede tratarse de un heredamiento simple, en el que se atribuye al instituido la cualidad de heredero del futuro causante, aunque se otorgue también a favor del instituido una donación presente de bienes concretos. O de un heredamiento cumulativo donde al instituido se le confiere la condición de heredero, así como todos los bienes presentes del futuro causante. Si en el heredamiento no se especifica nada se entiende que es simple.

Es posible también la figura del heredamiento mutual en el que se contiene la institución recíproca de heredero entre los otorgantes del pacto, a favor del que de ellos sobreviva. No necesariamente tiene que darse entre contrayentes o esposos.

Con carácter general los heredamientos son irrevocables, aunque pueden quedar ineficaces en los casos contemplados en la ley (revocación por indignidad, por las causas pactadas expresamente, por incumplimiento de cargas, por imposibilidad de cumplimiento de la finalidad determinante del pacto, por cambio sustancial, sobrevenido e imprevisible de las circunstancias que constituyeron su fundamento, vid. arts. 431-13 y 14 CCC).

Hay, no obstante, heredamientos revocables, se trata del heredamiento preventivo del art. 431-21 CCC. Puede ser revocado unilateralmente mediante testamento abierto o notarial o por pacto sucesorio. Para que sea eficaz, debe notificarse notarialmente a los demás otorgantes del pacto sucesorio, salvo que los otorgantes hayan dispensado el cumplimiento de este requisito. El carácter preventivo del heredamiento no se presume.

b) Pactos sucesorios de atribución particular

En virtud de los mismos de ordenan legados, de modo que la transmisión de la propiedad del objeto legado no se producirá sino después de la muerte del causante. Mientras tanto, éste no podrá disponer de los bienes que constituyan su objeto sin el consentimiento expreso del favorecido o si no fue parte, sin el de los demás otorgantes del pacto.

En cuanto a sus modalidades, según dispone el art. 431-29 CCC, puede convenirse atribuciones particulares, a favor de uno de los otorgantes o de terceros. Cabe también la posibilidad de pactar atribuciones particulares recíprocas a favor del que sobreviva.

Pueden hacerse también con carácter preventivo, conforme al art. 431-21.

c) Pactos sucesorios de renuncia

El Código civil catalán en su art. 451-26 preceptúa con carácter general la nulidad de los pactos sucesorios que "impliquen renuncia al derecho de legítima o que perjudiquen a su contenido". Se admiten, sin embargo, tres excepciones, si se otorgan en escritura pública:

"a) El pacto entre cónyuges o convivientes en pareja estable en virtud del cual renuncian a la legítima que podría corresponderles en la sucesión de los hijos comunes y, especialmente, el pacto de supervivencia en que el superviviente renuncia a la que podría corresponderle en la sucesión intestada del hijo muerto impúber.

·b) El pacto entre hijos y progenitores por el que estos últimos renuncian a la legítima que podría corresponderles en la herencia del hijo premuerto.

c) El pacto entre ascendientes y descendientes estipulado en pacto sucesorio o en donación por el que el descendiente que recibe de su ascendiente bienes o dinero en pago de legítima futura renuncia al posible suplemento".

Nulidad de los pactos sucesorios

Las causas de nulidad de los pactos se encuentran reguladas en el art. 431-9 CCC. Establece el precepto varias causas de nulidad. En primer lugar: "*1. Son nulos los pactos sucesorios que no corresponden a ninguno de los tipos estable-*

cidos por el presente código, los otorgados por personas no legitimadas, o bien sin observar los requisitos legales de capacidad y de forma, y los otorgados con engaño, violencia o intimidación grave".

Respecto a la falta de legitimación se refiere a pactos sobre la herencia futura que se perfeccionan por personas que no están unidas por alguno de los vínculos de parentesco, matrimonio o convivencia que se encuentran mencionados en el art. 431-2 CCC (cónyuge o futuro cónyuge, persona con quien convive en pareja estable, parientes en línea directa sin limitación de grado, o en línea colateral dentro del cuarto grado, en ambos casos tanto por consanguinidad como por afinidad, parientes por consanguinidad en línea directa o en línea colateral, dentro del segundo grado, del otro cónyuge o conviviente).

En cuanto a la capacidad, solamente se exige plena capacidad de obrar en aquellos casos en los que mediante el pacto el menor realice algún acto dispositivo o se le imponga una carga. De modo diferente a cuando sea favorecido puramente y sin condición. Cuando se precise de plena capacidad de obrar el pacto sucesorio otorgado por el menor será anulable, pudiendo ejercitar la acción el propio otorgante en los cuatro años siguientes a la adquisición o recuperación de la plena capacidad o sus representantes legales antes de dicho momento.

Por otro lado, conviene destacar que la inobservancia de la forma necesaria conlleva la nulidad del pacto (pacto no otorgado en escritura pública). Asimismo, se verá afectado de nulidad el heredamiento preventivo que no establezca la hora del otorgamiento, ya que se trata de una exigencia formal impuesta por el art. 431-7.2 CCC).

En segundo lugar se refiere a los casos de vicios del consentimiento que tienen la virtualidad de anular determinadas disposiciones dentro del pacto: *"2. Son nulas las disposiciones en pacto sucesorio que se han otorgado con violencia, intimidación grave, engaño o error en la persona o en el objeto. También lo son las que se han otorgado con error en la finalidad o los motivos, si el error es excusable y resulta del propio pacto que el otorgante que ha cometido el error no habría otorgado la disposición si se hubiese dado cuenta.*

Por último se hace constar expresamente que no cabe la impugnación de los pactos sucesorios "por causa de preterición ni revocar por supervivencia o supervención de hijos, sin perjuicio del derecho de los legitimarios a reclamar su legítima".

Debe tenerse en cuenta que la regulación de la nulidad de los pactos sucesorios se encuentra inspirada por el principio de conservación de los actos y negocios jurídicos, principio que ha sido defendido por reiterada jurisprudencia en materia sucesoria[10]. De este modo, según preceptúa el art. 431-11 CCC: "*La nulidad de una disposición convenida en pacto sucesorio no determina la nulidad de las demás disposiciones hechas por el mismo otorgante o por los demás otorgantes, salvo que se trate de disposiciones correspectivas o que del contexto del pacto resulte que la disposición no habría sido hecha sin la disposición declarada nula*".

Ineficacia sobrevenida de los pactos sucesorios

a) Modificación y resolución por mutuo acuerdo

En primer lugar, cabe la modificación y resolución del pacto por mutuo acuerdo, conforme al art. 431-12 CCC. Para ello es preciso que concurran las mismas personas que otorgaron el pacto inicial, por lo que no podría modificarse o resolverse cuando uno de los otorgantes originarios hubiese fallecido. Si hubiesen concurrido más de dos personas, para modificarlo o resolverlo, solo es preciso el consentimiento de aquellas a las que afecta la modificación o resolución.

En cuanto a la capacidad, se debe gozar de plena capacidad de obrar, salvo que se trate de una modificación que favorezca a un otorgante menor o incapaz.

El acuerdo modificativo debe asimismo hacerse constar en escritura pública.

b) Revocación

Puesto que el contrato sucesorio tiene carácter bilateral o plurilateral, no puede ser modificado o dejado sin efecto por una de las partes. Sin embargo, se admite la ineficacia sobrevenida, en todo o en parte, por voluntad del futuro causante cuando se dan las causas estipuladas en el Código civil de Cataluña.

En primer lugar, es posible la revocación por indignidad (art. 431-13). Dándose una de las causas de indignidad sucesoria, el sujeto puede revocar en el plazo de un año desde el momento en que el causante conoce o puede razonablemente

---

10   En la reciente doctrina jurisprudencial juega un papel muy importante el criterio interpretativo del "favor testamenti" en orden a justificar la prevalencia de la voluntad realmente querida por el testador, como eje central de la ordenación dispuesta testamentariamente, casos, entre otros de las sentencias de referencia del Tribunal Supremo: STS 15 enero 2013; STS 10 diciembre 2014; STS 30 octubre 2012; STS 3 junio 2014. El principio de "favor testamenti" sirve para flexibilizar el criterio rigorista en la aplicación de las solemnidades testamentarias. Por su parte, la citada STS 15 de enero de 2013 es representativa de la importancia que cobra, asimismo, en la reciente doctrina jurisprudencial el principio de conservación de los actos y negocios jurídicos ("favor contractus"), no solo en su concepción tradicional de canon interpretativo (artículo 1284 del Código Civil), sino también en su propia configuración de principio general del derecho, particularmente aplicable a los supuestos de ineficacia contractual.

conocer la causa de indignidad. Cabe también la revocación por terceras personas si el causante muere sin haber podido ejercer la acción o antes de que caduque el plazo para ejercerla en las condiciones fijadas por la ley.

En segundo lugar el art. 431-14 se refiere a la posibilidad de revocación por voluntad unilateral cuando se den las causas pactadas expresamente; por incumplimiento de las cargas impuestas al favorecido; por imposibilidad de cumplimiento de la finalidad que fue determinante del pacto o de alguna de sus disposiciones; por el hecho de producirse un cambio sustancial, sobrevenido e imprevisible de las circunstancias que constituyeron su fundamento.

En estos casos la facultad de revocar caduca a los cuatro años contados desde el momento en que se produjo el hecho determinante de la revocación.

NORMATIVA

Arts. 431-1 y ss. Código Civil de Cataluña.

JURISPRUDENCIA

Sentencia de la Audiencia Provincial de Barcelona, núm. 72/2015 de 18 de febrero de 2015 (*Tol 5211569*).
Sentencia del Tribunal Superior de Justicia de Cataluña de 28 de mayo de 1990.

3. ACTOS INTERVIVOS CON TRASCENDENCIA SUCESORIA

Derechos de los Legitimarios

ESCRITURA DE DONACIÓN

NÚMERO ....

COMPARECENCIA ....

Ante mí ...., Notario de ...., del Ilustre Colegio Notarial de ...., comparecen:

DON .... *(donante)*, mayor de edad, de estado............... *(en su caso, régimen económico matrimonial)*, de profesión ...., vecino de ...., calle número ....; DNI-NIF...............-X.

DON .... *(donatario)*, mayor de edad, de estado............... de profesión ...., vecino de ...., calle ...., número ....; DNI-NIF...............-X.

Intervienen en su propio nombre. Me aseguro de su **identidad** por sus reseñados documentos. Los juzgo con **capacidad** y **legitimación** para el otorgamiento de esta escritura.

EXPOSICIÓN

Finca objeto de esta escritura .... *(descripción, datos de inscripción, referencia catastral)*

Título ....

Cargas y gravámenes ....

Situación arrendaticia y posesoria ....

OTORGAMIENTO

1. Donación.– Don .... dona la finca descrita a su hijo Don ...., que acepta la donación.

A efectos fiscales se estima el valor de lo donado en............... euros ....

2. Esta donación se hace en pago de legítima y se quiere como colacionable.

3. Gastos.– Todos los gastos e Impuestos que se deriven del otorgamiento de esta escritura serán de cargo de la parte donataria.

Protección de datos. De acuerdo con lo establecido en la Ley Orgánica 3/2018, de 5 de diciembre, de Protección de Datos Personales y garantía de los derechos digitales, los comparecientes han sido informados de la incorporación de sus datos y de los interesados en esta escritura a los ficheros automatizados existentes en la Notaría de..............., así como a la Base de Datos del índice único del Notariado, que se conservarán en las mismas con carácter confidencial, sin perjuicio de las remisiones de obligado cumplimiento. Además queda advertido el compareciente que podrá ejercer en cualquier momento el derecho de acceso, rectificación, cancelación y oposición en los términos establecidos en la Ley Orgánica. Respecto a los ficheros automatizados existentes en la Notaría, el responsable del tratamiento es el Notario autorizante, con domicilio en ....

Hago las reservas y advertencias legales y en particular, a efectos fiscales:

– Impuesto sobre Sucesiones y Donaciones: Se advierte a los herederos de la obligación de pago de dicho Impuesto en el plazo legal.

– Impuesto sobre el Incremento de Valor de los Terrenos de Naturaleza Urbana: se advierte de la obligación tributaria de liquidar en el plazo de un mes desde el otorgamiento de esta escritura el Impuesto Municipal sobre el incremento de valor de terrenos urbanos, en el Ayuntamiento correspondiente al lugar de situación de la finca en el plazo de 30 días hábiles a contar de la fecha de la presente.

– Obligaciones catastrales: Se advierte a los comparecientes de la obligación de presentar declaración de alteración en el Catastro en el plazo de dos meses a contar desde hoy, constituyendo infracción tributaria simple la falta de presentación.

Leo la presente escritura a los compareciente, por su elección y renuncia a hacerlo por sí, la encuentran conforme con su voluntad y la firman conmigo.

Les identifico con los documentos reseñados en la comparecencia, cuyos datos contenidos en los mismos, incluida la firma, constato con los datos y firma reseñados en la presente.

Del consentimiento libremente prestado y de la voluntad debidamente informada del otorgante, de su legitimación, de la adecuación a la legalidad del presente otorgamiento y de todo lo demás contenido en la presente escritura, extendida en ....

COMENTARIO

Este formulario tiene por objeto una escritura de donación como anticipo de legítima. Téngase en cuenta la siguiente información:

DOCTRINA

Introducción

La definición legal de legítima sucesoria se encuentra contenida en el artículo 806 CC: "Legítima es la porción de bienes de que el testador no puede disponer por haberla reservado la ley a determinados herederos, llamados por esto herederos forzosos".

Se trata, en definitiva, de una cuota a la que tienen derecho los parientes en línea recta y el cónyuge de cualquier persona en el patrimonio de ésta (excepcionalmente, por cuenta de ella), a percibir a partir de su muerte, si no se recibió en vida. Supone, por ello, una limitación en la libertad de testar, puesto que aquella persona que tiene estos parientes no puede disponer libremente (mediante actos de disposición a título gratuito) de todo su patrimonio.

En cuanto al título de atribución de la legítima, conforme al art. 815 CC: "El heredero forzoso a quien el testador haya dejado por cualquier título menos de la legítima que le corresponda, podrá pedir el complemento de la misma".

De ello se desprende que no existe el deber del causante de instituir como heredero al legitimario, sino más bien recae sobre el causante un deber genérico de atribución que puede cumplirse inter vivos (por donación) o mortis causa (por cualquier título, por herencia o por legado).

Incluso cabe la posibilidad de designar a no legitimarios como herederos o legatarios con la carga de pagar en metálico la legítima a los legitimarios[11].

Sobre la posible renuncia a la legítima se pronuncia el art. 816 CC, según el cual: "Toda renuncia o transacción sobre la legítima futura entre el que la debe y sus herederos forzosos es nula, y éstos podrán reclamarla cuando muera aquél; pero deberán traer a colación lo que hubiesen recibido por la renuncia o transacción".

Ahora bien, una vez abierta la sucesión, la renuncia a la legítima es válida. Quien renuncia, renuncia por sí y por su estirpe (vid. art. 985.II CC)[12].

Los legitimarios

Conforme al art. 807 CC: "Son herederos forzosos:

---

[11] Vid. STS 9 diciembre 2010. En este caso la testadora había impuesto a los legatarios del único bien inmueble de la herencia la carga de compensar en dinero a los demás legitimarios, a quienes se otorga únicamente la legítima estricta.

[12] Cfr. STS 10 julio 2003.

1º Los hijos y descendientes respecto de sus padres y ascendientes.

2º A falta de los anteriores, los padres y ascendientes respecto de sus hijos y descendientes.

3º El viudo o viuda en la forma y medida que establece este Código".

Por lo tanto, legitimarios son los descendientes sin distinción respecto de los matrimoniales o extramatrimoniales, o por naturaleza o adopción (por aplicación del principio de igualdad consagrado en la Constitución Española de 1978). A falta de descendientes, los ascendientes, y en todo caso el cónyuge viudo, que no es excluyente puesto que su legítima consiste en un derecho de usufructo, cuya cuantía es variable en función del grupo de parientes con los que concurra.

Mejora realizada mediante donación. Carácter coleccionable de la misma

En principio, se entiende que las donaciones dispensadas de colación deben ser imputadas a la porción de libre disposición, no obstante, en cuanto que excedan del mismo, y puesto que ponen de manifiesto una voluntad del causante de desigualar, cabe plantear su imputación a la mejora.

Como argumento en contra de esta interpretación se encuentra el tenor literal de los artículos 825 y 819.1 CC que requieren la expresión de la voluntad de mejorar en las liberalidades "inter vivos", frente a lo previsto en el artículo 828 CC.

A favor se puede argumentar la analogía del supuesto con el contemplado en el artículo 828 CC que permite imputar la donación a la mejora "cuando no quepa en la parte libre" sin que se emplee expresamente el término mejora, de acuerdo con lo que expone la STS (Sala 1ª) 29 julio 2013. Bastaría, pues, con que la voluntad de mejorar sea clara, de manera que si el donatario con dispensa de colación ha sido instituido heredero, la voluntad del donante es que el donatario reciba el bien donado además de lo que le corresponda por su parte en la herencia, sin que deba limitarse el alcance de la dispensa de colación al tercio libre.

En la referida sentencia se plantean, pues, dos cuestiones diferenciadas. Por un lado, si es posible mejorar tácitamente a un heredero forzoso vía donación y la segunda, el modo de realizar la imputación.

Respecto de la primera cuestión, pese al tenor literal del art. 825 CC, la STS (Sala 1ª) 29 julio 2013, con el fin de fijar la doctrina jurisprudencial aplicable, establece que no es necesario que de modo expreso el donante manifieste que su voluntad es la de mejorar, sino que esta voluntad puede desprenderse de la interpretación tanto del negocio *inter vivos* de la donación como de los hechos determinantes que configuraron la sucesión testamentaria del donante. En este caso en concreto, hay que tener en cuenta que se da una "unidad causal" entre las donaciones efectuadas y la declaración testamentaria, ambas actuaciones realizadas en la misma fecha, de modo que el testador realiza una verdadera partición de sus bienes entre su hijo y su nieto. Además, en este caso, puesto que la donación se hace con dispensa de colación, queda claro que el donante tiene la finalidad de que el donatario legitimario reciba un beneficio exclusivo, es decir, queda patente la voluntad de desigualar.

La otra cuestión que resuelve la sentencia es el modo de realizar la imputación. En este sentido, de una interpretación sistemática del art. 825 CC, junto con los arts. 636 y 1036 CC, y teniendo en cuenta la voluntad del testador (conforme al art. 675 CC) se llega a la conclusión de que la donación efectuada solamente deberá reducirse, entre descendientes, cuando sean inoficiosas, es decir, cuando perjudiquen la legítima estricta. Mediante esta interpretación del art. 825 CC que realiza el TS en esta Sentencia, se colige que si las donaciones efectuadas no caben en la porción de legítima estricta, ni tampoco en el tercio libre, en vez de reducirse, deben imputarse en la mejora, con el límite de la legítima estricta de los otros descendientes.

Esta tesis fue defendida en su día por VALLET DE GOYTISOLO[13] para quien no habría aquí mejora presunta, sino mejora no literal, aunque suficientemente expresada. En contra se manifestaba el profesor LACRUZ BERDEJO[14], para quien esta imputación perjudicaría, acortándola, la legítima de los hijos no mejorados. El TS zanja esta cuestión, permitiendo que se imputen a la mejora, antes que verse reducidas, sobre la base de una interpretación integradora de la sucesión ordenada por el causante, tanto en sus disposiciones *inter vivos* como *mortis causa*.

Adjudicación de los bienes mediante donación inter vivos al legitimario

La STS (Sala 1ª) 19 febrero 2015 se incardina en la problemática de las donaciones a los hijos y descendientes. En concreto, se pronuncia sobre la delimitación de los conceptos de colación particional y donaciones colacionables (artículos 1035 y 818 del Código Civil).

---

[13] VALLET DE GOYTISOLO, J., "Comentario a los artículos 806 a 857 CC, en AA.VV. dir. Albaladejo, M., *Comentarios al Código Civil y Compilaciones*, t. XI, Edersa, Madrid, 2ª ed., 1982, pp. 341 y ss.

[14] LACRUZ BERDEJO, J. L., *Elementos de Derecho Civil. Tomo V. Sucesiones*, 4ª edición, Dykinson, Madrid, 2009, p. 342

En primer lugar, para el cálculo de la legítima, conforme al art. 818 CC se deben tomar en consideración todas las donaciones colacionables (lo que nos dará el valor del *donatum*). En este sentido, se entiende por donaciones colacionables todas las realizadas por el causante a lo largo de su vida, tanto las realizadas a favor de extraños, como las realizadas a favor de los legitimarios (incluso aunque el donante hubiese dispensado de la colación). Ello a diferencia de lo dispuesto en el art. 1035 CC referido a la colación en la partición entre herederos forzosos.

La colación del art. 818 CC es una agregación del valor, pero no del bien. En concreto, según la doctrina jurisprudencial, dicha valoración debe realizarse en el momento de la partición de la herencia.

Además, poniendo en relación esta sentencia con la anteriormente citada STS 29 julio 2013 en cuanto a las donaciones hechas a los hijos y descendientes legitimarios, éstas pueden suponer una desigualación respecto de los demás hijos legitimarios. Esta interpretación llevaría a pensar que las atribuciones concretas sólo deben reducirse, entre descendientes, cuando sean inoficiosas, es decir, cuando perjudiquen la legítima estricta [(eparándose de este modo de la doctrina contenida en la STS 29 mayo 2006 (RJ 2006, 3343)].

Por otro lado, el artículo 1035 CC, sin finalidad de cálculo de la legítima, conforme a la sentencia comentada sí *"que refiere una aplicación técnica o jurídica de este concepto basado en la presunta voluntad del causante de igualar a sus herederos forzosos en su recíproca concurrencia a la herencia, sin finalidad de cálculo de legítima, como en el supuesto anterior; todo ello, sin perjuicio de que se haya otorgado la donación en concepto de mejora o con dispensa de colacionar".* *Circunstancias estas últimas que no se dan en el supuesto enjuiciado teniendo en cuenta lo establecido "en el documento privado de 30 de julio de 1991, en el testamento de 4 de junio de 1992, en donde se instituye a los herederos "en partes iguales", y en la propia disposición de las donaciones, de 10 de diciembre de 1987, que se realiza como anticipo de los derechos hereditarios y sin dispensa de colación alguna".*

El art. 1035 CC parte de la base de que, fallecido el causante, todos los legitimarios quedarán igualados, de modo que el que ha hubiera recibido en vida del causante una donación tomará de menos del *relictum*, producida la apertura de la sucesión. Aunque cabe la posibilidad de disposición en contra por parte del testador conforme al art. 1036 CC.

El interés de esta sentencia reside en que se pronuncia expresamente hasta dónde alcanza ese espíritu de igualación. El problema suscitado es, en palabras de Lerdo de Tejada si la colación del art. 1035 CC "¿se detiene y se queda sin hacer en cuanto al exceso de la donación sobre la cuota hereditaria del colacionante?

Si así fuera, el colacionante nada tomaría del caudal hereditario (simplemente tomaría de menos, en conformidad con el art. 1047), pero no tendría que aportar nada a sus coherederos (o mejor decir, a la masa de la colación). Por consiguiente, estos últimos se contentarían con lo que puedan percibir con cargo a los bienes relictos. En cambio, si se optara por la solución contraria, el colacionante sí que debería aportar ese exceso a la masa, para así equilibrar el valor de lo percibido por donación con el correspondiente a su cuota hereditaria"[15].

Es claro que, si con esa donación se estuviesen vulnerando las legítimas de los demás coherederos forzosos, se habría de proceder a la reducción de la misma por inoficiosa. La cuestión discutida es si también procedería la compensación con la finalidad de defender la igualdad de los hijos en la parte de libre disposición. Cuestión que es respondida afirmativamente por la Sentencia objeto de comentario, ya que "debe señalarse que la falta de previsión de los artículos 1047 y 1048 CC al respecto, esto es, cuando el valor de lo donado excede de la cuota que le corresponde al coheredero beneficiado, sin que exista patrimonio hereditario con el que poder igualar al resto de los coherederos, no es obstáculo, conforme a la anterior doctrina jurisprudencial expuesta, para que se cumpla el sentido o la finalidad perseguida por la norma en estos casos en orden a la salvaguarda de las cuotas hereditarias referidas de la sucesión. Salvaguarda que la partición, como instrumento técnico de materialización o pago de los derechos de los coherederos concurrentes, permite a través de la compensación del exceso recibido a cargo del coheredero beneficiario de la donación. Todo ello, conforme a la valoración de lo donado en el momento central de la partición".

Impugnación de los actos realizados por el causante en fraude de la legítima

La STS (Sala 1ª) 2 octubre 2014 contiene la doctrina jurisprudencial según la cual, cuando el causante ha realizado una donación en perjuicio de sus legitimarios, bajo la apariencia de un contrato oneroso, aquélla debe ser ineficaz por estar fundada en una causa ilícita según el art. 1275 CC.

La misma tiene por objeto el pronunciamiento acerca de la procedencia de la acción de complemento de legítima ejercitada por el único hijo de Camilo José Cela. Al actor se le había adjudicado en pago de su legítima un cuadro de Joan

---

15   ESPEJO LERDO DE TEJADA, M., "La colación del exceso de valor de la donación sobre la cuota hereditaria. Comentario a la STS de 2 de julio de 2007 (RJ 2007, 3789)", *Revista de Derecho Patrimonial*, num. 21/2008 (BIB/2008/1664), consultado en formato digital.
Sobre este tema vid. asimismo REBOLLEDO VARELA, A., "Problemas prácticos en la transmisión de bienes a título gratuito de padres a hijos", *Aranzadi civil-mercantil*, Vol. 1, N° 2 (mayo), 2011, pp. 71-100.

Miró ("El cuadro rasgado"), con lo que se considera que se han vulnerado sus derechos.

Asimismo, se insta la nulidad (o, subsidiariamente, declaración de inoficiosidad) de determinados negocios jurídicos dispositivos realizados por el causante. En concreto, algunos de esos negocios consistían en transmisiones presuntamente onerosas de los derechos de autor e imagen a favor de sociedades ficticias integradas únicamente por el causante y su cónyuge, que había sido instituida heredera universal. Tanto el JPI como la AP coinciden apreciando la simulación de estos negocios. El Tribunal Supremo declaró no haber lugar a los recursos extraordinarios por infracción procesal y de casación interpuestos por los demandados.

La doctrina contenida en esta Sentencia ha sido objeto de crítica, puesto que *"para alcanzar la meta perseguida por el juzgador no hacía falta la pesada alforja de la nulidad por ilicitud causal. Pues doctrina muy autorizada ha sostenido, en sede de reducción de donaciones inoficiosas, que la mala fe del donatario (perceptor de una atribución hecha por el donante y aceptada por él con el fin compartido de infligir consciente y voluntariamente un perjuicio al legitimario) permite agravar sus efectos y así, salvando la letra del artículo 651.I CC, condenarle a restituir los frutos percibidos desde el instante de la apertura de la sucesión"*[16].

Esta tesis es además discutible, puesto que "la donación encubierta solamente perjudica al legitimario en la medida en que sea inoficiosa y por tanto solamente se le defrauda en esa medida"[17]. Lo más conveniente en el caso de que la donación fuese inoficiosa sería reducirla en vez de declarar la nulidad total por ilicitud causal.

En este caso, la donación tendría por objeto un bien mueble, como son los derechos de autor. Al respecto, exige el artículo 632 CC una forma con carácter solemne, pues ha de hacerse necesariamente por escrito, aunque sea privado, y constar en la misma forma la aceptación. Dicho escrito tiene la misma función esencial que la que el artículo 633 CC atribuye a la escritura pública en la donación de inmuebles. Por lo que de no cumplirse estos requisitos, podríamos asimismo plantearnos la falta de efectos de la donación. En consecuencia, no valdría como forma de donación un escrito otorgado para dar apariencia a una

---

[16] GALICIA AIZPURUA, G. H., "Negocios en fraude de legítima y reducción de donaciones inoficiosas (a propósito del caso Cela)", *Aranzadi civil-mercantil. Revista doctrinal*, Vol. 2, N° 6, 2015, pp. 99-113.

[17] LÓPEZ BELTRÁN DE HEREDIA, C., "La legítima", en AA.VV. Montés Penadés, V. L., Capilla Roncero, F., López y López, A., *Derecho Civil. Derecho de Sucesiones*, Tirant lo Blanch, Valencia, 1999 (consultado en tirantonline).

compraventa, ello en consonancia con la doctrina jurisprudencial contenida en la STS número 1394/2007, de 11 de enero, antes citada, respecto de los bienes inmuebles.

Normativa

Arts. 806-857 Código Civil.

Jurisprudencia

STS (Sala de lo Civil, Sección 1ª), sentencia núm. 715/2003 de 10 de julio de 2003 (*Tol 295861*).

STS (Sala de lo Civil, Sección 1ª), sentencia núm. 783/2010 de 9 de diciembre de 2010 (*Tol 2001835*).

STS (Sala de lo Civil, Sección 1ª), sentencia núm. 536/2013 de 29 de julio de 2013. (*Tol 3971688*).

STS (Sala de lo Civil, Sección 1ª), sentencia núm. 502/2014 de 2 de octubre de 2014 (*Tol 4517098*).

STS (Sala de lo Civil, Sección 1ª), sentencia núm. 738/2014 de 19 de febrero de 2015 (*Tol 4839330*).

4. SUCESIÓN *AB INTESTATO*

Formulario 1. ACTA DE REQUERIMIENTO PARA LA DECLARACIÓN DE HEREDEROS AB INTESTATO

ACTA DE REQUERIMIENTO PARA LA DECLARACIÓN DE HEREDEROS ABINTESTATO"

NÚMERO ....

En Fecha de la firma del protocolo..............

Ante mí, Notario de esta Capital y del Ilustre Colegio de..............

COMPARECEN

Como requirente: ....

DOÑA ....

Como testigos: ....

DON ....

DOÑA ....

INTERVIENEN

En su propio nombre y derecho..............

Me aseguro de su identidad por la documentación reseñada, fotocopia de la cual, con su consentimiento informado, se incorpora a esta matriz si bien no se dará traslado de la misma a las copias. Tiene, a mi juicio, capacidad suficiente e interés legítimo para otorgar este ACTA DE REQUERIMIENTO PARA LA DECLARACIÓN DE HEREDEROS ABINTESTATO, y al efecto:..............

PRIMERO.– FALLECIMIENTO DE DOÑA

Que DOÑA ....de nacionalidad española y vecindad civil común, hija de nacida en ....el día ....falleció en de donde era vecina, el día habiendo tenido su ultimo domicilio en

SEGUNDO.– SITUACIÓN FAMILIAR..............

Que en el momento de su fallecimiento la causante:..............

a) Estaba viuda de su esposo, DON..............

b) Que de este matrimonio tuvo una hija, llamada: DOÑA...............

c) Que no dejó ningún otro descendiente...............

TERCERO.– ÚLTIMAS VOLUNTADES...............

Que DOÑA ...., causante a que se refiere esta acta, no otorgó acto alguno de última voluntad, por lo que ha fallecido intestada...............

CUARTO.– DATOS DE IDENTIFICACIÓN DE HIJOS...............

DOÑA

QUINTO.– Que la señora compareciente no ha promovido ninguna otra acta de declaración de herederos *ab intestato*...............

SEXTO.– REQUERIMIENTO...............

Por lo expuesto, y en base a lo establecido en los artículos 55 y 56, de la Ley del Notariado de 28 de mayo de 1862, introducidos por la Ley 15/2015, de 2 de julio, de Jurisdicción voluntaria, siendo competente por razón de ....

ME REQUIERE

A mí, el Notario, para que emita juicio de notoriedad sobre los hechos expuestos, conforme a lo dispuesto en el Reglamento Notarial, previa práctica de la prueba documental y testifical que considere precisa y en consecuencia declare herederos de DOÑA (a través de acta de notoriedad posterior, complementaria de la presente) a su única HIJA...............

Para acreditar la veraz exactitud de estas afirmaciones la requirente propone las siguientes pruebas:...............

a) La propia declaración de la requirente que asevera bajo su responsabilidad ser ciertos los hechos sometidos a notoriedad, declaración que presta, previamente advertida por mí, el Notario, de la trascendencia de su afirmación y de la responsabilidad que contrae.

b) Documental: Como prueba documental me entrega la requirente los siguientes documentos:...............

1) Certificado de Defunción...............

2) Certificado Negativo del Registro General de Actos de Ultima Voluntad,

3) Certificado de matrimonio ....

4) Certificado de nacimiento de DOÑA

5) Certificado de defunción del esposo DON

6) Fotocopia del Documento Nacional de Identidad de la causante...............

7) Certificado del Ayuntamiento acreditativo del último domicilio del causante...............

c) Testifical: Seguidamente interrogo a los testigos presentados a quienes identifico por sus respectivos documentos nacionales de identidad, que me exhiben, y considero idóneos y solventes, quienes, previa advertencia que les hice de sus responsabilidades, aseveran que les consta ser ciertos todos los extremos alegados por la requirente, añadiendo lo siguiente:..............

Que saben y les consta por conocimiento propio que son absolutamente ciertos los hechos sometidos a notoriedad, expuestos anteriormente..............

INEXISTENCIA DE DECLARACIÓN DE HEREDEROS ABINTESTATO PREVIA. Yo el Notario, he realizado consulta telemática previa para la prevención de posibles duplicidades en actas de declaración de herederos abintestato, resultando la inexistencia de otra. Adjunto a la presente justificante de la consulta realizada..............

ACEPTO el requerimiento que realizaré y practicaré por nueva Acta..............

CLÁUSULA DE PROTECCIÓN DE DATOS

De acuerdo con lo establecido en la Ley Orgánica 3/2018, el compareciente ha sido informado de la incorporación de sus datos y de los interesados en esta escritura a los ficheros automatizados existentes en la Notaria de.............., así como a la Base de Datos del índice único del Notariado, que se conservarán en las mismas con carácter confidencial, sin perjuicio de las remisiones de obligado cumplimiento. Además, queda advertido el compareciente que podrá ejercer en cualquier momento el derecho de acceso, rectificación, cancelación y oposición en los términos establecidos en la Ley Orgánica. Respecto a los ficheros automatizados existentes en la Notaría, el responsable del tratamiento es el Notario autorizante, con domicilio en

OTORGAMIENTO

Así lo otorga la compareciente, a quien hago de palabra, las reservas y advertencias legales y en especial las consecuencias de una posible inexactitud de sus manifestaciones..............

AUTORIZACIÓN

Y LEÍDA por mí, el Notario esta escritura de acuerdo con el artículo 193 del Reglamento Notarial a la compareciente a quien advierto y no usa de su derecho a leerla por sí, LA APRUEBA ésta y firma conmigo, que **DOY FE**, de identificarle por su respectivo Documento de identidad, al principio reseñado, de que el consentimiento ha sido libremente prestado y de que el otorgamiento se adecua a la legalidad y a la voluntad debidamente informada de la otorgante o interviniente, y en general de todo lo contenido en el presente instrumento público, extendido en ....

Formulario 2. ACTA DE NOTORIEDAD DE DECLARACIÓN DE HEREDEROS *AB INTESTATO*

ACTA DE NOTORIEDAD

NÚMERO Número de Protocolo...............

En ....

POR MI Y ANTE MI, Notario de esta Capital y del Ilustre Colegio de...............

HAGO CONSTAR

Que el día y a requerimiento de .... DOÑA, autoricé con el número PROTOCOLO DECLARACIÓN de mi orden de protocolo el Acta que contiene el requerimiento para obtener la declaración de herederos abintestato de su madre DOÑA ....

De la que resultan los siguientes extremos: ....

1. Que ....nació en ....el día

3. Que falleció en, el día ...., sin haber otorgado disposición testamentaria alguna. Quedan incorporados al presente testimonio obtenido por mí del Certificado Literal de Defunción expedido por el Registro Civil de............... y del Certificado del Registro de Últimas Voluntades de DOÑA, para que pasen a formar parte de la misma.

4. Que tuvo su último domicilio en

5. Que dicha causante estaba viuda de

6. Que sólo tuvo una hija, DOÑA

Y se me ha requerido, a mí la notario para que previa la práctica de las pruebas pertinentes compruebe la notoriedad de los hechos reseñados en el acta referida y en consecuencia, ...

JUICIO DE NOTORIEDAD

Una vez realizados los sucesivos trámites, hago constar que ha transcurrido el plazo de veinte días hábiles desde la comunicación al Decanato del Colegio Notarial de la iniciación de la presente Acta, sin que me haya sido comunicada la suspensión de la tramitación de la misma, y a los efectos de comprobar la notoriedad pretendida, a la vista del requerimiento que da origen a la presente, las pruebas documentales exhibidas y las declaraciones de los testigos, ño habiéndoseme comunicado que exista reclamación u oposición alguna, así como tampoco suspensión o interrupción Judicial, de conformidad con los artículos 209 y 209 bis del Reglamento Notarial, los artículos 55 y 56, de la Ley del Notariado de 28 de mayo de 1862, introducidos por la Ley 15/2015, de 2 de julio, de Jurisdicción voluntaria y artículos 807, 834, 912, 913, 930, 931 y 932 del Código Civil, en su caso, por mi juicio de conjunto de todo lo acreditado DECLARO LA NOTORIEDAD DE LOS HECHOS EXPUESTOS en el requerimiento inicial, y DECLARO HEREDERA UNIVERSAL ABINTESTATO de DOÑA .... a su única hija:..............

DOÑA TERESA BUADES DURA,

Y sin nada más que hacer constar, yo, la Notario, **DOY FE** del total contenido de la presente Acta, dándola por concluida, que queda extendida en ....

COMENTARIO

Este formulario tiene por objeto un acta de requerimiento para la declaración de herederos abintestato, así como un acta final de declaración de herederos abintestato. Téngase en cuenta la siguiente información:

DOCTRINA

Introducción

Conforme al art. 55 LN en su redacción dada por la Ley 15/2015, de 2 de julio podrán instar la declaración de herederos abintestato *"(q) uienes se consideren con derecho a suceder abintestato a una persona fallecida y sean sus descendientes, ascendientes, cónyuge o persona unida por análoga relación de afectividad a la conyugal, o sus parientes colaterales"*. En este caso se tramitará acta de notoriedad autorizada por el notario competente, entendiéndose por tal el que lo sea "para actuar en el lugar en que hubiera tenido el causante su último domicilio o residencia habitual, o donde estuviere la mayor parte de su patrimonio, o en el lugar en que hubiera fallecido, siempre que estuvieran en España, a elección del solicitante. También podrá elegir a un Notario de un distrito colindante a los anteriores. En defecto de todos ellos, será competente el Notario del lugar del domicilio del requirente".

La tramitación de este expediente se llevará a cabo conforme a lo establecido en la Ley del Notariado. Desde la entrada en vigor de la Ley de Jurisdicción voluntaria compete a los notarios la competencia para la declaración de herederos abintestato[18].

---

[18] En este sentido, la SAP Barcelona de 12 de julio de 2018 considera que la competencia notarial para la declaración de herederos es exclusiva tras la Ley de Jurisdicción Voluntaria, siendo las normas de atribución de la competencia de orden público.

La Ley de Jurisdicción voluntaria modificó asimismo el art. 14 LH para reconocer como título de la sucesión hereditaria, a los efectos del Registro, junto al testamento y al contrato sucesorio, el acta de notoriedad para la declaración de herederos abintestato, la declaración administrativa de heredero abintestato a favor del Estado o de las Comunidades Autónomas y el certificado sucesorio europeo. Téngase en cuenta que en este caso hay diferencias importantes entre el testamento y el contrato sucesorio, por un lado, y acta de declaración de herederos *ab intestato*, por el otro. En el caso de la delación testamentaria lo relevante es la voluntad del causante. El testamento, en cuanto que título sustantivo de la sucesión hereditaria, junto a la partición, como acto especificativo, serán los instrumentos para que accedan al registro de la Propiedad las atribuciones hereditarias sobre bienes o derechos concretos. Por el contrario, en el caso del acta de declaración de herederos abintestato se trata de la constatación de determinados hechos (*v.gr.* fallecimiento, filiación, estado civil...............) de los que deriva la atribución legal de los derechos sucesorios[19]. Ello es debido a que el llamamiento al heredero lo hace la ley, el acta simplemente sirve para la concreción de una delación ya deferida.

Personas que pueden instar el acta

Conforme al art. 55.2 LN el acta se iniciará a instancia de cualquier persona con interés legítimo, a juicio del Notario. Por lo tanto, no solamente podrán solicitarla aquellas personas que tengan derecho a suceder *abintestato* sino también aquellos que tengan interés, *v.gr.* cesionarios del derecho hereditario, familiares de la persona fallecida, un acreedor del causante, etc. Otra cosa es que estas personas sean capaces de aseverar la certeza de los hechos positivos y negativos en los que se haya de fundar el acta,

En la RDGRN de 19 de diciembre de 1995 (*Tol 920682*), se sostiene que la afirmación acerca de la certeza de los hechos positivos o negativos cuya notoriedad se pretende, dado su carácter personalísimo, no puede efectuarla más que el interesado, aunque es posible que el requerimiento para la instrucción del acta sea hecho al Notario por persona que demuestre interés.

El art. 55 LN se refiere expresamente como legitimados para instar el acta a quienes se consideren con derecho a suceder abintestato a una persona fallecida y sean sus descendientes, ascendientes, cónyuge o persona unida por análoga

---

[19]   CARBONELL CRESPÍ, J. A., "La declaración de herederos abintestato y el acta de notoriedad: principales cuestiones prácticas en el ejercicio de los derechos abintestato", en AA.VV., Lledó Yagüe, F., Ferrer Vanrell, M. P., Torres Lana, J. A. (dir.), Monje Balmaseda, O. (coord.), *El patrimonio sucesorio. Reflexiones para un debate reformista*, Dykinson, 2014, p. 1516.

relación de afectividad a la conyugal, o sus parientes colaterales. Si el causante hubiese dejado más de un heredero abintestato, no es necesario que todos insten el acta, bastaría con que lo hiciese uno de ellos y aprovecharía al resto la declaración de notoriedad, ya que puede obtener copia cualquier persona que acredite un interés legítimo (conforme al art. 224.1 RN).

En el caso de que cualquiera de los interesados fuera menor o persona con capacidad modificada judicialmente y no tuviese representante legal, el Notario comunicará esta circunstancia al Ministerio Fiscal para que inste la designación de un defensor judicial (conforme al art. 56.1 LN).

Prueba

Según preceptúa el art. 56. 1 LN se deberá acreditar el fallecimiento del causante y que no existe testamento conforme a la información del Registro Civil y del Registro General de Actos de última voluntad. También mediante documento auténtico de donde resulte a juicio del notario que, pese a la existencia de testamento o contrato sucesorio es pertinente la apertura de la sucesión abintestato. Asimismo, mediante sentencia firme que declare la invalidez del título sucesorio o de la institución de heredero[20]. Tales documentos se incorporan al acta[21].

---

[20] Este fue el caso de la STS (Sala de lo Civil) núm. 878/1997 de 14 octubre donde: *"Puesta de manifiesto la preterición de la madre, heredera legítima, por la falta de descendientes y legitimaria, conforme a los artículos 935 y 810 del Código Civil, tras gestiones amistosas entre los interesados, acudió la madre de la testadora al Juzgado, instando declaración de herederos y en tal trámite el Juzgado, tras advertir y comprobar con el propio tenor del testamento la preterición de doña Agustina S. M., afirmando que concurría el supuesto de testamento nulo, entendió que según el artículo 912 tenía que regularse la sucesión por el cauce la sucesión legítima o abintestato (Auto de 8 febrero 1974)"*.

[21] Respeto de esta cuestión vid. CARBONELL LLORENS, C., "Aspectos registrales del Derecho de sucesiones", en AA.VV. coord. Alventosa, J., Cobas, M. E., *Derecho de Sucesiones*, Tirant lo Blanch, 2017, pp. 800-801: *"la Dirección General ha manifestado que para acreditar que el heredero sustituido falleció sin descendientes (y por tanto sin sustitutos), no basta con la simple manifestación de los demás herederos, si bien tampoco es imprescindible acudir al acta del artículo 82 del Reglamento Hipotecario: en resolución de 21 de mayo de 2003 (Tol 276676), la Dirección estimó, a los efectos de acreditar la premoriencia de uno de los herederos sin descendencia, que no basta con la simple manifestación de los demás interesados en la herencia. Para justificar su postura, señala el Centro Directivo que si bien se mantiene su ya centenaria doctrina de que en una sucesión testamentaria los designados nominativamente por el testador no están obligados a probar un hecho negativo, cual es la inexistencia de otros interesados en la herencia (aun cuando el testamento, por ejemplo, declare como herederos a los designados nominativamente y a los demás hijos que pueda tener el causante), esta doctrina no es aplicable en materia de sustitución vulgar para caso de premoriencia: en ésta los sustitutos aparecen condicionalmente instituidos, de suerte que, acreditado el cumplimiento de la condición que determina su llamamiento (es decir, la muerte del sustituido), habrá que probar, si fuera el caso, la razón por la que no intervienen en la partición de herencia. Y concluye la Dirección señalan-*

Continúa afirmando el art. 56 LN que el requirente debe, para demostrar la certeza de los hechos positivos y negativos en que haya de fundamentarse el acta, ofrecer información testifical acerca de la inexistencia de disposición de última voluntad del causante, así como de que las personas designadas son sus únicos herederos.

En este sentido, conforme al art. 56.2 LN: *"En el acta habrá de constar necesariamente, al menos, la declaración de dos testigos que aseveren que de ciencia propia o por notoriedad les constan los hechos positivos y negativos cuya declaración de notoriedad se pretende. Dichos testigos podrán ser, en su caso, parientes del fallecido, sea por consanguinidad o afinidad, cuando no tengan interés directo en la sucesión"*.

Respecto de los testigos, el notario solamente tiene que identificarles y valorar su capacidad, sin que se les exija requisito alguno de idoneidad, no siéndoles aplicables las incapacidades del art. 182 RN. No estamos en presencia de testigos instrumentales, sino de hechos, por lo que basta con que tengan capacidad natural de entender y querer[22].

El Notario puede asimismo practicar las pruebas que estime oportunas en aras a acreditar la identidad, identidad, domicilio, nacionalidad y vecindad civil y, en su caso, la ley extranjera aplicable. Incluso puede solicitarse *"el auxilio de los órganos, registros, autoridades públicas y consulares que, por razón de su competencia, tengan archivos o registros relativos a la identidad de las personas o sus domicilios, a fin de que le sea librada la información que solicite, si ello fuera posible"*.

Finalización del acta

Establece el art. 56.3 LN: "Ultimadas las anteriores diligencias y transcurrido el plazo de veinte días hábiles, a contar desde el requerimiento inicial o desde la terminación del plazo del mes otorgado para hacer alegaciones en caso de

---

do que a fin de probar quiénes son los sustitutos, o que éstos no existen, no es imprescindible acudir al acta de notoriedad prevista en el artículo. 82 del Reglamento Hipotecario, sino que también pueden emplearse otros medios, como por ejemplo el propio título sucesorio del sustituido (en cuyo caso, acreditado con dicho título que los que invocan la condición de sustitutos son efectivamente descendientes del sustituido, no es necesario acreditar el hecho negativo de que no existen otros sustitutos). Esta doctrina se ha reiterado después en resolución de 13 de diciembre de 2007 o 24 de octubre de 2008, o 6 de junio de 2016".

22 CARBONELL CRESPÍ, J. A., "La declaración de herederos abintestato y el acta de notoriedad: principales cuestiones prácticas en el ejercicio de los derechos abintestato", en AA.VV., Lledó Yagüe, F., Ferrer Vanrell, M. P., Torres Lana, J. A. (dir.), Monje Balmaseda, O. (coord.), *El patrimonio sucesorio. Reflexiones para un debate reformista*, Dykinson, 2014, p. 1530.

haberse publicado anuncio, el Notario hará constar su juicio de conjunto sobre la acreditación por notoriedad de los hechos y presunciones en que se funda la declaración de herederos. Cualquiera que fuera el juicio del Notario, terminará el acta y se procederá a su protocolización.

En caso afirmativo, declarará qué parientes del causante son los herederos abintestato, expresando sus circunstancias de identidad y los derechos que por ley les corresponden en la herencia.

Se hará constar en el acta la reserva del derecho a ejercitar su pretensión ante los Tribunales de los que no hubieran acreditado a juicio del Notario su derecho a la herencia y de los que no hubieran podido ser localizados. También quienes se consideren perjudicados en su derecho podrán acudir al proceso declarativo que corresponda.

Realizada la declaración de heredero abintestato, se podrá, en su caso, recabar de la autoridad judicial la entrega de los bienes que se encuentren bajo su custodia, a no ser que alguno de los herederos pida la división judicial de la herencia".

Conforme se establece en la RDGRN de 17 de julio de 2006 (*Tol 972032*) "*la declaración de herederos implica pues una declaración referida a un momento temporal determinado que es el momento de fallecimiento del causante (artículo 657 y 661 del Código Civil) que no impide el reconocimiento como heredero de un fallecido sin perjuicio de que el derecho a aceptar la herencia tenga que ser ejercitado por los herederos de éste (artículo 1006 del Código Civil) o que el patrimonio a que fue llamado, tratándose de derechos que se extinguen con la muerte como el usufructo se haya incorporado a la nuda propiedad en un momento temporal posterior (artículo 513-1 del Código Civil)*".

Por lo tanto, la legislación aplicable es la vigente en la fecha de apertura de la sucesión (STS (Sala de lo Civil), sentencia núm. 1015/1998 de 6 noviembre).

Por su parte, según preceptúa el siguiente párrafo 4°: "Transcurrido el plazo de dos meses desde que se citó a los interesados sin que nadie se hubiera presentado o si fuesen declarados sin derecho los que hubieren acudido reclamando la herencia y si a juicio del Notario no hay persona con derecho a ser llamada, se remitirá copia del acta de lo actuado a la Delegación de Economía y Hacienda correspondiente por si resultare procedente la declaración administrativa de heredero. En caso de que dicha declaración no correspondiera a la Administración General del Estado, la citada Delegación dará traslado de dicha notificación a la Administración autonómica competente para ello".

Esto último hay que ponerlo en relación con el art. 956 CC que establece que "a falta de personas que tengan derechos a heredar conforme a lo dispuesto en las precedentes Secciones, heredará el Estado". En esta línea la Ley 33/2003, de 3 de noviembre, del Patrimonio de las Administraciones Públicas, en su artículo 20 bis, establece un procedimiento para la declaración de la Administración General del Estado como heredera abintestato.

NORMATIVA

Arts. 912-958 CC; Arts. 55-56 LN.

JURISPRUDENCIA

RDGRN de 19 de diciembre de 1995 (*Tol 920682*).
RDGRN de 21 de mayo de 2003 (*Tol 276676*).
RDGRN de 17 de julio de 2006 (*Tol 972032*).
STS (Sala de lo Civil) núm. 878/1997 de 14 octubre (*Tol 5156705*).
STS (Sala de lo Civil), sentencia núm. 1015/1998 de 6 noviembre (*Tol 7580*).

5. ADQUISICIÓN DE LA HERENCIA

Formulario 1. ESCRITURA DE ACEPTACIÓN Y ADJUDICACIÓN DE LA HERENCIA

ESCRITURA DE LIQUIDACIÓN DE LA SOCIEDAD DE GANANCIALES Y DE ACEPTACIÓN Y ADJUDICACIÓN DE HERENCIA

NÚMERO ....

En ...., mi residencia, Distrito Notarial de..............., a

Ante mí,

COMPARECEN

DON ....

DON ....

INTERVIENEN

En su propio nombre y derecho.

Me aseguro de su identidad por la documentación reseñada. Tiene, a mi juicio, la capacidad necesaria para otorgar la presente ESCRITURA DE LIQUIDACIÓN DE LA SOCIEDAD DE GANANCIALES Y DE ACEPTACIÓN Y ADJUDICACIÓN DE HERENCIA, y al efecto:

I. Que DON .... siendo de nacionalidad española y sujeto a la vecindad civil común, falleció en ...., de donde era vecino, el día, en estado de casado con DOÑA ....dejando UN hijo llamado DON.

El causante falleció bajo testamento que tenía otorgado en el día ...., ante el Notario .... En el testamento tras legar a su cónyuge el usufructo universal y vitalicio de su herencia, instituye heredero universal a su hijo.

II. DOÑA, siendo de nacionalidad española y sujeto a la vecindad civil común, falleció en, de donde era vecina, el día, en estado de viuda de sus únicas nupcias con dejando UN hijo llamado DON.

La causante falleció bajo testamento que tenía otorgado en el día, ante el Notario. En el testamento lega ....; y en el remanente, instituye heredero universal a su único hijo DON.

Me acredita lo anterior con las Certificaciones de los Registros Civil y General de Actos de Última Voluntad de ambos causantes, que dejo unidos a la presente escritura, y mediante exhibición de copia autorizada de los referidos instrumentos públicos de ambos causantes.

YO, LA NOTARIO, DOY FE bajo mi responsabilidad de que he obtenido por los procedimientos telemáticos seguros y habilitados la certificación de Actos de Última Voluntad del Registro General de Actos de Última Voluntad de...............

INVENTARIO DE BIENES DEL CAUSANTE

Que el inventario de bienes al fallecimiento del referido causante, es el siguiente:

A) ACTIVO GANANCIAL:

1) DESCRIPCIÓN: RÚSTICA.

INSCRIPCIÓN.– Inscrito ....en el Registro de la Propiedad de

REFERENCIA CATASTRAL.– La referencia catastral del terreno que ocupa esta finca y la siguiente que se describirá es la número, y la referencia catastral de la vivienda es la número.

No doy como acreditada la referencia catastral ni de la parcela ni de la vivienda, por existir discrepancias entre la superficie que se deduce de la información proporcionada por el Registro de la Propiedad de............... y la que se deduce de la información proporcionada por la Gerencia del Catastro de..............., que Yo, la Notario, dejo unida a la presente escritura.

No obstante lo anterior, a petición de los comparecientes, dejo unida a la presente escritura las Certificaciones Descriptivas y Gráficas de la Gerencia del Catastro de..............

YO, LA NOTARIO, DOY FE bajo mi responsabilidad de que he obtenido (por los procedimientos telemáticos seguros habilitados y de conformidad con el Artículo 6.6 de la Resolución de 28 de abril de 2003 de la Dirección General del Catastro) las certificaciones descriptivas y gráficas extendidas la del terreno en dos folios de papel común y la de la vivienda en un folio de papel común, sellados y rubricados por mí..............

MANIFESTACIONES CONFORME AL ARTÍCULO 18 DE LA LEY DEL CATASTRO

Manifiestan los comparecientes que la realidad física coincide con los datos contenidos en el Catastro respecto al terreno, pero no respecto a la vivienda, sin justificar esta discrepancia.

TÍTULO

VALOR

2) DESCRIPCIÓN: RÚSTICA.

INSCRIPCIÓN. Inscrita en el Registro de la Propiedad de

REFERENCIA CATASTRAL. La referencia catastral del terreno que ocupa esta finca y la anterior es la número ....

No doy como acreditada la referencia catastral de la parcela, por existir discrepancias entre la superficie que se deduce de la información proporcionada por el Registro de la Propiedad de.............. y la que se deduce de la información proporcionada por la Gerencia del Catastro de..............., que Yo, la Notario, dejo unida a la presente escritura.

No obstante lo anterior, a petición de los comparecientes, dejo unida a la presente escritura las Certificaciones Descriptivas y Gráficas de la Gerencia del Catastro de..............

YO, LA NOTARIO, DOY FE bajo mi responsabilidad de que he obtenido (por los procedimientos telemáticos seguros habilitados y de conformidad con el Artículo 6.6 de la Resolución de 28 de abril de 2003 de la Dirección General del Catastro) las certificaciones descriptivas y gráficas extendidas la del terreno en dos folios de papel común y la de la vivienda en un folio de papel común, sellados y rubricados por mí..............

MANIFESTACIONES CONFORME AL ARTÍCULO 18 DE LA LEY DEL CATASTRO

Manifiestan los comparecientes que la realidad física coincide con los datos contenidos en el Catastro.

TÍTULO. Eran dueños en virtud de ....

VALOR.

B) BIENES PRIVATIVOS DE DOÑA..............

3) **DESCRIPCIÓN**: URBANA. NÚMERO CATORCE. Vivienda CUOTA. Le corresponde una cuota en el valor del inmueble elementos comunes y gastos de

INSCRIPCIÓN. Inscrita en el Registro de la Propiedad de REFERENCIA CATASTRAL. 7588002YH1678N0008YH. Se deduce la Referencia Catastral de la Certificación Descriptiva y Gráfica de la Gerencia del Catastro de Alicante, que Yo, la Notario, dejo unida a la presente escritura.

YO, LA NOTARIO, DOY FE bajo mi responsabilidad de que he obtenido (por los procedimientos telemáticos seguros habilitados y de conformidad con el Artículo 6.6 de la Resolución de 28 de abril de 2003 de la Dirección General del Catastro) la certificación descriptiva y gráfica extendida en dos folios de papel común, sellados y rubricados por mí..............

MANIFESTACIONES CONFORME AL ARTÍCULO 18 DE LA LEY DEL CATASTRO

Manifiestan los comparecientes que la realidad física coincide con los datos contenidos en el Catastro.

TÍTULO. Era dueña en virtud de

VALOR.

CARGAS: Las fincas, se hallan libres de cargas y gravámenes, según manifiestan.

Información Registral: La descripción los inmuebles, su titularidad y situación de cargas, en la forma expresada en los párrafos anteriores, resulta de las manifestaciones de los herederos, del título de propiedad que me exhiben, y de las notas informativas continuadas del Registro de la Propiedad competente, obtenidas con fecha ...., que yo, la Notario, tengo a la vista e incorporo a la presente escritura como documento unido.

Advertencia: No obstante lo anterior, yo, la Notario, advierto a los otorgantes que la situación registral existente con anterioridad a la presentación de ésta escritura en el Registro de la Propiedad, prevalecerá sobre la información registral antes expresada.

ESTADO POSESORIO: Las fincas descritas se encuentran libres de arrendamientos, según manifiestan.

LIQUIDACIÓN DE LA SOCIEDAD DE GANANCIALES

Que el matrimonio formado por DON y DOÑA quedó sujeto, a falta de Capitulaciones, al régimen legal supletorio de la Sociedad de Gananciales. Siendo el valor de los bienes inventariados en el activo ganancial la suma .... y no existiendo pasivo ganancial, el valor neto ganancial asciende a esa misma cantidad; una mitad de ese valor se integra en cada una de las herencias.

SE ADJUDICA:

1. LA HERENCIA DE DON:

En total, la cantidad de

2. LA HERENCIA DE DOÑA:

En total recibe la cantidad de

LIQUIDACIÓN DE LAS HERENCIAS DE DON Y DOÑA

A. El valor de la herencia de DON esta integrado por el valor de la referida mitad ganancial del mismo, ascendente a

B. El valor de la herencia de DOÑA está integrado por el valor de la referida mitad ganancial de la misma, ascendente a ....más el valor de sus bienes privativos ascendentes a; por tanto, el haber neto hereditario asciende a

ENTREGA DE LEGADO

De conformidad con el contenido del testamento de DOÑA:

1. DON .... se le entrega a Don............... el legado consistente en ....por su valor de

ADJUDICACIÓN DE LA HERENCIA

2. El heredero, DON .... como único interesado en esta herencia, y una vez entregado el legado, debe percibir y se adjudica LA TOTALIDAD de la herencia de su madre, a saber:

En total recibe la cantidad de

Las presentes adjudicaciones se realizan con cuantos derechos, accesorios y servicios les sean inherentes a las referidas fincas, libres de cargas y arrendatarios y al corriente en el pago de contribuciones e Impuestos, así como de gastos de comunidad.

Con dichas adjudicaciones todos quedan pagados de sus derechos.

VI. Expuesto lo anterior los comparecientes,

OTORGAN

I. Que DON Y DON se ratifican en lo anterior, DON ....ACEPTA .... PURA Y SIMPLEMENTE la herencia de sus padres, y DON, y ambos comparecientes se dan por pagados con las adjudicaciones realizadas.

PROTECCIÓN DE DATOS: De acuerdo con lo establecido en la Ley Orgánica 3/2018, de 5 de diciembre, el compareciente ha sido informado de la incorporación de sus datos y de los interesados en esta escritura a los ficheros automatizados existentes en la Notaria de, así como a la Base de Datos del índice único del Notariado, que se conservarán en las mismas con carácter confidencial, sin perjuicio de las remisiones de obligado cumplimiento. Además, queda advertido el compareciente que podrá ejercer en cualquier momento el derecho de acceso, rectificación, cancelación y oposición en los términos establecidos en la Ley Orgánica. Respecto a los ficheros automatizados existentes en la Notaría, el responsable del tratamiento es el Notario autorizante, con domicilio en

Hago las reservas y advertencias legales y en particular, a efectos fiscales:

– Impuesto sobre Transmisiones Patrimoniales y Actos Jurídicos Documentados: Se solicita del Sr. Liquidador del presente Impuesto que declare su exención de conformidad con el artículo 45-I-B-3° del Texto Refundido de la Ley del Impuesto sobre Transmisiones Patrimoniales y Actos Jurídicos Documentados, a los efectos de la Liquidación de la sociedad de gananciales entre los cónyuges.

– Impuesto sobre Sucesiones y Donaciones: Se solicita al Sr. Liquidador del Impuesto que lo declara prescrito por haber transcurrido el tiempo necesario para ello.

– Impuesto sobre el Incremento de Valor de los Terrenos de Naturaleza Urbana: Se solicita al Sr. Liquidador del Impuesto que lo declara prescrito por haber transcurrido el tiempo necesario para ello.

– Obligaciones catastrales: Que no habiéndose acreditado la referencia catastral de las fincas descritas bajo los números 1,2 y 3 con anterioridad al otorgamiento de esta escritura, se advierte a los comparecientes de la obligación de presentar declaración de alteración en el Catastro en el plazo de dos meses a contar desde hoy, constituyendo infracción tributaria simple la falta de presentación.

Leo la presente escritura a los comparecientes, por su elección y renuncia a hacerlo por sí, la encuentran conforme con su voluntad y la firman conmigo.

Les identifico con los documentos reseñados en la comparecencia, y cuyos datos contenidos en los mismos, incluida la firma, constato con los datos y firmas reseñadas en la presente ....

Del consentimiento libremente prestado y de la voluntad debidamente informada de los otorgantes, de su legitimación, de la adecuación a la legalidad del presente otorgamiento y de todo lo demás contenido en la presente escritura, extendida en ....

Formulario 2. ESCRITURA DE ACEPTACIÓN DE LA HERENCIA A BENEFICIO DE INVENTARIO

.... COMPARECE
..............INTERVIENE

EXPONE

PRIMERO.– Que ha sido nombrado heredero de .... Que dicho causante falleció el día ...., bajo testamento otorgado el día ...., ante ....

Acredita su condición de heredero aportando copia autorizada del referido testamento,

Se acompaña a la escritura el certificado de defunción del causante, así como el pertinente del Registro General de Actos de Última Voluntad

SEGUNDO.– COMPETENCIA. El causante tuvo su última residencia habitual en España, teniendo su último domicilio en la población de..............

Me acredita dicho extremo por exhibición de..............

Yo, notario, soy competente territorialmente por serlo para actuar en la población en la que el/la causante tuvo su último domicilio..............

TERCERO.– Que desea aceptar dicha herencia, como efectivamente lo hace en este acto, pero que lo hace a beneficio de inventario.

CUARTO.– Manifestaciones relativas a la formación de inventario.– A estos efectos, manifiesta que los bienes dejados por el/la causante a su fallecimiento, única y exclusivamente en cuanto a lo que conoce y le consta, son los siguientes que se detallan, sin perjuicio de otros que pudieran aparecer y que serán descritos mediante diligencias posteriores y cuyo inventario final se confeccionará en los plazos legalmente establecidos:..............

ACTIVO:...............

* * *

PASIVO:...............

QUINTO.- Requerimiento para la formación de inventario.-

SOLICITA de mí, la notario, que inicie el expediente de formación de inventario notarial, con citación de acreedores y legatarios, para que acudan a presenciarlo, si les conviniere. A tal efecto, me informa que el domicilio del cónyuge sobreviviente del causante es el mismo que el del propio requirente y el de los acreedores conocidos:

Me autoriza a mí, la notario, para que cite a los acreedores iniciales y a los que posteriormente puedan aparecer.

Me requiere asimismo para que proceda a dar publicidad al expediente en los tablones de anuncios de los Ayuntamientos de .... *correspondientes al último domicilio o residencia habitual del causante, al lugar de su fallecimiento si fuere distinto y donde radiquen la mayor parte de sus bienes.*

ACEPTO EL REQUERIMIENTO, que cumplimentaré mediante las actuaciones previstas en la ley...............

ADVIERTO al/la requirente de que perderá el beneficio de inventario:

1° Si a sabiendas dejare de incluir en el inventario alguno de los bienes, derechos o acciones de la herencia.

2° Si antes de completar el pago de las deudas y legados enajenase bienes de la herencia sin autorización de todos los interesados, o no diese al precio de lo vendido la aplicación determinada al concederle la autorización.

No obstante, podrá disponer de valores negociables que coticen en un mercado secundario a través de la enajenación en dicho mercado, y de los demás bienes mediante su venta en subasta pública notarial previamente notificada a todos los interesados, especificando en ambos casos la aplicación que se dará al precio obtenido.

Durante la formación del inventario y el término para deliberar no podrán los legatarios demandar el pago de sus legados, y que no se podrán pagar los legados, sino después de haber pagado a todos los acreedores.

Diligencias:

– Notificación personal o por correo a acreedores/legatarios/coherederos (EJ: DILIGENCIA.– relativa al acta autorizada por mí, de fecha..............., número...............: El día..............., a las............... horas, comparece en mi despacho............... (acreedor) que interviene en su propio nombre y derecho, a quien identifico por su..............., y juzgo con capacidad para la presente, y se presta a recibir la notificación y le hago...............

– Diligencia de publicación del expediente.– Artículo 67.3LN.

– Diligencia de comparecencia de acreedores.

– Diligencia de conclusión.– Que el día.............. se concluye el inventario, que redacto conforme al artículo 68 de la Ley del Notariado y que queda incorporado al presente expediente.

INVENTARIO.–

ACTIVO

PASIVO

COMENTARIO
(conjunto a los dos formularios de aceptación de herencia)

Estos formularios tienen por objeto sendas escrituras de aceptación de herencia. Téngase en cuenta la siguiente información:

DOCTRINA

Introducción

La aceptación de la herencia es aquella declaración de voluntad del llamado que tiene por objeto asumir la condición de heredero y adquirir la herencia. Debido principalmente a la influencia de la doctrina alemana, se ha discutido si el Derecho civil español exige el requisito de aceptación para ser heredero. A esta cuestión debe responderse afirmativamente conforme a lo dispuesto en el art. 989 CC, que otorga efectos retroactivos a la declaración de aceptación[23].

En opinión de DÍEZ-PICAZO el sistema de adquisición de la herencia en el Derecho español sería el sistema del "ius delationis", sistema intermedio entre la adquisición de la herencia desde el mismo momento de la muerte del causante y la adquisición por aceptación con efectos retroactivos al momento de la muerte del causante. De este modo, por el hecho de la muerte del causante y antes de la aceptación, el llamado tiene derecho a la herencia deferida (*ius delationis*). Este derecho se incluye, pues, en el patrimonio del llamado a la herencia desde la muerte del causante. Forma parte del contenido de este derecho la facultad de aceptar y de repudiar, así como la facultad de realizar en los bienes hereditarios actos de mera conservación o de administración provisional, la facultad de pedir la formación de inventario y de deliberar. Asimismo, el titular del *ius dela-*

---

23   ROCA SASTRE, R. M., Anotaciones en Kipp, T., *Derecho de Sucesiones*, t. V, en Enneccerus, L., Kipp; T., y Wolf, M., *Tratado de Derecho civil*. 2ª ed., al cuidado de Puig Ferrol, L. y Badosa Coll, F., Bosch, Barcelona, 1976, p. 19.

tionis se halla facultado para el ejercicio de acciones posesorias[24]. En definitiva, el sujeto que ostenta este derecho goza de una titularidad provisional que queda consolidada con la aceptación. A partir de este momento adquiere el llamado la cualidad de heredero, así como los bienes de la herencia con efecto retroactivo.

En consecuencia, el titular del "ius delationis" puede ejercitar expresamente este derecho, aceptando o renunciando a la herencia. Existen, asimismo supuestos de aceptación tácita de la herencia y supuestos de adquisición *ex lege*[25].

La aceptación de la herencia, cuando es expresa, no puede realizarse de modo verbal, aunque (a diferencia de la repudiación) sí que se puede hacer en un documento privado. La aceptación es tácita cuando se realiza en virtud de actos que suponen necesariamente la voluntad de aceptar o que no se tendría derecho a ejecutar si no en condición de heredero (art. 999.3 CC), no considerándose como aceptación tácita aquellas actuaciones en las que se realizan simples actos de administración o de conservación (cfr. Art. 999.4 CC)[26].

Conforme a lo expuesto, la aceptación tácita puede tener lugar, pues, de dos formas, a) mediante *"actos que suponen necesariamente la voluntad de aceptar"*. Se trata, por tanto, de una aceptación cuasi negocial, en donde la ley simplemente interpreta la voluntad de aceptar del llamado y le atribuye los efectos que resultarían de la misma si hubiera sido declarada; b) mediante actos *"que no habría derecho a ejecutar sino con la cualidad de heredero"*. En este caso la aceptación tácita es no negocial, puesto que se produce por imposición legal aunque falte la voluntad de aceptar"[27].

---

[24] DÍEZ-PICAZO Y PONCE DE LEÓN, L. M., "La aceptación de la herencia por los acreedores del heredero", *Anuario de Derecho Civil*, 1959, pp. 164-165.

[25] GARCÍA RUBIO, M. P., *La distribución de toda la herencia en legados*, Universidad de León. Servicio de Publicaciones, 1989, pp. 149 y ss. La autora señala la conveniencia de matizar la necesidad de aceptación para la adquisición de la herencia. La circunstancia normal es la exigencia de una voluntad efectiva del llamado para adquirir la herencia, aunque existen algunas normas del Código civil que contradicen este principio al hacer posible la adquisición *ex lege* de la herencia. También hay ocasiones en que la conducta del llamado implica una voluntad tácita de aceptar la herencia.

[26] Según apunta CASADO CASADO, B., "La aceptación tácita por los padres de la herencia de los hijos menores de edad. (A propósito de la STS 801/2002, de 26 de julio)", *Anuario de Derecho Civil*, 2003, pp. 1451-1452: "El problema de la aceptación tácita, radica, por tanto, en dilucidar cuáles son tales actos. Son muchas cuestiones las que a nivel jurisprudencial se han planteado". En el caso concreto de la sentencia comentada se discute si la actuación de la madre de disposición de dinero existente en la cuenta corriente de titularidad conjunta con el marido es un acto de aceptación tácita de la herencia.

[27] Vid. SERRANO GARCÍA, J. A., en AA.VV. Delgado Echeverría, J. (dir.) *Comentarios al Código del Derecho foral de Aragón. Doctrina y Jurisprudencia*, Dykinson, Madrid, 2015, p. 519.

El art. 1000 CC complementa el art. 999 CC, puesto que individualiza algunos actos que no pueden realizarse sin adquirir la condición de heredero.

Con la aceptación de la herencia se agota el proceso hereditario[28] y a ello no obsta que no se haya producido todavía la partición.

Nulidad del testamento y aceptación

Declarada la nulidad del testamento, la sanción de nulidad alcanza también a la correspondiente escritura de aceptación y adjudicación de bienes [STS (Sala 1ª) núm. 778/2013 de 28 de abril de 2014 (*Tol 4357656*)].

Escritura de aceptación y adjudicación de herencia. Partición adicional

Trascurrido un año del fallecimiento del causante, los herederos otorgan ante notaria escritura de aceptación y adjudicación de herencia, practicándose la partición del patrimonio hereditario. Una de las cuestiones debatidas en la Sentencia del TS 20 enero 2012 es el valor que se debe conceder a una cláusula de renuncia de derechos efectuada por los coherederos una vez practicada la partición. No es posible la renuncia a realizar una partición adicional conforme al art. 1079 CC. Ahora bien, una vez que hubiesen aparecido esos nuevos bienes, los herederos pueden renunciar a los mismos, que es cuestión distinta a la renuncia a la partición adicional [vid. STS (Sala 1ª) núm. 15/2012 de 20 enero 2012 (*Tol 2411978*)].

Aceptación a beneficio de inventario

La aceptación a beneficio de inventario es un acto solemne, cuyas formalidades esenciales son en primer lugar, la declaración de que se acepta de tal forma, en segundo lugar, la formación del propio inventario.

Más que de una modalidad de aceptación de la herencia, se trata de una cualificación de la misma que se produce cuando el heredero la solicita cumpliendo las formalidades y requisitos legales. El efecto principal es el de limitar la responsabilidad por deudas de la herencia al caudal relicto, sin que queden afectados los bienes propios del heredero que acepta.

El beneficio de inventario se consigue previa solicitud de cualquiera de los llamados a la herencia, incluso en el caso de que el testador lo haya prohibido.

---

[28] No obstante, se muestra crítico con esta afirmación ESPEJO LERDO DE TEJADA, M., "La cesión de la herencia en el Código Civil: ¿cambio personal del heredero?", *ADC*, tomo LXI, 2008, fasc. IV, 2008, pp. 1884-1885.

Esta facultad se puede ejercitar en el mismo momento en que se acepta la herencia o una vez aceptada, ante notario o por escrito ante cualquiera de los jueces para conocer del juicio de testamentaria (art. 1011 CC).

El plazo para la solicitud es el mismo que para la aceptación, es decir, mientras dure la acción de petición de herencia, salvo en los siguientes supuestos:

a) El heredero tiene en su poder la herencia o parte de ella, en cuyo caso conforme al art. 1014 CC: *"deberá comunicarlo ante Notario y pedir en el plazo de treinta días a contar desde aquél en que supiere ser tal heredero la formación de inventario notarial con citación a los acreedores y legatarios para que acudan a presenciarlo si les conviniere".*

b) Si el llamado no tiene en su poder bienes de la herencia y ha sido interpelado por un tercero interesado para que acepte o repudie, *"el plazo expresado en el artículo anterior se contará desde el día siguiente a aquel en que expire el plazo que se le hubiese fijado para aceptar o repudiar la herencia conforme al artículo 1005, o desde el día en que la hubiese aceptado o hubiera gestionado como heredero"* (conforme al art. 1015 CC).

En ocasiones se produce la aceptación a beneficio de inventario por ministerio de la ley (*v.gr.* por denegación de la autorización judicial para que los padres del menor renuncien a la herencia conforme al art. 166-2 CC o cuando el tutor acepta la herencia dejada al menos o incapaz sin pedir autorización al juez, entre otros).

Para que la solicitud de aceptación a beneficio de inventario produzca efectos, es necesario, según prevé el art. 1013 CC que vaya precedida o seguida de un inventario fiel y exacto de todos los bienes de la herencia, hecho con las formalidades y en los plazos que fija la ley. Esta formalidad se exige en garantía de los interesados en la herencia, acreedores y legatarios, para que tengan un conocimiento exacto del contenido de la herencia a los efectos de realización de su derecho.

Este inventario se hará notarialmente en el caso de que la declaración de aceptación de esta forma se hubiese realizado asimismo de este modo.

Según preceptúa el art. 1017 CC el inventario *"se principiará dentro de los treinta días siguientes a la citación de los acreedores y legatarios, y concluirá dentro de otros sesenta.*

Si por hallarse los bienes a larga distancia o ser muy cuantiosos, o por otra causa justa, parecieren insuficientes dichos sesenta días, podrá el Notario prorrogar este término por el tiempo que estime necesario, sin que pueda exceder de un año".

En cuanto al contenido, según el art. 1013 CC, debe ser un inventario fiel y exacto de todos los bienes de la herencia, por lo que no deben quedar incluidas en él las deudas.

Realizado el inventario éste aprovecha a todos los herederos, incluso a aquellos que lleguen a adquirir su condición de tales por renuncia del llamado a la misma.

Como la formación del inventario puede extenderse en el tiempo, el art. 1020 CC preceptúa que durante el mismo y hasta la aceptación de la herencia, "*a instancia de parte, el Notario podrá adoptar las provisiones necesarias para la administración y custodia de los bienes hereditarios con arreglo a lo que se prescribe en este Código y en la legislación notarial*". Los gastos del inventario y de administración de la herencia serán, como regla general, de cargo de la misma herencia (art. 1033 CC).

Por último, conviene citar las causas por las que se pierde el beneficio de inventario (art. 1024 CC): "1º *Si a sabiendas dejare de incluir en el inventario alguno de los bienes, derechos o acciones de la herencia.*

2º Si antes de completar el pago de las deudas y legados enajenase bienes de la herencia sin autorización de todos los interesados, o no diese al precio de lo vendido la aplicación determinada al concederle la autorización.

No obstante, podrá disponer de valores negociables que coticen en un mercado secundario a través de la enajenación en dicho mercado, y de los demás bienes mediante su venta en subasta pública notarial previamente notificada a todos los interesados, especificando en ambos casos la aplicación que se dará al precio obtenido".

NORMATIVA

Arts. 998-1034 Código Civil.

JURISPRUDENCIA

STS (Sala de lo Civil, Sección 1ª), sentencia núm. 752/2011 de 20 de octubre de 2011 (*Tol 2278263*).
STS (Sala 1ª) núm. 778/2013 de 28 de abril de 2014 (*Tol 4357656*).
STS (Sala 1ª) núm. 15/2012 de 20 enero 2012 (*Tol 2411978*).

Formulario 3. ESCRITURA DE RENUNCIA DE DERECHOS HEREDITARIOS

NÚMERO..............

En ....

Ante mí, ...Notario de esta Capital y del Ilustre Colegio de ....

COMPARECE

DOÑA..............

INTERVIENE

En su propio nombre y derecho..............

Me aseguro de su identidad por la documentación reseñada, fotocopia de la cual, con su consentimiento informado, se incorpora a esta matriz si bien no se dará traslado de la misma a las copias. Tienen, a mi juicio, la capacidad necesaria para otorgar la presente ESCRITURA DE *RENUNCIA DE DERECHOS HEREDITARIOS,* y al efecto:..............

OTORGAN

Que, **RENUNCIA** de forma pura, simple y gratuita, a todos cuantos derechos se deriven y pudieran corresponderle en la herencia testada o intestada de su padre, causada por el fallecimiento ....de ...., con DNI. Número, fallecido el pasado día trece de agosto de dos mil dieciocho, fallecimiento que me acredita con el correspondiente certificado de defunción.

Advierto yo, el Notario de la irrevocabilidad de la repudiación y de los efectos de la misma..............

OTORGAMIENTO Y AUTORIZACIÓN

CLÁUSULA DE PROTECCIÓN DE DATOS..............

De acuerdo con lo establecido en la Ley Orgánica 3/2018, el compareciente ha sido informado de la incorporación de sus datos y de los interesados en esta escritura a los ficheros automatizados existentes en la Notaria de, así como a la Base de Datos del índice único del Notariado, que se conservarán en las mismas con carácter confidencial, sin perjuicio de las remisiones de obligado cumplimiento. Además, queda advertido el compareciente que podrá ejercer en cualquier momento el derecho de acceso, rectificación, cancelación y oposición en los términos establecidos en la Ley Orgánica. Respecto a los ficheros automatizados existentes en la Notaría, el responsable del tratamiento es el Notario autorizante, con domicilio en

Cumplido el requisito de la lectura conforme establece el artículo 193 del Reglamento Notarial, la compareciente la aprueba y la firma...............

De acuerdo con lo establecido en el artículo 17 bis de la Ley del Notariado, yo, el Notario, doy fe de la identidad del otorgante, de que a mi juicio tiene capacidad y legitimación, de que el consentimiento ha sido libremente prestado por la otorgante y de que el otorgamiento se adecua a la legalidad y voluntad debidamente informada de la interviniente...............

De la identificación de la señora compareciente por la documentación reseñada en esta escritura, y de todo lo demás contenido en este instrumento público, que queda extendido en...............

COMENTARIO

Este formulario tiene por objeto una escritura de renuncia de derechos hereditarios. Téngase en cuenta la siguiente información:

Doctrina

La renuncia a la herencia es un acto en virtud del cual el llamado a la herencia hace dejación de sus derechos hereditarios. Se trata de un acto voluntario y libre, como la aceptación (art. 988 CC). Tratándose de actos libres, los acreedores no pueden obligar al deudor a aceptar la herencia, aunque si la renuncia es en perjuicio de los acreedores, éstos pueden "pedir al juez que los autorice para aceptar en nombre de aquél" (art. 1001 CC). En este caso, la aceptación solamente aprovechará a los acreedores hasta donde alcance el importe de sus créditos, por lo que el exceso se *"adjudicará a las personas a quienes corresponda según las reglas establecidas en este Código"* (art. 1001.2 CC)[29].

La posibilidad de renunciar a la herencia queda excluida en el supuesto contemplado en el art. 1002 CC, según el cual al sucesor se le impone la adquisición forzosa de la herencia, a título de heredero y simple, debido a su conducta desleal al haber sustraído u ocultado bienes de la herencia. El fundamento de esta norma es el de proteger a los acreedores, legatarios e incluso coherederos que se han visto perjudicados por la sustracción u ocultación de bienes de la herencia. La consecuencia en el ámbito civil, sin perjuicio de la posible responsabilidad

---

[29]   Vid. STS de 30 de mayo de 2003.

penal, es la de no poder renunciar y entenderse, por lo tanto, realizada la aceptación pura y simple[30].

El precepto contempla dos conductas, sustraer y ocultar. Respecto de la primera, se trata de tomar de la herencia un bien, mientras que la ocultación consiste en no denunciar un bien que pertenece a la herencia y se halla en poder del heredero.

En opinión de la doctrina[31], también debería incluirse en el ámbito de aplicación del precepto cualquier actuación que suponga por parte del sucesor una conducta desleal con la herencia (*v.gr.* falsificar, suponer, alterar u ocultar títulos de propiedad, documentos contables o facturas comerciales con la intención de disminuir el activo o incrementar el pasivo de la herencia, simular o negar la existencia de una deuda frente al activo, ...). En el caso de la STS (Sala 1ª), núm. 19/2018 de 17 enero 2018 (*Tol 6485102*) la sustracción tiene carácter jurídico, puesto que mediante un contrato simulado tiene lugar la privación del bien a los coherederos[32]. En relación con el momento en que han de producirse los hechos, ésta es una de las cuestiones controvertidas en la Sentencia anteriormente citada. Teniendo en cuenta el tenor literal del precepto, hay que entender que los actos se tienen que realizar una vez ha tenido lugar el fallecimiento del causante. ¿Qué sucedería, sin embargo, en el caso de que dichos actos se produjeran durante la vida del causante por alguien que después será su sucesor y dicha actuación tenga su impacto en el posterior proceso sucesorio? Aunque el art. 1002 CC no lo dice expresamente, el citado precepto podría ser de aplicación en esta situación, puesto que supone una actuación fraudulenta del heredero que causa un perjuicio a los demás sucesores, quienes no podrán contar con ese bien para repartirlo entre ellos[33].

---

[30] SÁNCHEZ CID, I., *La repudiación de la herencia en el Código Civil*, p. 121.

[31] SÁNCHEZ CID, I., *La repudiación de la herencia en el Código Civil*, p. 125.

[32] Es posible, siguiendo a De la Iglesia Prados, E., "La pérdida del beneficio de inventario por ocultación de bienes de la herencia. Comentario a la Sentencia del Tribunal Supremo de 20 de octubre de 2011 (RJ 2012, 426)", *Revista de Derecho Patrimonial* n. 29/2012, BIB 2012/3283, "la ocultación de bienes de la herencia a través de donaciones, pues señala la Sentencia de la Audiencia Provincial de Sevilla de 29 de octubre de 2004 cómo «no cabe duda de que con esas donaciones se produjo una ocultación de efectos de la herencia, con la evidente finalidad de defraudar a los acreedores hereditarios, siendo de aplicación, por lo tanto, el artículo 1002 del mismo cuerpo legal, que, al sancionar esa ocultación fraudulenta con la pérdida de la facultad que tienen los herederos de renunciar a la herencia, determina la existencia de una aceptación pura y simple impuesta ex lege»".

[33] SÁNCHEZ CID, I., *La repudiación de la herencia en el Código Civil*, p. 129. Vid. ARROYO AMAYUELAS, E., "Comentario al art. 1002 CC) en AA.VV. (dir. Cañizares Laso, A., De Pablo Contreras, P., Orduña Moreno, F. J.), *Código civil comentado*, t. II, 2º ed., Civitas, Madrid, 2016.

No obstante, "para que tenga plena efectividad la sanción del art. 1002 CC, es preciso, con independencia de cual sea el momento en que los hechos se hayan cometido, si antes o después del fallecimiento del causante, que se hayan descubierto siempre antes de que el sucesor haya ejercitado el *ius delationis*"[34].

El heredero que oculta o sustrae, además de la facultad de repudiar, pierde también la posibilidad de aceptar a beneficio de inventario, al convertirlo la ley en aceptante puro y simple. Como sostiene la doctrina, "(c) on todo, el art. 1002 CC no sanciona al aceptante ex lege con la pérdida de la propiedad de lo ocultado o sustraído (lo que claramente beneficiaría al resto de coherederos), ni le obliga a devolverlo, seguramente porque siendo la sanción legal la de tenerlo por heredero, se supone que en cosa propia ya no hay perjuicio"[35]. En este punto se distancia el precepto español del francés, que expresamente establece para el heredero que incurrió en el supuesto de hecho del art. 792 Code, la imposibilidad de participación en los objetos sustraídos u ocultados.

La renuncia no se puede hacer en parte, ni someter a término o condición (conforme al art. 990 CC).

De modo distinto a como sucede con la aceptación, la renuncia no puede realizarse tácitamente, sino que tiene que ser expresa. Además, conforme a la nueva redacción del art. 1008 CC, "deberá hacerse ante Notario en instrumento público". La autenticidad de la renuncia se explica porque la misma interesa a los acreedores y afecta al orden público, así como también abre el paso a otros herederos.

Una vez ha tenido lugar la renuncia con los requisitos legalmente exigibles, la misma es irrevocable y no puede impugnarse, salvo que existan vicios del consentimiento o apareciese un testamento desconocido (art. 997 CC)[36].

En cuanto al plazo, véase lo dispuesto en el comentario para la aceptación de la herencia.

Los efectos de la repudiación son los siguientes "1º) el que válidamente renuncia una herencia se entiende que no la ha poseído ningún momento (artículo 440 apartado 2º); 2º) la renuncia de una herencia no implica la renuncia de todos los derechos y beneficios derivados del causante, no impidiéndose la aceptación de un legado dejado al mismo heredero, aceptar la mejora o que el renunciante

---

34   SÁNCHEZ CID, I., *La repudiación de la herencia en el Código Civil*, p. 132.
35   ARROYO AMAYUELAS, E., "Comentario al art. 1002 CC" en AA.VV. (dir. Cañizares Laso, A., De Pablo Contreras, P., Orduña Moreno, F. J.), *Código civil comentado*, t. II, 2º ed., Civitas, Madrid, 2016.
36   La STS de 6 de junio de 2008 contempla un supuesto de nulidad de la repudiación de herencia por nulidad de cláusula testamentaria bajo la que se hizo.

pueda representar al causante en otra sucesión; 3º) el que llamado a una misma herencia por testamento y abintestato la repudia por el primer título, se entiende que ha repudiado por los dos; pero el que renuncia como heredero abintestato, y sin noticia de su título testamentario, puede todavía aceptarla por este (artículo 1009); 4º) la repudiación da lugar en los respectivos casos al llamamiento del heredero sustituto, o al ejercicio del derecho de acrecer, o a la apertura total o parcial, de la sucesión legítima"[37].

Cabe la posibilidad de renunciar a una herencia en beneficio de uno o más coherederos, en cuyo caso el Código civil la conceptúa como un supuesto de aceptación tácita de la herencia (art. 1000.2º CC: "(*Entiéndese aceptada la herencia*): Cuando el heredero la renuncia, aunque sea gratuitamente, a beneficio de uno o más de sus coherederos". En la STS de 20 de julio de 2012, referida a la equivalencia entre la unidad del fenómeno sucesorio y esencialidad del *ius delationis*, el Tribunal Supremo sostiene que la renuncia traslativa supone una implícita aceptación *ex lege* de la herencia y, por lo tanto, del *ius delationis*, que no se transmite al haberse ya ejercitado, de manera que la aceptación de la herencia causaliza al inmediato negocio de atribución que se realiza.

NORMATIVA

Arts. 998-1009 Código Civil.

JURISPRUDENCIA

STS (Sala de lo Civil, Sección 1ª), sentencia núm. 516/2012 de 20 de julio de 2012 (*Tol 2654655*).
STS (Sala de lo Civil, Sección 1ª), sentencia núm. 535/2003 de 30 de mayo de 2003 (*Tol 274500*).
STS (Sala de lo Civil, Sección 1ª), sentencia núm. 535/2008 de 6 de junio de 2008 (*Tol 1331013*).
SAP Salamanca (Sala de lo Civil), sentencia núm. 467/2012 de 11 de septiembre de 2012 (*Tol 2653582*).

---

[37]   Vid. SAP Salamanca de 11 de septiembre de 2012.

6. PARTICIÓN DE LA HERENCIA

COMPARECENCIA

HACER CONSTAR LA FECHA DE NACIMIENTO DE LOS HEREDEROS

INTERVENCIÓN

PRIMERO.– FALLECIMIENTO TESTADO DE DON

Que DON, titular que fue del Documento Nacional de Identidad número ...., falleció en LUGAR DE FUNCIÓN, de donde era vecino/s, el día FECHA DE FUNCIÓN, en estado de casado/s con CÓNYUGE, de quien no estaba separado/s ni divorciado/s y con quien no estaba tampoco tramitando la separación, o el divorcio. De dicho matrimonio único contraído, dejó NÚMERO DE HIJOS hijos, llamados: NOMBRE HIJOS................

Dicho causante falleció bajo testamento abierto, otorgado ante el Notario de ...., Don ...., el día ...., y con el número .... de su orden de protocolo, en el cual, después de consignar sus circunstancias personales y filiación, legó a su nombrado cónyuge el usufructo universal de su herencia, relevándole de hacer inventario y prestar fianza, e instituyó y nombró herederos a sus hijos, por iguales partes entre ellos y en su defecto a los respectivos descendientes que dejaren................

Fotocopias que tengo por auténticas de los correspondientes certificados de defunción y del Registro General de Actos de Última Voluntad y de la copia autorizada de la referida disposición testamentaria quedan incorporadas a la presente matriz................

(SI FALLECE INTESTADO)

Dicho causante falleció sin haber otorgado disposición testamentaria alguna, por lo que tramitada la correspondiente Acta de Notoriedad de Declaración de Herederos, ante el Notario de LUGAR ACTA, Don NOTARIO ACTA, el día FECHA ACTA, y con el número PROTOCOLO ACTA de su orden de protocolo, fueron declarados herederos abintestato, sus hijos, con reserva en favor de su viudo, CÓNYUGE, de la cuota vidual que establece el artículo 834 del Código Civil.

Copia autorizada de la referida acta, se acompañará a las copias que de la presente se expidan donde sea necesario. ....

SEGUNDO.– INTERESADOS EN LA HERENCIA DE DIFUNTO................

Por tanto, los únicos interesados en la herencia de DIFUNTO, son sus NÚMERO DE HIJOS mencionados hijos, NOMBRE HIJOS, además de su cónyuge CÓNYUGE, todos ellos comparecientes en este otorgamiento...............

TERCERO.– INVENTARIO...............

Que el|los bien|es que compone|n el patrimonio de el/los causante/s, de|todos_de carácter ganancial, es|son el|los siguiente|s:

Objetos

CARGAS: Libres de ellas según manifiestan...............

INGREGISTRAL

ACREDITACIÓN RF

CUARTO.– AVALUO...............

Los bienes descritos son valorados por los comparecientes de la forma siguiente:...............

Bien descrito con el número 1: VBG1...............

Bien descrito con el número 2: VBG2...............

Bien descrito con el número 3: VBG3...............

Bien descrito con el número 4: VBG4...............

Bien descrito con el número 5: VBG5...............

Bien descrito con el número 6: VBG6...............

Bien descrito con el número 7: VBG7...............

Bien descrito con el número 8: VBG8...............

Bien descrito con el número 9: VBG9...............

Bien descrito con el número 10: VBG10...............

Bien descrito con el número 11: VBG11...............

Valor total de los bienes gananciales: ZNT TOTAL GANANCIAL...............

QUINTO.– RÉGIMEN ECONÓMICO DEL MATRIMONIO Y NATURALEZA DE LOS BIENES INVENTARIADOS...............

Ni al contraer matrimonio el/los hoy causante/s con su cónyuge sobreviviente, ni durante el mismo, celebraron contrato alguno respecto al régimen económico de la sociedad conyugal, por lo que aquella debe considerársele sometida al legal y supletorio de gananciales...............

Y habida cuenta que dichos bienes inventariados fueron adquiridos a título oneroso y constante matrimonio, tienen la consideración legal de gananciales...............

SEXTO.– LIQUIDACIÓN DE LA SOCIEDAD CONYUGAL...............

Importa el caudal inventariado la suma de TOTAL GANANCIAL, que divididos por mitad entre el/los finado/s y su cónyuge supérstite, corresponde, a cada uno, la cantidad de MITAD TOTAL GANANCIAL

SÉPTIMO.- DIVISIÓN DE LA HERENCIA...............

Constituye la herencia de la causante, su mitad de gananciales NETO HERENCIA de la que se deduce el valor del usufructo universal correspondiente a su cónyuge viudo y que dada su edad, al fallecimiento de la/s causante/s, (o de un tercio de la restante mitad indivisa) *si murió intestado —EDAD VIUDO años— representa el PORCENTAJE USUFRUCTO %, o sea un valor de ZNTV USUFRUCTO.

Quedando un remanente hereditario de HABER HIJOS que divididos por iguales partes entre sus NÚMERO HIJOS hijos y herederos, corresponde, a cada uno, HABER CADA HIJO.

OCTAVO.- ADJUDICACIÓN DE LA HERENCIA...............

Esto expuesto, practicadas las operaciones numéricas procedentes, el/los interesado/s, mayores de edad y con la libre administración de sus bienes, haciendo uso del derecho que les concede el artículo 1.058 del Código Civil, proceden a su distribución y adjudicación, estableciendo los siguientes haberes y adjudicaciones:...............

HIJUELA DE CÓNYUGE:...............

Ha de haber:...............

a) Por su participación ganancial, bienes por valor de MITAD TOTAL GANANCIAL...............

Y para su pago se le adjudica, EN PLENO DOMINIO la mitad indivisa (o de un tercio) *si murió intestado de todos y cada uno de los bienes inventariados:...............

b) Y por herencia de su cónyuge bienes por valor de V USUFRUCTO...............

Y para su pago se le adjudica el usufructo de la restante mitad indivisa de todos y cada uno de los bienes inventariados...............

Total adjudicado, por ambos conceptos: TOTAL VIUDO...............

Igual a sus haberes, queda pagada...............

HIJUELA DEL HIJOS Y HEREDEROS: NOMBRE HIJOS...............

Han de haber, cada uno de ellos por herencia de su madre bienes por valor de HABER CADA HIJO...............

Y para su pago se les adjudica, a cada uno de ellos, la nuda propiedad de una mitad indivisa (o de un tercio de la restante mitad indivisa) *si murió intestado de todos y cada uno de los bienes inventariados.

Igual a sus haberes, por lo que quedan pagados.

NOVENO.- ACEPTACIÓN DE LA HERENCIA.

Tras las operaciones efectuadas, CÓNYUGE y NOMBRE HIJOS, aceptan la liquidación de la disuelta sociedad conyugal, así como la herencia causada por fallecimiento

de DIFUNTO, dándose por pagados y satisfechos de su respectivo haber con las adjudicaciones consignadas y sin que nada tengan que reclamarse recíprocamente...............

Los herederos aceptan pura y simplemente la herencia, habiendo sido advertidos por
mí, el Notario, de la posibilidad de aceptar la herencia a beneficio de inventario y por
tanto, que en el caso de la existencia de deudas, responderán los herederos con su propio
patrimonio...............

DÉCIMO.- DECLARACIÓN A EFECTOS FISCALES...............

...............Hacen constar el/los compareciente/s, que el/los finado/s no figuraba/n
en la fecha de su fallecimiento como cotitular en operación alguna contratada en forma
indistinta, ni se han retirado en virtud de endoso, poder o autorización a partir de dicho
día, bienes o valores, depositados de cualquier forma a su nombre...............

Asimismo, hacen constar que el patrimonio personal y preexistente de cada uno de
ellos no alcanza la cifra mínima señalada por la Ley para aplicar al tipo impositivo un
multiplicador distinto de UNO, que la edad de los hijos y herederos es superior a veintiún
años; y fijan como domicilio para notificaciones, citaciones y requerimientos, el de la
primera declarante.

DÉCIMOPRIMERO.- CERTIFICADO DEL REGISTRO DE SEGURO DE COBERTURA DE
FALLECIMIENTO...............

Queda incorporado a la presente el certificado del Registro de contratos de seguro de
cobertura de fallecimiento de DIFUNTO para proceder de conformidad con lo dispuesto
en la legislación notarial...............

En dicho certificado constan las pólizas con los números y empresas asegurados que
allí refleja, declarando los interesados tener conocimiento de las mismas, e incorporarán
para su liquidación al Impuesto de Sucesiones...............

DÉCIMOSEGUNDO.- APODERAMIENTO...............

El/los compareciente/s se apodera/n recíprocamente para que uno cualquiera de
ellos indistintamente pueda/n firmar cuantos documentos sean necesarios ante las entidades bancarias correspondientes, a fin de poder disponer de los cantidades adjudicadas
sin que sea necesario contar con la comparecencia de todos ellos con el fin de que cada
adjudicatario pueda disponer de su parte, pudiendo determinar unilateralmente incluso el
número de las acciones o valores que corresponden a cada uno.

Igualmente se apoderan recíprocamente para que uno cualquiera de ellos indistintamente puedan rectificar, subsanar o complementar la presente escritura hasta su inscripción
en el Registro de la Propiedad, momento en que quedará revocado este poder.

PRESENTACIÓN TELEMÁTICA ....

De conformidad con lo dispuesto en el artículo 249 del Reglamento Notarial, en desarrollo del artículo 112 de la Ley 24/2001 en su relación dada por la Ley 24/2005,
de 18 de noviembre, de reformas para el impulso de la productividad, y dado que esta
escritura contiene actos susceptibles de inscripción en el Registro de la propiedad, los otorgantes, me requieren a mí, el Notario, para que, siempre que el Registro de la propiedad

correspondiente a la finca descrita esté habilitado para recibirla, remita copia electrónica autorizada de la presente escritura a los efectos de obtener la inscripción de éste instrumento público en el Registro de la Propiedad pertinente...............

Yo, el Notario, advierto que dado que a día de hoy todavía no es posible la autoliquidación telemática de las obligaciones tributarias que esta escritura conlleva, se suspenderá la calificación por el Registrador de la propiedad correspondiente, conforme al artículo 255 de la Ley hipotecaria, hasta que se acredite el pago de los Impuestos, su exención o no sujeción...............

No obstante lo anterior, y para evitar demoras innecesarias, una vez recibida del registro correspondiente la comunicación de haberse efectuado el asiento de presentación, cuya duración será de sesenta días, conforme a los artículos 17.2 y 66 de la Ley hipotecaria, sin necesidad, por tanto, de consolidación del asiento, se expedirá copia autorizada de esta escritura en soporte papel, antes, por tanto, de la conclusión del proceso de remisión telemática, para su tramitación ordinaria y en particular para que puedan liquidarse los Impuestos correspondientes, sin perjuicio de la continuación del procedimiento hasta su conclusión, lo que se hará constar en esta matriz mediante diligencias sucesivas...............

A dichos efectos se considera como presentante de dicho título a la parte adjudicataria y fijan como domicilio para notificaciones el de la comparecencia...............

En caso de imposibilidad técnica que impidiera la remisión telemática de esta escritura al Registro de la propiedad correspondiente, los otorgantes solicitan de mí, el Notario, efectúe la presentación de la presente escritura en el Libro Diario del Registro de la Propiedad, a través de "Telefax". ....

Advierto a la parte interesada que, en este caso, dicho asiento de presentación tendrá un plazo de vigencia de diez días hábiles, siguientes a hoy, durante los cuales se deberá presentar la primera copia de esta escritura en el Registro de la Propiedad correspondiente. ....

CLÁUSULA DE PROTECCIÓN DE DATOS ....

De acuerdo con la normativa de protección de datos, la parte interviniente queda informada y consiente la incorporación, conservación por plazo legal y tratamiento de sus datos por el Notario autorizante, los sustitutos y los sucesores en el protocolo, incluyendo la remisión y cesión de datos a las Administraciones Publicas, organismos, autoridades y entidades que lo requieran y tengan interés legítimo, o que vengan impuestas en la normativa. A estos efectos se entiende por Notario sustituto todo aquel que preste su servicio en el mismo despacho. Sus finalidades son confeccionar y formalizar el presente documento, cumplir las obligaciones legales aplicables al ejercicio de la función pública del Notario, sin las cuales no es posible la intervención notarial, la facturación, el seguimiento y en su caso gestión del documento y, especialmente las derivadas de la normativa de prevención de blanqueo de capitales, como la conservación de documentos de identidad de personas físicas o de los datos de titularidad real de las personas jurídicas, de los que puede derivarse la existencia de decisiones automatizadas. Los derechos que asisten a la parte interviniente de acceso, rectificación, supresión, limitación, portabilidad y oposición al tratamiento podrán ser ejercitados, cuando proceda, ante el Notario titular del protocolo en ...., y mediante reclamación ante la autoridad de control competente.

OTORGAMIENTO Y AUTORIZACIÓN

Hago las reservas y advertencias legales y en particular, a efectos fiscales:...............

– Impuesto sobre Sucesiones y Donaciones: Se advierte a los herederos que el plazo para la presentación al pago del Impuesto, es el de SEIS MESES a contar de la fecha de defunción del causante, la sujeción de éste instrumento, las responsabilidades en que incurren en caso de no presentación y la afección de los bienes adquiridos al pago de dicho Impuesto...............

Se solicita del Sr. Liquidador del Impuesto que:

Se apliquen las bonificaciones correspondientes a la Comunidad Autónoma de

Se advierte a los interesados del derecho que tiene la Administración Tributaria de comprobar los valores declarados en esta escritura dentro del plazo de prescripción del Impuesto y, en consecuencia de girar las liquidaciones complementarias que estime procedentes, sin perjuicio del derecho que asiste al sujeto pasivo del Impuesto a promover tasación pericial contradictoria...............

– Impuesto sobre Transmisiones Patrimoniales y Actos Jurídicos Documentados: Se advierte que el plazo para la presentación al pago del Impuesto, es el de un mes a contar de la fecha de la presente, de la sujeción de éste instrumento, de las responsabilidades en que incurren en caso de no presentación y de la afección de los bienes adquiridos al pago de dicho Impuesto. No obstante se solicita la exención prevista en el artículo 45-I-B-3° del Texto Refundido de la Ley del Impuesto sobre Transmisiones Patrimoniales y Actos Jurídicos Documentados a los efectos de la liquidación de la sociedad de gananciales entre los cónyuges...............

– Impuesto sobre el Incremento de Valor de los Terrenos de Naturaleza Urbana: se advierte a la parte transmitente que la Ley le impone a ella la obligación tributaria de liquidar el Impuesto Municipal sobre el incremento de valor de terrenos urbanos, en el Ayuntamiento correspondiente al lugar de situación de la finca en el plazo de 30 días hábiles a contar de la fecha de la presente...............

Específicamente se solicita al liquidador de este Impuesto apliquen las bonificaciones oportunas por tratarse de una adquisición mortis causa.

– Obligaciones catastrales: Se advierte a los comparecientes de la obligación de presentar declaración de alteración en el Catastro en el plazo de dos meses a contar desde hoy, constituyendo infracción tributaria simple la falta de presentación...............

Por su renuncia al derecho de hacerlo por sí, leo yo, Notario, esta escritura a los comparecientes, quienes la hallan conforme, prestan su consentimiento y firman...............

DOY FE de dejar identificados a los comparecientes por los medios documentales reseñados, de que el consentimiento ha sido libremente prestado y de que el otorgamiento se adecua a la legalidad y a la voluntad de los otorgantes o intervinientes y de cuanto se consigna en este instrumento público, extendido en ....

Formulario 2. ELEVACIÓN A ESCRITURA PÚBLICA DEL CUADERNO PARTICIONAL

ESCRITURA DE ELEVACIÓN A PÚBLICO DE CUADERNO PARTICIONAL"

NÚMERO..............

En ...., mi residencia, a

Ante mí, ...

COMPARECE

Como Albacea-Contador-Partidor:..............

DON ....

INTERVIENE

en su propio nombre y derecho, haciéndolo en la presente a los efectos de desempeñar el cargo de Albacea-Contador-Partidor..............

Su cargo resulta del nombramiento efectuado por el causante Don .... en testamento abierto otorgado en ante Don .... el día ...., con el número ....de su orden de protocolo..............

Me aseguro de su identidad por la documentación reseñada, fotocopia de la cual, con su consentimiento informado, se incorpora a esta matriz si bien no se dará traslado de la misma a las copias. Tienen, a mi juicio, en el concepto en que respectivamente intervienen, capacidad para otorgar la presente **ESCRITURA DE ELEVACIÓN A PÚBLICO DE CUADERNO PARTICIONAL**", y al efecto:..............

I.– FALLECIMIENTO DEL CAUSANTE..............

Que DON, titular que fue del DNI n° ...., siendo de nacionalidad española y sujeto a la vecindad civil común, falleció en, de donde era vecino, el día, en estado de casado con DOÑA .... dejando tres hijos de su matrimonio, llamados..............

El causante falleció bajo testamento que tenía otorgado en, el día, ante el Notario con residencia en; de copia autorizada del mismo que tengo a la vista, por pertinente a este otorgamiento, transcribo los literales siguientes sin que en lo omitido haya nada que altere, restrinja, condicione o de otro modo modifique lo inserto:...............

"I. Lega...............

II. Instituye heredera (...............) ....

V. Nombra, para el supuesto de que sea necesaria o se solicite su intervención, Albaceas, Comisarios Contadores Partidores, con las facultades del artículo 1.057 del Código Civil, prórroga del plazo legal por plazo de cinco años, con carácter solidario y facultados para la entrega de legados a Don ....". ....

Todo lo expuesto se acredita con las Certificaciones de los Registros Civil y General de Actos de Ultima Voluntad, y con la copia autorizada del referido instrumento público, fotocopia de cuyos documentos se incorporan a la presente sin perjuicio de que se acompañen al Registro de la Propiedad, junto con la que se expida de la presente...............

Me hacen entrega del Cuaderno Particional que queda unida a esta matriz como documento unido...............

A los efectos de proceder a la correspondiente identificación, inscripción, y cumplimiento de los demás requisitos fiscales de la adjudicación de bienes que se realiza en Cuaderno Particional, procedo a la descripción de los bienes inmuebles que el mismo contiene, conforme a los artículos 9 LH y 51 RH:...............

INVENTARIO DE BIENES INMUEBLES...............

1. URBANA: ....
VALOR: DOSCIENTOS MIL EUROS (200.000,00 €) ....

2. URBANA: ....
VALOR: CIEN MIL EUROS (100.000,00 €) ....

INFORMACIÓN REGISTRAL: La descripción de los inmuebles, su titularidad y su situación de cargas, en la forma expresada en los párrafos anteriores resulta de las manifestaciones de la parte compareciente...............

De conformidad con el artículo 175.2 del Reglamento Notarial, en desarrollo del artículo 222.10 de la Ley hipotecaria, en su redacción dada por la Ley 24/2005, de 18 de noviembre, de reformas para el impulso de la productividad, se ha intentado conocer la titularidad y el estado de cargas de los inmuebles descritos, tanto en la fase preparatoria de esta escritura, como en el momento más próximo a la autorización de la misma, por medios telemáticos, siendo imposible por causas ajenas a esta Notaría, al no estar disponible por parte del Registro correspondiente dicha información digitalizada a día de hoy...............

Excepcionalmente, y por tratarse de un supuesto de imposibilidad técnica especialmente contemplado en el Reglamento Notarial, se ha efectuado la petición a través de telefax, habiéndose obtenido, por el mismo medio, contestación del Registro de la Propiedad correspondiente, con valor de nota simple informativa, fotocopia de la cual dejo unida a esta matriz..............

La recepción por parte de esta Notaría de la nota simple informativa, de cuyo alcance y efectos advierto a los comparecientes, no alcanza los diez días naturales a la fecha de la autorización de esta escritura..............

Desde la recepción por parte de esta Notaría de la nota simple informativa y hasta el día de hoy no se ha recibido del Registro de la Propiedad correspondiente, ninguna notificación referente a otras solicitudes de información ni presentación de títulos referentes a esta finca..............

No obstante lo anterior yo, el Notario, advierto a los otorgantes de la posible existencia de discordancia entre la información registral incorporada y los libros del Registro, al no producirse el acceso telemático a estos en el momento de la autorización..............

II.– DECLARACIÓN A EFECTOS FISCALES..............

Hace constar el compareciente, que no le consta que el finado no figuraba en la fecha de su fallecimiento como cotitular en operación alguna contratada en forma indistinta, ni se han retirado en virtud de endoso, poder o autorización a partir de dicho día, bienes o valores, depositados de cualquier forma a su nombre..............

Asimismo, hace constar que la edad de los hijos y herederos es superior a veintiún años; y fija como domicilio para notificaciones, citaciones y requerimientos, el de ....

TERCERO: CERTIFICADO DEL REGISTRO DE SEGURO DE COBERTURA DE FALLECIMIENTO..............

Queda incorporado a la presente el certificado del Registro de contratos de seguro de cobertura de fallecimiento para proceder de conformidad con lo dispuesto en la legislación notarial, constando la existencia de dos pólizas de seguro:

PRESENTACIÓN TELEMÁTICA ....

De conformidad con lo dispuesto en el artículo 249 del Reglamento Notarial, en desarrollo del artículo 112 de la Ley 24/2001 en su relación dada por la Ley 24/2005, de 18 de noviembre, de reformas para el impulso de la productividad, y dado que esta escritura contiene actos susceptibles de inscripción en el Registro de la propiedad, los otorgantes, me requieren a mí, el Notario, para que, siempre que los Registros de la propiedad correspondientes a las fincas descritas estén habilitados para recibirla, remita copia electrónica autorizada de la presente escritura a los efectos de obtener la inscripción de éste instrumento público en el Registro de la Propiedad pertinente..............

Yo, el Notario, advierto que dado que a día de hoy todavía no es posible la autoliquidación telemática de las obligaciones tributarias que esta escritura conlleva, se suspenderá la calificación por el Registrador de la propiedad correspondiente, conforme al artículo 255 de la Ley hipotecaria, hasta que se acredite el pago de los Impuestos, su exención o no sujeción..............

No obstante lo anterior, y para evitar demoras innecesarias, una vez recibida del registro correspondiente la comunicación de haberse efectuado el asiento de presentación, cuya duración será de sesenta días, conforme a los artículos 17.2 y 66 de la Ley hipotecaria, sin necesidad, por tanto, de consolidación del asiento, se expedirá copia autorizada de esta escritura en soporte papel, antes, por tanto, de la conclusión del proceso de remisión telemática, para su tramitación ordinaria y en particular para que puedan liquidarse los Impuestos correspondientes, sin perjuicio de la continuación del procedimiento hasta su conclusión, lo que se hará constar en esta matriz mediante diligencias sucesivas...............

A dichos efectos se considera como presentante de dicho título por designación del citado, a la Gestoría.

Además la parte compradora autoriza al gestor administrativo o a cualquiera de sus empleados, para que pueda llevar a cabo la tramitación de la presente escritura ante la Conselleria de Economía y Hacienda de la Generalitat Valenciana o sus Oficinas Liquidadoras del Distrito Hipotecario a los efectos del cumplimiento de las obligaciones derivadas del Impuesto sobre Sucesiones y Donaciones y/o Impuesto sobre Transmisiones Patrimoniales y Actos Jurídicos Documentados, autorizándole a la confección de las autoliquidaciones, pago de los citados Impuestos y presentación y retirada de documento...............

En caso de imposibilidad técnica que impidiera la remisión telemática de esta escritura al Registro de la propiedad correspondiente, los otorgantes solicitan de mí, el Notario, que no efectúe la presentación de la presente escritura en el Libro Diario del Registro de la Propiedad, a través de "Telefax" ....

PROTECCIÓN DE DATOS: De acuerdo con lo establecido en la Ley Orgánica 3/2018, de 5 de diciembre, de Protección de Datos Personales y garantía de los derechos digitales, el compareciente ha sido informado de la incorporación de sus datos y de los interesados en esta escritura a los ficheros automatizados existentes en la Notaria de, así como a la Base de Datos del índice único del Notariado, que se conservarán en las mismas con carácter confidencial, sin perjuicio de las remisiones de obligado cumplimiento. Además, queda advertido el compareciente que podrá ejercer en cualquier momento el derecho de acceso, rectificación, cancelación y oposición en los términos establecidos en la Ley Orgánica. Respecto a los ficheros automatizados existentes en la Notaría, el responsable del tratamiento es el Notario autorizante, con domicilio en ....

Hago las reservas y advertencias legales y en particular, a efectos fiscales:

− ....Impuesto sobre Sucesiones y Donaciones: Se advierte a los herederos que el plazo para la presentación al pago del Impuesto, es el de SEIS MESES a contar de la fecha de defunción del causante, la sujeción de éste instrumento, las responsabilidades en que incurren en caso de no presentación y la afección de los bienes adquiridos al pago de dicho Impuesto.

Se solicita del Sr. Liquidador del Impuesto que se apliquen las bonificaciones correspondientes a la Comunidad Autónoma de

Impuesto sobre Transmisiones Patrimoniales y Actos Jurídicos Documentados: Se advierte que el plazo para la presentación al pago del Impuesto, es el de un mes a contar de la fecha de la presente, de la sujeción de éste instrumento, de las responsabilidades en que incurren en caso de no presentación y de la afección de los bienes adquiridos al pago de dicho Impuesto. No obstante se solicitan las exenciones previstas en los artículo 45-I-B-3° y 4° del Texto Refundido de la Ley del Impuesto sobre Transmisiones Patrimoniales y Actos Jurídicos Documentados en cuanto a la liquidación de la sociedad conyugal entre los cónyuges.

Se advierte a los interesados del derecho que tiene la Administración Tributaria de comprobar los valores declarados en esta escritura dentro del plazo de prescripción del Impuesto y, en consecuencia de girar las liquidaciones complementarias que estime procedentes, sin perjuicio del derecho que asiste al sujeto pasivo del Impuesto a promover tasación pericial contradictoria.

– ....Impuesto sobre el Incremento de Valor de los Terrenos de Naturaleza Urbana: se advierte a la parte transmitente que la Ley le impone a ella la obligación tributaria de liquidar el Impuesto Municipal sobre el incremento de valor de terrenos urbanos, en el Ayuntamiento correspondiente al lugar de situación de la finca en el plazo de 30 días hábiles a contar de la fecha de la presente. Específicamente se solicita al liquidador de este Impuesto apliquen las bonificaciones oportunas por tratarse de una adquisición mortis causa.

– ....Obligaciones catastrales: Se advierte a los comparecientes de la obligación de presentar declaración de alteración en el Catastro en el plazo de dos meses a contar desde hoy, constituyendo infracción tributaria simple la falta de presentación.

Leo la presente escritura al compareciente, por su elección y renuncia, la encuentra conforme con su voluntad y la firma conmigo.

Le identifico con los documentos reseñados en la comparecencia, y cuyos datos contenidos en los mismos, incluida la firma, constato con los datos y firma reseñados en la presente.

Del consentimiento libremente prestado y de la voluntad debidamente informada del otorgante, de su legitimación, de la adecuación a la legalidad del presente otorgamiento y de todo lo demás contenido en la presente escritura, extendida en...............

COMENTARIO

Estos formularios tienen por objeto documentos notariales atinentes a la partición de la herencia. Téngase en cuenta la siguiente información:

DOCTRINA

Acerca de la partición en general

La partición pone fin a la situación de comunidad. Mediante la misma se atribuye a cada uno de los coherederos la titularidad exclusiva de los bienes o derechos que se le hayan adjudicado.

Sobre la naturaleza jurídica de la partición, un sector de la doctrina y de la jurisprudencia[38] defiende su naturaleza traslativa, siguiendo a la doctrina francesa. Según esta tesis, al fallecimiento del causante los herederos no tienen derecho a una cuota parte de cada uno de los bienes indivisos, puesto que sobre esos bienes considerados individualmente sólo tienen un derecho indeterminado. La partición fijará y delimitará este derecho que existe desde el principio y que tiene su origen en la propia transmisión hereditaria[39].

Uno de los principios que subyacen en la regulación de la partición en el Código civil es el denominado "favor partitionis". Este principio aboga por considerar válida toda partición mientras no se demuestre una causa de nulidad. En consecuencia, la partición debe mantenerse siempre que sea posible, sin perjuicio de las adiciones o rectificaciones precisas. Por ello, el único supuesto de ineficacia de la partición específicamente regulado en el Código civil es el de rescisión por lesión en más de la cuarta parte en el art. 1074 CC[40]. El art. 1077 CC tiene también su fundamento en el principio "favor partitionis". Conforme a este precepto el demandado por rescisión "podrá optar entre indemnizar el daño o consentir que se proceda a nueva partición". Este precepto no impide que la rectificación de la lesión pueda realizarse sin acudir a los tribunales[41].

En el caso de que haya dejado de incluirse en la partición algunos bienes o valores, se debe proceder al complemento de la misma con los bienes o valores omitidos, conforme al art. 1079 CC[42].

---

[38]   Vid. SSTS 21 julio 1986, 21 mayo 1990, 5 marzo 1991, 3 febrero 1999, 28 mayo 2004 y 12 febrero 2007. Conforme a la doctrina jurisprudencial que se contiene en estas sentencias, el principal efecto de la partición es la atribución al coheredero o legatario de parte alícuota, la titularidad exclusiva de los bienes o derechos que se le hayan adjudicado.

[39]   PLANIOL, M., RIPERT, G., *Traité pratique de droit civil français. Successions*, t. IV, Librairie générale de droit et de jurisprudence, París, 1928, p. 738. En la doctrina española vid. Roca Sastre, R. M., *Derecho hipotecario*, t. V, Bosch, 8ª ed., Barcelona, 1998, p. 668. La partición provoca "la transformación de las particiones abstractas de los coherederos sobre el patrimonio relicto, en titularidades, concretas sobre bienes determinados".

[40]   Sobre esta cuestión se pronuncia la analizada en este capítulo STS de 14 de mayo de 2014.

[41]   Esto es precisamente lo que sucede en el caso de la STS de 18 de diciembre de 2012.

[42]   Así, en la STS de 3 noviembre de 2014 se entiende como un supuesto de complemento o adición de la partición del art. 1079 CC cuando las operaciones de valoración de los bienes se han llevado a cabo incorrectamente. En este caso en concreto, se discute sobre la conceptuación de un fondo de inversión como ganancial o privativo. Por otro lado, en el caso de la STS de 20 de enero de 2012 se omiten en la partición inicial algunos bienes del causante. Se valoran, además, los efectos que debe producir una cláusula de renuncia de derechos efectuada por los coherederos una vez practicada la partición.

Si la partición fue practicada por el albacea cuando se había producido la caducidad de su cargo, habiendo consentimiento de los coherederos, sería válida como partición convencional sobre la base del citado principio *"favor partitionis"*[43].

Se sanciona con la nulidad la partición realizada sin el concurso del contador-partidor nombrado expresamente por el testador para realizar las operaciones particionales[44]. Es asimismo nula la partición en el caso de que no haya participado en la misma el tutor o, habiendo conflicto de intereses, el defensor judicial cuando un menor o incapacitado es legitimario[45].

Sobre la cuestión acerca de cómo se debe articular la intangibilidad cuantitativa de la legítima, como un supuesto de ineficacia de la partición o mediante el ejercicio de la acción de complemento de la legítima, el Tribunal Supremo resuelve la cuestión en el segundo sentido[46].

En el caso de que se hubiese omitido a un heredero en la partición, ello viene regulado por el art. 1080 CC, precepto que es manifestación del anteriormente referido principio de "favor partitionis" de modo que en la medida de lo posible debe tenderse a la conservación de la partición, siempre que los que participen en la misma actúen de buena fe, circunstancia que se presume "iuris tantum". En el caso contemplado por la STS de 10 de diciembre de 2014 había quedado acreditada la mala fe de la esposa y la hija, puesto que conscientemente habían omitido a un heredero forzoso en la partición. La jurisprudencia había sostenido que, habiendo mala fe, la consecuencia debía ser la nulidad absoluta de la partición. Aplicando esta doctrina al caso enjuiciado la Audiencia Provincial dictamina la nulidad de la partición realizada con preterición de un heredero forzoso de mala fe. En este caso, el Tribunal Supremo, en aplicación de la fundamentación jurídica de la Sentencia considera que "la ineficacia que contempla la sentencia recurrida concuerda sustancialmente con el régimen de rescindibilidad, que se desarrolla respetando la validez de lo ordenado por el testador". Pese a modificar la doctrina, la sentencia de la Audiencia Provincial no queda revocada, puesto que el efecto en ambos casos es que se debe realizar una nueva partición (efecto de la rescisión para el Tribunal Supremo, efecto de la nulidad para la Audiencia Provincial).

---

[43]   STS de 13 de marzo de 2012.
[44]   Vid. STS de 6 de mayo de 2013.
[45]   Cfr. STS de 18 de octubre de 2012.
[46]   Vid. STS de 4 de mayo de 2016.

La partición convencional o de los propios coherederos

La regulación de este tipo de partición en el Código civil se encuentra en los arts. 1058-1060 CC, no siendo, pues, demasiado profusa. Se trata de un contrato plurilateral[47], siendo de aplicación subsidiariamente las normas referentes al contrato, especialmente en punto a la capacidad y el consentimiento, así como sobre los requisitos de existencia y validez del contrato. Se exige la unanimidad de los partícipes[48]. Cabe que el consentimiento sea expreso o tácito[49].

---

[47] Conforme a la STS de 20 de enero de 2012: *"La partición convencional la contempla el artículo 1.058 del Código Civil y es la realizada por los propios interesados, coherederos que forman la comunidad hereditaria que, como negocio jurídico plurilateral, tienen la facultad de distribuir la herencia de la manera que tengan por conveniente, como recuerda la sentencia de 18 de marzo de 2008 que añade que permite a los coherederos realizar actos particionales más allá de los propios divisorios.............. Cuya partición convencional sólo cabe cuando no la ha realizado el propio testador, soberano de su sucesión (artículo 1.056 del Código civil), ni la ha encomendado a un contador partidor"*.

[48] Cfr. VALLET DE GOYTISOLO, J. B., "Comentario a los Artículos 1035 a 1087 del Código Civil", *Comentarios al Código Civil*, Tomo XIV, Vol. 2°, Edersa, 2004, consultado en versión digital, sobre las personas que deben prestar su consentimiento y las particularidades en cada caso (existencia de un heredero instituido bajo condición, defunción de un coheredero antes de practicarse la partición, declaración de ausencia de un heredero). En el caso de herederos gravados con usufructo dispuesto por el testador, se exigirá el consentimiento del usufructuario si la partición le afecta. Lo mismo en el caso de la existencia de cónyuge viudo con derecho a su cuota legal usufructuaria. Si existen legitimarios, aunque no sean herederos, su derecho a una parte de la herencia los convierte en cotitulares del activo hereditario, siendo necesario su participación en la partición convencional (se verán afectados por las colaciones, predetracciones y liquidación del pasivo existente). Deben ser parte también en la partición los legatarios de parte alícuota.
En contra de que los legitimarios deban prestar su consentimiento Vid. CARBALLO FIDALGO, M., "Artículo 1058", en AA.VV. dir. Rosario Valpuesta Fernández; Ana Cañizares Laso, Pedro de Pablo Contreras, Francisco Javier Orduña Moreno, *Código civil comentado*, Thomson Reuters, 2011, pp. 1743-1744: *"No creemos que, en el sistema del Código, los legitimarios deban necesariamente consentir el negocio divisorio, salvo que la concreción de su derecho dependa efectivamente del resultado de aquélla (en contra, RDGRN 25 febrero 2008). Así, no habrán de intervenir cuando la legítima les ha sido atribuida a través de donación, legado (de cosa o cantidad existente en la herencia) o institución ex re certa que cubra su derecho, y sí intervendrán en caso de ser instituidos como herederos, legatarios de cuota, o cuando se les deje "lo que por legítima les corresponda", a modo de legado simple de legítima que, proyectado sobre una pars bonorum, exige la intervención del legitimario en la división del caudal"*.

[49] STS de 18 de febrero de 1987 (Tol 1739685): *"se olvida que la partición realizada por los propios herederos tiene naturaleza contractual y le son aplicables el artículo mil doscientos sesenta y uno en cuanto a los requisitos de existencia y validez y las normas de nulidad que contienen los artículos mil trescientos a mil trescientos catorce, todos del Código Civil (sentencias de treinta de diciembre de mil novecientos treinta y nueve, siete de enero de mil novecientos cuarenta y nueve, nueve de marzo de mil novecientos cincuenta y uno y veinticinco de febrero de mil novecientos sesenta y seis), entendiéndose que hay consentimiento cuando se realizan ciertos actos llamados concluyentes, que puede serlo incluso el silencio, no importando la forma (expresa o tácita), siempre que sean claros e inequívocos (sentencia de catorce de junio de mil novecientos sesenta y tres)"*.

Respecto al contenido de este tipo de partición la doctrina y la jurisprudencia reconocen a los copartícipes plena libertad de distribución del caudal relicto, aun apartándose de lo ordenado por el testador en el testamento[50]. Por lo tanto, no están vinculados tampoco por el principio de igualdad u homogeneidad cualitativa de los lotes (art. 1061 CC).

En cuanto a la forma, no se exige ninguna forma especial para su validez, aunque para la inscripción de la titularidad de los inmuebles en el Registro de la Propiedad debe formalizarse en documento público, o bien mediante escritura de partición o bien mediante protocolización y aprobación de operaciones particionales[51]. Las partes pueden compelerse recíprocamente al otorgamiento de escritura pública (art. 1279 en relación al 1280 CC).

Según preceptúa el art. 15 del Anexo II del Reglamento notarial, en su párrafo 3º, "Los Notarios que sean requeridos para autorizar actos de adjudicación o partición de bienes adquiridos por herencia testada, exigirán que los interesados les presenten certificado en que conste si existe o no registrado algún acto de última voluntad del causante".

Este tipo de partición es procedente cuando el testador no hubiese hecho la partición, ni encomendado a otro esta facultad. Es necesario que los herederos sean mayores de edad y tengan la libre administración de sus bienes. En caso de que alguno de los coherederos sea menor o incapacitado intervendrá su representante legal (art. 1052 CC). Es precisa la asistencia de todos los herederos, actuando de común acuerdo y los herederos del heredero fallecido deberán comparecer bajo una sola representación. En caso de que el causante hubiese estado casado en régimen de gananciales, los herederos del causante no pueden proceder a la previa liquidación de la sociedad conyugal sin la concurrencia del

---

[50] ESPEJO LERDO DE TEJADA, M., "La partición realizada por los coherederos: sus elementos", en AA.VV. coord. por Matilde Cuena Casas, Luis Antonio Anguita Villanueva, Jorge Ortega Doménech, *Estudios de derecho civil en homenaje al profesor Joaquín José Rams Albesa*, 2013, p. 1723: "Por nuestra parte, consideramos perfectamente posible que los coherederos realicen una verdadera partición convencional apartándose de lo previsto por el causante. Ello se debe entender justificado teniendo en cuenta las limitaciones intrínsecas que la partición por el testador puede presentar (...............), y las necesidades específicas de los coherederos que pueden preferir modificar las adjudicaciones realizadas por el testador. Pero qué sea en cada caso un negocio que las partes llamen de partición convencional y que se aparte de la ordenada por el testador es algo que no se puede responder con total seguridad con una regla general; no es descartable que se trate de otro tipo de negocio".

[51] Art. 80. 1 RH: "Para obtener la inscripción de adjudicación de bienes hereditarios o cuotas indivisas de los mismos se deberán presentar, según los casos: a) Escritura de partición, escritura o, en su caso, acta de protocolización de operaciones particionales formalizadas con arreglo a las Leyes, o resolución judicial firme en la que se determinen las adjudicaciones a cada interesado, cuando fuesen varios los herederos".

cónyuge viudo y tampoco a la inversa el cónyuge viudo, que no sea heredero único y universal del causante, puede por sí solo liquidar la sociedad conyugal.

NORMATIVA

Arts. 1051-1081 del Código Civil.

JURISPRUDENCIA

STS (Sala de lo Civil, Sección 1ª), sentencia núm. 15/2012 de 20 de enero de 2012 (*Tol 2411978*).

STS (Sala de lo Civil, Sección 1ª), sentencia núm. 149/2012 de 13 de marzo de 2012 (*Tol 2489169*).

STS (Sala de lo Civil, Sección 1ª), sentencia núm. 640/2012 de 18 de octubre de 2012 (*Tol 2674753*).

STS (Sala de lo Civil, Sección 1ª), sentencia núm. 280/2013 de 6 de mayo de 2013 (*Tol 4061866*).

STS (Sala de lo Civil, Sección 1ª), sentencia núm. 255/2014 de 14 de mayo de 2014 (*Tol 4330977*).

STS (Sala de lo Civil, Sección 1ª), sentencia núm. 587/2014 de 3 noviembre de 2014 (*Tol 4748822*).

STS (Sala de lo Civil, Sección 1ª), sentencia núm. 287/2016 de 4 de mayo de 2016 (*Tol 5718294*).

Formulario 3. ESCRITURA DE ENTREGA DE LEGADO

ESCRITURA ENTREGA DE LEGADO

NÚMERO ....

En ...., mi residencia, Distrito Notarial de..............., el día

Ante mí, ..., Notario de esta Ciudad y del Ilustre Colegio de Valencia...............

COMPARECEN

Intervienen en su propio nombre y derecho.

Tienen, a mi juicio, *legitimación para este acto y ejercen su capacidad jurídica mediante el otorgamiento de esta Escritura de **ACEPTACIÓN DE HERENCIA A BENEFICIO DE INVENTARIO** y al efecto*

EXPONEN

I.– Que DON..............., de nacionalidad español ...., con DNI ...., falleció en siendo vecino de..............., el día ....en estado de divorciado y sin dejar descendientes ni ascendientes.

El causante falleció bajo testamento que había otorgado en ....el día ...., ante el Notario de la localidad, Doña ...., España, testamento en el cual ....dispone un legado de finca en favor de su sobrina .... y nombra heredera a su hermana...............

Me acreditan lo anterior con las Certificaciones de los Registros Civil y General de Actos de Última Voluntad de España, así como la copia autorizada del testamento, que dejo unidos a la presente escritura.

Esta escritura tiene como objeto la entrega del LEGADO del bien inmueble en España, cuya descripción es la siguiente:

URBANA ....

INSCRIPCIÓN: Registro de la Propiedad de ....

VALOR ....

REFERENCIA CATASTRAL: ....

CARGAS: La finca se halla libre de cargas y gravámenes, según manifiestan

INFORMACIÓN REGISTRAL: La descripción de los inmuebles, su titularidad y situación de cargas, en la forma expresada en los párrafos anteriores, resulta de las manifestaciones de la albacea, del título de propiedad que me exhiben, y de las notas informativas obtenidas del Registro de la Propiedad competente, obtenidas con fecha, que yo, la Notario, tengo a la vista e incorporo a la presente escritura como documento unido.

ADVERTENCIA: No obstante lo anterior, yo, la Notario, advierto a los otorgantes que la situación registral existente con anterioridad a la presentación de ésta escritura en el Registro de la Propiedad, prevalecerá sobre la información registral antes expresada.

ESTADO POSESORIO: las fincas descritas se encuentran libres de arrendamientos, según manifiestan.

TÍTULO: Escritura de compraventa otorgada en, el día ante el Notario

VI.– Expuesto lo anterior los comparecientes,

OTORGAN

ACEPTACIÓN DE HERENCIA. Doña ...., acepta pura y simplemente la herencia causada por su hermano ....

ENTREGA DE LEGADO

La heredera entrega a la legataria, ..., el bien descrito en el expositivo de esta escritura, objeto del presente legado, aceptando ésta la entrega por su valor de

PROTECCIÓN DE DATOS

Hago las reservas y advertencias legales y en particular, a efectos fiscales: ....

– Impuesto sobre Sucesiones y Donaciones: Se advierte a la legataria que el plazo para la presentación al pago del Impuesto, es el de SEIS MESES a contar de la fecha de defunción del causante, la sujeción de éste instrumento, las responsabilidades en que incurren en caso de no presentación y la afección de los bienes adquiridos al pago de dicho Impuesto.

Se solicita del Sr. Liquidador del Impuesto que se apliquen las bonificaciones correspondientes a la Comunidad Autónoma de

– Impuesto sobre incremento de valor de los Terrenos de Naturaleza Urbana: se advierte de que la ley impone la obligación tributaria de liquidar el Impuesto Municipal sobre el incremento de valor de terrenos urbanos, en el Ayuntamiento correspondiente al lugar de situación de la finca en el plazo de 30 días hábiles a contar de la fecha de la presente.

Específicamente se solicita al liquidador de este Impuesto apliquen las bonificaciones oportunas por tratarse de una adquisición mortis causa.

– Obligaciones catastrales: Se advierte a los comparecientes de la obligación de presentar declaración de alteración en el Catastro en el plazo de dos meses a contar desde hoy, constituyendo infracción tributaria simple la falta de presentación...............

Leo la presente escritura a las comparecientes, por su elección y renuncia a hacerlo por sí, la encuentran conforme con su voluntad y la firman conmigo.

Les identifico con los documentos reseñados en la comparecencia, cuyos datos contenidos en los mismos, incluida la firma, constato con los datos y firma reseñados en la presente...............

Del consentimiento libremente prestado y de la voluntad debidamente informada del otorgante, de su legitimación, de la adecuación a la legalidad del presente otorgamiento y de todo lo demás contenido en la presente escritura, extendida en...............

COMENTARIO

Este formulario tiene por objeto una escritura de entrega de legado. Téngase en cuenta la siguiente información:

DOCTRINA

La entrega del legado

Respecto a los legados, nuestro Código civil, siguiendo al Derecho romano, y a diferencia de otros ordenamientos jurídicos, como el alemán, además del legado con eficacia obligacional (legado *per damnationem*) admite el legado con eficacia real (legado *per vindicationem*)[52]. El legado con eficacia real referido a una cosa específica del testador y existente en la masa hereditaria atribuye al legatario la propiedad de la cosa legada, quien la adquiere desde el mismo momento de la muerte del testador. No obstante, el heredero o albacea autorizado para ello ha de proceder a la entrega de la misma, puesto que el legatario, salvo disposición en otra del testador, no puede ocupar por su propia autoridad la cosa legada.

En consecuencia, la entrega de la cosa legada es una simple puesta en posesión, que se puede realizar en cualquier forma, sin que tenga valor de tradición conforme al art. 609 CC.

El legatario capaz adquiere derecho a los legados puros y simples de cosa específica y propia del testador desde la muerte del causante y desde ese momento transmite su derecho a sus herederos (de acuerdo con los arts. 881 y 882 CC). A diferencia de lo que sucede con la adquisición de la herencia, la adquisición del

---

[52] ROCA SASTRE, R. M., "Notas al Derecho de sucesiones", Kipp, T., en Enneccerus, L., Kipp, T., y Wolf, M., *Tratado de Derecho civil*, t. V, v. I, Barcelona, 2ª ed., Bosch, 1976, p. 530.

legado se produce *ipso iure*, por ministerio de la ley, sin perjuicio del derecho que tiene el legatario a repudiarlo, mientras no haya mediado su efectiva aceptación[53]. La aceptación sería equivalente a la renuncia del derecho a repudiar[54].

El legatario tiene derecho a la cosa legada desde el fallecimiento del testador, pero no puede apoderarse de la cosa legada, aunque fuera específica y propia del testador, ni está autorizado para pedir la inscripción a su nombre. Es titular de un derecho subordinado a la liquidación de la masa hereditaria. Precisa de que el heredero o el albacea proceda a la entrega (conforme al art. 885 CC)[55].

El legatario dispone de una acción personal *ex testamento* para instar la entrega del legado y también para ejercitar la acción reivindicatoria contra todo tercero que tenga la cosa legada en su poder. Asimismo, dispone de medidas de protección a los legatarios ante actuaciones abusivas o ilegítimas de los herederos por medio de las anotaciones preventivas reguladas en los artículos 47 y ss. LH. De este modo, el legatario de bienes inmuebles determinados, propiedad del testador, puede pedir en cualquier tiempo anotación preventiva de su derecho sobre los bienes que son objeto, incluso sin necesidad de convenio con el heredero ni de orden judicial.

La DGRN[56] a los efectos de la inscripción del legado en el Registro de la Propiedad sostiene que la inscripción de la adquisición por el legatario de cosa específica, puesto que de ella derivaría la presunción de existencia y pertenencia del derecho inscrito (artículo 38 LH), precisa que en la calificación se aprecie si existe aceptación por el adquirente. En caso de asignación realizada por el contador (art. 81-b RH[57]) la DGRN ha defendido que podrá inscribirse el legado

---

[53] SÁNCHEZ CID, I., *La repudiación de la herencia*, Ediciones Universidad de Salamanca, Salamanca, 2012, p. 65.

[54] Cfr. STS 27 de junio 2000.
       Gutiérrez Jerez, L. J., en AA.VV., *Libro Homenaje al Profesor Manuel Albaladejo García*, v. I, Colegio de Registradores de la Propiedad y Mercantiles de España, 2004, p. 2330: "La adquisición y la renuncia de los legados", pp. 2317 y ss. El legado podrá aceptarse tácitamente por resultar aplicable el art. 1000 CC, al cual hay que entender incorporada una forma especial de aceptación tácita como es la prescripción del derecho a repudiar el legado, que provocaría la cesación de la situación jurídica de pendencia en la que se encontraba la titularidad, transformándose en situación definitiva, resultando aplicable el plazo de quince años durante el cual el legatario puede ejercer su derecho de repudiación, coincidente con el plazo de la actio ex testamento".

[55] NÚÑEZ MUÑIZ, M. C., "Pago de legados en la liquidación hereditaria: principales cuestiones prácticas en los supuestos de concurrencia entre herederos y legatarios", en AA.VV. (coord. Torres Lana, J. A. *et alii*) *El patrimonio sucesorio. Reflexiones para un debate reformista*, Dykinson, Madrid, 2014, pp. 388 y ss.

[56] Resolución de 19 de septiembre de 2002.

[57] Conforme al art. 81 RH: "*La inscripción a favor del legatario de inmuebles específicamente legados se practicará en virtud de:*

como sujeto a condición suspensiva, esto es, con la advertencia de no haberse acreditado y estar pendiente de la aceptación.

Asimismo, la DGRN ha indicado que, en el legado de cosa cierta y determinada propia del testador, la propiedad del bien no ha llegado a ser en momento alguno del heredero y su entrega posesoria no tiene el valor de tradición[58].

NORMATIVA

Arts. 881, 882, 885, CC; Art. 81 RH.

JURISPRUDENCIA

STS (Sala de lo Civil, Sección 1ª), sentencia núm. 637/2000 de 27 de junio 2000 (*Tol 4973800*).
Resolución DGRN de 19 de mayo de 1947.
Resolución DGRN de 19 de septiembre de 2002.

---

a) Escritura de manifestación de legado otorgada por el propio legatario siempre que no existan legitimarios y aquél se encuentre facultado expresamente por el testador para posesionarse de la cosa legada.
b) Escritura de partición de herencia o de aprobación y protocolización de operaciones particionales formalizada por el contador-partidor en la que se asigne al legatario el inmueble o inmuebles legados.
c) Escritura de entrega otorgada por el legatario y contador-partidor o albacea facultado para hacer la entrega o, en su defecto, por el heredero o herederos.
d) Solicitud del legatario cuando toda la herencia se hubiere distribuido en legados y no existiere contador-partidor, ni se hubiere facultado al albacea para la entrega.
Cuando toda la herencia se distribuya en legados, los que no sean de inmuebles determinados se inscribirán mediante escritura de liquidación y adjudicación otorgada por el contador-partidor o albacea facultado para la entrega o, en su defecto por todos los legatarios".
[58] Resolución DGRN de 19 de mayo de 1947.

7. DERECHO INTERNACIONAL PRIVADO SUCESORIO

Formulario 1. TESTAMENTO ABIERTO DE EXTRANJERO EN ESPAÑA

TESTAMENTO

NÚMERO de Protocolo...............

En,...............mi residencia, siendo las...............horas,...............minutos del día...............

Ante mí, Notario de esta Capital y del Ilustre Colegio de Valencia...............

COMPARECE

DON..............., de nacionalidad holandesa, residente en España, pensionista, mayor de edad, divorciado, vecino de..............., con domicilio en ....; provisto de pasaporte vigente de su país, desde el día, hasta el día, número .... en el consta su fotografía y firma y con NIE ....

A mi juicio, el testador comprende el alcance de lo que dispone en este testamento y puede manifestarlo.

Yo, Notario, he procurado que el testador desarrolle su propio proceso de toma de decisiones de acuerdo con sus deseos y preferencias y hecho lo necesario para apoyarlo en su razonamiento, en la comprensión de este testamento y en la manifestación de su voluntad.

(****En su caso, determinar qué medio técnico o humano, se ha utilizado para establecer la comunicación.)

EXPONE

Que nació en..............., el día..............., que es hijo de los cónyuges..............., ambos fallecidos y que carece de descendencia. Se encuentra divorciado de doña .... Ha residido............... en............... (España) desde el año...............

De acuerdo con el Reglamento Europeo de Sucesiones, a la herencia del causante se le aplica el Derecho Sucesorio del país de su residencia, salvo que hubiera optado por el Derecho sucesorio holandés en su testamento; Derecho sucesorio que yo, la Notario, conozco suficientemente para el otorgamiento de este testamento...............

Y ordena este testamento, que redacto conforme a su voluntad, que me manifiesta oralmente, con las siguientes:...............

CLÁUSULAS

PRIMERA.– Con este testamento revoca íntegramente cualquier otro testamento anterior...............

SEGUNDA.– Este testamento se redacta y será interpretado de conformidad con el Derecho sucesorio holandés, por el que opta expresamente el testador...............

TERCERA.– El testador instituye heredero universal a su hermano ....

CUARTA.– El testador nombra albacea-contador partidor para todos los bienes de su herencia a ...., de nacionalidad ...., residente en España, mayor de edad, casado, con domicilio .... en calle ...., en ...., con tarjeta de identidad de su nacionalidad número ....y con NIE número ...., con las más amplias facultades para dejar ultimada la voluntad del causante, y expresamente para tomar posesión y administrar todos los bienes de su herencia...............

De acuerdo con el Derecho sucesorio holandés, el heredero no puede disponer de los bienes de la herencia o de su parte en éstos, hasta que el albacea no haya rechazado su nombramiento de forma expresa; y una vez que ha aceptado su nombramiento, hasta que no haya terminado su facultad de administración de la herencia. La administración por el albacea termina en los casos que determinan la legislación holandesa y este testamento...............

El albacea no tiene derecho a la retribución que le reconoce la legislación holandesa, sino que solo podrá ser retribuido por sus servicios profesionales, según su tarifa habitual. Sus honorarios se pagarán directamente a cargo de la herencia...............

Los gastos de entierro y funerales, así como los de notaría, registro, gestoría y todos los Impuestos que el albacea tenga que pagar para desempeñar su cargo, serán pagados directamente con cargo a los bienes de la herencia. El albacea también tiene la facultad de pagar las deudas del causante directamente con cargo a la herencia...............

Dispone que el albacea tenga el derecho de nombrar uno o más albaceas para asistirle o sustituirle, mediante nombramiento en escritura notarial. Explícitamente dispone que el albacea tenga facultad de nombrar a terceros para asistirle en el ejercicio de su función, bajo las condiciones que estipule el albacea...............

El albacea tendrá también la facultada para vender los bienes de la herencia en el plazo de cinco años a los efectos de que le sea entregada a la fundación el producto de la venta una vez descontados los gastos y deudas de la misma y los que produzca su tramitación...............

Tal es el testamento abierto, que otorga el señor compareciente a mi presencia...............

Yo, la Notario, doy lectura en alta voz del total contenido del presente Instrumento Público al testador traduciéndolo yo su contenido a su idioma natal que conozco, y enterado del mismo, manifiesta que es la fiel expresión de su voluntad interna y declarada, por lo que presta su consentimiento el testador y firma conmigo, la Notario, el testador. ....

Le identifico con el documento reseñado en la comparecencia, y cuyos datos contenidos en los mismos, incluida la firma, constato con los datos y firma reseñada en la presente...............

De acuerdo con lo establecido en la nueva LOPD, el compareciente ha sido informado de la incorporación de sus datos y de los interesados en esta escritura a los ficheros automatizados existentes en la Notaria de, así como a la Base de Datos del índice único del Notariado, que se conservarán en las mismas con carácter confidencial, sin perjuicio de las remisiones de obligado cumplimiento. Además, queda advertido el compareciente que podrá ejercer en cualquier momento el derecho de acceso, rectificación, cancelación y oposición en los términos establecidos en la Ley Orgánica. Respecto a los ficheros automatizados existentes en la Notaría, el responsable del tratamiento es el Notario autorizante, con domicilio en

Del consentimiento libremente prestado y de la voluntad debidamente informada del testador, de la adecuación a la legalidad del presente otorgamiento y de todo lo demás contenido en la presente escritura, extendida en ....yo, el Notario, **DOY FE**...............

COMENTARIO

Este formulario tiene por objeto un testamento abierto otorgado por un extranjero. Téngase en cuenta la siguiente información.

Lo primero de todo es que la ley personal es la que determina la capacidad para testar-La capacidad de las personas físicas (aunque el artículo 23 sí sujeta al RSE la capacidad para suceder, como hemos visto, y el 26, al referirse a la validez material de la disposición mortis causa, dice que en el concepto validez material se incluye la capacidad del disponente para realizar la disposición y que esta validez material (artículo 24) se regirá por la ley que sería aplicable a la sucesión con arreglo al RSE si el causante hubiera fallecido en el momento del otorgamiento o a la que el disponente haya elegido, en los términos que prevé el 22 RSE, para que a ella se someta la validez material de la disposición y, por tanto, la capacidad para otorgarla. Y hay que completarlo con la regla que después veremos y que considera como cuestión formal y no material la edad, la nacionalidad o las condiciones personales del testador que limiten la forma de disposición. Así es que, la capacidad a que hace referencia aquí el RSE, y que se someterá en España a lo dispuesto en el artículo 9.1 del CC, debe entenderse como la aptitud natural de entender y querer la disposición. Debe advertirse que, equivocadamente, el RSE habla de capacidad jurídica cuando debía haberse referido a la capacidad de obrar.

Doctrina

Hemos de plantearnos en este punto la validez de las disposiciones *mortis causa* otorgadas por extranjeros en España.

A los extranjeros fallecidos con posterioridad al 17 de agosto de 2015 les resulta de aplicación lo establecido en el Reglamento (UE) n° 650/2012 del Parlamento Europeo y del Consejo, de 4 de julio de 2012, relativo a la competencia, la ley aplicable, el reconocimiento y la ejecución de las resoluciones, a la aceptación y la ejecución de los documentos públicos en materia de sucesiones mortis causa y a la creación de un certificado sucesorio europeo.

Ley aplicable a la sucesión

Según el art. 22 del citado Reglamento, cualquier persona puede designar como ley aplicable a su sucesión la correspondiente a la nacionalidad que posea en el momento de testar o en el de fallecer. En el caso de tener más de una nacionalidad, podrá optar por cualquiera de ellas. Se trata de un acto de autonomía de la voluntad que debe manifestarse expresamente en forma de disposición *mortis causa*.

A falta de dicha elección, según establece el art. 21 "la ley aplicable a la totalidad de la sucesión será la del Estado en el que el causante tuviera su residencia habitual en el momento del fallecimiento". Salvo que en el momento del fallecimiento el causante mantuviese "un vínculo manifiestamente más estrecho con un Estado distinto del Estado cuya ley fuese aplicable de conformidad con el apartado 1, la ley aplicable a la sucesión será la de ese otro Estado".

La ley aplicable regula la totalidad de la sucesión, salvo algunas cuestiones parciales reguladas en los arts. 29 y 30 del Reglamento (nombramiento de administradores de la herencia y alcance de sus facultades; cuestiones referidas a las limitaciones a la sucesión de ciertos bienes situados en el territorio de ciertos Estados).

El ámbito de la ley aplicable viene delimitado por el art. 23 del Reglamento: (a) las causas, el momento y el lugar de apertura de la sucesión; b) la determinación de los beneficiarios, de sus partes alícuotas respectivas y de las obligaciones que pueda haberles Impuesto el causante, así como la determinación de otros derechos sucesorios, incluidos los derechos sucesorios del cónyuge o la pareja supérstites; c) la capacidad para suceder; d) la desheredación y la incapacidad de suceder por causa de indignidad; e) la transmisión a los herederos y, en su caso, a los legatarios, de los bienes, derechos y obligaciones que integren la herencia, incluidas las condiciones y los efectos de la aceptación o renuncia de la herencia o del legado; f) las facultades de los herederos, de los ejecutores testamentarios y otros administradores de la herencia, en particular en orden a la venta de los bienes y al pago de los acreedores, sin perjuicio de las facultades contempladas en el artículo 29, apartados 2 y 3; g) la responsabilidad por las deudas y cargas de la herencia; h) la parte de libre disposición, las legítimas y las demás restricciones a la libertad de disposición mortis causa, así como las reclamaciones que personas próximas al causante puedan tener contra la herencia o los herederos; i) la obligación de reintegrar o computar las donaciones o liberalidades, adelantos o legados a fin de determinar las cuotas sucesorias de los distintos beneficiarios, y j) la partición de la herencia.

Como puede observarse el apartado b) incluye los derechos sucesorios del cónyuge o la pareja supérstite, de modo distinto a lo establecido en las normas de conflicto españolas (art. 9.8 CC).

El art. 27 del Reglamento regula la validez formal de las disposiciones *mortis causa* realizada por escrito. Al respecto conviene tener presente, conforme al art. 75.1, que los Estados miembros que son partes contratantes en el Convenio de La Haya, de 5 de octubre de 1961, sobre los conflictos de leyes en materia de forma de las disposiciones testamentarias seguirán aplicando lo dispuesto en ese Convenio, en lugar del artículo 27 del presente Reglamento, en lo que atañe a la validez en materia de forma de los testamentos y testamentos mancomunados. Este es el caso de España.

Aceptación y declaración de ejecutividad de documentos públicos

Los arts. 59-61 del Reglamento se refieren a las condiciones para la aceptación y el otorgamiento de fuerza ejecutiva a los documentos públicos distintos de las resoluciones emanadas de un tribunal.

En el considerando (63) del Reglamento se definen los términos "actos jurídicos o las relaciones jurídicas consignados en un documento público". Deben interpretarse "como una referencia al contenido material registrado en el documento público. Los actos jurídicos consignados en un documento público podrían ser, por ejemplo, el acuerdo entre las partes sobre la partición o distribución de la herencia, un testamento, un pacto sucesorio u otra declaración de voluntad. Las relaciones jurídicas podrían ser, por ejemplo, la determinación de los herederos y demás beneficiarios establecidos en virtud de la ley aplicable a la sucesión, sus partes alícuotas respectivas y la existencia de legítima o cualquier otro elemento establecido en virtud de la ley aplicable a la sucesión. La parte que desee recurrir contra los actos jurídicos o las relaciones jurídicas consignados en un documento público debe hacerlo ante los tribunales que sean competentes en virtud del presente Reglamento, que deben pronunciarse sobre el recurso de acuerdo con la ley aplicable a la sucesión".

Los documentos públicos expedidos en un Estado miembro tendrán en otro Estado miembro el mismo valor probatorio que en el Estado de origen o el más parecido posible. A este fin, deberá solicitarse a la autoridad que lo expidió que cumplimente un formulario explicativo acerca del valor probatorio del documento en el Estado de origen (art. 59).

Respecto al otorgamiento de fuerza ejecutiva a los documentos que la tengan en el país de origen, el procedimiento a seguir es el establecido en los arts. 45-58 del Reglamento, con las particularidades reguladas en el art. 60.

Certificado sucesorio europeo (remisión)

Se trata de un documento que tiene por objeto facilitar el ejercicio de los derechos por parte de herederos, legatarios, ejecutores testamentarios o administradores de la herencia en el territorio de los Estados miembros.

Vid. comentario del pertinente formulario.

La prueba del Derecho extranjero

En el modelo que se comenta el notario hace constar que conoce el Derecho extranjero aplicable a la sucesión.

Sobre la prueba del Derecho extranjero a la autoridad no judicial conviene tener presente la doctrina contenida en la Resolución DGRN de 27 de abril de 2015 (Tol 5165695). En este caso de trata de la determinación del régimen económico matrimonial en los títulos inscribibles sobre bienes inmuebles radicados en España en los que intervienen cónyuges extranjeros.

"Se plantea la cuestión relativa a la prueba del Derecho extranjero en sede registral. Como ha dicho anteriormente esta Dirección General (vid. las Resoluciones de 15 de julio de 2011 y 2 de marzo y 14 de noviembre de 2012), la calificación sobre la aplicación del Derecho extranjero queda sometida necesariamente a su acreditación ante la registradora ya que, al igual que en el ámbito procesal, el Derecho extranjero ha de ser objeto de prueba (cfr. artículo 281.2 de la Ley de Enjuiciamiento Civil), también lo ha de ser en el notarial y registral (vid., entre otras, las Resoluciones de 17 de enero de 1955, 14 de julio de 1965, 27 de abril de 1999, 1 de marzo de 2005 y 20 de enero de 2011). Es cierto, no obstante, que este Centro Directivo ya ha señalado en diversas ocasiones que la aplicación del Derecho extranjero por autoridad pública que desarrolla funciones no jurisdiccionales se sujeta a reglas especiales que se apartan de la solución general contemplada en el artículo 281 de la Ley de Enjuiciamiento Civil y que se adaptan a las particularidades inherentes al ámbito extrajudicial. En consecuencia, los

preceptos mencionados son subsidiarios para el caso de que las normas especiales sobre aplicación extrajudicial del Derecho extranjero no proporcionen una solución. Una de las consecuencias de este tratamiento especial es que si al registrador no le quedase acreditado de forma adecuada el contenido y vigencia del Derecho extranjero en el que se fundamenta el acto cuya inscripción se solicita, deberá suspender ésta. No cabe, en consecuencia, someter la validez del acto a lo dispuesto en el ordenamiento español, tal y como sucede en un proceso judicial".

En consecuencia, el Derecho extranjero aplicable debe ser acreditado y probado en cuanto a su contenido y vigencia ante el fedatario y ante el calificador del título.

"La normativa aplicable a la acreditación en sede registral del ordenamiento extranjero debe buscarse, en primer término, en el artículo 36 del Reglamento Hipotecario, norma que regula los medios de prueba del Derecho extranjero en relación con la observancia de las formas y solemnidades extranjeras y la aptitud y capacidad legal necesarias para el acto y que, como señala la Resolución de esta Dirección General de 1 de marzo de 2005, resulta también extensible a la acreditación de la validez del acto realizado según la ley que resulte aplicable. Según este precepto los medios de prueba del Derecho extranjero son "la aseveración o informe de un Notario o Cónsul español o de Diplomático, Cónsul o funcionario competente del país de la legislación que sea aplicable". El precepto señala además que "por los mismos medios podrá acreditarse la capacidad civil de los extranjeros que otorguen en territorio español documentos inscribibles". La enumeración expuesta no contiene un "numerus clausus" de medios de prueba ya que el precepto permite que la acreditación del ordenamiento extranjero podrá hacerse "entre otros medios", por los enumerados".

Además *"no sólo es necesario acreditar el contenido del Derecho extranjero sino también su vigencia (vid., entre otras, las Sentencias del Tribunal Supremo de 11 de mayo de 1989, 7 de septiembre de 1990 y 25 de enero de 1999 y la Resolución de 20 de enero de 2011). Es decir, no basta la cita aislada de textos legales extranjeros sino que, por el contrario, debe probarse el sentido, alcance e interpretación actuales atribuidos por la jurisprudencia del respectivo país. Asimismo, esta Dirección General ha señalado en diferentes ocasiones que las autoridades públicas que desarrollan funciones no jurisdiccionales (cfr. artículos 281 de la Ley de Enjuiciamiento Civil, 168.4 del Reglamento Notarial y 36.2º del Reglamento Hipotecario), pueden realizar bajo su responsabilidad una valoración respecto de la alegación de la ley extranjera aunque no resulte probada por las partes, siempre que posea conocimiento de la misma (vid., entre otras, las Resoluciones de 14 de diciembre de 1981 y 5 de febrero y 1 de marzo de*

2005). *La indagación sobre el contenido del ordenamiento extranjero no constituye en absoluto una obligación del registrador, o del resto de autoridades no judiciales ante las que se inste la aplicación de un ordenamiento extranjero, sino una mera facultad, que podrá ejercerse incluso aunque aquél no sea invocado por las partes. En consecuencia, como señaló la Resolución de 20 de enero de 2011, el registrador, pese a que quien insta la inscripción no acredite el contenido del ordenamiento extranjero de acuerdo a los imperativos expuestos, podrá aplicar un Derecho extranjero si tiene conocimiento de él o indaga su contenido y vigencia. En caso contrario, deberá suspender la inscripción"*.

Por lo tanto, de acuerdo con lo expuesto, como particularidad específica del ámbito no jurisdiccional, el Notario o el Registrador de la Propiedad, para autorizar el título, o para calificarlo, respectivamente, podrán investigar y valorar la ley extranjera bajo su responsabilidad, aunque no haya sido probada por las partes siempre que posean conocimiento de la misma. Se trata de una facultad de estas autoridades.

Cuestiones planteadas en la jurisprudencia

Conflicto de Derecho internacional privado en materia de Derecho de sucesiones. STS (Sala 1ª) núm. 18/2019, de 15 de enero de 2019 (*Tol 6998971*).

En el momento del fallecimiento del causante no resultaba de aplicación el Reglamento (UE) nº 650/2012 del Parlamento Europeo y del Consejo, de 4 de julio de 2012. En el presente caso se trata de determinar si contra la voluntad de un ciudadano inglés que dispuso de sus bienes conforme a su ley nacional, basada en la libertad de testar es aplicable, la voluntad del testador era clara: instituir heredera de sus bienes, muebles e inmuebles, radicados en España a su esposa. Se trata de determinar si es aplicable conforme al art. 12.2 CC el reenvío a la ley española; teniendo en cuanta la norma de conflicto inglesa que preceptúa que la sucesión por causa de muerte se rige, para los bienes inmuebles, por la ley de su ubicación y para los bienes muebles por la ley del domicilio del causante. Ni la sentencia de primera instancia ni la de la Audiencia Provincial aceptan tal reenvío. El recurrente en casación, hijo del causante pretende que se aplique el reenvío a la ley española para que se le reconozca su derecho a la legítima en la sucesión de su padre.

"2. *Doctrina de la sala.* La Audiencia confirma la sentencia del juzgado, que rechazó el reenvío a la ley española por considerar que no procede su aplicación en la sucesión testada. La tesis que presupone la existencia de una norma implícita conforme a la cual no procede el reenvío cuando el testador elige como ley aplicable su ley personal o hace testamento que sería válido conforme a la misma, ha venido siendo defendida entre nosotros por un sector doctrinal con apoyo en modelos de derecho comparado. Pero no es, sin embargo, la solución que ha venido manteniendo la doctrina de esta sala, a la que debemos estar por razones de seguridad jurídica, y que tenía su apoyo fundamental en un doble dato normativo: i) que el art. 9.8 CC no utiliza la autonomía de la voluntad como punto de conexión, de modo que no permite al causante elegir la ley que rige su sucesión (a diferencia de lo que sucede con el Reglamento 650/2012, en los términos de su art. 22); y ii) que el art. 12.2 CC no excluye el reenvío por el hecho de que el causante haya elegido la ley aplicable a su sucesión (a diferencia de lo que resulta de los arts. 34 y 22 del Reglamento 650/2012, de sucesiones).

Así, esta sala ha admitido el reenvío a la ley española, a pesar de que el causante otorgó testamento conforme a la libertad de testar de su ley personal, en las sentencias 849/2002, de 23 de septiembre, y 490/2014, de 12 de enero de 2015 (ciudadanos británicos residentes en España, donde fallecen bajo testamento en el que nombran herederas a sus esposas; se estiman las demandas de los hijos y se reconoce su condición de legitimarios). En estas dos sentencias fue relevante que se había considerado probado que todos los bienes del caudal relicto eran inmuebles que se encontraban en España, por lo que en virtud del reenvío que hace la ley inglesa a la ley española por lo que se refiere a la sucesión de los inmuebles, toda la sucesión se regía por la ley española. Es decir, la aplicación del reenvío en estos supuestos no provocó un "fraccionamiento legal de la sucesión", lo que se considera contrario al art. 9.8 CC que, al disponer que "la sucesión por causa de muerte se regirá por la ley nacional del causante en el momento de su fallecimiento, cualesquiera que sean la naturaleza de los bienes y el país donde se encuentren", exige que la ley que regule la sucesión sea una sola ley.

En aplicación de esta doctrina que rechaza el reenvío de primer grado en materia de sucesión por causa de muerte cuando provoca un "fraccionamiento legal de la sucesión", es decir, cuando da lugar a que la sucesión se vea regulada por varias leyes, no se admitió el reenvío parcial a la ley española en los supuestos de las sentencias 887/1996, de 15 de noviembre, y 436/1999, de 21 de mayo. Tampoco se ha aceptado el reenvío a la ley española por lo que se refiere a los inmuebles en España en la sentencia 685/2018, de 5 de diciembre, porque en el caso resuelto en esta sentencia la aceptación de la voluntad del causante, acorde con su derecho nacional, de mantener a efectos sucesorios su domicilio en Inglaterra, donde mantenía cuentas financieras y no había perdido su arraigo, determinaba la aplicación de la ley inglesa a los bienes muebles y el reenvío solo hubiera conducido a la ley española para el inmueble en España, provocando un fraccionamiento legal de la sucesión.

3. *Estimación del recurso*. La aplicación de la doctrina de esta sala elaborada en torno a los arts. 12.2 y 98 CC determina que, en atención a las circunstancias del presente caso, el recurso de casación deba ser estimado por las razones que se exponen a continuación.

No se ha discutido por las partes que la única inmueble propiedad del causante está situado en territorio español (por lo que la norma de conflicto inglesa remite para su sucesión al Derecho español). Tampoco que el último domicilio del causante se encontraba en España, tal y como ya se hiciera constar en el testamento (por lo que la norma de conflicto remite también para la sucesión de los bienes muebles al Derecho español). En consecuencia, en el presente caso, en virtud del reenvío previsto en el art. 12.2 CC, es de aplicación a toda la sucesión la ley española, con la que además la sucesión guarda una conexión más estrecha que con la derivada de la nacionalidad del causante, dado que el mismo residía en España, donde falleció, y donde se encuentran los bienes del caudal hereditario y las personas llamadas a la sucesión.

Al no entenderlo así la sentencia recurrida es contraria a la interpretación jurisprudencial de los arts. 9.8 y 12.2 y debe ser casada.

Al asumir la instancia, procede estimar la demanda y declarar que el demandante es legitimario en la sucesión de su padre D. Isaac y que procede que se reduzca la institución de heredero a que se refiere el testamento otorgado por D. Isaac en la parte que perjudique la legítima del demandante.

Puesto que el recurrente afirma en su recurso de casación, y lo dijo también en su recurso de apelación, que el único bien de la herencia es un inmueble en España, debemos advertir que no existe un pronunciamiento en la instancia sobre la composición del caudal por lo que se refiere a la existencia de bienes muebles ni sobre las deudas del causante. El mismo actor, en su demanda identificó como parte de la herencia, además del inmueble que era el domicilio del causante, bienes muebles (un vehículo y cuentas corrientes) respecto de los que la demandada hizo valer la procedencia del dinero con el que se adquirieron así como la existencia de deudas del causante y pagos realizados por ella que en su caso habrá que liquidar. Todo ello deberá ser tenido en cuenta en la correspondiente liquidación del caudal relicto, lo que no ha sido objeto de este procedimiento".

La ley que regula la sucesión y los efectos del matrimonio son distintas. STS (Sala 1ª) núm. 161/2016 de 16 de marzo de 2016 (*Tol 5673661*).

En esta Sentencia el TS confirma su doctrina, ya contenida en la STS 28 abril de 2014 sobre la interpretación del art. 9.8 CC, precepto que tiene su importancia cuando la ley que regula la sucesión y la que regula los efectos del matrimonio son distintas. El TS opta por una interpretación amplia del art. 9.8, último inciso, según la cual este precepto contiene una excepción al principio de la ley personal del causante como reguladora de la sucesión, de modo que los derechos sucesorios del cónyuge viudo vendrán determinados por la ley que regula el matrimonio.

En el Derecho europeo la cuestión viene resuelta por el Reglamento 650/2012 del Parlamento Europeo y del Consejo de 4 de julio de 2012 que establece que los derechos sucesorios del cónyuge viudo vendrán determinados por la ley de la sucesión (conforme al art. 23. 2 b).

Fuera del ámbito de aplicación de dicho Reglamento, la cuestión sigue teniendo su importancia en el Derecho interno, dada la vigencia de distintos ordenamientos jurídicos civiles dentro del territorio español.

La doctrina del TS al respecto se contiene en el FJ 2º de la STS 28 de abril de 2014:

"3. En efecto, contrariamente a la fundamentación técnica seguida por la Audiencia, y conforme a lo desarrollado por la doctrina científica al respecto, se debe puntualizar que la regla del artículo 9.8, in fine, del Código Civil, que determina que "los derechos que por ministerio de la ley se atribuyan al cónyuge supérstite se regirán por la misma ley que regule los efectos del matrimonio, a salvo siempre las legítimas de los descendientes" opera como una excepción a la regla general de la "lex successionis" previamente contemplada en el número primero del propio artículo nueve y reiterada en el párrafo primero de su número o apartado octavo (la Ley nacional del causante como criterio de determinación de la ordenación sucesoria). En este sentido, la norma aplicable resulta plenamente determinada con la remisión que cabe efectuar en relación a los artículos 9.2 y 9.3 del Código Civil, reguladores de los efectos del matrimonio como criterio de determinación. Esta excepción o regla especial, no puede considerarse como una quiebra a los principios de unidad y universalidad sucesoria que nuestro Código, como se ha señalado, no recoge como una regla de determinación absoluta, ya que responde, mas bien, a un criterio técnico o de adaptación para facilitar el ajuste entre la ley aplicable a la sucesión del cónyuge supérstite y la ley aplicable a la disolución del correspondiente régimen económico matrimonial: solución, además, armónica con los instrumentos internacionales vigentes, aun no habiéndose ratificado por el Reino de España, caso de las Convenciones de la Haya de 14 de marzo de 1978 y de 1 de agosto de 1989. Desde esta perspectiva se comprende que no quepa una interpretación de lo que deba entenderse por "efectos del matrimonio" que, en definitiva, modifique o restrinja el ámbito de aplicación de la regla especial reconocida y querida como tal, no sólo porque la propia norma no albergue distinción alguna a estos efectos entre las relaciones personales del vínculo matrimonial, ya generales o morales como los deberes de fidelidad o convivencia, o bien ligadas a un estatuto primario tales como el año de luto, aventajas, ajuar doméstico, etc, y las relaciones patrimoniales, propiamente dichas, sino por la consideración de los "efectos del matrimonio" como término o calificación jurídica que conceptualmente comporta un conjunto de derechos y deberes de contenido y proyección económica de innegable transcendencia, también en el ámbito sucesorio de los cónyuges".

Aplicando la doctrina antes expuesta al caso enjuiciado por la STS 16 de marzo de 2016, el Tribunal Supremo llega a la conclusión de que al cónyuge viudo le corresponde el usufructo del tercio de la herencia que le otorga la legislación común que regía su matrimonio.

NORMATIVA

Arts. 22-30; 45-48; 59-61 Reglamento (UE) nº 650/2012 del Parlamento Europeo y del Consejo, de 4 de julio de 2012, relativo a la competencia, la ley aplicable, el reconocimiento y la ejecución de las resoluciones, a la aceptación y la ejecución de los documentos públicos en materia de sucesiones mortis causa y a la creación de un certificado sucesorio europeo.
Art. 36 RH.
Art. 281.2 LEC.
Arts. 9.8; 12.2 CC.

JURISPRUDENCIA

Resolución DGRN de 27 de abril de 2015 (*Tol 5165695*).
STS (Sala 1ª) núm. 161/2016 de 16 de marzo de 2016 (*Tol 5673661*).
STS (Sala 1ª) núm. 18/2019, de 15 de enero de 2019 (*Tol 6998971*).

Formulario 2. CERTIFICADO SUCESORIO EUROPEO

CERTIFICADO SUCESORIO EUROPEO

(Artículo 67 del Reglamento (UE) nº 650/2012 del Parlamento Europeo y del Consejo, de 4 de julio de 2012, relativo a la competencia, la ley aplicable, el reconocimiento y la ejecución de las resoluciones, a la aceptación y la ejecución de los documentos públicos en materia de sucesiones *mortis causa* y a la creación de un certificado sucesorio europeo[59]).

---

[59]   DO L 201 de 27.7.2012, p. 107.

El original del presente certificado queda en posesión de la autoridad emisora

Las copias auténticas del presente certificado son válidas hasta la fecha indicada en la casilla correspondiente al final de este formulario

Anexos incluidos en el certificado* ....

- Anexo I.– Datos relativos al solicitante o solicitantes (OBLIGATORIO si se trata de personas jurídicas)
- Anexo II.– Datos relativos al representante de los solicitantes (OBLIGATORIO si los solicitantes están representados)
- Anexo III.– Información sobre el régimen económico matrimonial o régimen patrimonial equivalente del causante (OBLIGATORIO si el causante tenía tal régimen en el momento del fallecimiento)
- Anexo IV.– Cualidad y derechos de los herederos (OBLIGATORIO si la finalidad del certificado es acreditar esos elementos)
- Anexo V.– Cualidad y derechos de los legatarios con derechos directos en la herencia (OBLIGATORIO si la finalidad del certificado es acreditar esos elementos)
- Anexo VI.– Poderes para ejecutar un testamento o administrar la herencia (OBLIGATORIO si la finalidad del certificado es acreditar esos elementos)
- No se incluye anexo

1. Estado miembro de la autoridad emisora[1] ....

☐ Bélgica ☐ Bulgaria ☐ República Checa ☐ Alemania ☐ Estonia ☐ Grecia ☐ España ☐ Francia ☐ Croacia ☐ Italia ☐ Chipre ☐ Letonia ☐ Lituania ☐ Luxemburgo ☐ Hungría ☐ Malta ☐ Países Bajos ☐ Austria ☐ Polonia ☐ Portugal ☐ Rumanía ☐ Eslovenia ☐ Eslovaquia ☐ Finlandia ☐ Suecia

2. Autoridad emisora
2.1. Nombre y denominación de la autoridad ....: ....
2.2. Dirección
2.2.1. Calle y número/apartado de correos ....: ....
2.2.2. Localidad y código postal ....: ....
2.3. Teléfono: ....
2.4. Fax: ....
2.5. Correo electrónico: ....

3. Información relativa al expediente
3.1. Número de referencia ....:
3.2. Fecha (dd/mm/aaaa) de expedición del certificado ....: ....

4. Competencia de la autoridad expedidora (artículo 64 del Reglamento (UE) n° 650/2012)

4.1. La autoridad expedidora está situada en el Estado miembro cuyos tribunales sean competentes para sustanciar la sucesión en virtud del................

- Artículo 4 del Reglamento (UE) n° 650/2012 (Competencia general)
- Artículo 7, letra a), del Reglamento (UE) n° 650/2012 (Competencia en caso de elección de la ley)
- Artículo 7, letra b), del Reglamento (UE) n° 650/2012 (Competencia en caso de elección de la ley)
- Artículo 7, letra c), del Reglamento (UE) n° 650/2012 (Competencia en caso de elección de la ley)
- Artículo 10 del Reglamento (UE) n° 650/2012 (Competencia subsidiaria)
- Artículo 11 del Reglamento (UE) n° 650/2012 (*Forum necessitatis*)

4.2. Elementos adicionales sobre cuya base la autoridad expedidora se considera competente para expedir el certificado[2:] ....
....
....
....

5. Datos del solicitante (persona física[3])

5.1. Nombre y apellido(s) ....: ....

5.2. Apellido(s) de nacimiento (si distinto del punto 5.1.): ....

5.3. Sexo...............

5.3.1. ☐ M

5.3.2. ☐ F

5.4. Fecha (dd/mm/aaaa) y lugar de nacimiento [ciudad/país (código ISO)]
...............: ....

5.5. Estado civil...............:

5.5.1. ☐ Soltero/a

5.5.2. ☐ Casado/a

5.5.3. ☐ Pareja registrada

5.5.4. ☐ Divorciado/a

5.5.5. ☐ Viudo/a

5.5.6. ☐ Otros (especifíquese): ....

5.6. Nacionalidad ....

Si se trata de más de un solicitante, adjúntese una hoja adicional.

☐ Bélgica ☐ Bulgaria ☐ República Checa ☐ Alemania ☐ Estonia ☐ Grecia ☐ España ☐ Francia ☐ Croacia ☐ Italia ☐ Chipre ☐ Letonia ☐ Lituania ☐ Luxemburgo ☐ Hungría ☐ Malta ☐ Países Bajos ☐ Austria ☐ Polonia ☐ Portugal ☐ Rumanía ☐ Eslovenia ☐ Eslovaquia ☐ Finlandia ☐ Suecia

☐ Otros (indíquese el código ISO): ....

5.7. Número de identificación[4]
5.7.1. Número de documento nacional de identidad:...............
5.7.2. Número de Seguridad Social: ....
5.7.3. Número de identificación fiscal: ....
5.7.4. Otros (especifíquese): ....
5.8. Dirección
5.8.1. Calle y número/apartado de correos ....: ....
5.8.2. Localidad y código postal ....: ....
5.8.3. País...............
☐ Bélgica ☐ Bulgaria ☐ República Checa ☐ Alemania ☐ Estonia ☐ Grecia ☐ España ☐ Francia ☐ Croacia ☐ Italia ☐ Chipre ☐ Letonia ☐ Lituania ☐ Luxemburgo ☐ Hungría ☐ Malta ☐ Países Bajos ☐ Austria ☐ Polonia ☐ Portugal ☐ Rumanía ☐ Eslovenia ☐ Eslovaquia ☐ Finlandia ☐ Suecia
☐ Otros (indíquese el código ISO): ....
5.9. Teléfono: ....
5.10. Fax: ....
5.11. Correo electrónico: ....
5.12. Relación con el causante:
☐ Hijo ☐ Hija ☐ Padre ☐ Madre ☐ Nieto ☐ Nieta ☐ Abuelo ☐ Abuela ☐ Cónyuge ☐ Pareja Registrada ☐ Pareja de hecho[5] ☐ Hermano ☐ Hermana ☐ Sobrino ☐ Sobrina[7] ☐ Tío ☐ Tía ☐ Primo ☐ Prima ☐ Otros (especifíquese): ....

6. Datos del causante
6.1. Nombre y apellido(s) ....: ....
6.2. Apellido(s) de nacimiento (si distinto del punto 6.1.): ....
6.3. Sexo...............
6.3.1. _ M
6.3.2. _ F
6.4. Fecha (dd/mm/aaaa) y lugar de nacimiento [ciudad/país (código ISO)]
...............:
6.5. Estado civil en el momento del fallecimiento...............
6.5.1. ☐ Soltero/a
6.5.2. ☐ Casado/a
6.5.3. ☐ Pareja registrada
6.5.4. ☐ Divorciado/a
6.5.5. ☐ Viudo/a
6.5.6. ☐ Otros (especifíquese): ....
6.6. Nacionalidad ....
☐ Bélgica ☐ Bulgaria ☐ República Checa ☐ Alemania ☐ Estonia ☐ Grecia ☐ España ☐ Francia ☐ Croacia ☐ Italia ☐ Chipre ☐ Letonia ☐ Lituania ☐ Luxemburgo ☐ Hungría ☐ Malta ☐ Países Bajos ☐ Austria ☐ Polonia ☐ Portugal ☐ Rumanía ☐ Eslovenia ☐ Eslovaquia ☐ Finlandia ☐ Suecia
☐ Otros (indíquese el código ISO): ....

6.7. Número de identificación[4]

6.7.1. Número de documento nacional de identidad: ....

6.7.2. Número de Seguridad Social: ....

6.7.3. Número de identificación fiscal: ....

6.7.4. Número de certificado de nacimiento: ....

6.7.5. Otros (especifíquese): ....

6.8. Dirección en el momento del fallecimiento

6.8.1. Calle y número/apartado de correos...............: ....

6.8.2. Localidad y código postal ....: ....

6.8.3. País...............

☐ Bélgica ☐ Bulgaria ☐ República Checa ☐ Alemania ☐ Estonia ☐ Grecia ☐ España ☐ Francia ☐ Croacia ☐ Italia ☐ Chipre ☐ Letonia ☐ Lituania ☐ Luxemburgo ☐ Hungría ☐ Malta ☐ Países Bajos ☐ Austria ☐ Polonia ☐ Portugal ☐ Rumanía ☐ Eslovenia ☐ Eslovaquia ☐ Finlandia ☐ Suecia

☐ Otros (indíquese el código ISO): ....

6.9. Fecha (dd/mm/aaaa) y lugar del fallecimiento ....: ....
....

6.9.1. Número del certificado de defunción, fecha y lugar de expedición:...............

7.Sucesión testada/intestada

7.1. La sucesión es...............

7.1.1. ☐ testada

7.1.2. ☐ intestada

7.1.3. ☐ parcialmente testada y parcialmente intestada

7.2. Si la sucesión es testada o parcialmente testada, el certificado se basa en la siguiente disposición *mortis causa* válida[6]

7.2.1. Tipo: ☐ Testamento .... ☐ Testamento mancomunado .... ☐ Pacto sucesorio

7.2.2. Fecha (dd/mm/aaaa) de establecimiento: ....

7.2.3. Lugar de establecimiento [ciudad/país (código ISO)]: ....

7.2.4. Nombre y denominación de la autoridad ante la cual se estableció: ....

7.2.5. Fecha (dd/mm/aaaa) de registro o depósito:...............

7.2.6. Denominación del registro o del depositario:...............

7.2.7. Número de referencia de la disposición en el registro o en el depositario:
....

7.2.8. Otro número de referencia:...............

7.3. Que la autoridad expedidora tenga conocimiento, otras disposiciones mortis causa efectuadas por el causante y que han sido revocadas o declaradas nulas y sin efecto, son los siguientes:

7.3.1. Tipo: ☐ Testamento ☐ Testamento mancomunado ☐ Pacto sucesorio

7.3.2. Fecha (dd/mm/aaaa) de establecimiento: ....

7.3.3. Lugar de establecimiento [ciudad/país (código ISO)]: ....

7.3.4. Nombre y denominación de la autoridad ante la cual se estableció: ....

7.3.5. Fecha (dd/mm/aaaa) de registro o depósito:...............
7.3.6. Denominación del registro o del depositario:...............
7.3.7. Número de referencia de la disposición en el registro o en el depositario: ....
7.3.8. Otro número de referencia: ....
7.4. Otra información pertinente en relación con el artículo 68, letra j), del Reglamento (UE) n° 605/2012 (especifíquese): ....

8. La Ley aplicable a la sucesión

8.1. La ley aplicable a la sucesión es la ley de...............
☐ Bélgica ☐ Bulgaria ☐ República Checa ☐ Alemania ☐ Estonia ☐ Grecia ☐ España ☐ Francia ☐ Croacia ☐ Italia ☐ Chipre ☐ Letonia ☐ Lituania ☐ Luxemburgo ☐ Hungría ☐ Malta ☐ Países Bajos ☐ Austria ☐ Polonia ☐ Portugal ☐ Rumanía ☐ Eslovenia ☐ Eslovaquia ☐ Finlandia ☐ Suecia
☐ Otros (indíquese el código ISO):...............
8.2. La ley aplicable se determinó sobre la base de los siguientes elementos...............
8.2.1. El causante tenía su residencia habitual en ese Estado en el momento del fallecimiento (artículo 21, apartado 1, del Reglamento (UE) n° 650/2012).
8.2.2. El causante designó la ley del Estado cuya nacionalidad poseía (artículo 22, apartado 1, del Reglamento (UE) n° 650/2012) (véase el punto 7.2.).
8.2.3. El causante mantenía un vínculo manifiestamente más estrecho con ese Estado que con el Estado donde tenía su residencia habitual (artículo 21, apartado 2, del Reglamento (UE) n° 650/2012), especifíquese: ....
....
....
....
....

8.2.4. La ley de un tercer Estado aplicada en virtud del artículo 21, apartado 1, del Reglamento (UE) n° 650/2012 reenvía a la ley de este Estado (artículo 34, apartado 1) del Reglamento (UE) n° 650/2012). Especifíquese: ....
....
....
....
....

8.3. La ley aplicable es la de un Estado con más de un sistema jurídico (artículos 36 y 37 del Reglamento (UE) n° 650/2012). Son de aplicación las siguientes normas jurídicas (especifíquese en su caso la unidad territorial): ....
....
....
....
....

8.4. Se aplican disposiciones especiales que imponen restricciones relativas o aplicables a la sucesión de determinados bienes (artículo 30 del Reglamento (UE) n° 650/2012) (especifíquense las disposiciones y los bienes): ....
....
....
....
....
....

La autoridad certifica que ha tomado todas las medidas necesarias para informar a los beneficiarios de la solicitud de expedición del certificado y que, en el momento de la expedición del mismo, ninguno de los elementos en él contenidos habían sido impugnados por los beneficiarios. Los siguientes puntos no se han rellenado por no considerarse pertinentes para el fin para el que se ha expedido el certificado

En caso de adjuntarse hojas adicionales, indíquese el número total de páginas ....:.................

Hecho en............... el............... (dd/mm/aaaa)

Firma y/o sello de la autoridad expedidora ....:...............

COPIA AUTÉNTICA

Esta copia auténtica del certificado sucesorio europeo ha sido expedida a ....:
....
.... (nombre del solicitante o solicitantes, o de las personas que hayan demostrado un ....interés legítimo) (artículo 70 del Reglamento (UE) n° 650/2012)
Es válido hasta ....: .... (dd/mm/aaaa)
Fecha de expedición ....: .... (dd/mm/aaaa)
Firma y/o sello de la autoridad expedidora ....: ....

---

*   Información obligatoria.
[1]   DO L 201 de 27.7.2012, p. 107.
[2]   Indíquense datos como la última residencia habitual del causante o un acuerdo relativo a la elección del foro.
[3]   Para las personas jurídicas, rellénese y adjúntese el anexo I.
[4]   Indíquese el número más pertinente, en su caso.
[5]   El concepto de pareja de hecho incluye instituciones jurídicas de cohabitación que existen en algunos Estados miembros, como "sambo" en Suecia o "avopuoliso" en Finlandia.
[6]   En caso de haber más de una disposición mortis causa, adjúntese una hoja adicional.

FORMULARIO V.– ANEXO I

Datos del solicitante (personas jurídicas[1])

1. Nombre de la organización ....:..
....

2. Registro de la organización

2.1. Número de registro: ....

2.2. Denominación del registro/de la autoridad de registro...............:..................

2.3. Fecha (dd/mm/aaaa) y lugar de registro ....:...............

3. Dirección de la organización

3.1. Calle y número/apartado de correos ....:.........

3.2. Localidad y código postal ....:

3.3. País ....

☐ Bélgica ☐ Bulgaria ☐ República Checa ☐ Alemania ☐ Estonia ☐ Grecia ☐ España ☐ Francia ☐ Croacia ☐ Italia ☐ Chipre ☐ Letonia ☐ Lituania ☐ Luxemburgo ☐ Hungría ☐ Malta ☐ Países Bajos ☐ Austria ☐ Polonia ☐ Portugal ☐ Rumanía ☐ Eslovenia ☐ Eslovaquia ☐ Finlandia ☐ Suecia

☐ Otros (indíquese el código ISO): ....

4. Teléfono: ....

5. Fax: ....

6. Correo electrónico: ....

7. Nombre(s) y apellidos(s) de la persona autorizada a firmar en nombre de la organización
....................................:...

8. Otra información pertinente (especifíquese): ....
....

---

[1] Si se trata de más de una persona jurídica, adjúntese una hoja adicional.

FORMULARIO V.– ANEXO II

Datos del representante del solicitante[1]

1. Nombre (s) y apellidos (s) o nombre de la organización .... : ....

2. Registro de la organización

2.1. Número de registro: ....

2.2. Denominación del registro/de la autoridad de registro .... : ....

2.3. Fecha (dd/mm/aaaa) y lugar de registro .... : ....

3. Dirección

3.1. Calle y número/apartado de correos............... : ....

3.2. Localidad y código postal .... : ....

3.3. País ....

☐ Bélgica ☐ Bulgaria ☐ República Checa ☐ Alemania ☐ Estonia ☐ Grecia ☐ España ☐ Francia ☐ Croacia ☐ Italia ☐ Chipre ☐ Letonia ☐ Lituania ☐ Luxemburgo ☐ Hungría ☐ Malta ☐ Países Bajos ☐ Austria ☐ Polonia ☐ Portugal ☐ Rumanía ☐ Eslovenia ☐ Eslovaquia ☐ Finlandia ☐ Suecia

☐   Otros   (indíquese   el   código   ISO): ....

4. Teléfono: ....

5. Fax: ....

6. Correo electrónico: ....

7. Clase de representación..

☐ Tutor ☐ Padre/madre ☐ Persona autorizada a firmar en nombre de una persona jurídica ☐ Persona con poderes de representación

☐ Otros (especifíquese): ....

8 En caso de haber más de un representante, adjúntese una hoja adicional.

---

[1]   Si se trata de más de una persona jurídica, adjúntese una hoja adicional.

FORMULARIO V.- ANEXO III

Información sobre el régimen económico matrimonial o equivalente del causante[1]

1. Nombre(s) y apellido(s) del (ex)cónyuge o (ex)pareja .... : ....

2. Apellido(s) de nacimiento del (ex)cónyuge o (ex)pareja (si distinto del punto 1):
....

3. Fecha y lugar de celebración del matrimonio o establecimiento de otra relación con efectos comparables al matrimonio: ....

4. ¿Había celebrado el causante un contrato de matrimonio con la persona mencionada en el punto 1?

4.1. ☐ Sí

4.1.1. Fecha (dd/mm/aaaa) del contrato: ....

4.2. ☐ No

5. ¿Había suscrito el causante un contrato sobre los efectos patrimoniales en el contexto de una relación con efectos comparables al matrimonio con la persona mencionada en el punto 1?

5.1. ☐ Sí

5.1.1. Fecha (dd/mm/aaaa) del contrato: ....

5.2. ☐ No

6. La ley aplicable al régimen patrimonial es la de

☐ Bélgica ☐ Bulgaria ☐ República Checa ☐ Alemania ☐ Estonia ☐ Grecia ☐ España ☐ Francia ☐ Croacia ☐ Italia ☐ Chipre ☐ Letonia ☐ Lituania ☐ Luxemburgo ☐ Hungría ☐ Malta ☐ Países Bajos ☐ Austria ☐ Polonia ☐ Portugal ☐ Rumanía ☐ Eslovenia ☐ Eslovaquia ☐ Finlandia ☐ Suecia

☐ Otros (indíquese el código ISO): ....

6.1. Esta ley se determinó sobre la base de una elección ....

6.1.1. ☐ Sí

6.1.2. ☐ No

6.2. En los casos en que el Estado cuya ley sea de aplicación tenga más de un sistema jurídico, especifíquese (según el caso, la unidad territorial): ....

7. El régimen patrimonial era el siguiente:

7.1. ☐ Separación de bienes

7.2. ☐ Comunidad universal de bienes

7.3. ☐ Sociedad de gananciales

7.4. ☐ Régimen de participación en los gananciales

7.5. ☐ Comunidad diferida de bienes

7.6. ☐ Otros (especifíquese): ....

8. Especifíquese el régimen económico matrimonial en la lengua original y las disposiciones jurídicas correspondientes[2]: ....

9. Las relaciones patrimoniales basadas en el régimen económico matrimonial o equivalente del causante y la persona a la que se refiere el punto 1 han sido liquidadas y los bienes repartidos:

9.1. ☐ Sí

9.2. ☐ No

---

[1]   En caso de existir más de un régimen económico matrimonial, adjúntese una hoja adicional.

[2]   Puede obtenerse más información sobre los regímenes nacionales relativos a los efectos patrimoniales del matrimonio y la unión registrada en el Portal Europeo de e-Justicia (https://e-justice. europa.eu).

FORMULARIO V.– ANEXO IV

Cualidad y derechos del heredero[1]

1. ¿Es el solicitante heredero? ....

1.1. ☐ Sí

1.1.1. ☐ Mencionado en la sección 5 del formulario del certificado (en su caso, especifíquese qué solicitante): ....

1.1.2. ☐ Mencionado en el anexo I (en su caso, especifíquese qué solicitante): ....
....

1.2. ☐ No

1.2.1. Nombre(s) y apellidos(s) o nombre de la organización: ....

1.2.2. Apellido (s) de nacimiento (si distinto del punto 1.2.1.): ....

1.2.3. Número de identificación

1.2.3.1. Número de documento nacional de identidad: ....

1.2.3.2. Número de Seguridad Social: ....

1.2.3.3. Número de identificación fiscal: ....

1.2.3.4. Número de registro:. ....

1.2.3.5. Otros (especifíquese): ....

1.2.4. Dirección

1.2.4.1. Calle y número/apartado de correos: ....

1.2.4.2. Localidad y código postal: ....

1.2.4.3. País

☐ Bélgica ☐ Bulgaria ☐ República Checa ☐ Alemania ☐ Estonia ☐ Grecia ☐ España ☐ Francia ☐ Croacia ☐ Italia ☐ Chipre ☐ Letonia ☐ Lituania ☐ Luxemburgo ☐ Hungría ☐ Malta ☐ Países Bajos ☐ Austria ☐ Polonia ☐ Portugal ☐ Rumanía ☐ Eslovenia ☐ Eslovaquia ☐ Finlandia ☐ Suecia

☐ Otros (indíquese el código ISO): ....

1.2.5. Teléfono: ....

1.2.6. Fax: ....

1.2.7. Correo electrónico:. ....

1.2.8. Fecha (dd/mm/aaaa) y lugar de nacimiento o, si se trata de una organización, fecha (dd/mm/aaaa) y lugar de registro y denominación del registro/autoridad de registro: ....

2. El heredero ha aceptado la herencia

2.1. ☐ Sí, sin condiciones

2.2. ☐ Sí, a beneficio de inventario (especifíquense los efectos): ....

2.3. ☐ Sí, con otras condiciones (especifíquense los efectos): ....

2.4. ☐ No se requiere aceptación en virtud de la ley aplicable a la sucesión

3. El heredero ha sido designado por[2] .... :

3.1. ☐ una disposición *mortis causa*

3.2. ☐ ley

4. ☐ **El heredero ha renunciado a la herencia.**

5. ☐ **El heredero ha aceptado la legítima.**

6. ☐ **El heredero ha renunciado a su derecho a la legítima.**

7. ☐ **Se ha declarado la incapacidad de suceder del heredero por:**

7.1. ☐ una disposición *mortis causa*

7.2. ☐ ley

7.3. ☐ una resolución judicial

8. El heredero tiene derecho a la siguiente parte alícuota de la herencia (especifíquese):..

9. Bienes atribuidos al heredero y para los que se ha solicitado el certificado (especifíquense los bienes e indíquense todos los datos de identificación pertinentes)[3]:..

10. Condiciones y restricciones relativas a los derechos del heredero (indíquese si los derechos del heredero están sujetos a restricciones en virtud de la ley aplicable a la sucesión o por disposición mortis causa): ....

11. Otra información pertinente o explicaciones adicionales (especifíquese): ......
....

---

[1]   Si se trata de más de un heredero, adjúntese una hoja adicional.

[2]   Márquese más de una casilla, si procede.

[3]   Indíquese si el heredero ha adquirido la titularidad u otros derechos sobre los bienes (en este último caso, indíquese la naturaleza de estos derechos y las demás personas que tengan también derechos sobre los bienes). En caso de un bien registrado, indíquese la información requerida en virtud de la legislación del Estado miembro en el que se halle el registro, a fin de permitir la identificación del bien (por ejemplo, para los bienes inmuebles, dirección exacta del bien, registro de la propiedad o referencia catastral, descripción del bien (en caso necesario, adjúntense los documentos pertinentes).

FORMULARIO V.- ANEXO V

Cualidad y derechos del legatario que tenga derechos directos en la herencia[1]

1. ¿Es el solicitante legatario?...............

1.1. ☐ Sí

1.1.1. ☐ Mencionado en la sección 5 del formulario del certificado (en su caso, especifíquese qué solicitante): ....

1.1.2. ☐ Mencionado en el anexo I (en su caso, especifíquese qué solicitante): ....

....

1.2. ☐ No

1.2.1. Nombre (s) y apellidos (s) o nombre de la organización: ....

....

1.2.2. Apellido (s) de nacimiento (si distinto del punto 1.2.1.): ....

1.2.3. Número de identificación· ....

1.2.3.1. Número de documento nacional de identidad: ....

1.2.3.2. Número de Seguridad Social: ....

1.2.3.3. Número de identificación fiscal:...............

1.2.3.4. Número de registro: ....

1.2.3.5. Otros (especifíquese): ....

1.2.4. Dirección

1.2.4.1. Calle y número/apartado de correos: ....

....

1.2.4.2. Localidad y código postal: ....

1.2.4.3. País

☐ Bélgica ☐ Bulgaria ☐ República Checa ☐ Alemania ☐ Estonia ☐ Grecia ☐ España ☐ Francia ☐ Croacia ☐ Italia ☐ Chipre ☐ Letonia ☐ Lituania ☐ Luxemburgo ☐ Hungría ☐ Malta ☐ Países Bajos ☐ Austria ☐ Polonia ☐ Portugal ☐ Rumanía ☐ Eslovenia ☐ Eslovaquia ☐ Finlandia ☐ Suecia

☐ Otros (indíquese el código ISO): ....

1.2.5. Teléfono: ....

1.2.6. Fax: ....

1.2.7. Correo electrónico: ....

FORMULARIO V.– ANEXO V

Cualidad y derechos del legatario que tenga derechos directos en la herencia[1]

1.2.8. Fecha (dd/mm/aaaa) y lugar de nacimiento o, si se trata de una organización, fecha (dd/mm/aaaa) y lugar de registro y denominación del registro/autoridad de registro: ....

2. El legatario ha aceptado la herencia.

2.1. ☐ Sí, sin condiciones

2.2. ☐ Sí, con condiciones (especifíquese): ....

2.3. ☐ No se requiere aceptación en virtud de la ley aplicable a la sucesión

3. ☐ El legatario ha renunciado al legado.

4. El legatario tiene derecho a la siguiente parte alícuota de la herencia (especifíquese): ....

5. Bienes atribuidos al legatario y para los que se ha solicitado el certificado (especifíquense los bienes e indíquense todos los datos de identificación pertinentes)[2]:
....

6. Condiciones y restricciones relativas a los derechos del legatario (indíquese si los derechos del legatario están sujetos a restricciones en virtud de la ley aplicable a la sucesión o por disposición *mortis causa*) ....: ....

7. Otra información pertinente o explicaciones adicionales (especifíquese): ....
....

---

[1]   Si se trata de más de un legatario, adjúntese una hoja adicional.

[2]   Indíquese si el legatario ha adquirido la titularidad u otros derechos sobre los bienes (en este último caso, indíquese la naturaleza de estos derechos y las demás personas que tengan también derechos sobre los bienes). En caso de un bien registrado, indíquese la información requerida en virtud de la legislación del Estado miembro en el que se halle el registro, a fin de permitir la identificación del bien (por ejemplo, para los bienes inmuebles, dirección exacta del bien, registro de la propiedad o referencia catastral, descripción del bien (en caso necesario, adjúntense los documentos pertinentes).

FORMULARIO V.– ANEXO VI

Facultades para ejecutar el testamento o administrar la herencia[1]

1. Facultades de la siguiente persona ....:

1.1. ☐ El solicitante

1.1.1. ☐ Mencionado en la sección 5 del formulario del certificado (en su caso, especifíquese qué solicitante): ....

1.1.2. ☐ Mencionado en el anexo I (en su caso, especifíquese qué solicitante):..............

....

1.2. ☐ El heredero mencionado en el anexo IV (en su caso, especifíquese qué heredero):

1.3. ☐ El legatario mencionado en el anexo V (en su caso, especifíquese qué legatario):

1.4. ☐ Otros

1.4.1. Nombre (s) y apellidos (s) o nombre de la organización: ....

1.4.2. Apellido (s) de nacimiento (si distinto del punto 1.4.1): ....

1.4.3. Número de identificación ....

1.4.3.1. Número de documento nacional de identidad: ....

1.4.3.2. Número de Seguridad Social: ....

1.4.3.3. Número de identificación fiscal:..

1.4.3.4. Número de registro: ....

1.4.3.5. Otros (especifíquese): ....

1.4.4. Dirección

1.4.4.1. Calle y número/apartado de correos: ....

1.4.4.2. Localidad y código postal: ....

1.4.4.3. País:

☐ Bélgica ☐ Bulgaria ☐ República Checa ☐ Alemania ☐ Estonia ☐ Grecia ☐ España ☐ Francia ☐ Croacia ☐ Italia ☐ Chipre ☐ Letonia ☐ Lituania ☐ Luxemburgo ☐ Hungría ☐ Malta ☐ Países Bajos ☐ Austria ☐ Polonia ☐ Portugal ☐ Rumanía ☐ Eslovenia ☐ Eslovaquia ☐ Finlandia ☐ Suecia

☐ Otros (indíquese el código ISO): ....

1.4.5. Teléfono: ....

1.4.6. Fax: ....

1.4.7. Correo electrónico: ....

1.4.8. Fecha (dd/mm/aaaa) y lugar de nacimiento o, si se trata de una organización, fecha (dd/mm/aaaa) y lugar de registro y denominación del registro/autoridad de registro: ....

2. Facultades para..

2.1. ☐ ejecutar el testamento

2.2. ☐ administrar la herencia o parte de la misma

3. Las facultades para ejecutar el testamento o administrar la herencia cubren ......
....

3.1. ☐ la totalidad de la herencia

3.2. ☐ la totalidad de la herencia salvo las siguientes partes o bienes (especifíquese):
....

3.3. ☐ las siguientes partes específicas o bienes de la herencia (especifíquese): ....
....

4. La persona mencionada en la sección 1 tiene facultades para.............. 1/2:

4.1. ☐ obtener toda la información relativa a los bienes y deudas de la herencia

4.2. ☐ conocer todos los testamentos y otros documentos relativos a la herencia

4.3. ☐ adoptar o solicitar cualesquiera medidas cautelares

4.4. ☐ adoptar medidas urgentes

4.5. ☐ recoger los bienes

4.6. ☐ cobrar las deudas y emitir un recibo válido

4.7. ☐ celebrar y rescindir contratos

4.8. ☐ abrir, gestionar y cerrar una cuenta bancaria

4.9. ☐ tomar préstamos

4.10. ☐ transferir o constituir cargas sobre los bienes

4.11. ☐ constituir derechos reales o hipotecas sobre los bienes

4.12. ☐ vender: ☐ bienes inmuebles ☐ otros bienes

4.13. ☐ prestar

4.14. ☐ llevar una empresa

4.15. ☐ ejercer derechos de accionista

4.16. ☐ demandar y ser demandado

4.17. ☐ liquidar deudas

4.18. ☐ distribuir legados

4.19. ☐ dividir la herencia

4.20. ☐ distribuir el remanente

4.21. ☐ solicitar el registro de derechos sobre bienes muebles o inmuebles en un registro

4.22. ☐ hacer donaciones

4.23. ☐ otros (especifíquese): ....

Si marcar una o más de las casillas anteriores no da una indicación exacta de las facultades conferidas al albacea/administrador de la herencia, añádanse todas las especificaciones adicionales necesarias[2:] ....

Especifíquese si cualquiera de las facultades a que se refiere la sección 4 se ejercen como facultades residuales de conformidad con lo dispuesto en el artículo 29, apartado 2, segundo párrafo, y en el artículo 29, apartado 3, párrafo primero, del Reglamento (UE) n° 650/2012 .... : ....

5. El albacea o el administrador de la herencia ha sido designado por:

5.1. ☐ una disposición *mortis causa* (véase el punto 7.2. del formulario del certificado)

5.2. ☐ una resolución judicial

5.3. ☐ un acuerdo entre los herederos

5.4. ☐ una ley

6. Las facultades derivan de:

6.1. ☐ una disposición *mortis causa* (véase el punto 7.2. del formulario del certificado)

6.2. ☐ una resolución judicial

6.3. ☐ un acuerdo entre los herederos

6.4. ☐ una ley

7. Las obligaciones y derechos derivan de:

7.1. ☐ una disposición *mortis causa* (véase el punto 7.2. del formulario del certificado)

7.2. ☐ una resolución judicial

7.3. ☐ un acuerdo entre los herederos

7.4. ☐ ley

8. Condiciones o restricciones relativas a las facultades mencionadas en la sección 4[3] .... : ....

El 9 de diciembre de 2014, la Comisión adoptó un Reglamento de Ejecución que establece los formularios que deben utilizarse en virtud del Reglamento de sucesiones.

---

[1] Si se trata de más de una persona, adjúntese una hoja adicional.

[2] Por ejemplo, especifíquese si una de las mencionadas facultades puede ser ejercida por el albacea/administrador en su propio nombre.

[3] Por ejemplo, especifíquese si una de las mencionadas facultades puede ser ejercida por el albacea/administrador en su propio nombre.

COMENTARIO

Este formulario tiene por objeto un modelo de Certificado Sucesorio Europeo, conforme al art. 67 del Reglamento (UE) n° 650/2012 del Parlamento Europeo y del Consejo, de 4 de julio de 2012, relativo a la competencia, la ley aplicable, el reconocimiento y la ejecución de las resoluciones, a la aceptación y la ejecución de los documentos públicos en materia de sucesiones mortis causa y a la creación de un certificado sucesorio europeo. Téngase en cuenta la siguiente información:

Doctrina

El certificado sucesorio europeo tiene la función de demostrar la cualidad de heredero o legatario mencionado en el mismo, el contenido de su derecho (la cuota hereditaria o la atribución de uno o más bienes para el heredero o legatario), así como los poderes del albacea o administrador de la herencia en cualquiera de los Estados miembros.

El certificado sucesorio europeo cobra relevancia en aquellos casos en los que en el activo hereditario existan bienes situados en un Estado miembro distinto del lugar en donde se ha procedido a la apertura de la sucesión. De este modo, el art. 62 del Reglamento preceptúa que el mismo se expedirá para ser utilizado en otro Estado miembro, por lo que producirá su efecto en las sucesiones transfronterizas.

De acuerdo con lo previsto en el art. 64, el certificado será expedido por el Estado miembro cuyos tribunales sean competentes conforme a los arts. 4, 7, 10, 11. La autoridad que lo expida debe ser un tribunal u otra autoridad que según el Derecho nacional sea competente para conocer de las sucesiones *mortis causa*.

La autoridad emisora debe expedir el certificado sin demora (art. 67.1) una vez se hayan acreditado los datos que van a ser certificados según la ley aplicable a la sucesión o conforme a cualquier otra ley aplicable a otros extremos de la herencia. El certificado se redactará siguiendo el formulario existente[60].

---

60   El 9 de diciembre de 2014, la Comisión adoptó un Reglamento de Ejecución que establece los formularios que deben utilizarse en virtud del Reglamento de sucesiones.

Competencia para la expedición en España del certificado sucesorio europeo

El certificado en el ordenamiento jurídico español se emite por la autoridad judicial o por el notario conforme a la regulación contenida en la Disposición Final 26 LEC.

a) Autoridad judicial (apartado 11): "2. La competencia para expedir judicialmente un certificado sucesorio europeo corresponderá al mismo tribunal que sustancie o haya sustanciado la sucesión. Del certificado sucesorio se expedirá testimonio, que se entregará al solicitante".

b) Notario (apartado 14): "1. Previa solicitud, compete al notario que declare la sucesión o alguno de sus elementos o a quien legalmente le sustituya o suceda en su protocolo, la expedición del certificado previsto en el artículo 62 del Reglamento (UE) nº 650/2012, debiendo para ello usar el formulario al que se refiere el artículo 67 del mismo Reglamento. La solicitud de la expedición de un certificado sucesorio podrá presentarse mediante el formulario previsto en el artículo 65.2 del mismo Reglamento".

El certificado sucesorio tendrá el carácter de documento público conforme al art. 17 de la Ley del Notariado, y se dejará constancia del mismo mediante nota en la matriz de la escritura que sustancie el acto o negocio, a la que se debe incorporar el original del certificado, entregando copia auténtica al solicitante.

El certificado sucesorio es título inscribible en el Registro de la Propiedad (arts. 69.5 y 74 Reglamento, art. 14.1 LH).

Procedimiento

1. Solicitud

El certificado puede ser solicitado por los herederos, legatarios que tengan derechos directos en la herencia y ejecutores testamentarios o administradores de la herencia que precisen ejercer sus facultades en otro Estado miembro.

Puede solicitarlo cualquier interesado, no todos ellos o una mayoría determinada. La práctica notarial española recomienda que se solicite por el mayor número posible de eventuales herederos[61].

---

[61]   JIMÉNEZ GALLEGO, C., "El Certificado Sucesorio Europeo", *Boletín de la Academia de Jurisprudencia y Legislación de las Illes Balears*, n. 16, 2016, p. 86.

2. Contenido de la solicitud

Conforme al art. 65.3 Reglamento hay que identificar al causante y posibles beneficiarios, los extremos en los que el solicitante funda su derecho, aportar, si es el caso, testamentos, capitulaciones matrimoniales. Asimismo, conviene indicar si algún beneficiario ha aceptado o renunciado a la herencia, si existen litigios sobre la sucesión, así como cualquier otra información pertinente.

El art. 66.2 señala que si el solicitante no puede presentar copias de los documentos oportunos que reúnan las condiciones para considerarse auténticos, la autoridad emisora podrá decidir aceptar otros medios de prueba, como por ejemplo, pedir que las declaraciones se hagan bajo juramento o, en su defecto, mediante declaración responsable.

El solicitante debe manifestar el o los fines para los que se solicita el certificado (conforme al art. 63 Reglamento: demostrar la cualidad o los derechos de cada heredero o legatario y sus respectivas cuotas, la atribución de uno o varios bienes concretos, las facultades para ejecutar el testamento o administrar la herencia).

3. Actuación de la autoridad emisora

Conforme preceptúa el art. 66.4: "La autoridad emisora tomará todas las medidas necesarias para informar a los beneficiarios de la solicitud de certificado. De ser necesario para acreditar los extremos que deban certificarse, oirá a cualquier persona interesada y a cualquier ejecutor o administrador y publicará anuncios para que otros posibles beneficiarios tengan la oportunidad de alegar sus derechos".

Asimismo, podrá solicitar información pertinente a autoridades competentes de otros Estados miembros, que estarán obligados a facilitarla, según el art. 66.5 Reglamento. Especialmente se refiere el precepto a "los Registros de la propiedad inmobiliaria, en los Registros Civiles y en los Registros de últimas voluntades o de otros hechos relevantes para la sucesión o para el régimen económico matrimonial o equivalente del causante, cuando dichas autoridades competentes estén autorizadas en virtud de su legislación nacional a facilitar dicha información a otras autoridades nacionales".

4. Resolución del procedimiento

El certificado debe expedirse con el contenido del art. 68 del Reglamento:

"(..............) El certificado contendrá la siguiente información, en función del fin para el cual se expide:

a) nombre y dirección de la autoridad emisora;

b) número de referencia del expediente;

c) los extremos que fundamentan la competencia de la autoridad emisora para expedir el certificado;

d) fecha de expedición;

e) datos del solicitante: apellidos (si procede, apellidos de soltera); nombre; sexo; fecha y lugar de nacimiento; estado civil; nacionalidad; número de identificación (si procede); dirección y, en su caso, relación con el causante;

f) datos del causante: apellidos (si procede, apellidos de soltera); nombre; sexo; fecha y lugar de nacimiento; estado civil; nacionalidad; número de identificación (si procede); dirección en el momento del fallecimiento; fecha y lugar del fallecimiento;

g) datos de los beneficiarios: apellidos (si procede, apellidos de soltera); nombre y número de identificación (si procede);

h) información relativa a las capitulaciones matrimoniales celebradas por el causante o, en su caso, al contrato celebrado por el causante en el contexto de una relación que conforme a la ley aplicable surta efectos similares al matrimonio e información relativa al régimen económico matrimonial o equivalente;

i) la ley aplicable a la sucesión y los extremos sobre cuya base se ha determinado dicha ley;

j) la información relativa a si la sucesión es testada o intestada, incluyendo la información sobre los extremos de los que se derivan los derechos o facultades de los herederos, legatarios, ejecutores testamentarios o administradores de la herencia;

k) cuando proceda, información sobre la naturaleza de la aceptación o renuncia de la herencia de cada beneficiario;

l) la parte alícuota correspondiente a cada heredero y, cuando proceda, el inventario de los derechos y/o bienes que corresponden a cada heredero determinado;

m) el inventario de los derechos y/o bienes que corresponden a cada legatario determinado;

n) las limitaciones de los derechos del heredero o los herederos y, en su caso, del legatario o los legatarios en virtud de la ley aplicable a la sucesión o de una disposición mortis causa;

o) las facultades del ejecutor testamentario o del administrador de la herencia y sus limitaciones en virtud de la ley aplicable a la sucesión o de una disposición mortis causa".

Una vez expedido el certificado, la autoridad emisora adoptará las medidas necesarias para informar a los beneficiarios de la expedición del mismo.

5. Efectos del certificado

Los efectos del certificado vienen regulados en el art. 69:

En primer lugar, el certificado tiene efectos en todos los Estados miembros, sin ningún requisito adicional ("1. El certificado surtirá sus efectos en todos los Estados miembros sin necesidad de ningún procedimiento especial).

En segundo lugar, goza de la presunción de veracidad ("2. Se presumirá que el certificado prueba los extremos que han sido acreditados de conformidad con la ley aplicable a la sucesión o con cualquier otra ley aplicable a extremos concretos de la herencia. Se presumirá que la persona que figure en el certificado como heredero, legatario, ejecutor testamentario o administrador de la herencia tiene la cualidad indicada en él o es titular de los derechos o de las facultades que se expresen sin más condiciones o limitaciones que las mencionadas en el certificado).

En tercer lugar, es un título legitimador para pagos, recepción de bienes y actos dispositivos, salvo que se tenga conocimiento de que el certificado es incorrecto o no se tenga conocimiento por negligencia grave ("3. Se considerará que cualquier persona que, en virtud de la información contenida en un certificado, efectúe pagos o entregue bienes a una persona que figure facultada en el certificado para recibir tales pagos o bienes ha tratado con una persona autorizada para ello, a menos que tenga conocimiento de que el contenido del certificado no responde a la realidad o no tenga conocimiento de ello por negligencia grave.

4. Cuando una persona que figure facultada en el certificado para disponer de bienes de la herencia disponga de los mismos en favor de otra persona, se considerará que esta, si actúa en virtud de la información contenida en el certificado, ha tratado con una persona facultada para disponer de los bienes en cuestión, a menos que tenga conocimiento de que el contenido del certificado no responde a la realidad o no tenga conocimiento de ello por negligencia grave).

El certificado hace presumir la condición de heredero de aquel que figure en el como tal, pero se trata de una presunción relativa, puesto que es posible conforme al art. 71.2 del Reglamento modificar o anular el certificado, por la autoridad emisora "a petición de toda persona que demuestre tener un interés legítimo o, si ello es posible en virtud del Derecho nacional, de oficio, cuando se haya acreditado que el certificado o extremos concretos del mismo no responden a la realidad".

Es posible recurrir la decisión de la autoridad emisora ante el órgano judicial competente[62]. Asimismo, se puede recurrir la decisión de denegar la expedición del certificado (en España ante el Juez de 1ª Instancia del lugar de residencia oficial del notario y se sustancia por los trámites del juicio verbal conforme a la Disp. Final 26.16 de la Ley 29/2015 de 30 de julio, de cooperación jurídica internacional en materia civil). Dependiendo de la decisión que adopte, el Órgano judicial podrá ordenar la expedición, anulación o rectificación del certificado, lo que se notificará a los interesados.

La autoridad emisora del certificado, así como el órgano judicial que conozca del recurso contra la decisión del anterior, podrán acordar la suspensión de efectos del certificado, en caso de que proceda su rectificación, modificación o anulación, o mientras se decida sobre dichas cuestiones (art. 72 Reglamento).

Cuestiones planteadas en la jurisprudencia

Respecto de la solicitud del certificado sucesorio. Sentencia del Tribunal de Justicia de la Unión, recurso núm. C-102/18 de 17 de enero de 2019 (*Tol 6988000*).

El Tribunal se pronuncia en el sentido siguiente: "El artículo 65, apartado 2, del Reglamento (UE) n° 650/2012 del Parlamento Europeo y del Consejo, de 4 de julio de 2012, relativo a la competencia, la ley aplicable, el reconocimiento y la ejecución de las resoluciones, a la aceptación y la ejecución de los documentos públicos en materia de sucesiones mortis causa y a la creación de un certificado sucesorio europeo, y el artículo 1, apartado 4, del Reglamento de Ejecución (UE) n° 1329/2014 de la Comisión, de 9 de diciembre de 2014, por el que se establecen los formularios mencionados en el Reglamento n° 650/2012, deben interpretarse en el sentido de que, para presentar una solicitud de certificado sucesorio europeo conforme al artículo 65, apartado 2, del Reglamento n° 650/2012, la utilización del formulario IV, que figura en el anexo 4 del Reglamento de Ejecución n° 1329/2014, es facultativa".

---

[62] Conforme a la Sentencia de la Audiencia Provincial de Barcelona, núm. 175/2018 de 5 de julio de 2018 (*Tol 6701282*), los tribunales españoles no pueden entrar a valorar la validez o no del certificado sucesorio europeo dictado en otro Estado miembro.

Sobre la competencia para expedir los certificados sucesorios nacionales. Sentencia del Tribunal de Justicia de la Unión, recurso núm. C-20/17 de 21 de junio de 2018 (*Tol 6646651*).

Los antecedentes de hecho que resultan relevantes para la comprensión del caso son los siguientes, conforme aparecen en la sentencia citada:

En primer lugar, el Sr. Adrien Théodore Oberle (en lo sucesivo, "causante"), de nacionalidad francesa y cuya última residencia habitual se encontraba en Francia, falleció el 28 de noviembre de 2015, sin haber otorgado testamento. El causante dejó dos hijos, Vincent Pierre (en lo sucesivo, "Sr. Oberle") y su hermano, habiendo fallecido con anterioridad la esposa del causante. El patrimonio hereditario se encuentra en Francia y en Alemania.

En segundo lugar, a solicitud del Sr. Oberle, el 8 de marzo de 2016 el tribunal d'instance de Saint-Avold (Francia) expidió un certificado sucesorio nacional en el que se determinaba que el Sr. Oberle y su hermano eran herederos a partes iguales del mencionado patrimonio hereditario.

Posteriormente, ante el Amtsgericht Schöneberg (Tribunal de lo Civil y Penal de Schöneberg), el Sr. Oberle solicitó la expedición de un certificado sucesorio de alcance limitado a la parte de la herencia situada en Alemania, indicando que, de conformidad con el Derecho francés, él y su hermano habían heredado, a partes iguales, los bienes del causante.

Tras haber examinado si tenía o no competencia, con arreglo al artículo 15 del Reglamento n° 650/2012, el Amtsgericht Schöneberg (Tribunal de lo Civil y Penal de Schöneberg), mediante resoluciones de 17 de noviembre y de 28 de noviembre de 2016, se declaró incompetente para pronunciarse sobre la mencionada solicitud, al considerar que las disposiciones del artículo 105 y del artículo 343, apartado 3, de la FamFG no podían aplicarse para determinar la competencia internacional, sin infringir el artículo 4 del Reglamento n° 650/2012, en virtud del cual, los tribunales del Estado miembro en el que el causante tuviera su última residencia habitual tendrán competencia para resolver sobre la totalidad de la sucesión.

En opinión del Tribunal: "De la totalidad de las consideraciones anteriores resulta que el artículo 4 del Reglamento n° 650/2012 debe interpretarse en el sentido de que se opone a una normativa de un Estado miembro, como la controvertida en el procedimiento principal, que establece que, aunque el causante no tuviera en el momento del fallecimiento su residencia habitual en ese Estado miembro, los tribunales de este último seguirán siendo competentes para expedir los certificados sucesorios nacionales, en el marco de una sucesión mortis causa con repercusiones transfronterizas, cuando existan bienes hereditarios situados en el territorio del propio Estado miembro o cuando el causante hubiera tenido la nacionalidad del mismo".

Problema que se plantea cuando las reglas de liquidación del régimen económico matrimonial otorguen al cónyuge supérstite derechos hereditarios. Sentencia del Tribunal de Justicia de la Unión, recurso núm. C-558/16 de 1 de marzo de 2018 (*Tol 6519954*).

Los hechos relevantes del litigio planteado son los siguientes:

El 16 de junio de 2016, la Sra. Mahnkopf solicitó ante notario, de acuerdo con el Reglamento nº 650/2012, la expedición de un certificado sucesorio europeo en el que se hiciera constar que tanto ella como su hijo eran coherederos, cada uno por partes iguales, del caudal hereditario, de conformidad con lo dispuesto por el Derecho nacional para la sucesión legítima. La interesada tenía intención de utilizar este certificado para inscribir su derecho de propiedad sobre un inmueble situado en Suecia. El notario trasladó la solicitud de la Sra. Mahnkopf al Amtsgericht Schöneberg (Tribunal Civil y Penal de Schöneberg).

Dicho tribunal denegó la solicitud del certificado sucesorio europeo, motivando su resolución en que la parte alícuota atribuida a la viuda se fundamentaba, en lo que atañe a una cuarta parte de la herencia, en un régimen sucesorio y, en lo relativo a la otra cuarta parte de la herencia, en el régimen económico matrimonial contemplado en el artículo 1371, apartado 1, del BGB. Ahora bien, a su entender, el precepto en virtud del cual se atribuyó esta última cuarta parte, que corresponde a un régimen económico matrimonial y no a un régimen sucesorio, no está comprendido en el ámbito de aplicación del Reglamento nº 650/2012.

Resuelve el Tribunal que: "*El artículo 1, apartado 1, del Reglamento nº 650/2012 del Parlamento Europeo y del Consejo, de 4 de julio de 2012, relativo a la competencia, la ley aplicable, el reconocimiento y la ejecución de las resoluciones, a la aceptación y la ejecución de los documentos públicos en materia de sucesiones mortis causa y a la creación de un certificado sucesorio europeo, debe interpretarse en el sentido de que está comprendido en el ámbito de aplicación de dicho Reglamento un precepto de Derecho nacional, como el controvertido en el litigio principal, que establece, para el caso de fallecimiento de uno de los cónyuges, el reparto a tanto alzado de las ganancias mediante un incremento de la parte alícuota de la herencia del cónyuge supérstite*".

NORMATIVA

Arts. 62-67 Reglamento (UE) nº 650/2012 del Parlamento Europeo y del Consejo, de 4 de julio de 2012, relativo a la competencia, la ley aplicable, el reconocimiento y la ejecución de las resoluciones, a la aceptación y la ejecución de los documentos públicos en materia de sucesiones mortis causa y a la creación de un certificado sucesorio europeo.

JURISPRUDENCIA

Sentencia del Tribunal de Justicia de la Unión, recurso núm. C-102/18 de 17 de enero de 2019 (*Tol 6988000*).

Sentencia del Tribunal de Justicia de la Unión, recurso núm. C-20/17 de 21 de junio de 2018 (*Tol 6646651*).

Sentencia del Tribunal de Justicia de la Unión, recurso núm. C-558/16 de 1 de marzo de 2018 (*Tol 6519954*).

Sentencia de la Audiencia Provincial de Barcelona, núm. 175/2018 de 5 de julio de 2018 (*Tol 6701282*).

II. FORMULARIOS COMENTADOS DEL PROCESO CIVIL

1. PROCEDIMIENTO ORDINARIO Y PROCEDIMIENTO VERBAL

Ley 1/2000, de 7 de enero, de Enjuiciamiento Civil

Formulario 1. DEMANDA DE JUICIO ORDINARIO IMPUGNANDO EL TESTAMENTO POR DESHEREDACIÓN INJUSTA

FUNDAMENTO LEGAL Y JURISPRUDENCIAL

Fase del procedimiento en la que se encuentra este formulario
Art. 851 del Código civil

Jurisprudencia:

Tribunal Supremo/ 27/06/2018 (Tol 6660360).

Tribunal Supremo/ 06/04/1998 (Tol 14806).

Fase: inicial, alegaciones de parte actora. Demanda.

ÓRGANO COMPETENTE

AL JUZGADO DE PRIMERA INSTANCIA

DE [...............]

—que por turno de reparto corresponda—

ENCABEZAMIENTO

D./Dª [...............], Procurador/a de los Tribunales, colegiado/a nº [...............] del Ilustre Colegio de Procuradores de [...............], actuando en nombre y representación de D./Dª [...............], mayor de edad, DNI número [...............], con domicilio en [...............], calle [...............] núm............... [...............], piso [...............], puerta [...............] (CP...............) según acredito mediante la copia de escritura de poder que acompaño/poder otorgado "apud acta" electrónico/poder que será otorgado "apud acta" ante el/la sr/a Letrado/a de la Administración de Justicia; ante el Juzgado comparezco bajo la dirección técnica del/la Letrado/a D./Dª [...............], colegiado/a nº [...............] del Ilustre Colegio de Abogados de [...............]; como mejor proceda en Derecho, DIGO:

DIGO/MANIFIESTO

Que siguiendo expresas instrucciones de mi representado/a, por medio del presente escrito formulo DEMANDA DE JUICIO ORDINARIO en ejercicio de la acción de IMPUGNACIÓN DE TESTAMENTO POR DESHEREDACIÓN INJUSTA contra las siguientes personas que resultan favorecidas por el mismo:

D./Dª [...............], mayor de edad, DNI número [...............], con domicilio en [...............], calle [...............] nº [...............], piso [...............], puerta [...............] (CP...............), y contra

D./Dª [...............], mayor de edad, DNI número [...............], con domicilio en [...............], calle [...............] nº [...............], piso [...............], puerta [...............] (CP...............).

Y ello sobre la base de los siguientes hechos y fundamentos de derecho.

HECHOS

PRIMERO.- D./Dª [...............] falleció el día [...............] de [...............] de [...............] en la localidad de [...............].

En su prueba se acompaña:

Documento nº 1. Certificado de defunción expedido por el Registro Civil de [...............]

SEGUNDO.- Mi representado/a es [relación de parentesco] del/la causante y por tanto heredero/a forzoso/a del mismo conforme al art. 807, párrafo [...............] del Código Civil (en adelante, CC), debiendo recibir de éste/a obligatoriamente una parte de lo dejado a su fallecimiento en la cuantía, cómputo y modo establecido en la ley.

Documento nº 2. (Certificado de nacimiento, libro de familia, certificado de matrimonio u otros que acredite la concreta relación que unía al/la demandante con el/la causante, entre las que refiere el art. 807 CC)

TERCERO.- D./Dª [...............] otorgó testamento, no revocado por otro posterior, ante el/la notario de [...............], D./Dª [...............] el día [...............] de [...............] de [...............], bajo el nº [...............] de su protocolo.

Documento nº 3. Certificado del Registro de Actos de Última Voluntad

Documento nº 4. Copia autorizada del testamento

CUARTO.- En este testamento el/la causante dispuso las siguientes cláusulas:

[...............] Instituye herederos/as a D./Dª [...............] y D./Dª [...............]

[...............] Instituye legatarios/as a D./Dª [...............] y D./Dª [...............]

[...............] Deshereda a mi mandante [...............]

QUINTO.- Como puede advertirse la cláusula de desheredación no expresa ninguna de las justas causas a las que se refiere el art. 851 del CC, recogidas en los arts. 852

a 855 del CC (según supuesto) / se basa en hechos inciertos que se niegan y que se contradicen con los siguientes: [...............]

SEXTO.- En virtud del citado testamento se practicó la partición de la herencia de D./ Dª [...............] mediante escritura pública otorgada en fecha [...............] ante el/la notario de la ciudad de [...............] D./Dª [...............] y la inscripción en los Registros de la Propiedad de los bienes adjudicados.

Documento n° 5. Certificación del Registro de la Propiedad de [...............]

Documento n° 6. Certificación del Registro de la Propiedad de [...............]

SÉPTIMO.- La cláusula de desheredación produce un claro perjuicio a mi representado/a, que se ha visto privado de la legítima estricta o corta que le corresponde por ley, indisponible por el testador.

A los anteriores hechos son de aplicación los siguientes

FUNDAMENTOS DE DERECHO

(1) Jurisdicción y competencia

Corresponde a la jurisdicción civil de conformidad con lo dispuesto en el art. 36 de la LEC. Y es competente el Juzgado de Primera Instancia al que me dirijo con arreglo a lo dispuesto en el art. 45 y *52.1.4° de la LEC. En los juicios sobre cuestiones hereditarias, será competente el tribunal del lugar en que el finado tuvo su último domicilio y si lo hubiere tenido en país extranjero, el del lugar de su último domicilio en España, o donde estuviere la mayor parte de sus bienes, a elección del demandante.*

(2) Capacidad y legitimación

Las partes tienen capacidad, con arreglo al art. 6 de la LEC y se encuentran legitimadas activa y pasivamente para interponer y soportar el presente procedimiento a tenor de lo preceptuado en el art. 10 de la LEC.

(3) Representación y defensa

Artículos 23 y 31 de la LEC. Esta parte comparece por medio de procurador y dirigida por abogado cumpliendo lo prevenido en ambos artículos.

(4) Procedimiento

Procede seguir el procedimiento del juicio ordinario regulado en los arts. 399 y siguientes, de conformidad con el art. 249.2 y 253.3 todos de la LEC.

(5) Cuantía

Se fija la cuantía de este procedimiento como indeterminada con arreglo al art. 253.3 de la LEC.

(6) Fondo del asunto

Son de aplicación a este caso los siguientes fundamentos legales:

Art. 756 del Código Civil (CC): *"Son incapaces de suceder por causa de indignidad:*

1° El que fuera condenado por sentencia firme por haber atentado contra la vida, o a pena grave por haber causado lesiones o por haber ejercido habitualmente violencia física o psíquica en el ámbito familiar al causante, su cónyuge, persona a la que esté unida por análoga relación de afectividad o alguno de sus descendientes o ascendientes.

2° El que fuera condenado por sentencia firme por delitos contra la libertad, la integridad moral y la libertad e indemnidad sexual, si el ofendido es el causante, su cónyuge, la persona a la que esté unida por análoga relación de afectividad o alguno de sus descendientes o ascendientes.

Asimismo el condenado por sentencia firme a pena grave por haber cometido un delito contra los derechos y deberes familiares respecto de la herencia de la persona agraviada.

También el privado por resolución firme de la patria potestad, o removido del ejercicio de la tutela o acogimiento familiar de un menor o del ejercicio de la curatela de una persona con discapacidad por causa que le sea imputable, respecto de la herencia del mismo.

3° El que hubiese acusado al causante de delito para el que la ley señala pena grave, si es condenado por denuncia falsa.

4° El heredero mayor de edad que, sabedor de la muerte violenta del testador, no la hubiese denunciado dentro de un mes a la justicia cuando ésta no hubiera procedido ya de oficio.

Cesará esta prohibición en los casos en que, según la Ley, no hay la obligación de acusar.

5° El que, con amenaza, fraude o violencia, obligare al testador a hacer testamento o a cambiarlo.

6° El que por iguales medios impidiere a otro hacer testamento, o revocar el que tuviese hecho, o suplantare, ocultare o alterare otro posterior.

7° Tratándose de la sucesión de una persona con discapacidad, las personas con derecho a la herencia que no le hubieren prestado las atenciones debidas, entendiendo por tales las reguladas en los artículos 142 y 146 del Código Civil".

Art. 806 del Código Civil (CC): *"Legítima es la porción de bienes de que el testador no puede disponer por haberla reservado la ley a determinados herederos, llamados por esto herederos forzosos".*

Art. 807 CC: *"Son herederos forzosos: [párrafo que corresponda]*

Art. 848 CC: *"La desheredación sólo podrá tener lugar por alguna de las causas que expresamente señala la ley".*

Art. 849 CC: que ordena expresar en el testamento la causa legal en la que se funde la desheredación.

Art. 850 CC: *"La prueba de ser cierta la causa de la desheredación, corresponderá a los herederos del testador, si el desheredado la negare".*

Art. 851 CC que establece que: *La desheredación hecha sin expresión de causa, o por causa cuya certeza, si fuere contradicha, no se probare, o que no sea una de las señaladas en los cuatro siguientes artículos, anulará la institución de heredero en cuanto perjudique al desheredado; pero valdrán los legados, mejoras y demás disposiciones testamentarias en lo que no perjudiquen a dicha legítima".*

Art. 852 CC y art. [853 a 855 CC, según supuesto]: *"Son justas causas para la desheredación, en los términos que específicamente determinan los artículos 853, 854 y 855, las de incapacidad por indignidad para suceder, señaladas en el artículo 756 con los números 1°, 2°, 3°, 5°, 6° y 7° Serán también justas causas para desheredar [...............]".*

(7) Costas

Es de aplicación el art. 394 de la LEC en cuanto a la condena en las costas causadas de la primera instancia.

Por lo expuesto,

SUPLICO AL JUZGADO

Que teniendo por presentado este escrito con sus documentos y copias, se sirva admitirlo y tenerme por personado/a y parte en la representación que ostento de D./Dª [...............] y por formulada demanda de juicio ordinario en ejercicio de la acción de impugnación de testamento por desheredación injusta contra D./Dª [...............] y contra D./Dª [...............] y en su virtud, seguido el procedimiento por sus trámites legales, dictar en su día sentencia por la que, estimando íntegramente esta demanda, acuerde:

a) Declarar la inexistencia de justa causa de desheredación de mi representado/a.

b) Declarar nula la cláusula [...............] del testamento de D./Dª [...............] por la que se dispone la desheredación de mi representado/a y las que se oponen a la misma.

c) Declarar la nulidad de la institución de heredero/a en la medida en que dicha institución perjudica la legítima estricta o corta de mi representado/a.

d) Declarar la nulidad de la partición de la herencia de D./Dª [...............] ya practicada mediante escritura pública de fecha [...............], debiéndose practicar una nueva partición de dicha herencia, en la que, teniendo en cuenta lo acordado en el apartado anterior, se adjudique a mi representado/a la parte que le corresponda por su legítima estricta o corta.

e) Declarar la nulidad y subsiguiente cancelación de las inscripciones practicadas en los correspondientes Registros de la Propiedad con base en la referida partición de herencia que se anula.

f) Condenar a los/las demandados/as a estar y pasar por las anteriores declaraciones.

g) Condenar a los/las demandados/as al pago de las costas procesales causadas en este procedimiento.

OTROSÍ DIGO

PRIMERO.– SOLICITUD DE MEDIDA CAUTELAR. Existe peligro por la mora procesal concretado en [...............] y a fin de evitarlo es idónea y proporcional la medida cautelar que interesa esta parte consistente en [...............] y siendo que esta parte tiene apariencia de buen derecho manifestado en [...............] y que hace ofrecimiento de prestación de caución del tipo [...............] por importe de [...............], que resulta bastante para responder, de manera rápida y efectiva, de los daños y perjuicios que la adopción de la cautela pueda causar, que podrían consistir en [...............] con un valor máximo de [...............]. En su virtud, **SUPLICO AL JUZGADO**. Que atendiendo a la naturaleza y el contenido de la pretensión y la valoración del fundamento de la medida cautelar que se interesa, teniendo por cumplidos los presupuestos y al amparo del art. 721 de la LEC, se digne decretar la medida cautelar consistente en [...............]

SEGUNDO.– INAUDITA PARTE. Existen razones de urgencia o La audiencia previa a la adopción de la medida cautelar puede comprometer el buen fin de la medida interesada por cuanto [...............]. En su virtud, **SUPLICO AL JUZGADO**: se sirva acordar la medida cautelar interesada sin la previa audiencia a la otra parte conforme permite el art. 733.2 de la LEC.

TERCERO.– Esta parte manifiesta su voluntad e intención de cumplir con todos y cada uno de los requisitos exigidos por la Ley a los efectos de los art. 231 de la LEC y 243.3 de la LOPJ. **SUPLICO AL JUZGADO**: tenga por efectuada la anterior declaración a los efectos de permitir subsanar a esta parte los defectos procesales que se adviertan.

En [...............], a fecha [...............], de [...............], de [...............]

Firma del Letrado/a   Firma del Procurador/a

COMENTARIO

Estos formularios tienen por objeto la cuestión de la Demanda de juicio ordinario impugnado el testamento por desheredación injusta. Téngase en cuenta la siguiente información:

Doctrina

Consiste en la privación de la legítima mediante una previsión del causante en el testamento a cualquiera de los herederos forzosos en virtud de alguna de las causas taxativamente impuestas en el Código Civil[63]. De ahí, que cuando

---

[63]   Tribunal Supremo (Sala de lo Civil) Sentencia de 23 enero 1959 (*Tol 4348959*).

el testador atribuye sólo la legítima estricta a un hijo no lo ha desheredado, lo deshereda sólo cuando lo priva de este tercio que es al cual tiene derecho.

Las causales de indignidad previstas en el artículo 756 del Código Civil han sido modificadas a resultas de la Ley 8/2021, de 2 de junio por la que se reforma la legislación civil y procesal para el apoyo a las personas con discapacidad en el ejercicio de su capacidad jurídica. La ley modifica el párrafo tercero del ordinal 2º y el ordinal 7º con vistas a proteger a las personas con discapacidad.

"La reforma pretende adaptar el ámbito del precepto a las nuevas instituciones de apoyo corrigiendo la referencia al tutor de la persona con discapacidad por el curador" .... De manera que la remoción del cargo de tutor será causa de indignidad en la sucesión de menores sometidos a tutela y la remoción del curador, representativo o no, será causa de indignidad en la herencia de la persona con medidas de apoyo"[64].

La desheredación está relacionada con la indignidad para suceder, de ahí que en algunos Códigos civiles se sustituye la desheredación por la indignidad[65].

Resalta Sentencia Audiencia Provincial de Valencia (Sección 6ª) de 12 de marzo de 2013[66] que: *"frente a lo anterior cabe argumentar que la desheredación es una institución que por su propia naturaleza nunca puede ser presumida. Se trata de una institución formal que sólo puede ser realizada en testamento al amparo de una de las causas establecidas en la ley. Además la desheredación tiene un marcado carácter excepcional que implica una admisión restringida. Es cierto que entre la legítima y la mejora existen evidentes diferencias que permiten al testador privar a los descendientes de la mejora sin alegar causa alguna siempre que sea en favor de otros descendientes. Sin embargo, siguiendo a José Ángel, para que exista la mejora debe ser dispuesta por el causante y aceptada por el mejorado, y la desheredación injusta no puede suponer una desheredación en la mejora. No existe otro medio de privar del tercio de mejora, que mejorando a otros descendientes, y si dicha mejora no se ha producido, la mejora no existe, sólo hay legítima"*.

---

[64]   Vid. REPRESA POLO, P., "Artículo segundo. Modificación del Código Civil", en *Comentarios a la ley 8/2021, por la que se reforma la legislación civil y procesal*, Thomson Reuters, Aranzadi, GUILARTE MARTIN-CALERO, C. (directora), Volumen III, DE LORENZO GARCÍA, R. y PÉREZ BUENO, L. C., (directores de la serie Derecho de la Discapacidad) 2021 p. 920.

[65]   Vid. LACRUZ BERDEJO, J. L., SANCHO REBULLIDA, F. de A., LUNA SERRANO, A., DELGADO ECHEVERRÍA, J., RIVERO HERNÁNDEZ, F., RAMS ALBESA, J., *Elementos de Derecho civil, V, Sucesiones*, 4ª ed., Dykinson, 1993, p. 444.

[66]   Sentencia núm. 152 de 12 marzo 2013 (Tol 4743355).

En cuanto a los requisitos: a) la desheredación debe estar fundada en una justa causa (conforme al art. 848 CC); b) la desheredación solamente puede hacerse en testamento (art. 849 CC).

El Código Civil establece unas causas de desheredación generales y otras especiales. Las primeras son de aplicación a todos los herederos forzosos (remisión a las causas de indignidad para suceder conforme al art. 852 CC); las especiales lo son en particular a los descendientes, ascendientes o cónyuges[67].

---

[67] Vid MARTÍNEZ VELENCOSO, L., "Aspectos sustantivos del Derecho Hereditario", *Tratado de Derecho de Sucesiones*, ALVENTOSA DEL RÍO, J. y COBAS COBIELLA, M. E. (dir), Tirant lo Blanch, 2017, pp. 691 y ss. Donde analiza la doctrina de la sentencia del Tribunal Supremo (Sala 1ª), 3 junio 2014 *(Tol 4395123)*. Sobre la citada sentencia advierte la doctrina en la materia: *"sin embargo la reciente sentencia de 3 de junio de 2014 (RJ 2014, 3900) supone un cambio en la orientación jurisprudencial al decir que la interpretación de la concreta causa no debe hacerse con un carácter rígido o sumamente restrictivo. Añade la sentencia que los malos tratos o injurias graves de palabra deben ser objeto de una interpretación flexible conforme a la realidad social, al signo cultural y a los valores del momento en que se producen. Y continúa la sentencia diciendo que "en la actualidad el maltrato psicológico, como acción que determina un menos cabo o daño de la salud mental de la víctima, debe considerarse comprendido en la expresión o dinamismo conceptual que encierra el maltrato de obra. La inclusión del maltrato psicológico sienta su fundamento en nuestro propio sistema de valores, referenciado principalmente en la dignidad de la persona como germen o núcleo fundamental de los derechos constitucionales (art. 10 CE [RCL 1978, 2836]) y su proyección en el marco del Derecho de familia como cauce de reconocimiento de los derechos sucesorios de los legitimarios del causante... La inclusión del maltrato psicológico como una modalidad del maltrato de obra, en la línea de voluntad manifestada por el testador, esto es, de privar de su legítima a quienes en principio tienen derecho a ella, por una causa justificada y prevista por la norma, viene también reforzada por el criterio de conservación de los actos y negocios jurídicos que esta Sala tiene reconocido no solo como canon interpretativo, sino también como principio general del derecho, con una clara proyección en el marco del Derecho de sucesiones en relación con el principio de favor testamenti"*. Cambio, pues, en el criterio jurisprudencial de la interpretación restrictiva de las causas de desheredación". Vid. QUESADA PÁEZ, A., "Legítimas y desheredación". *Revista Aranzadi Doctrinal* núm. 3/2015 parte Estudios. Editorial Aranzadi, SAU, Cizur Menor. 2015. Sobre la citada sentencia merece comentar la exposición que hace CABEZUELO ARENAS. A. L., "Abandono afectivo de los ascendientes. Luces y sombras de esta nueva causa de desheredación", *Revista Aranzadi Doctrinal* núm. 1/2015 parte Estudios. Editorial Aranzadi, SAU, Cizur Menor. 2015: *"la STS de 3 de junio de 2014 (RJ 2014, 3900) emplea el argumento de que la interpretación sociológica que se propone no entraña extensión de la norma a otros supuestos no contemplados por ella, sino una lectura de la misma conforme al sistema de valores imperante actualmente en nuestra sociedad, que debe impregnar, asimismo, el Derecho de Sucesiones. Con lo que ha dado la razón a quienes patrocinaron, desde la doctrina, que una interpretación del precepto de manera más acorde con la realidad social no presentaba necesariamente el peligro de subsumir en aquél otras causas diferentes a las que el legislador se propuso consagrar. 2. El resultado de todo ello: Apartar de la sucesión paterna a unos hijos que ningún contacto mantuvieron con su padre a lo largo de siete años. Justifica el Alto Tribunal su decisión argumentando que: "la inclusión del maltrato psicológico sienta su fundamento en nuestro propio sistema de valores referenciado, principalmente, en la dignidad de la persona como germen o núcleo fundamental de los derechos constitucionales (artículo 10 CE [RCL 1978, 2836]) y su proyección en el marco del Derecho*

La desheredación injusta o sin causa, también conocida como "sin *expresión de causa*" o "*por causa cuya certeza fuere contradicha*", se produce cuando la causa de la desheredación no ha podido probarse o la causa no se encuentra comprendida en los supuestos regulados en la ley. El artículo 851 del CC señala en cuanto a ello que: "*la desheredación hecha sin expresión de causa, o por causa cuya certeza, si fuere contradicha, no se probare, o que no sea una de las señaladas en los cuatro siguientes artículos, anulará la institución de heredero en cuanto perjudique al desheredado; pero valdrán los legados, mejoras y demás disposiciones testamentarias en lo que no perjudiquen a dicha legítima*".

"*Los efectos de esta desheredación son equiparables a los de la preterición intencional, ya que el desheredado injustamente tiene derecho a la legítima, pero sólo a la estricta o corta, es decir, a la cuota que le corresponde sobre su tercio, ya que la voluntad del causante fue privarle de todo*"[68].

La desheredación puede ser justa o injusta, distinción que ostenta importancia a efectos del ejercicio de la práctica, ya que las consecuencias jurídicas son diferentes en cada uno de los casos y el destino de la sucesión hereditaria también. Señala sobre ello MARTÍNEZ VELENCOSO: "*los efectos son distintos en el caso de la desheredación justa y de la injusta. En el primer caso, el desheredado pierde su derecho a la legítima. Si llegara a abrirse en todo o en parte la sucesión intestada, el desheredado queda privado de todo derecho en la misma. Asimismo, el desheredado pierde todo derecho a los bienes reservables (Art. 973, párrafo 2do) .... Si la desheredación es injusta conforme al artículo 851.............. el desheredado injustamente habrá de obtener su cuota legitimaria, para ello se reducirán en primer lugar, la institución de heredero, en segundo lugar, los legados y mejoras, y en última instancia, las demás disposiciones testamentarias..............*"[69].

La acción que corresponde al desheredado injustamente ha generado discusión doctrinal, en cuanto a su naturaleza jurídica.

Para algunos autores se trata de una acción de nulidad, y para otros autores estamos en presencia de una acción rescisoria[70]. También es discutible el plazo

---

de familia como cauce de reconocimiento de los derechos sucesorios, especialmente de los derechos hereditarios de los legitimarios del causante, así como en el propio reconocimiento de la figura en el campo de la legislación especial; caso, entre otros, de la Ley Orgánica de protección integral de la violencia de género, 1/2004".

68 Vid. BLASCO GASCÓ, F. P., *Instituciones de Derecho Civil. Derecho de Sucesiones*, Cuarta Edición, Tirant lo Blanch, 2021, pp. 234-235... Vid. en este sentido Audiencia Provincial de Valencia (Sección 6ª) Sentencia núm. 152/2013 de 12 marzo (Tol 4743355).

69 Vid. MARTÍNEZ VELENCOSO, op. cit., p. 705.

70 LACRUZ dice que la acción derivada de la desheredación injusta parece ser de impugnación dirigida a la declaración de nulidad de la institución en cuanto perjudica al desheredado, con

para su ejercicio, señalando sobre ella un sector de la doctrina que: *"para al-gunos es de seis años para bienes muebles y de 30 años para bienes inmuebles (prescripción de interés), para otros se aplica el artículo 1964 del CC, que es el general para la acciones sin plazo especial (5 años). Es quizás la más seguida por el Tribunal Supremo, en todas la acciones de impugnación de disposiciones testamentarias"*[71].

La citada acción es personalísima, no opera ipso iure ya que es preciso ejercitar la impugnación de la misma.

Téngase finalmente en cuenta que la desheredación queda sin efecto por la reconciliación posterior del ofensor y el ofendido y puede oponerse por la persona que ha sido desheredada frente a la acción de los herederos.

NORMATIVA

Artículo 756 CC.
Artículos 848-857 CC.

JURISPRUDENCIA

Auto del Tribunal Supremo (Sala de lo Civil, Sección1ª). Auto de 10 febrero 2016 (*Tol 5648108*).
STS (Sala de lo Civil, Sección 1ª) Sentencia núm. 401/2018 de 27 junio (*Tol 6660360*).
STS (Sala de lo Civil) Sentencia de 10 junio 1988 (*Tol 1735070*).
STS (Sala de lo Civil) Sentencia de 23 enero 1959 (*Tol 4348959*).
SAP Audiencia Provincial de Valencia (Sección 6ª) Sentencia núm. 152/2013 de 12 marzo (*Tol 4743355*).
Tribunal Superior de Justicia de Cataluña, (Sala de lo Civil y Penal, Sección1ª) Sentencia núm. 49/2018 de 31 mayo (*Tol 6793474*).
STS Tribunal Supremo (Sala de lo Civil) Sentencia de 16 julio 1990 (*Tol 1730661*).

---

efecto al día de apertura de la sucesión y destinada, además, a introducir una suerte de sucesión, es decir, la forzosa. Vid. op. cit., p. 449. O'CALLAGHAN dice que el régimen protector de la legítima que se produce con la desheredación injusta es que se rescinden por inoficiosas todas las disposiciones mortis causa —primero las de título de herencia y luego los legados— que sean precisas para poder atribuir el *quantum* legitimario al injustamente desheredado. Es, por tanto, una acción rescisoria, que prescribe a los cuatro años, plazo propio de las acciones rescisorias (artículo 1299), y es transmisible a los propios herederos del desheredado si fallece antes del transcurso del plazo de prescripción. Vid. op. cit., p. 241.

[71]   Vid. LORA-TAMAYO RODRÍGUEZ; I. y PÉREZ RAMOS, C., *Cuestiones prácticas sobre Herencias para Especialistas en Sucesiones*, Memento Experto, Lefebvre, 2016, p. 259.

Formulario 2. DEMANDA DE JUICIO ORDINARIO INTERESANDO EL COMPLEMENTO DE LA LEGÍTIMA Y LA REDUCCIÓN DE UNA DONACIÓN POR INOFICIOSA

FUNDAMENTO LEGAL Y JURISPRUDENCIAL

Fase del procedimiento en la que se encuentra este formulario

Art. 815 y 817 del Código Civil.

Jurisprudencia:

Tribunal Supremo/ 02/10/2014 (Tol 4517098).

Tribunal Supremo/ 24/01/2008 (Tol 1256805).

Tribunal Supremo/ 08/03/1989 (Tol 1732241).

Fase: inicial, alegaciones de parte actora. Demanda.

ÓRGANO COMPETENTE

AL JUZGADO DE PRIMERA INSTANCIA

DE [...............]

—que por turno de reparto corresponda—

ENCABEZAMIENTO

D./Dª [...............], Procurador/a de los Tribunales, colegiado/a nº [...............] del Ilustre Colegio de Procuradores de [...............], actuando en nombre y representación de D./Dª [...............], mayor de edad, DNI número [...............], con domicilio en [...............], calle [...............] núm............... [...............], piso [...............], puerta [...............] (CP...............) según acredito mediante la copia de escritura de poder que acompaño/poder otorgado "apud acta" electrónico/poder que será otorgado "apud acta" ante el/la sr/a Letrado/a de la Administración de Justicia; ante el Juzgado comparezco bajo la dirección técnica del/la Letrado/a D./Dª [...............], colegiado/a nº [...............] del Ilustre Colegio de Abogados de [...............]; como mejor proceda en Derecho, DIGO:

DIGO/MANIFIESTO

Que siguiendo expresas instrucciones de mi representado/ha, por medio del presente escrito formulo DEMANDA DE JUICIO ORDINARIO en ejercicio de la acción de COMPLEMENTO DE LEGÍTIMA contra:

D./Dª [...............], mayor de edad, DNI número [...............], con domicilio en [...............], calle [...............] n° [...............], piso [...............], puerta [...............] (CP...............), y contra

D./Dª [...............], mayor de edad, DNI número [...............], con domicilio en [...............], calle [...............] n°[...............], piso [...............], puerta [...............] (CP...............); ambos como coherederos del/la causante D./Dª [...............].

Y ello sobre la base de los siguientes hechos y fundamentos de derecho.

HECHOS

PRIMERO.- D./Dª [...............] falleció el día [...............] de [...............] de [...............] en la localidad de [...............].

En su prueba se acompaña:

Documento n° 1. Certificado de defunción expedido por el Registro Civil de [...............]

SEGUNDO.- Mi representado/a es [relación de parentesco] del/la causante y por tanto heredero/a forzoso/a del mismo conforme al art. 807, párrafo [...............] del Código Civil (en adelante, CC), debiendo recibir de éste/a obligatoriamente una parte de lo dejado a su fallecimiento en la cuantía, cómputo y modo establecido en la ley.

Documento n° 2. (Certificado de nacimiento, libro de familia, certificado de matrimonio u otros que acredite la concreta relación que unía al/la demandante con el/la causante, entre las que refiere el art. 807 CC)

TERCERO.- D./Dª [...............] falleció sin testar y mi representado/a instó del/ el notario de la ciudad de [...............] D./Dª [...............] acta de notoriedad de declaración de herederos ab intestato de fecha [...............] en la que se declara, tras las pruebas practicadas y conforme al vigente Código Civil, que son herederos/as del/ la causante:

D./Dª [...............] y

D./Dª [...............]

Documento n° 3. Copia autorizada del acta de notoriedad de declaración de herederos ab intestato de D/Dª [...............] expedida por el citado notario, bajo el n° [...............] de su protocolo.

CUARTO.- Posteriormente, en fecha [...............] los/las declarados/as herederos/ as procedieron a otorgar escritura de partición y adjudicación de herencia ante el/la notario de la ciudad de [...............], D./Dª [...............], sobre los bienes relacionados, que mi mandante conocía.

En su prueba

Documento n° 4. Copia autorizada de la escritura de partición y adjudicación de herencia expedida por el/la citado/a notario, bajo el n° [...............] de su protocolo.

QUINTO.- Esto no obstante, mi representado/a ha podido saber que en fecha [...............] el/la causante había otorgado una escritura de donación a favor de D/ Dª [...............] de una finca rústica de cultivo [...............] sita en el término municipal de [...............], paraje [...............], polígono [...............], parcela número [...............], con una superficie de [...............] Ha, [...............] áreas y [...............] centiáreas. Linda frente con [...............]; derecha entrando [...............]; izquierda [...............] y fondo [...............]. Con referencia catastral [...............] e inscrita en el Registro de la Propiedad de [...............], tomo [...............], libro [...............], folio [...............], finca nº [...............]; con un valor de [...............] euros reflejado en la propia escritura e inscripción en el Registro de la Propiedad.

Documento nº 5. Certificación del Registro de la Propiedad de [...............]

SEXTO.- Dado el valor reflejado de la dicha finca, que se mantiene al día de hoy, la donación debe calificarse como inoficiosa por perjudicar la legítima que corresponde a mi representado/a, el cual, ha recibido por título de herencia sólo parte de su legítima al no haberse computado en el caudal relicto la parte inoficiosa o excesiva de la donación, quedando, en consecuencia, pendiente de abono la cuantía [...............].

Documento nº 6. Informe pericial de tasación actual de la finca, de fecha [...............]

A los anteriores hechos son de aplicación los siguientes:

FUNDAMENTOS DE DERECHO

(1) Jurisdicción y competencia

Corresponde a la jurisdicción civil de conformidad con lo dispuesto en el art. 36 de la LEC. Y es competente el Juzgado de Primera Instancia al que me dirijo con arreglo a lo dispuesto en el art. 45 y 52.1.4º de la LEC. *En los juicios sobre cuestiones hereditarias, será competente el tribunal del lugar en que el finado tuvo su último domicilio y si lo hubiere tenido en país extranjero, el del lugar de su último domicilio en España, o donde estuviere la mayor parte de sus bienes, a elección del demandante.*

(2) Capacidad y legitimación

Las partes tienen capacidad, con arreglo al art. 6 de la LEC y se encuentran legitimadas activa y pasivamente para interponer y soportar el presente procedimiento a tenor de lo preceptuado en el art. 10 de la LEC. Mi representado/a como legitimario/a al/la que sólo se le ha satisfecho una parte de su legítima.

(3) *Representación y defensa*

Artículos 23 y 31 de la LEC. Esta parte comparece por medio de procurador y dirigida por abogado cumpliendo lo prevenido en ambos artículos.

(4) *Procedimiento*

Procede seguir el procedimiento del juicio ordinario regulado en los arts. 399 y siguientes, de conformidad con el art. 249.2, todos de la LEC, por exceder de 6000 euros la cuantía de la demanda.

(5) Cuantía

Se fija la cuantía de este procedimiento en [...............] con arreglo a las reglas para su determinación establecidas en el art. 251.12° y 2° de la LEC y art. 252 de la LEC, que *se corresponde con el valor de reducción por inoficiosa de la donación y al importe del defecto en la cuota legitimaria del/la demandante.*

(6) Fondo del asunto

Son de aplicación a este caso los siguientes fundamentos legales:

Art. 806 del Código Civil (CC): *"Legítima es la porción de bienes de que el testador no puede disponer por haberla reservado la ley a determinados herederos, llamados por esto herederos forzosos".*

Art. 808 ó 809 CC *(según el caso) sobre la parte del haber hereditario que constituye la legítima.*

Art. 813 CC: *"El testador no podrá privar a los herederos de su legítima sino en los casos expresamente determinados por la ley.*

Tampoco podrá imponer sobre ella gravamen, ni condición, ni sustitución de ninguna especie, salvo lo dispuesto en cuanto al usufructo del viudo y lo establecido en los artículos 782 y 808".

Art. 815 CC: *"El heredero forzoso a quien el testador haya dejado por cualquier título menos de la legítima que le corresponda, podrá pedir el complemento de la misma".*

Art. 817 CC: *"Las disposiciones testamentarias que mengüen las legítimas de los herederos forzosos se reducirán, a petición de éstos, en lo que fueren inoficiosas o excesivas".*

Art. 818 CC: *"Para fijar la legítima se atenderá al valor de los bienes que quedaren a la muerte del testador, con deducción de las deudas y cargas, sin comprender entre ellas las impuestas en el testamento.*

Al valor líquido de los bienes hereditarios se agregará el de las donaciones colacionables".

Artículo 636 CC, por el que ninguno podrá dar ni recibir por vía de donación más de lo que pueda dar o recibir por testamento, siendo la donación inoficiosa en todo lo que exceda de esta medida.

Artículo 654 CC, que expresa que las donaciones que resulten inoficiosas, de conformidad con lo dispuesto en el artículo 636, computado el valor líquido de los bienes del donante al tiempo de su muerte, deberán ser reducidas en cuanto al exceso, debiendo estarse para llevar a cabo dicha reducción a lo dispuesto en los artículos 820 y 821 del citado Código Civil.

Artículo 1295 CC, por el que la rescisión obliga a la devolución de las cosas con sus frutos y del precio con sus intereses.

Artículo 651 CC: *"Cuando se revocare la donación por alguna de las causas expresadas en el artículo 644, o por ingratitud, y cuando se redujere por inoficiosa, el donatario no devolverá los frutos sino desde la interposición de la demanda.*

Si la revocación se fundare en haber dejado de cumplirse alguna de las condiciones impuestas en la donación, el donatario devolverá, además de los bienes, los frutos que hubiese percibido después de dejar de cumplir la condición".

El artículo 655 CC faculta para solicitar la reducción de las donaciones a aquellos que tengan derecho a legítima.

Artículo 656 CC: *"Si siendo dos o más las donaciones, no cupieren todas en la parte disponible, se suprimirán o reducirán en cuanto al exceso las de fecha más reciente".*

Artículo 1045 CC, *que establece que no han de traerse a colación y partición las mismas cosas donadas sino su valor al tiempo en que se evalúen los bienes hereditarios.*

Artículos 451 al 457 CC, en cuanto a los efectos de la posesión sobre los bienes que deben restituirse a mi mandante.

(7) Costas

Es de aplicación el art. 394 de la LEC en cuanto a la condena en las costas causadas de la primera instancia.

Por lo expuesto,

SUPLICO AL JUZGADO

Que teniendo por presentado este escrito con sus documentos y copias, se sirva admitirlo y tenerme por personado/a y parte en la representación que ostento de D./ Dª [...............] y por formulada demanda de juicio ordinario en ejercicio de la acción de complemento de legítima y reducción de donación por inoficiosa contra D./Dª [...............] y D./Dª [...............] y en su virtud, seguido el procedimiento por sus trámites legales, dicte en su día sentencia por la que, estimando íntegramente esta demanda, acuerde:

a) Declarar que la donación realizada por el/la causante [...............] a favor del/la demandado/a del bien [...............] es parcialmente inoficiosa, debiendo reducirse en la cantidad de [...............] €.

b) Declarar que la masa computable para calcular la legítima debe incrementarse en la dicha cantidad.

c) Declarar la existencia de un defecto de [...............] euros en el importe de la cuota legitimaria que fue satisfecha a mi representado/a.

d) Condenar a los/las demandados/as a estar y pasar por las anteriores declaraciones.

e) Condenar a los/las demandados/as a reintegrar el exceso de valor recibido a fin de completar la cuota legitimaria que corresponde a mi mandante.

f) Condenar a los demandados/as al pago de las costas procesales causadas en este procedimiento.

OTROSÍ DIGO

PRIMERO.– SOLICITUD DE MEDIDA CAUTELAR. Existe peligro por la mora procesal concretado en [...............] y a fin de evitarlo es idónea y proporcional la medida cautelar que interesa esta parte consistente en [...............] y siendo que esta parte tiene apariencia de buen derecho manifestado en [...............] y que hace ofrecimiento de prestación de caución del tipo [...............] por importe de [...............], que resulta bastante para responder, de manera rápida y efectiva, de los daños y perjuicios que la adopción de la cautela pueda causar, que podrían consistir en [...............] con un valor máximo de [...............]. En su virtud, **SUPLICO AL JUZGADO**. Que atendiendo a la naturaleza y el contenido de la pretensión y la valoración del fundamento de la medida cautelar que se interesa, teniendo por cumplidos los presupuestos y al amparo del art. 721 de la LEC, se digne decretar la medida cautelar consistente en [...............]

SEGUNDO.– INAUDITA PARTE. Existen razones de urgencia o La audiencia previa a la adopción de la medida cautelar puede comprometer el buen fin de la medida interesada por cuanto [...............]. En su virtud, **SUPLICO AL JUZGADO**: se sirva acordar la medida cautelar interesada sin la previa audiencia a la otra parte conforme permite el art. 733.2 de la LEC.

TERCERO.– Esta parte manifiesta su voluntad e intención de cumplir con todos y cada uno de los requisitos exigidos por la Ley a los efectos de los art. 231 de la LEC y 243.3 de la LOPJ. **SUPLICO AL JUZGADO**: tenga por efectuada la anterior declaración a los efectos de permitir subsanar a esta parte los defectos procesales que se adviertan.

En [...............], a fecha [...............], de [...............], de [...............]

Firma del Letrado/a   Firma del Procurador/a

COMENTARIO

Estos formularios tienen por objeto la cuestión de la Demanda de juicio ordinario interesando el complemento de la legítima y la reducción de una donación por inoficiosa. Téngase en cuenta la siguiente información:

Doctrina

El presente modelo sirve para complementar la parte dedicada al estudio de la legítima. Si al legitimario/a no se le hubiere satisfecho nada de su legítima ni, siquiera, por actos gratuitos inter-vivos sería procedente ejercitar la acción de preterición. Por su parte la acción de complemento de la legítima encuentra su regulación en lo previsto en el artículo 815 del CC que regula el derecho del heredero forzoso a quien el testador le haya dejado menos de lo que le corresponde como legítima de pedir el complemento de la misma, que proviene del Derecho Justinianeo.

Del precepto legal podemos constatar que al igual que sucede con la legítima, resulta posible la atribución del complemento por cualquier título o concepto. Respecto a la citada acción cabe significar algunas cuestiones como que la naturaleza jurídica de la misma al decir de la doctrina *"es mixta, personal por cuanto va dirigida contra los herederos y real porque está protegida por el Art. 806 CC que limita la disponibilidad de los bienes hereditarios en tanto no sean satisfechas las legítimas; incluso el aspecto real de la acción se manifiesta frente a terceros adquirentes no protegidos por el Registro que pueden verse afectados por la acción de complemento. Para ello es importante que el legitimario anote preventivamente su demanda, pues con ello evita que pueda escapársele la efectividad de la acción frente a terceros hipotecarios"*[72].

El complemento o suplemento de legítima se recibe por el mismo concepto o título por el que se haya atribuido la legítima, así señala la doctrina, si el legitimario fue nombrado heredero, el suplemento se incluye en la legítima, si se he percibido por donación o legado, esta será la forma de atribución[73].

Otras cuestiones imprescindibles de comentar en sede de la citada acción son las siguientes: en primer lugar en la transmisibilidad de la acción a los herederos del legitimario, cuyo plazo de ejercicio de acuerdo a la doctrina en la materia será de 30 años, ante el silencio del legislador, que es además el previsto para la acción de petición de herencia, en segundo lugar el importe del suplemento ha de ser pagado con bienes de la herencia, salvo que se autorice el pago en metálico y finalmente se discute doctrinalmente si la acción de complemento debe dirigirse sólo a la obtención de la legítima larga o la estricta, entendiendo la doctrina mayoritaria que habrá que estar a la interpretación de la voluntad del causante[74].

La viabilidad de la acción de suplemento de la legítima, así como cualquier otra acción dirigida a declarar la inoficiosidad de los legados y disposiciones testamentarias, exige la resolución previa del valor líquido de los bienes con agregación de donaciones colacionables conforme al art. 818 CC.

Sobre legítimas se remite al epígrafe en la materia.

---

[72] O'CALLAGHAN MUÑOZ, X., *Código Civil Comentado y con Jurisprudencia*, La Ley, 2008, p. 817.

[73] Vid, O'CALLAGHAN, *Código Civil Comentado y con Jurisprudencia*, op. cit., p. 817.

[74] Vid, O'CALLAGHAN, *Código Civil Comentado y con Jurisprudencia*, op. cit., p. 817.

Normativa

Artículo 624, 636, 815 CC.

Jurisprudencia

STS (Sala de lo Civil, Sección Pleno) Sentencia núm. 473/2018 de 20 julio (*Tol 6673274*).
STS (Sala de lo Civil) Sentencia núm. 1149/2000 de 13 diciembre (*Tol 2614*).
STS (Sala de lo Civil) Sentencia de 8 marzo 1989 (*Tol 1732241*).

Formulario 3. DEMANDA DE JUICIO ORDINARIO EJERCITANDO LA ACCIÓN DE PRETERICIÓN (NO INTENCIONAL)

FUNDAMENTO LEGAL Y JURISPRUDENCIAL

Fase del procedimiento en la que se encuentra este formulario

Art. 814 del Código Civil.

Jurisprudencia:

Tribunal Supremo/ 10/12/2014 *(Tol 4748252)*.

Fase: inicial, alegaciones de la parte actora. Demanda.

ÓRGANO COMPETENTE

AL JUZGADO DE PRIMERA INSTANCIA

DE [...............]

—que por turno de reparto corresponda—

ENCABEZAMIENTO

D./Dª [...............], Procurador/a de los Tribunales, colegiado/a nº [...............] del Ilustre Colegio de Procuradores de [...............], actuando en nombre y representación de D./Dª [...............], mayor de edad, DNI número [...............], con domicilio en [...............], calle [...............] núm............... [...............], piso [...............], puerta [...............] (CP...............) según acredito mediante la copia de escritura de poder que acompaño/poder otorgado "apud acta" electrónico/poder que será otorgado "apud acta" ante el/la sr/a Letrado/a de la Administración de Justicia; ante el Juzgado comparezco bajo la dirección técnica del/la Letrado/a D./Dª [...............], colegiado/a n° [...............] del Ilustre Colegio de Abogados de [..............]; como mejor proceda en Derecho, DIGO:

DIGO/MANIFIESTO

Que siguiendo expresas instrucciones de mi representado/a, por medio del presente escrito y al amparo del artículo 814 del Código Civil formulo DEMANDA DE JUICIO ORDINARIO en ejercicio de la acción de PRETERICIÓN contra:

D/Dª [...............], mayor de edad, DNI número [...............], con domicilio en [...............], calle [...............] n° [...............], piso [...............], puerta [...............] (CP...............), como heredero/a del/la causante D./Dª [...............], y contra

D/Dª [...............], mayor de edad, DNI número [...............], con domicilio en [...............], calle [...............] n° [...............], piso [...............], puerta [...............] (CP...............), como heredero/a del/la causante D./Dª [...............].

Y ello sobre la base de los siguientes hechos y fundamentos de derecho.

HECHOS

PRIMERO.- D./Dª [...............] falleció el día [...............] de [...............] de [...............] en la localidad de [...............].

En su prueba se acompaña:

Documento n° 1. Certificado de defunción expedido por el Registro Civil de [...............].

SEGUNDO.- Mi representado/a es [relación de parentesco] del/la causante y por tanto heredero/a forzoso/a del mismo conforme al art. 807, párrafo [...............] del Código Civil (en adelante, CC), debiendo recibir de éste/a obligatoriamente una parte de lo dejado a su fallecimiento en la cuantía, cómputo y modo establecido en la ley.

Documento n° 2. (Certificado de nacimiento, libro de familia, certificado de matrimonio u otros que acredite la concreta relación que unía al/la demandante con el/la causante, entre las que refiere el art. 807 CC)

TERCERO.- D./Dª [...............] había otorgado testamento, no revocado por otro posterior, ante el/la Notario de [...............], D./Dª [...............] el día [...............] de [...............] de [...............], bajo el n° [...............] de su protocolo.

Documento n° 3. Certificado del Registro de Actos de Última Voluntad

Documento n° 4. Copia autorizada del testamento

CUARTO.- El testamento instituye herederos/as a D./Dª [...............] con preterición de mi representado/a.

La preterición fue realizada de forma no intencional por el/la causante, como se demuestra por haber otorgado testamento tiempo antes de que conociera la existencia de mi mandante.

Documento nº 5. [...............]

A los anteriores hechos son de aplicación los siguientes

FUNDAMENTOS DE DERECHO

(1) Jurisdicción y competencia

Corresponde a la jurisdicción civil de conformidad con lo dispuesto en el art. 36 de la LEC. Y es competente el Juzgado de Primera Instancia al que me dirijo con arreglo a lo dispuesto en el art. 45 y 52.1.4º de la LEC. *En los juicios sobre cuestiones hereditarias, será competente el tribunal del lugar en que el finado tuvo su último domicilio y si lo hubiere tenido en país extranjero, el del lugar de su último domicilio en España, o donde estuviere la mayor parte de sus bienes, a elección del demandante.*

(2) Capacidad y legitimación

Las partes tienen capacidad, con arreglo al art. 6 de la LEC y se encuentran legitimadas activa y pasivamente para interponer y soportar el presente procedimiento a tenor de lo preceptuado en el art. 10 de la LEC.

(3) Representación y defensa

Artículos 23 y 31 de la LEC. Esta parte comparece por medio de procurador y dirigida por abogado cumpliendo lo prevenido en ambos artículos.

(4) Procedimiento

Procede seguir el procedimiento del juicio ordinario regulado en los arts. 399 y siguientes, de conformidad con el art. 249.2 y 253.3 todos de la LEC.

(5) Cuantía

Se fija la cuantía de este procedimiento como indeterminada con arreglo al art. 253.3 de la LEC.

(6) Fondo del asunto

Son de aplicación a este caso los siguientes fundamentos legales:

Art. 806 del Código Civil (CC): "Legítima es la porción de bienes de que el testador no puede disponer por haberla reservado la ley a determinados herederos, llamados por esto herederos forzosos".

Art. 808 ó 809 CC (según el caso) sobre la parte del haber hereditario que constituye la legítima.

Art. 813 CC: "El testador no podrá privar a los herederos de su legítima sino en los casos expresamente determinados por la ley".

Tampoco podrá imponer sobre ella gravamen, ni condición, ni sustitución de ninguna especie, salvo lo dispuesto en cuanto al usufructo del viudo y lo establecido en los artículos 782 y 808".

Art. 814 CC: *"La preterición de un heredero forzoso no perjudica la legítima. Se reducirá la institución de heredero antes que los legados, mejoras y demás disposiciones testamentarias.*

Sin embargo, la preterición no intencional de hijos o descendientes producirá los siguientes efectos:

1° Si resultaren preteridos todos, se anularán las disposiciones testamentarias de contenido patrimonial.

2° En otro caso, se anulará la institución de herederos, pero valdrán las mandas y mejoras ordenadas por cualquier título, en cuanto unas y otras no sean inoficiosas. No obstante, la institución de heredero a favor del cónyuge sólo se anulará en cuanto perjudique a las legítimas".

La Sentencia del Tribunal Supremo de 10 de diciembre de 2014 resuelve la cuestión interpretativa acerca de la naturaleza de la ineficacia derivada y su relación con la nulidad radical, anulabilidad o rescisión, en favor de esta última por razón de su carácter funcional, parcial, relativo y sanable. La interpretación rectora del artículo 814 en relación con la preterición no intencional de hijos y descendientes, sin resultar todos ellos preteridos, lejos de descansar en la mera literalidad del apartado segundo, esto es, la anulación de la institución de herederos, se apoya, dice, en la voluntad testamentaria (voluntas testatoris) como ley suprema de la sucesión, tal y como establece su párrafo final: "A salvo las legítimas, tendrá preferencia en todo caso lo ordenado por el testador" y confirma sistemáticamente el citado apartado segundo, en donde la referida anulación de la institución de heredero se realiza sin perjuicio de "las mandas y mejoras ordenadas por cualquier título". Lo que se confirma por la posibilidad de renunciabilidad de la acción de impugnación por preterición y su no declaración de oficio, como por la validez de la transacción al respecto; pero, sobre todo, tal y como expresamente destaca la Sentencia citada de 3 de noviembre de 2014 (núm. 587/2014), por la interpretación sistemática que a estos efectos cabe establecer entre los artículos 764 y 814 del Código Civil en orden a la preferencia de la validez testamentaria aun en el supuesto de que carezca de institución de heredero o que dicha institución resulte ineficaz conforme al principio de conservación del testamento y de la partición realizada ("favor testamenti y favor partitionis").

Artículos 451 al 457 CC, en cuanto a los efectos de la posesión sobre los bienes que deben restituirse a mi mandante.

(7) Costas

Es de aplicación el art. 394 de la LEC en cuanto a la condena en las costas causadas de la primera instancia.

Por lo expuesto,

SUPLICO AL JUZGADO

Que teniendo por presentado este escrito con sus documentos y copias, se sirva admitirlo y tenerme por personado/a y parte en la representación que ostento de D./Dª [...............] y por formulada demanda de juicio ordinario en ejercicio de la acción de preterición contra D./Dª [...............] y D./Dª [...............] y en su virtud, seguido el procedimiento por sus trámites legales, dicte en su día sentencia por la que, estimado íntegramente esta demanda, acuerde:

a) Declarar que mi representado/a ha sido preterido/a de manera no intencional en la herencia de D./Dª [...............]

b) Declarar el derecho de mi representado/a, como legítimo/a sucesor/a del/la causante D./Dª [...............] a percibir la porción de herencia que le corresponde.

c) Reducir la institución de heredero/a en el mismo importe de la cuota legitimaria que corresponde a mi representado/a.

d) Declarar el derecho de mi representado/a percibir los frutos que haya producido los bienes integrantes de la herencia y en proporción a su legítima desde la fecha de la aceptación y adjudicación de herencia por parte del demandado/a.

e) Condenar a los/las demandados/as a estar y pasar por las anteriores declaraciones.

f) Condenar a los/las demandados/as al pago de las costas procesales causadas en este procedimiento.

OTROSÍ DIGO

PRIMERO.– SOLICITUD DE MEDIDA CAUTELAR. Existe peligro por la mora procesal concretado en [...............] y a fin de evitarlo es idónea y proporcional la medida cautelar que interesa esta parte consistente en [...............] y siendo que esta parte tiene apariencia de buen derecho manifestado en [...............] y que hace ofrecimiento de prestación de caución del tipo [...............] por importe de [...............], que resulta bastante para responder, de manera rápida y efectiva, de los daños y perjuicios que la adopción de la cautela pueda causar, que podrían consistir en [...............] con un valor máximo de [...............]. En su virtud, **SUPLICO AL JUZGADO**. Que atendiendo a la naturaleza y el contenido de la pretensión y la valoración del fundamento de la medida cautelar que se interesa, teniendo por cumplidos los presupuestos y al amparo del art. 721 de la LEC, se digne decretar la medida cautelar consistente en [...............]

SEGUNDO.– INAUDITA PARTE. Existen razones de urgencia o La audiencia previa a la adopción de la medida cautelar puede comprometer el buen fin de la medida interesada por cuanto [...............]. En su virtud, **SUPLICO AL JUZGADO**: se sirva acordar la medida cautelar interesada sin la previa audiencia a la otra parte conforme permite el art. 733.2 de la LEC.

TERCERO.– Esta parte manifiesta su voluntad e intención de cumplir con todos y cada uno de los requisitos exigidos por la Ley a los efectos de los art. 231 de la LEC y 243.3 de la LOPJ. **SUPLICO AL JUZGADO**: tenga por efectuada la anterior declaración a los efectos de permitir subsanar a esta parte los defectos procesales que se adviertan.

En [...............], a fecha [...............], de [...............], de [...............]

Firma del Letrado/a   Firma del Procurador/a

COMENTARIO

Estos formularios tienen por objeto la cuestión atinente a la demanda de juicio ordinario ejercitado la acción de preterición (no intencional). Téngase en cuenta la siguiente información:

El preterido ostenta la acción de preterición para hacer valer su derecho, que es precisamente el que nace del sistema legitimario español previsto en los artículos 806 y siguientes del Código Civil. Téngase en cuenta el principio de intangibilidad de la legítima que es el fundamento sobre el que subyace el tratamiento de la institución, como norma de derecho necesario, integrada por preceptos imperativos, sustraídos de la libre disposición del *causante*, "siendo *un límite a la soberanía del mismo sobre su propia sucesión*"[75].

En cuanto al contenido de la legítima, téngase en cuenta la actual redacción del artículo 808 del CC, en virtud de la reforma la Ley 8/2021, de 2 de junio por la que se reforma la legislación civil y procesal para el apoyo a las personas con discapacidad en el ejercicio de su capacidad jurídica.

El citado artículo ha quedado de la forma siguiente:

"Constituyen la legítima de los hijos y descendientes las dos terceras partes del haber hereditario de los progenitores.

Sin embargo, podrán estos disponer de una parte de las dos que forman la legítima, para aplicarla como mejora a sus hijos o descendientes.

La tercera parte restante será de libre disposición.

Cuando alguno o varios de los legitimarios se encontraren en una situación de discapacidad, el testador podrá disponer a su favor de la legítima estricta de los demás legitimarios sin discapacidad. En tal caso, salvo disposición contraria del testador, lo así recibido por el hijo beneficiado quedará gravado con sustitución fideicomisaria de residuo a favor de los que hubieren visto afectada su legítima

---

[75] O'CALLAGHAN MUÑOZ, X., *Compendio de Derecho Civil*, Tomo V, Derecho de Sucesiones, Segunda Edición, puesta al día por María Begoña Fernández González, Editorial Ramón Aceres, 2016, p. 209.

estricta y no podrá aquel disponer de tales bienes ni a título gratuito ni por acto mortis causa.

Cuando el testador hubiere hecho uso de la facultad que le concede el párrafo anterior, corresponderá al hijo que impugne el gravamen de su legítima estricta acreditar que no concurre causa que la justifique".

La preterición consiste en el olvido de un legitimario por parte del causante. Nos dice la doctrina que: *"llamase preterición a la inexistencia total de disposición patrimonial a favor de un heredero forzoso en línea recta, nacido ya o meramente concebido al tiempo de la muerte del testador. La preterición supone, pues, un olvido o exclusión (sean deliberados o involuntarios) de disposición a favor de un pariente del causante en línea recta y con derecho a legítima, y se produce en los supuestos de simple omisión de toda mención del preterido, en el testamento, o de mención exclusivamente con fines distintos de asignarles alguna participación en los bienes; tal, p. ej., el caso de que el testador mencione a todos sus hijos al reseñar sus circunstancias personales, pero omita luego toda mención de uno de ellos al asignar sus bienes"*[76].

La preterición no es meramente el olvido u omisión de un legitimario en el testamento, sino además requiere no haber percibido nada en concepto de legítima, porque si algo hubiera recibido como legítima, por cualquier título, pero sin llegar al *quantum* que le corresponda, sólo podría ejercitar la acción de complemento de legítima (como dispone el artículo 815), aunque no haya sido mencionado en el testamento[77]. Como advierten DÍEZ-PICAZO y GULLÓN que de la normativa de la preterición y de las legítimas se extrae que es la omisión de un heredero forzoso sabiendo que existe. Ahora bien, como la legítima puede satisfacerse por cualquier título (Art. 815) se ha de ver si basta con la sola omisión, o se requiere además que no haya recibido nada en vida del causante. Entendemos que se ha de dar la omisión y, además, no haberle beneficiado nada en vida[78].

Dice la jurisprudencia: *"por otra parte, en nuestro sistema legitimario el testador puede dejar la legítima "por cualquier título", sin excluir ninguno, por tanto "inter vivos" o "mortis causa". Así lo dispone el artículo 815 del Código Civil. La sentencia de esta Sala de 20 de febrero de 1981 (RJ 1981, 534) declaró que el heredero forzoso, a quien en vida haya hecho alguna donación su causan-*

---

76   Vid. ROYO MARTÍNEZ, M., *Derecho sucesorio mortis causa*, Editorial Edelce, 1951, pp. 242-243.

77   O'CALLAGHAN MUÑOZ, op. cit., p. 242.

78   Vid. DÍEZ-PICAZO, L., y GULLÓN., A., *Sistema de Derecho Civil, Derecho de Sucesiones*, Volumen IV, Tomo 2, Duodécima Edición, Tecnos, 2017, p. 184.

te, no puede considerarse desheredado ni preterido, y sólo puede reclamar que se complete su legítima, al amparo del artículo 815[79]".

Los supuestos más comunes de preterición están vinculados a los hijos llamados cuasi-póstumos, nacidos en vida del padre pero con posterioridad al otorgamiento del testamento[80].

Por tanto, la preterición es la omisión (como defecto formal) de un legitimario en el testamento, sin que el mismo (como defecto material) haya recibido atribución alguna —sea suficiente o insuficiente— en concepto de legítima[81].

La regulación de esta institución en el Código Civil fue modificada por la Ley de 13 de mayo de 1981, que siguiendo la orientación que había patrocinado la doctrina (Lacruz, Vallet, De la Cámara, etc.), distingue (como ya lo había hecho el derecho de Castilla) entre la preterición intencional y la preterición errónea. Pero cabe decir, que en ningún momento el Código Civil ofrece un concepto de la institución, sino que se limita a señalar los efectos de la misma, en el artículo 814 del CC.

La doctrina más tradicional ha mantenido que la preterición era la omisión de alguno de los herederos forzosos en el testamento sin desheredarlos expresamente.

Los requisitos de la preterición son en primer orden de cosas la omisión en el testamento de uno, varios o todos los herederos forzosos. Ha de ser además completa, lo que se desprende de lo previsto en el artículo 815 del CC, que concede al heredero forzoso, a quien el testador ha dejado por cualquier título menos de la legítima que le corresponda, la acción de suplemento de legítima y que los herederos forzosos omitidos sobrevivan al testador.

Los efectos de la preterición dependerán de que sea intencional o no intencional o errónea. La intencional se produce cuando la omisión del heredero forzoso se hace a sabiendas, por el contrario la errónea o no intencional se produce cuando el testador ignora que existe un heredero al redactar el testamento o efectivamente no existe.

En la preterición intencional no se perjudica la legítima de acuerdo a lo previsto en el art. 814, lo que significa que el legitimario va a percibir su legítima

---

[79]   STS (Sala de lo Civil), Sentencia núm. 142/2001 de 15 febrero (*Tol 99681*).
[80]   Vid. ROYO, op. cit., p. 243. Resolución 24 enero 1941.
[81]   La preterición es intencional cuando el testador no ha mencionado, ni ha hecho atribución alguna, al legitimario, sabiendo que éste existe; por lo que se supone que es una omisión intencionada del legitimario. La preterición es errónea cuando el testador omitió la mención del legitimario hijo o descendiente suyo (no otro tipo de legitimario) porque ignoraba su existencia.

con cargo al caudal hereditario, con participación en la comunidad hereditaria como el resto de los herederos universales, aunque su cuota será sólo la legitimaria. Para la consecución de este efecto es necesario que se reduzca en primer lugar la institución de herederos, luego los legados y demás disposiciones testamentarias de acuerdo a lo previsto en la norma.

El artículo 814 en su párrafo segundo determina los efectos en la preterición no intencional cuando señala que: "*1. si resultaren preteridos todos, se anularán las disposiciones testamentarias de contenido patrimonial. 2º En otro caso, se anulará la institución de herederos, pero valdrán las mandas y mejoras ordenadas por cualquier título, en cuanto unas y otras no sean inoficiosas. No obstante, la institución de heredero a favor del cónyuge sólo se anulará en cuanto perjudique a las legítimas. Los descendientes de otro descendiente que no hubiere sido preterido, representan a éste en la herencia del ascendiente y no se consideran preteridos. Si los herederos forzosos preteridos mueren antes que el testador, el testamento surtirá todos sus efectos. A salvo las legítimas, tendrá preferencia en todo caso lo ordenado por el testador*".

Normativa

Artículos 763, 813, 817, 848 a 857, 924 a 929 y 1080 del CC.
Ley 11/1981, 13 mayo, "BOE" 19 mayo, de modificación del Código Civil en materia de filiación, patria potestad y régimen económico del matrimonio.
Ley 8/2021, de 2 de junio, por la que se reforma la legislación civil y procesal para el apoyo a las personas con discapacidad en el ejercicio de su capacidad jurídica.

Jurisprudencia

STS (Sala de lo Civil, Sección1ª) Sentencia núm. 325/2010 de 31 mayo (*Tol 1878581*).
STS (Sala de lo Civil), Sentencia núm. 142/2001 de 15 febrero (*Tol 99681*).
STS Tribunal Supremo (Sala de lo Civil, Sección1ª) Sentencia núm. 642/2006 de 12 junio (*Tol 961863*).
STS (Sala de lo Civil, Sección1ª) Sentencia núm. 695/2014 de 10 diciembre (*Tol 474825*).
STS (Sala de lo Civil) Sentencia núm. 849/2002 de 23 septiembre (*Tol 212988*).
STS Tribunal Supremo (Sala de lo Civil) Sentencia núm. 17/2001 de 23 enero (*Tol 27105*).
STS Tribunal Supremo (Sala de lo Civil) Sentencia de 13 julio 1985 (*Tol 1737018*).

Formulario 4. DEMANDA DE JUICIO ORDINARIO EJERCITANDO LA ACCIÓN DE PETICIÓN HERENCIA

FUNDAMENTO LEGAL Y JURISPRUDENCIAL

Fase del procedimiento en la que se encuentra este formulario

Arts. 192, 1016, 1021 del Código Civil (implícitamente).

Jurisprudencia:

Tribunal Supremo/ 23/03/2006 (Tol 871856).

Tribunal Supremo/ 9/06/2002 (Tol 202882).

Tribunal Supremo/ 24/07/1998 (Tol 14797).

Fase: inicial, alegaciones de la parte actora. Demanda.

ÓRGANO COMPETENTE

AL JUZGADO DE PRIMERA INSTANCIA

DE [...............]

—que por turno de reparto corresponda—

ENCABEZAMIENTO

D./Dª [...............], Procurador/a de los Tribunales, colegiado/a nº [...............] del Ilustre Colegio de Procuradores de [...............], actuando en nombre y representación de D./Dª [...............], mayor de edad, DNI número [...............], con domicilio en [...............], calle [...............] núm............... [...............], piso [...............], puerta [...............] (CP...............) según acredito mediante la copia de escritura de poder que acompaño/poder otorgado "apud acta" electrónico/poder que será otorgado "apud acta" ante el/la sr/a Letrado/a de la Administración de Justicia; ante el Juzgado comparezco bajo la dirección técnica del/la Letrado/a D./Dª [...............], colegiado/a nº [...............] del Ilustre Colegio de Abogados de [...............]; como mejor proceda en Derecho, DIGO:

DIGO/MANIFIESTO

Que siguiendo expresas instrucciones de mi representado/a, por medio del presente escrito, formulo DEMANDA DE JUICIO ORDINARIO en ejercicio de la acción de PETICIÓN DE HERENCIA contra:

D/Dª [...............], mayor de edad, DNI número [...............], con domicilio en [...............], calle [...............] nº [...............], piso [...............], puerta [...............] (CP...............), y contra

D/Dª [...............], mayor de edad, DNI número [...............], con domicilio en [...............], calle [...............] nº [...............], piso [...............], puerta [...............] (CP...............).

Y ello sobre la base de los siguientes hechos y fundamentos de derecho.

HECHOS

PRIMERO.- D./Dª [...............] falleció el día [...............] de [...............] de [...............] en la localidad de [...............].

En su prueba se acompaña:

Documento nº 1. Certificado de defunción expedido por el Registro Civil de [...............].

SEGUNDO.- D./Dª [...............] falleció sin testar y mi representado/a instó del/la notario de la ciudad de [...............] D./Dº [...............] acta de notoriedad de declaración de herederos ab intestato de fecha [...............] en la que se declara, tras las pruebas practicadas y conforme al vigente Código Civil, que mi mandante es heredero/a del/la causante.

Documento nº 2. Certificado del Registro de Actos de Última Voluntad

Documento nº 3. Copia autorizada del acta de notoriedad de declaración de herederos ab intestato de D/Dª [...............] expedida por el/la citado/a notario, bajo el nº [...............] de su protocolo.

TERCERO.- Entre los bienes del patrimonio hereditario de D./Dª [...............] se encuentra la vivienda sita en [...............], calle [...............], nº [...............], piso [...............], puerta [...............], con una superficie construida de [...............] m2 y superficie útil de [...............] m2. Consta de [...............] Linda; frente [...............], derecha entrando [...............]; izquierda [...............] y fondo [...............], con referencia catastral [...............] e inscrita en el Registro de la Propiedad de [...............], tomo [...............], libro [...............], folio [...............], finca nº [...............].

Documento nº 4. Certificación del Registro de la Propiedad de [...............] en el que aparece inscrita la finca a nombre del/la causante.

CUARTO.- El/la demandado/a niega a mi representado/a el carácter de heredero/a y está poseyendo esta vivienda en concepto de dueño/a, a título sucesorio (*pro herede possesor*) / o sin ostentar título alguno (*possidens pro possesore*) pero exteriorizando su intención de hacerla propia, titulándose como dueño/a de la misma y comportándose como tal. En prueba de su posesión y conducta:

Documento nº 5. [...............]

A los anteriores hechos son de aplicación los siguientes

FUNDAMENTOS DE DERECHO

(1) Jurisdicción y competencia

Corresponde a la jurisdicción civil de conformidad con lo dispuesto en el art. 36 de la LEC. Y es competente el Juzgado de Primera Instancia al que me dirijo con arreglo a lo dispuesto en el art. 45 y *52.1.4° de la LEC. En los juicios sobre cuestiones hereditarias, será competente el tribunal del lugar en que el finado tuvo su último domicilio y si lo hubiere tenido en país extranjero, el del lugar de su último domicilio en España, o donde estuviere la mayor parte de sus bienes, a elección del demandante.*

(2) Capacidad y legitimación

Las partes tienen capacidad, con arreglo al art. 6 de la LEC y se encuentran legitimadas activa y pasivamente para interponer y soportar el presente procedimiento a tenor de lo preceptuado en el art. 10 de la LEC.

Conforme a la doctrina jurisprudencial, la acción de petición de herencia compete al/ la heredero/a real contra quien posee los bienes hereditarios a título de heredero/a del/la mismo/a causante o sin tener título alguno para obtener su restitución [SSTS 21/05/1999 (*Tol 12048*) y 15/02/2001 (*Tol 6628*)]. La sentencia del Tribunal Supremo de fecha 21/06/1993 (*Tol 179313*) señaló que el legitimado pasivamente para soportar como demandado el ejercicio de la misma, es sola y exclusivamente el que se halle en la posesión de los bienes reclamados.

(3) Representación y defensa

Artículos 23 y 31 de la LEC. Esta parte comparece por medio de procurador y dirigida por abogado cumpliendo lo prevenido en ambos artículos.

(4) Procedimiento

Procede seguir el procedimiento del juicio ordinario regulado en los arts. 399 y siguientes, de conformidad con el art. 249 [...............], todos de la LEC, al ser la cuantía de este procedimiento superior a 6000 €.

(5) Cuantía

Se fija la cuantía de este procedimiento en [...............] con arreglo a las reglas para su determinación establecidas en los arts. 251.2° y 12° y art. 252 de la LEC.

(6) Fondo del asunto

Son de aplicación a este caso los siguientes fundamentos legales:

La acción de petición de herencia viene reconocida implícitamente en los arts. 192 CC, 1016 y 1021 del Código Civil.

La jurisprudencia define la petición de herencia como acción que tiene el heredero (o coheredero) para obtener, a través del reconocimiento de su título hereditario, los bienes que componen el patrimonio hereditario que le corresponde. Como expresó la sentencia de la Sala Primera del Tribunal Supremo de 7 de enero 1966, aun cuando la "actio petitio hereditatis", implícitamente reconocida en los artículos 192, 1016 y 1021 del Código Civil, por su carácter universal y finalidad dirigida primordialmente a la obtención del reconocimiento de la cualidad de heredero, difiere de la reivindicatoria regulada en el art. 348 del mismo cuerpo legal, no por eso deja de servir de vehículo para que las personas activamente legitimadas por ella, puedan conseguir en beneficio de la masa común, la restitución de todos o parte de los bienes que compongan el caudal relicto perteneciente al causante, cuya posesión a título sucesorio o sin derecho alguno retenga en su poder el demandado.

Artículos 451 al 457 CC, en cuanto a los efectos de la posesión sobre los bienes que deben restituirse a mi mandante.

(7) Costas

Es de aplicación el art. 394 de la LEC en cuanto a la condena en las costas causadas de la primera instancia.

Por lo expuesto,

SUPLICO AL JUZGADO

Que teniendo por presentado este escrito con sus documentos y copias, se sirva admitirlo y tenerme por personado/a y parte en la representación que ostento de D./Dª [...............] y por formulada demanda de juicio ordinario en ejercicio de la acción de petición de herencia contra D./Dª [...............] y contra D./Dª [...............] y, en su virtud, seguido el procedimiento por sus trámites legales, dicte en su día sentencia por la que, estimando íntegramente esta demanda, acuerde:

a) Declarar el reconocimiento del título hereditario de mi representado/a sobre el totum hereditario causado por D./Dª [...............] y que, en su condición de heredero/a, es el titular dominical de los bienes de la herencia del/la causante.

b) Condenar a los/las demandados/as a estar y pasar por esta declaración y a restituir a la masa hereditaria y a entregar a mi representado/a, la vivienda, con sus mejoras, que viene poseyendo sita en [...............], calle [...............], nº [...............], piso [...............], puerta [...............] por formar parte del patrimonio hereditario.

c) Condenar a los/las demandados/as al pago de las costas procesales causadas en este procedimiento.

OTROSÍ DIGO

PRIMERO.– SOLICITUD DE MEDIDA CAUTELAR. Existe peligro por la mora procesal concretado en [...............] y a fin de evitarlo es idónea y proporcional la medida cautelar que interesa esta parte consistente en [...............] y siendo que esta parte tiene apariencia de buen derecho manifestado en [...............] y que hace ofrecimiento de prestación de caución del tipo [...............] por importe de [...............], que resulta bastante para responder, de manera rápida y efectiva, de los daños y perjuicios que la adopción de la cautela pueda causar, que podrían consistir en [...............] con un valor máximo de [...............]. En su virtud, **SUPLICO AL JUZGADO.** Que atendiendo a la naturaleza y el contenido de la pretensión y la valoración del fundamento de la medida cautelar que se interesa, teniendo por cumplidos los presupuestos y al amparo del art. 721 de la LEC, se digne decretar la medida cautelar consistente en [...............]

SEGUNDO.– INAUDITA PARTE. Existen razones de urgencia o La audiencia previa a la adopción de la medida cautelar puede comprometer el buen fin de la medida interesada por cuanto [...............]. En su virtud, **SUPLICO AL JUZGADO**: se sirva acordar la medida cautelar interesada sin la previa audiencia a la otra parte conforme permite el art. 733.2 de la LEC.

TERCERO.– Esta parte manifiesta su voluntad e intención de cumplir con todos y cada uno de los requisitos exigidos por la Ley a los efectos de los art. 231 de la LEC y 243.3 de la LOPJ. **SUPLICO AL JUZGADO**: tenga por efectuada la anterior declaración a los efectos de permitir subsanar a esta parte los defectos procesales que se adviertan.

En [...............], a fecha [...............], de [...............], de [...............]

Firma del Letrado   a Firma del Procurador/a

COMENTARIO

Estos formularios tienen por objeto la cuestión atinente a la demanda de juicio ordinario ejercitando la acción de petición de herencia. Téngase en cuenta la siguiente información:

Doctrina

Existen tres formas de sucesión:

1) Sucesión voluntaria, también llamada sucesión testamentaria en el derecho común (mediante testamento), si bien, hay que tener en cuenta que en los Derechos forales o especiales, se admiten otras formas voluntarias.

2) La sucesión legal o intestada, cuando no existe testamento válido, que procede en los supuestos del art. 912 CC.

3) La sucesión forzosa o sucesión legitimaria: que se impone por ley a favor de determinados parientes del causante (llamados "legitimarios") y en la cuantía, cómputo y modo establecido en la propia ley. Los llamados a la legítima pueden perfectamente renunciar a su derecho, pero, se prohíbe la renuncia o transacción de la legítima futura, aún no adquirida (art. 816 CC).

Presupuesto común es la necesidad de sobrevivir o estar vivo a la muerte del causante. Excepciones: a) Designación de "nasciturus" o de persona jurídica aún no nacida pero en fase de constitución. b) Heredero fideicomisario (designado después de otro anterior —el "fiduciario"—): no tiene que estar ya vivo al fallecimiento del causante. c) Heredero designado bajo condición suspensiva: no hereda mientras no se cumpla (puede ser la condición de que nazca en el futuro). En tal caso, la herencia se pone en administración.

La delación o llamamiento a un sujeto concreto como heredero implica la adquisición y entrada automática en el patrimonio del llamado o llamados de un derecho (denominado usualmente como "ius delationis"), consistente en la facultad de elegir entre aceptar y repudiar la herencia, dentro de los plazos legales. Esta facultad es un derecho personalísimo, en cuanto que el llamado no puede disponer del mismo mediante su enajenación, sin previo acto de aceptación de la herencia.

Una vez manifestada por el llamado la voluntad expresa o tácita de adquirir la herencia, queda impedida la repudiación, al ser ya irrevocable.

Se puede aceptar sin más para, posteriormente, optar por el beneficio de inventario, dentro de los plazos legales. El beneficio de inventario, es una opción posterior o simultánea, que si no se ejercita dentro de los plazos legales y en la forma prevista en la ley, se producen los efectos generales de la aceptación (art. 1003 CC, en relación al 1023 CC).

La aceptación (art. 999 CC) puede ser: a) expresa: en cualquier forma, sin requisitos de solemnidad o b) tácita o mediante actos concluyentes.

La llamada "herencia yacente": es una fase del fenómeno sucesorio que se produce cuando alguno o todos los herederos no han aceptado aún la herencia, o ni siquiera saben que han sido llamados a ella.

Como consecuencia de la subrogación del heredero en la posición del causante, corresponden al sucesor por título hereditario todas las acciones que resultan de los derechos subjetivos que se ostenten, así como de las titularidades comprendidas en la herencia en vida del causante. Entre el conjunto de acciones aparece la llamada actio *hereditatis petitio* o acción de petición de herencia, que es aquella que compete al heredero para la defensa o reclamación de este carácter, frente a cualquier persona que indebidamente se atribuya u ostente el título de heredero, o posea fundándose en él, los bienes hereditarios en todo o en parte[82].

La primera nota a remarcar, antes de adentrarnos en el marco conceptual de la acción de petición de herencia, es su inexistencia dentro del Código civil español. Carece de regulación propia y de articulado en concreto, salvo la excepción

---

[82]   Vid. ROYO MARTÍNEZ, M., *Derecho Sucesorio mortis causa*, Editorial Edelce, 1951, op. cti., p. 304.

prevista en el artículo 192, en relación a la ausencia, que anota expresamente que: *"lo dispuesto en el artículo anterior se entiende sin perjuicio de las acciones de petición de herencia u otros derechos que competan al ausente, sus representantes o causahabientes. Estos derechos no se extinguirán sino por el transcurso del tiempo fijado para la prescripción. En la inscripción que se haga en el Registro de los bienes inmuebles que acrezcan a los coherederos, se expresará la circunstancia de quedar sujetos a lo que dispone este artículo y el anterior".* Otros artículos somera y aisladamente la mencionan como el 1016 y 1021 del Código Civil, y ahí termina la regulación en derecho sustantivo de la misma[83].

Quizás esto encuentre un razonamiento en la idea que han sostenido algunos tratadistas y que perduran en mayor o menor medida en la actualidad, en relación al carácter autónomo que ostentan las acciones[84], como medio al servicio del derecho material, al decir de FERRARA[85]. Estas acciones son autónomas, pero sirven al derecho subjetivo, al que protegen y del que toman determinadas características, y muchas de las cuales se siguen manteniendo en el Código Civil, que es una ley sustantiva, situación en que es posible encuadrar a la acción de petición de herencia, que sirve como vehículo a la cualidad de heredero y frente a quien ha sido despojado de la misma[86].

La finalidad de la acción puede apreciarse desde dos vertientes, por un lado está el reconocimiento de la cualidad de heredero y por otra una finalidad probatoria porque hace innecesaria la demostración del derecho que ostentaba el causante sobre los bienes u objetos singulares que integraban el caudal hereditario[87].

---

[83]   *"La acción de petición de herencia tiene un origen en el Derecho Romano, que concedió al heredero una acción general y unitaria, la llamada "actio hereditatis petito" por medio de la cual podía obtener la entrega del patrimonio hereditario, de quien lo detentase, fundándole pura y simplemente en su cualidad de heredero. Regulada posteriormente en Las Leyes de Partidas, no pasó, sin embargo, dicha regulación al Código Civil, aunque la doctrina jurisprudencial ha reconocido su persistencia en nuestro Derecho, al hacerse alusión, en cierto modo, en los artículos 1016 y 1021 del Código Civil".* Así se ha reconocido en sentencia de la AP de Valencia, (Sección 8ª), Sentencia núm. 607/2001 de 6 noviembre (JUR/2002/34758).

[84]   Distinción que elaboró la doctrina procesalista francesa representada por Glasson y Tissier, que desarrollaron las diferencias entre acción y derecho, al señalar que no deben confundirse, así el derecho de propiedad no puede confundirse con la acción reivindicatoria. Vid. GLASSON y TISSIER, *Traité théorique et pratique dórganization judiciarie, de compétence et de procedure civile,* Tomo I, pp. 442 y ss.

[85]   Tratatto, Tomo I, pp. 336 y ss.

[86]   Vid. COBAS COBIELLA, M. E., "La acción de petición de herencia: relaciones entre el heredero aparente y real. El análisis de la prescripción en la reclamación de herencia", *El patrimonio sucesorio: reflexiones para un debate reformista*/coord. por Óscar Monje Balmaseda; Francisco Lledó Yagüe (dir.), María Pilar Ferrer Vanrell (dir.), José Angel Torres Lana (dir.), Vol. 2, 2014, p. 1332.

[87]   Vid. COBAS COBIELLA, op. cit., p. 1337. Vid también DOMÍNGUEZ LUENGO, A., *La acción de petición de herencia, en Acciones Civiles, Tomo I, Derecho de la persona, Derecho de Sucesio-*

La acción de petición de herencia no debe confundirse con las acciones típicamente dominicales que corresponderían al causante y en cuya posición se subroga el heredero, en las que el actor habría de aportar el título individualizado y concreto de cada uno de los bienes que reivindica. Cabe también ejercitar la acción de petición de herencia por cualquier heredero por su propia cuota o en beneficio de la comunidad hereditaria. En caso de que se haga en beneficio de todos los coherederos los efectos de la sentencia favorable alcanzará a todos los demás comuneros a los que no perjudicará la desfavorable.

Teniendo en cuenta la jurisprudencia hay que distinguir dos acciones diferenciadas. En primer lugar la acción propia de la defensa de la intangibilidad de la legítima, teniendo en cuenta el derecho que le asiste al heredero preterido como legitimario del causante, como parte de la dinámica de estas acciones para su protección, en segundo lugar la acción de petición de herencia si bien no viene regulada en nuestro Código Civil, si que resulta claramente referenciada (artículos 192, 1016 y 1021 del Código Civil), nos encontramos ante una verdadera acción que trae causa directa de la propia cualidad del título de heredero, como expresión máxima de su condición, frente a cualquier poseedor de bienes hereditarios que la niegue. Pero como bien afirma la propia sentencia: *"en todo caso, el ejercicio de la acción de preterición de heredero forzoso no condiciona o impide el curso de las otras acciones que también le asisten al heredero en la defensa de sus derechos hereditarios"*[88].

---

nes, Derecho de Familia, dir LLAMAS POMBO E., Editorial La Ley, Madrid, 2013, pp. 553-554. En igual sentido Audiencia Provincial de Asturias (Sección 4ª) Sentencia núm. 33/2004 de 23 enero. AC 2004/16 cuando dice que: *"la acción de petición de herencia sirve para contrastar el título hereditario que el actor afirma le corresponde, con el título que se le haya atribuido a otra persona, igualmente sirve para la delimitación de las cuotas y fracciones correspondientes a los sucesores en el caso de pluralidad de herederos".* La acción de petición de herencia, no regulada expresamente en el Código Civil (LEG 1889, 27), se dirige no sólo a obtener el reconocimiento o constatación de la cualidad de heredero en el reclamante, sino también la restitución de los bienes hereditarios poseídos por los demandados, bien a título de herederos del mismo causante, bien sin título alguno. En este sentido la jurisprudencia, desde la sentencia de 12 de abril de 1951, continuada por las de 25 de enero de 1963, 23 de diciembre de 1971, 2 de junio de 1987 (RJ 1987, 4024) y 27 de noviembre de 1992 (RJ 1992, 9597), la ha venido configurando como una acción de carácter universal, cuyo contenido no sólo se integra por el ejercicio de derechos personales sino también de derechos reales, y que persigue incorporar o pretender la conjunción de relaciones jurídicas que integran el concepto de herencia de una persona, el conjunto de bienes, derechos y obligaciones del causante. No se trata tanto de la reclamación de bienes singulares, propia de la denominada "petitio o vindicatio hereditatis", como de la restitución de los bienes hereditarios como un todo, por lo cual para su éxito bastará con que el actor acredite su condición de heredero, el fallecimiento del causante y, caso de contradicción, que restaron bienes a esa herencia y son poseídos por el demandado.

[88]   Cfr. STS (Sala de lo Civil, Sección 1ª) Sentencia núm. 339/2015 de 23 junio (*Tol 5205655*).

La acción de petición de herencia también se diferencia de la acción reivindicatoria. Así en la acción de petición de herencia el actor lo que ha de probar es el título de heredero, frente a la acción reivindicatoria, en la cual quien pretenda defenderse habrá de hacerlo aportando el título de propiedad del bien, cuya restitución es objeto del pleito[89]. La doctrina jurisprudencial dice en cuanto a ello: *"el decaimiento de los anteriores motivos provoca el del primero del indicado recurso, acogido al núm. 1 del repetido art. 1692, porque aun cuando la "actio petitio hereditatis", implícitamente reconocida en los arts. 192, 1016 y 1021 del CC, por su carácter universal y finalidad dirigida primordialmente a la obtención del reconocimiento de la cualidad de heredero, difiere de la reivindicatoria regulada en el 348 del mismo Cuerpo Legal, no, por eso deja de servir de vehículo para que las personas activamente legitimadas por ella, puedan conseguir en beneficio de la masa común, la restitución de todos o parte de los bienes que compongan el caudal relicto perteneciente al causante, cuya posesión a título sucesorio ("pro herede possesor") o sin derecho alguno ("possidens pro possesore") retenga en su poder el demandado, aspecto material que envuelve cierta coincidencia entre ambas acciones, y, siendo ello así, es indudable, que, dados los hechos que se declaran probados en la Sentencia impugnada y que no se han desvirtuado en esta fase del proceso, concurren, en el presente caso, cuantos requisitos exigen la legislación y la jurisprudencia de esta Sala, para el éxito de las mismas, con lo que aun cuando prosperase el motivo, la resolución que habría de pronunciarse a efectos del art. 1745 sería idéntica a la adoptada por el Tribunal "a quo", y la casación carecería de resultado práctico, sobre todo cuando los textos legales en que se funda el recurrente no fueron invocados en el período expositivo del proceso, ni mencionados siquiera por la sentencia, en apoyo de sus razonamientos, por lo que mal pudo ésta aplicarlos indebidamente o violarlos en el sentido positivo que a dicho concepto de infracción asignó, entre otros, el Auto de esta Sala de 7 octubre 1963"*[90].

La acción que nos ocupa también se diferencia de la acción de partición de herencia, porque la primera se ejercita cuando unos bienes están siendo poseídos en concepto de dueño por un tercero, el cual considera que le pertenecen por título, por lo que reclama que se declare a su favor la titularidad, mientras que la partición nace con la apertura de la sucesión y con la aceptación de la herencia[91].

---

[89] Vid. COBAS COBIELLA, op. cit., p. 1336.

[90] STS (Sala de lo Civil) Sentencia de 7 enero 1966 (*Tol 4305575*).

[91] Vid. COBAS COBIELLA, "La acción de petición de herencia: *relaciones entre el heredero aparente y real. El análisis de la prescripción en la reclamación de herencia*", El patrimonio sucesorio: reflexiones para un debate reformista op. cit., p. 1336. LÓPEZ BELTRÁN DE HEREDIA, C., "Sucesiones acción de petición de herencia. Comunidad hereditaria: actos de disposición.

Una cuestión no pacífica en relación a la acción de petición de herencia es la referida a los plazos de prescripción, relacionado en todo caso con la naturaleza jurídica de ésta. Las diversas opiniones se pueden sintetizar en dos grandes grupos, aquellas que parten de que la hereditatis petitio tiene naturaleza declarativa, en correspondencia con lo cual es imprescriptible, porque la cualidad de heredero no se pierde por el transcurso del tiempo, otras teorías por su parte considera que ostenta una naturaleza real, y se ajusta a los plazos previstos para bienes muebles e inmuebles, mientras que otras opiniones se fundamentan en el plazo general que establece el artículo 1964 del CC[92]. La doctrina dominante entiende que el plazo es de 30 años, pero con las respectivas objeciones por tratarse de un plazo excesivo[93].

NORMATIVA

Artículo 333, 659, 1962, 1963, 1964 CC.

JURISPRUDENCIA

STS (Sala de lo Civil, Sección1ª) Sentencia núm. 1239/2007 de 29 noviembre (*Tol 1227456*).
STS (Sala de lo Civil, Sección 1ª) Sentencia núm. 339/2015 de 23 junio (*Tol 5205655*).
STS (Sala de lo Civil, Sección1ª) Sentencia núm. 234/2008 de 28 noviembre (*Tol 1413578*).
STS (Sala de lo Civil, Sección1ª) Sentencia núm. 1031/2006 de 2 enero (*Tol 809280*).
SAP de Asturias (Sección 4ª) Sentencia núm. 33/2004 de 23 enero *(AC 2004/1)*.
STS (Sala de lo Civil) Sentencia de 7 enero 1966 (*Tol 430555*).

Formulario 5. DEMANDA DE JUICIO ORDINARIO PARA COLACIÓN DE UN BIEN A LA HERENCIA

FUNDAMENTO LEGAL Y JURISPRUDENCIAL

Fase del procedimiento en la que se encuentra este formulario

---

Prescripción adquisitiva de bienes hereditarios. Comentario a la STS 24 julio 1998" (RJ 1998, 6446), *Revista Aranzadi de Derecho Patrimonial*, número 2, 1999, p. 548.

[92] Vid. COBAS COBIELLA, "La acción de petición de herencia: relaciones entre el heredero aparente y real. El análisis de la prescripción en la reclamación de herencia", *El patrimonio sucesorio: reflexiones para un debate reformista* op. cit., p. 1345.

[93] Vid VIVAS TESÓN, I., "La acción de petición de herencia: una breve crónica jurisprudencial", *Revista Aranzadi de Derecho Patrimonial*, número 5, 2000, p. 499.

Art. 1035 del Código Civil.

Jurisprudencia:

Tribunal Supremo/ 20/07/2018 (Tol 6673274).

Tribunal Supremo/ 19/02/2015 (Tol 4839330).

Fase: inicial, alegaciones de la parte actora. Demanda.

ÓRGANO COMPETENTE

AL JUZGADO DE PRIMERA INSTANCIA

DE [...............]

—que por turno de reparto corresponda—

ENCABEZAMIENTO

D./Dª [...............], Procurador/a de los Tribunales, colegiado/a nº [...............] del Ilustre Colegio de Procuradores de [...............], actuando en nombre y representación de D./Dª [...............], mayor de edad, DNI número [...............], con domicilio en [...............], calle [...............] núm.............. [...............], piso [...............], puerta [...............] (CP...............) según acredito mediante la copia de escritura de poder que acompaño/poder otorgado "apud acta" electrónico/poder que será otorgado "apud acta" ante el/la sr/a Letrado/a de la Administración de Justicia; ante el Juzgado comparezco bajo la dirección técnica del/la Letrado/a D./Dª [...............], colegiado/a nº [...............] del Ilustre Colegio de Abogados de [...............]; como mejor proceda en Derecho, **DIGO**:

DIGO/MANIFIESTO

Que siguiendo expresas instrucciones de mi representado/a, por medio del presente escrito y al amparo del artículo 1035 del Código Civil, formulo DEMANDA DE JUICIO ORDINARIO reclamando LA COLACIÓN DE UN BIEN A LA HERENCIA DE D./Dª [...............]; contra:

D/Dª [...............], mayor de edad, DNI número [...............], con domicilio en [...............], calle [...............] nº [...............], piso [...............], puerta [...............] (CP...............), heredero/a del/la causante.

Y ello sobre la base de los siguientes hechos y fundamentos de derecho.

HECHOS

PRIMERO.- D./Dª [...............] falleció el día [...............] de [...............] de [...............] en la localidad de [...............].

En su prueba se acompaña:

Documento n° 1. Certificado de defunción expedido por el Registro Civil de [...............].

SEGUNDO.- D./Dª [...............] había otorgado testamento, no revocado por otro posterior, ante el/la notario de [...............], D./Dª [...............] el día [...............] de [...............] de [...............], bajo el n° [...............] de su protocolo.

Documento n° 2. Certificado del Registro de Actos de Última Voluntad

Documento n° 3. Copia autorizada del testamento

SEGUNDO.- D./Dª [...............] falleció sin testar y mi representado/a instó del/ la notario de la ciudad de [...............] D./Dª [...............] acta de notoriedad de declaración de herederos ab intestato de fecha [...............] en la que se declara, tras las pruebas practicadas y conforme al vigente Código Civil, que mi mandante es heredero/a del/la causante.

Documento n° 2. Certificado del Registro de Actos de Última Voluntad

Documento n° 3. Copia autorizada del acta de notoriedad de declaración de herederos ab intestato de D/Dª [...............] expedida por el/la citado/a notario, bajo el n° [...............] de su protocolo. D./Dª [...............] otorgó su último testamento ante el Notario de [...............], D./Dª [...............] el día [...............] de [...............] de [...............], bajo el n° [...............] de su protocolo.

TERCERO.- En consecuencia, son herederos/as legitimarios/as del causante por partes iguales:

Mi representado/a, D./Dª [...............]

y D./Dª [...............]

CUARTO.- D./Dª [...............], recibió en vida del/la causante y en fecha [...............] la donación del siguiente bien [...............]

En su prueba:

Documento n° 4. [...............]

QUINTO.- Este bien debe traerse a la masa hereditaria en su valor, a los efectos de igualar las legítimas de cada uno/a, sin perjuicio de que el/la demandado/a siga manteniendo la propiedad sobre el mismo, por haberlo recibido como anticipo de la herencia. Sin embargo, el/la demandado/a se opone enérgicamente a la colación del citado bien.

A los anteriores hechos son de aplicación los siguientes

FUNDAMENTOS DE DERECHO

(1) Jurisdicción y competencia

Corresponde a la jurisdicción civil de conformidad con lo dispuesto en el art. 36 de la LEC. Y es competente el Juzgado de Primera Instancia al que me dirijo con arreglo a lo dispuesto en el art. 45 y *52.1.4° de la LEC. En los juicios sobre cuestiones hereditarias, será competente el tribunal del lugar en que el finado tuvo su último domicilio y si lo hubiere tenido en país extranjero, el del lugar de su último domicilio en España, o donde estuviere la mayor parte de sus bienes, a elección del demandante.*

(2) Capacidad y legitimación

Las partes tienen capacidad, con arreglo al art. 6 de la LEC y se encuentran legitimadas activa y pasivamente para interponer y soportar el presente procedimiento a tenor de lo preceptuado en el art. 10 de la LEC.

(3) Representación y defensa

Artículos 23 y 31 de la LEC. Esta parte comparece por medio de procurador y dirigida por abogado cumpliendo lo prevenido en ambos artículos.

(4) Procedimiento

Procede seguir el procedimiento del juicio ordinario regulado en los arts. 399 y siguientes, de conformidad con el art. 249 [..............], todos de la LEC, al ser la cuantía de este procedimiento superior a 6000 €.

(5) Cuantía

Se fija la cuantía de este procedimiento en [..............] con arreglo a las reglas para su determinación establecidas en los arts. 251.2ª y 12ª y art. 252 de la LEC.

(6) Fondo del asunto

Son de aplicación a este caso los siguientes fundamentos legales:

Art. 815 del Código Civil (CC), por el que el testador puede dejar la legítima *"por cualquier título"*, sin excluir ninguno, tanto inter vivos como mortis causa.

Art. 819 CC, en cuanto establece que: *"Las donaciones hechas a los hijos, que no tengan el concepto de mejoras, se imputarán en su legítima"*.

Art. 825 CC: *"Ninguna donación por contrato entre vivos, sea simple o por causa onerosa, en favor de hijos o descendientes, que sean herederos forzosos, se reputará mejora, si el donante no ha declarado de una manera expresa su voluntad de mejorar"*.

Art. 828 CC: *"La manda o legado hecho por el testador a uno de los hijos o descendientes no se reputará mejora sino cuando el testador haya declarado expresamente ser ésta su voluntad, o cuando no quepa en la parte libre"*.

Art. 932 CC: *"Los hijos del difunto le heredarán siempre por su derecho propio, dividiendo la herencia en partes iguales"*.

Art. 1035 CC: *"El heredero forzoso que concurra, con otros que también lo sean, a una sucesión deberá traer a la masa hereditaria los bienes o valores que hubiese recibido del causante de la herencia, en vida de éste, por dote, donación u otro título lucrativo, para computarlo en la regulación de las legítimas y en la cuenta de partición"*.

La colación que se infiere del artículo 1035 CC procura la igualdad o proporcionalidad entre herederos legitimarios por presumirse que el/la causante no ha pretendido la desigualdad.

Art. 1036 CC: *"La colación no tendrá lugar entre los herederos forzosos si el donante así lo hubiese dispuesto expresamente o si el donatario repudiare la herencia, salvo el caso en que la donación deba reducirse por inoficiosa".*

Art. 1041: *"No estarán sujetos a colación los gastos de alimentos, educación, curación de enfermedades, aunque sean extraordinarias, aprendizaje, ni los regalos de costumbre.*

Tampoco estarán sujetos a colación los gastos realizados por los progenitores y ascendientes para cubrir las necesidades especiales de sus hijos o descendientes requeridas por su situación de discapacidad". (Según redacción de la Ley 8/2021, por la que se reforma la legislación civil y procesal para el apoyo a las personas con discapacidad en el ejercicio de su capacidad jurídica).

Art. 1045 CC: *"No han de traerse a colación y partición las mismas cosas donadas, sino su valor al tiempo en que se evalúen los bienes hereditarios.*

El aumento o deterioro físico posterior a la donación y aun su pérdida total, casual o culpable, será a cargo y riesgo o beneficio del donatario".

(7) Costas

Es de aplicación el art. 394 de la LEC en cuanto a la condena en las costas causadas de la primera instancia.

Por lo expuesto,

SUPLICO AL JUZGADO

Que teniendo por presentado este escrito con sus documentos y copias, se sirva admitirlo y tenerme por personado/a y parte en la representación que ostento de D./Dª [...............] y por formulada demanda de juicio ordinario reclamando la colación a la herencia del/la causante D./Dª [...............] del bien [...............], contra el coheredero/a D./Dª [...............] y en su virtud, seguido el procedimiento por sus trámites legales, dicte en su día sentencia por la que, estimando íntegramente esta demanda, acuerde:

a) Ordenar la colación del citado bien que le fue donado en vida del causante, para cómputo de su valor en la herencia y reparto entre los legitimarios en la proporción expresada por el testador (o por ley)

b) Condenar al/la demandado/a al pago de las costas procesales causadas en este procedimiento.

OTRO,SÍ DIGO

PRIMERO.- SOLICITUD DE MEDIDA CAUTELAR. Existe peligro por la mora procesal concretado en [...............] y a fin de evitarlo es idónea y proporcional la medida cautelar que interesa esta parte consistente en [...............] y siendo que esta parte tiene apariencia de buen derecho manifestado en [...............] y que hace ofrecimiento de prestación de caución del tipo [...............] por importe de [...............], que resulta bastante para responder, de manera rápida y efectiva, de los daños y perjuicios que la adopción de la cautela pueda causar, que podrían consistir en [...............] con un valor máximo de [...............]. En su virtud, **SUPLICO AL JUZGADO**. Que atendiendo a la naturaleza y el contenido de la pretensión y la valoración del fundamento de la medida cautelar que se interesa, teniendo por cumplidos los presupuestos y al amparo del art. 721 de la LEC, se digne decretar la medida cautelar consistente en [...............]

SEGUNDO.– INAUDITA PARTE. Existen razones de urgencia o La audiencia previa a la adopción de la medida cautelar puede comprometer el buen fin de la medida interesada por cuanto [...............]. En su virtud, **SUPLICO AL JUZGADO**: se sirva acordar la medida cautelar interesada sin la previa audiencia a la otra parte conforme permite el art. 733.2 de la LEC.

TERCERO.– Esta parte manifiesta su voluntad e intención de cumplir con todos y cada uno de los requisitos exigidos por la Ley a los efectos de los art. 231 de la LEC y 243.3 de la LOPJ. **SUPLICO AL JUZGADO**: tenga por efectuada la anterior declaración a los efectos de permitir subsanar a esta parte los defectos procesales que se adviertan.

En [...............], a fecha [...............], de [...............], de [...............]

Firma del Letrado/a   Firma del Procurador/a

COMENTARIO

Estos formularios tienen por objeto la cuestión atinente a la demanda de juicio ordinario para colación de un bien a la herencia. Téngase en cuenta la siguiente información:

JURISPRUDENCIA

Artículo 1035 y ss. del CC

La doctrina jurisprudencial la conceptualiza como operación previa a la partición de herencia, definida en el art. 1035 del CC. Contemplada en el artículo 1035 del CC, y vista tanto por la doctrina como por la jurisprudencia, como la adición intelectual al activo hereditario que hacen los legitimarios, del valor de los bienes que han recibido del causante a título gratuito, y que trae consigo una menor participación en la herencia que será equivalente a lo que recibió gratuitamente en vida del causante, lo que, desde luego no evita las operaciones de computación e imputación que prevén los artículos 818 y 819 del Código civil. Téngase en cuenta las sentencias de 21 abril 1997[94], 15 febrero 2001[95] y 24 enero de 2008[96], así como la sentencia de 21 junio 2021[97].

En su sentido estricto, tiene una acepción más amplia, referida a la agregación numérica que hay que hacer a la herencia del valor de todas las donaciones hechas por el causante a los efectos de señalar las legítimas y para averiguar si son inoficiosas, acepción contemplada por el art. 818 del dicho Código, así en su antigua como en la vigente redacción; operación de colacionar que no lleva consigo ningún desplazamiento de bienes, limitándose a ser una modificación de las proporciones en que es adjudicado el caudal relicto; en cambio, el cálculo de la legítima lleva como consecuencia la posible reducción de legados y donaciones; por consiguiente, la colación implica una ordenación típica basada en criterios de equidad tendentes a evitar desigualdades en la distribución de la herencia, en tanto el causante no dispense de ella, siempre dejando a salvo el régimen de legítimas, lo que lleva consigo que la imputación, precisa para determinar las legítimas, se impone incluso sobre la voluntad del testador, como se deduce del art. 1036 del mismo CC; cediendo, por tanto, el sistema de alteración puramente contable a través de adjudicaciones compensatorias en las cuotas, propio de la colación, al sistema de compensación en especie, también seguido para la colación (arts. 1047 y 1048), pero esencial en la imputación para fijación de las legítimas (arts. 820 y 821)[98].

La deficiente regulación y falta de nitidez del legislador del CC incide en la distinción entre la colación y la computación de donaciones. Distinguiendo ambas, cabe señalar que estrictamente la colación es una operación particional, cuya finalidad no es la protección de las legítimas, sino de determinar lo que ha de recibir el heredero forzoso por su participación en la herencia, que puede ser mayor que la que le corresponde por su legítima, si el causante le ha dejado más[99].

---

[94]   Cfr. (Tol 216475).
[95]   (Tol 99681).
[96]   (Tol 1256805).
[97]   (Tol 8481254).
[98]   Tribunal Supremo (Sala de lo Civil) Sentencia de 19 julio 1982 (Tol 1739061).
[99]   Sobre la figura dice O'CALLAGHAN: *"colacionar implica una obligación de los legitimarios que sean herederos (herederos forzosos dice el texto legal y concurran a la herencia del donante, de aportar (agregar intelectualmente) a la masa hereditaria lo que hubieran recibido por título gratuito de éste, con objeto de igualar sus porciones hereditarias en la participación proporcionalmente a sus respectivas cuotas................"*. Vid. CALLAGHAN MUÑOZ, X., Código Civil. Comentario y Jurisprudencia, Sexta Edición, La Ley, 2008, op, cit., p. 1002. Señala además a tenor de la controvertida sentencia de sentencia, núm. 473/2018, de 20 julio (Tol 6673274). En el Código Civil la colación, que no tiene por finalidad proteger la legítima, tiende a procurar una cierta igualdad en lo que han recibido los legitimarios llamados a una cuota. Por eso, en el diseño legal, cuenta con una regulación netamente dispositiva..............
Por tanto, para concretar en cada caso el alcance de la colación debe estarse a la voluntad del

En suma, la colación se refiere a la cuenta de participación de heredero forzoso en la herencia[100], mientras *que "la acción de computar tiene como objetivo el cálculo y la determinación de las porciones de legítima y libre disposición, mediante la adición contable al caudal relicto líquido de todas las donaciones hechas en vida por el causante, fueren o no legitimarios sus beneficiarios"*[101].

Definida por tanto como operación meramente particional, cuya finalidad no es proteger las legítimas sino que: *"constituye un criterio meramente distribuidor de la herencia entre legitimarios por éstos del causante en vida de éste a la hora de realizar la partición"*[102]. La colación que se infiere del artículo 1035 CC refiere una aplicación técnica o jurídica del concepto basado en la presunta voluntad del causante de igualar a los herederos forzosos que concurren a la herencia, computando *relictum* y *donatum*.

Los requisitos para que proceda la colación están regulados fundamentalmente en el artículo 1035 del CC y son los siguientes: 1. En lo que respecta al sujeto debe ser un legitimario. Lo que excluye al legatario y al que hubiere renunciado a la herencia, incluso al legatario de parte alícuota[103]. 2. Suceder a título de heredero bien por testamento o por sucesión intestada. 3. Llegar a adquirir la herencia, por lo que se excluye al que la haya repudiado, porque para que se produzca el donatario legitimario debe ser heredero y haber aceptado el caudal relicto. 4. Que no se haya dispensado de colacionar. 5. Que hereden conjuntamente con otros descendientes que reúnan los mismos requisitos.

El modo de practicar la colación, como operación no tanto de la partición sino como previa a la misma, es por adición contable a la masa hereditaria del valor de los bienes donados (como dice literalmente la sentencia de 17 de diciembre

---

causante. La peculiaridad en la colación de la donación remuneratoria es que, en función de las circunstancias, puede llegar a interpretarse la voluntad del causante de que no se colacione la donación. Es decir, que aunque el donante/causante no lo ordene expresamente, la referencia a la remuneración de servicios, junto con otros datos, puede revelar la voluntad implícita de que no se colacione. A pesar de que el artículo 1036 CC exige que la dispensa sea expresa, puesto que no son necesarias fórmulas sacramentales, puede ser suficiente una voluntad no ambigua que resulte con claridad de la interpretación de la voluntad. La colación de la donación remuneratoria depende, en definitiva, como la de las donaciones simples, de la voluntad del causante. Vid. SALAS CARCELLER, A., "Cuestiones sucesorias". *Revista Aranzadi Doctrinal* núm. 10/2018 parte Jurisprudencia. Doctrina Editorial Aranzadi, SAU, Cizur Menor. 2018.

[100] STS (Sala de lo Civil) Sentencia núm. 142/2001 de 15 febrero (*Tol* 99681).

[101] Vid. O'CALLAGHAN MUÑOZ, X., Código Civil. Comentario y Jurisprudencia, Sexta Edición, La Ley, 2008, p. 1002.

[102] Vid. O'CALLAGHAN, op, cit., p. 1003.

[103] Este parecer es la doctrina mayoritaria. Sin embargo un sector minoritario de la doctrina defiende la colación por parte de los legatarios de parte alícuota. Vid. LORA-TAMAYO RODRÍGUEZ; I y PÉREZ RAMOS, C., *Cuestiones prácticas sobre Herencias para Especialistas en Sucesiones*, Memento Experto, Lefebvre, 2016, op, cit., p. 507.

de 1992), cuyo valor será el del momento de la partición, como dice el artículo 1045 del Código civil. Téngase en cuenta en el análisis las siguientes referencias, STS de 8 de julio 1995, 14 diciembre 2005 y 18 de octubre 2007[104].

El artículo 1045 del CC trata el modo de realizar la colación, así como la valoración de los bienes, sobre este precepto cabe decir que son normas de naturaleza dispositiva de modo que el causante puede ordenar en su testamento la colación por un valor distinto al que resultaría de la aplicación de aquellas normas, entendiéndose nos dice la doctrina que la diferencia resultante debe reputarse con dispensa de colación[105].

Distingue la doctrina en la materia entre colación particional y donaciones colacionables, teniendo en cuenta los artículos 1035 y 818 del CC. Así advierte la STS que: *"la delimitación señalada tiene por objeto la diferenciación doctrinal de los supuestos de la dinámica sucesoria en los que interviene la noción de colación hereditaria, si bien con distinto alcance o precisión. En este sentido, la colación que contempla el artículo 818 del Código Civil (LEG 1889, 27), en su párrafo segundo: "Al valor líquido de los bienes hereditarios se agregará al de las donaciones colacionables", fiel a su antecedente en el Proyecto de Código Civil de 1851, que más gráficamente se refería a la agregación del "valor que tenían todas las donaciones del mismo testador" viene referida a las operaciones de cálculo que encierra la determinación del caudal computable a los efectos de fijar las correspondientes legítimas. En este marco, su empleo en la formulación del citado artículo 818 del Código Civil (LEG 1889, 27) no refiere una aplicación técnica o jurídica del concepto de colación, sino un sentido lato que se corresponde con la noción de colación como mera computación de las donaciones realizadas por el testador para el cálculo de la legítima y de la porción libre que recoge el 818 del Código Civil (LEG 1889, 27). Por el contrario, el empleo de la colación que se infiere del artículo 1035 del Código Civil (LEG 1889, 27), si que refiere una aplicación técnica o jurídica de este concepto basado en la presunta voluntad del causante de igualar a sus herederos forzosos en su recíproca concurrencia a la herencia, sin finalidad de cálculo de legítima, como en el supuesto anterior; todo ello, si perjuicio de que se haya otorgado la donación en concepto de mejora o con dispensa de colacionar"*[106].

---

[104]   Vid. ESPEJO LERDO DE TEJADA, M., La adquisición de un bien realizada con dinero del causante: forma de la donación y colación: *Revista de Derecho Patrimonial* núm. 29/2012 parte comentario. "Editorial Aranzadi, SAU, Cizur Menor". 2012. Cfr. Tribunal Supremo (Sala de lo Civil, Sección 1ª) Sentencia núm. 355/2011 de 19 mayo (*Tol 2141317*).

[105]   Vid. O'CALLAGHAN, p. 1014.

[106]   STS (Sala de lo Civil, Sección 1ª) Sentencia núm. 738/2014 de 19 febrero (*Tol 4264595*).

La dispensa de la colación nace de un acto cuya naturaleza es negocial, cuyo contenido típico es la voluntad del donante de exonerar al donatario del gravamen futuro y eventual de colacionar[107], prevista en el artículo 1036 CC.

El causante puede dispensar de la colación a uno o varios de los legitimarios, pero no puede impedir que se computen para calcular la legítima, por mor del artículo 813 del Código civil. La colación lleva simplemente a una menor participación de uno o varios legitimarios en la herencia equivalente a lo que recibió en vida del causante, pero no evita las operaciones de computación e imputación[108]. Sirva de recuerdo y ejemplo de compatibilidad lo dispuesto por el Tribunal Supremo en Sentencia de 24 de enero de 2008, cuando dice: "*el cómputo de la legítima es la fijación cuantitativa de ésta, que se hace calculando la cuota correspondiente al patrimonio hereditario del causante, que se determina sumando el relictum con el donatum; así lo dicen expresamente las sentencias de 17 de marzo de 1989 (RJ 1989, 2161) y 28 de septiembre de 2005 (RJ 2005, 7154) y se refieren a ello las de 21 de abril de 1990, 23 de octubre de 1992 y 21 de abril de 1997. Artículo 818 del Código civil (LEG 1889, 27). La atribución es el pago de la legítima, por cualquier título; como herencia, como legado o como donación. Artículos 815 y 819 del Código Civil (LEG 1889, 27). La imputación es el colocar a cuenta de la legítima lo que un legitimario ha recibido de su causante como heredero, como legatario o como donatario. A ella se refieren las sentencias citadas, de 31 de abril de 1990 y 28 de septiembre de 2005 (RJ 2005, 7154). Artículo 819 del Código Civil (LEG 1889, 27), que se refiere a la imputación de las donaciones. Distinto de todo ello es la colación. Este es un tema de cálculo de legítima, cuando hay varios legitimarios y es, sencillamente, como la define la sentencia de 17 de diciembre de 1992 (RJ 1992, 10696), la adición contable a la masa hereditaria del valor del bien donado; o, más precisamente, la agregación intelectual que deben hacer al activo hereditario los legitimarios que concurran en una sucesión con otros, de los bienes que hubieren recibido del causante en vida de éste, a título gratuito, para computarlo en la regulación de las legítimas y en la cuenta de la partición, como dice el artículo 1035 del Código Civil (LEG 1889, 27). El causante puede dispensar de la colación a uno o varios de los legitimarios, pero no puede impedir que se computen para calcular la legítima, por mor del artículo 813 del Código Civil (LEG 1889, 27). La colación lleva simplemente a una menor participación de uno o varios legitimarios en la herencia equivalente a lo que recibió en vida del causante, pero no evita las operaciones de computación e imputación*".

---

[107]   Vid. O'CALLAGHAN, op. cit., p. 1005.

[108]   STS (Sala de lo Civil, Sección 1ª) Sentencia núm. 29/2008 de 24 enero (Tol 1256805).

Además, el artículo 818 en su párrafo segundo utiliza la expresión "colaciona-bles" en sentido impropio. En realidad, como sostiene la doctrina, la expresión "colacionables" en el precepto quiere decir computables, pues si a la expresión "colacionables" se le diera el sentido técnico del artículo 1035 del Código Civil (LEG 1889, 27), las donaciones hechas a extraños no deberían tenerse en cuenta para saber si la donación ha sido inoficiosa, cuando no hay duda de que la regla contenida en el párrafo segundo tiene, precisamente, esa finalidad, averiguar el quantum global mediante la suma del valor de las donaciones inter vivos al patrimonio relicto neto ha señalado la DGRN[109].

Si la donación fuese inoficiosa, no por ello pierde eficacia la dispensa de colación. El art. 1036 lo que ordena, en consonancia con el carácter imperativo de las normas sobre las legítimas, es que se reduzca la donación, no que toda ella sea colacionable. Salvaguardada la legítima de otros herederos forzosos, y si quedare algún resto, sobre él ha de recaer la dispensa de colación porque nada hay ya que proteger imperativamente. Por tanto, si hubiese inoficiosidad y dispensa de colación, el donatario ha de ver reducida la donación solamente en la medida necesaria para el pago de las legítimas lesionadas.

El que el donante haya declarado no inoficiosa a la que hace con dispensa de colación no impide en absoluto la aplicación de las normas protectoras de la legítima por su carácter imperativo, entre ellas las de reducción de donaciones (art. 636 Cód. civ. LEG 1889, 27)[110].

Algunas reglas específicas en materia de colación son las dispuestas en los artículos 1041, 1042, 1943, 1044 y 1046 del CC.

La colación produce un doble movimiento, desde el patrimonio del donatario a la masa a partir, y de la masa partible al haber de cada coheredero-legitimario y es en este movimiento final cuando se produce el efecto igualatorio fundamental que la colación produce reconocido en los artículos 1047 y 1048 del CC[111].

NORMATIVA

Art. 636, 818, 819, 1035 al 1050 CC.

---

[109] Dirección General de los Registros y del Notariado (Propiedad) Resolución núm. 180/2017 de 12 diciembre. (RJ 2016/6569).
[110] STS (Sala de lo Civil, Sección 1ª) Sentencia núm. 391/2008 de 19 mayo (Tol 1320880).
[111] Vid. LORA-TAMAYO RODRÍGUEZ y PÉREZ RAMOS, op. cit., p. 509.

JURISPRUDENCIA

STS (Sala de lo Civil) Sentencia de 19 julio 1982 (*Tol 1739061*).

STS (Sala de lo Civil) Sentencia núm. 142/2001 de 15 febrero (*Tol 99681*).

STS (Sala de lo Civil, Sección1ª) Sentencia núm. 355/2011 de 19 mayo (*Tol 2141317*).

STS (Sala de lo Civil, Sección1ª) Sentencia núm. 391/2008 de 19 mayo (*Tol 1320880*).

STS (Sala de lo Civil, Sección1ª) Sentencia núm. 779/2007 de 2 julio (*Tol 1113017*).

Dirección General de los Registros y del Notariado (Propiedad) Resolución núm. 180/2017 de 12 diciembre. (*RJ 2016/6569*).

STS (Sala de lo Civil, Sección1ª). Sentencia núm. 695/2005 de 28 septiembre (*Tol 725216*).

STS (Sala 1ª) de 20 de julio de 2018 (*Tol 6673274*).

STS (Sala de lo Civil). Sentencia núm. 1149/2000 de 13 diciembre (*Tol 30879*).

Formulario 6. DEMANDA DE JUICIO ORDINARIO IMPUGNANDO ACTOS DEL/LA ALBACEA QUE EXCEDEN DE SUS FACULTADES

FUNDAMENTO LEGAL Y JURISPRUDENCIA

Fase del procedimiento en la que se encuentra este formulario

Arts. 901 y 902 del Código Civil.

Jurisprudencia:

Tribunal Supremo/ 19/06/2006 (Tol 961825).

Resolución de la DGRN/ 29/01/2013 (Tol 3058646).

Fase: inicial, alegaciones de la parte actora. Demanda.

ÓRGANO COMPETENTE

AL JUZGADO DE PRIMERA INSTANCIA

DE [...............]

—que por turno de reparto corresponda—

ENCABEZAMIENTO

D./Dª [...............], Procurador/a de los Tribunales, colegiado/a nº [...............] del Ilustre Colegio de Procuradores de [...............], actuando en nombre y representación de D./Dª [...............], mayor de edad, DNI número [...............], con domicilio en [...............], calle [...............] núm............... [...............], piso [...............], puerta [...............] (CP...............) según acredito mediante la copia de escritura de poder que acompaño/poder otorgado "alud acta" electrónico/poder que será otorgado "apud acta" ante el/la sr/a Letrado/a de la Administración de Justicia; ante el Juzgado comparezco bajo la dirección técnica del/la Letrado/a D./Dª [................], colegiado/a n° [................] del Ilustre Colegio de Abogados de [................]; como mejor proceda en Derecho, DIGO:

DIGO/MANIFIESTO

Que siguiendo expresas instrucciones de mi representado/ha, por medio del presente escrito formulo DEMANDA DE JUICIO ORDINARIO en ejercicio de la acción de IMPUGNACIÓN DE ACTOS DE ALBACEA POR EXCEDERSE DE SUS FACULTADES contra:

D/Dª [................], mayor de edad, DNI número [................], con domicilio en [................], calle [................] n° [................], piso [................], puerta [................] (CP................), como albacea contador/a-partidor/a de la herencia de D./Dª [................]. Y contra:

D/Dª [................], mayor de edad, DNI número [................], con domicilio en [................], calle [................] n° [................], piso [................], puerta [................] (CP................), como heredero/a del/la causante.

Y ello sobre la base de los siguientes hechos y fundamentos de derecho.

HECHOS

PRIMERO.– D./Dª [................] falleció el día [................] de [................] de [................] en la localidad de [................].

En su prueba se acompaña:

Documento n° 1. Certificado de defunción expedido por el Registro Civil de [................].

SEGUNDO.– D./Dª [................] había otorgado testamento, no revocado por otro posterior, ante el/la notario de [................], D./Dª [................] el día [................] de [................] de [................], bajo el n° [................] de su protocolo.

Documento n° 2. Certificado del Registro de Actos de Última Voluntad

Documento n° 3. Copia autorizada del testamento

TERCERO.– En el dicho testamento, D./Dª [................] instituyó herederos/as a mi mandante D./Dª [................] y a D./Dª [................] y dispuso que D./Dª [................] ejercería las funciones de albacea y contador/a-partidor/a durante el plazo legal, más otro año de prórroga.

El cargo de albacea y contador/a-partidor/a le fue notificado fehacientemente a D./Dª [................] en fecha [................], como se prueba mediante:

Documento n° 4. [................]

CUARTO.- Transcurrida la prórroga señalada sin haberse cumplido la voluntad del testador, no se instó ni acordó nueva prórroga en los términos permitidos por la ley.

QUINTO.- D./Dª [..............] realizó la partición se hizo contrariando la voluntad del/la causante en cuanto a [..............]

El/La albacea delegó en D./Dª [..............] las funciones de [..............] sin expresa autorización del/la testador/a.

El/La albacea contravino la prohibición de adquirir por compra, al [..............]

El/La albacea realizó la partición transcurrido sobradamente el plazo legal y la prórroga señalada por el/la testador/a. Y esta partición ha sido ratificada por el/la heredero/a demandado/a D./Dª [..............]

En su prueba:

Documento nº 5. [..............]

A los anteriores hechos son de aplicación los siguientes

FUNDAMENTOS DE DERECHO

(1) Jurisdicción y competencia

Corresponde a la jurisdicción civil de conformidad con lo dispuesto en el art. 36 de la LEC. Y es competente el Juzgado de Primera Instancia al que me dirijo con arreglo a lo dispuesto en el art. 45 y *52.1.4º de la LEC. En los juicios sobre cuestiones hereditarias, será compJetente el tribunal del lugar en que el finado tuvo su último domicilio y si lo hubiere tenido en país extranjero, el del lugar de su último domicilio en España, o donde estuviere la mayor parte de sus bienes, a elección del demandante.*

(2) Capacidad y legitimación

Las partes tienen capacidad, con arreglo al art. 6 de la LEC y se encuentran legitimadas activa y pasivamente para interponer y soportar el presente procedimiento a tenor de lo preceptuado en el art. 10 de la LEC.

(3) Representación y defensa

Artículos 23 y 31 de la LEC. Esta parte comparece por medio de procurador y dirigida por abogado cumpliendo lo prevenido en ambos artículos.

(4) Procedimiento

Procede seguir el procedimiento del juicio ordinario regulado en los arts. 399 y siguientes, de conformidad con el art. 249 [..............], todos de la LEC, al ser la cuantía de este procedimiento superior a 6000 €.

(5) Cuantía

Se fija la cuantía de este procedimiento en [..............] con arreglo a las reglas para su determinación establecidas en los arts. 251.2ª y 12ª y art. 252 de la LEC.

(6) Fondo del asunto

Son de aplicación a este caso los siguientes fundamentos legales:

Art. 901 del Código Civil (CC): *"Los albaceas tendrán todas las facultades que expresamente les haya conferido el testador y no sean contrarias a las leyes"*.

Art. 902 CC: *"No habiendo el testador determinado especialmente las facultades de los albaceas, tendrán las siguientes:*

1º Disponer y pagar los sufragios y el funeral del testador con arreglo a lo dispuesto por él en el testamento; y, en su defecto, según la costumbre del pueblo.

2ª Satisfacer los legados que consistan en metálico, con el conocimiento y beneplácito del heredero.

3ª Vigilar sobre la ejecución de todo lo demás ordenado en el testamento, y sostener, siendo justo, su validez en juicio y fuera de él.

4ª Tomar las precauciones necesarias para la conservación y custodia de los bienes, con intervención de los herederos presentes".

Art. 904 CC: *"El albacea, a quien el testador no haya fijado plazo, deberá cumplir su encargo dentro de un año, contado desde su aceptación, o desde que terminen los litigios que se promovieren sobre la validez o nulidad del testamento o de algunas de sus disposiciones"*.

Art. 905 CC: *"Si el testador quisiera ampliar el plazo legal, deberá señalar expresamente el de la prórroga. Si no lo hubiese señalado, se entenderá prorrogado el plazo por un año. Si, transcurrida esta prórroga, no se hubiese cumplido todavía la voluntad del testador, podrá el Secretario judicial o el Notario conceder otra por el tiempo que fuere necesario, atendidas las circunstancias del caso"*.

Art. 906 CC: *"Los herederos y legatarios podrán, de común acuerdo, prorrogar el plazo del albaceazgo por el tiempo que crean necesario; pero, si el acuerdo fuese sólo por mayoría, la prórroga no podrá exceder de un año"*.

Art. 909 CC: *"El albacea no podrá delegar el cargo si no tuviese expresa autorización del testador"*.

Art. 910 CC, por el que se establece que: *"Termina el albaceazgo por la muerte, imposibilidad, renuncia o remoción del albacea, y por el lapso del término señalado por el testador, por la ley y, en su caso, por los interesados. La remoción deberá ser apreciada por el Juez"*.

Art. 911 CC: *"En los casos del artículo anterior, y en el de no haber el albacea aceptado el cargo, corresponderá a los herederos la ejecución de la voluntad del testador"*.

Art. 1057 CC, por el que se establece que: *"El testador podrá encomendar por acto "inter vivos" o "mortis causa" para después de su muerte la simple facultad de hacer la partición a cualquier persona que no sea uno de los coherederos.*

No habiendo testamento, contador-partidor en él designado o vacante el cargo, el Secretario judicial o el Notario, a petición de herederos y legatarios que representen, al menos, el 50 por 100 del haber hereditario, y con citación de los demás interesados, si su domicilio fuere conocido, podrá nombrar un contador-partidor dativo, según las reglas que la Ley de Enjuiciamiento Civil y del Notariado establecen para la designación de peritos. La partición así realizada requerirá aprobación del Secretario judicial o del Notario, salvo confirmación expresa de todos los herederos y legatarios.

Lo dispuesto en este artículo y en el anterior se observará aunque entre los coherederos haya alguno sujeto a patria potestad o tutela; pero el contador-partidor deberá en estos casos inventariar los bienes de la herencia, con citación de los representantes legales de dichas personas.

Si el coheredero tuviera dispuestas medidas de apoyo, se estará a lo establecido en ellas".

Téngase en cuenta que con la reforma de la Ley 8/2021 e 2 de junio, por la que se reforma la legislación civil y procesal para el apoyo a las personas con discapacidad en el ejercicio de su capacidad jurídica, se impone el cambio de un sistema como el hasta ahora vigente en nuestro ordenamiento jurídico, en el que predomina la sustitución en la toma de las decisiones que afectan a las personas con discapacidad, por otro basado en el respeto a la voluntad y las preferencias de la persona quien, como regla general, será la encargada de tomar sus propias decisiones.

La normativa establece un sistema de apoyos y suprime categorías tradicionales del derecho y del derecho civil como la capacidad de obrar y capacidad modificada judicialmente, la patria potestad prorrogada, la prodigalidad y ofrece una prevalencia a la figura del curador frente a la del tutor. La institución objeto de una regulación más detenida es la curatela, principal medida de apoyo de origen judicial para las personas con discapacidad.

(7) Costas

Es de aplicación el art. 394 de la LEC en cuanto a la condena en las costas causadas de la primera instancia.

Por lo expuesto,

SUPLICO AL JUZGADO

Que teniendo por presentado este escrito con sus documentos y copias, se sirva admitirlo y tenerme por personado/a y parte en la representación que ostento de D./Dª [...............] y por formulada demanda de juicio ordinario en ejercicio de la acción de impugnación de acto del/la albacea contador/a-partidor/a por excederse de sus facultades, contra D./Dª [...............] y contra D./Dª [...............] y en su virtud, seguido el procedimiento por sus trámites legales, dicte en su día sentencia por la que, estimando íntegramente esta demanda, acuerde:

a) Declarar nula y sin efecto la partición de la herencia realizada por el/la albacea contador/a-partidor/a.

b) Condenar a los/las demandados/as a estar y pasar por esta declaración.

c) Condenar a los/las demandados/as al pago de las costas procesales causadas en este procedimiento.

OTROSÍ DIGO

PRIMERO.– SOLICITUD DE MEDIDA CAUTELAR. Existe peligro por la mora procesal concretado en [...............] y a fin de evitarlo es idónea y proporcional la medida cautelar que interesa esta parte consistente en [...............] y siendo que esta parte tiene apariencia de buen derecho manifestado en [...............] y que hace ofrecimiento de prestación de caución del tipo [...............] por importe de [...............], que resulta bastante para responder, de manera rápida y efectiva, de los daños y perjuicios que la adopción de la cautela pueda causar, que podrían consistir en [...............] con un valor máximo de [...............]. En su virtud, **SUPLICO AL JUZGADO**. Que atendiendo a la naturaleza y el contenido de la pretensión y la valoración del fundamento de la medida cautelar que se interesa, teniendo por cumplidos los presupuestos y al amparo del art. 721 de la LEC, se digne decretar la medida cautelar consistente en [...............]

SEGUNDO.– INAUDITA PARTE. Existen razones de urgencia o La audiencia previa a la adopción de la medida cautelar puede comprometer el buen fin de la medida interesada por cuanto [...............]. En su virtud, **SUPLICO AL JUZGADO**: se sirva acordar la medida cautelar interesada sin la previa audiencia a la otra parte conforme permite el art. 733.2 de la LEC.

TERCERO.– Esta parte manifiesta su voluntad e intención de cumplir con todos y cada uno de los requisitos exigidos por la Ley a los efectos de los art. 231 de la LEC y 243.3 de la LOPJ. **SUPLICO AL JUZGADO**: tenga por efectuada la anterior declaración a los efectos de permitir subsanar a esta parte los defectos procesales que se adviertan.

En [...............], a fecha [...............], de [...............], de [...............]

Firma del Letrado/a   Firma del Procurador/a

COMENTARIO

Estos formularios tienen por objeto la demanda de juicio ordinario impugnando actos del/la albacea que exceden de sus facultades. Téngase en cuenta la siguiente información:

Jurisprudencia

Artículo 901 y ss. del CC

Se remite al comentario general en cuanto a las cuestiones generales referidas al albacea.

Los deberes del albacea pueden según doctrina[112] agruparse en dos categorías, una constituida por el deber de cumplir en general, otra relativa a los deberes concretos que la ley imponga. Téngase también en cuenta que habrán atenerse a las facultades que se les han concedido, porque de ello dependerá el análisis de la cuestión y como señala ALBALADEJO, el albacea debe cumplir el encargo que se le haya encomendado, acomodándose a la voluntad del causante, respetándola y dando ejecución a lo dispuesto por aquél y según su espíritu. Ha de recordarse que la voluntad del testador es la ley de la sucesión, y si como bien expone la doctrina: *"las facultades del albacea no son sino medios para llevar a efecto su misión, tiene el deber de usarlas en cuanto tales medios"*[113]. Ahora bien, debiendo el testador cumplir su cometido de acuerdo a la ley y los presupuestos en ella consignados, de forma tal que no se autorizan aquellas que van contra la ley y tampoco permite que el testador conceda facultades que se excedan y si las contuviera el albacea deberá dar preferencia a la ley, lo que al decir de ROCA SASTRE[114], significa que haya que prescindir de la misma.

El CC no regula específicamente en lo relacionado a las facultades del albacea las consecuencias jurídicas de los actos realizados por éste que se excedan de sus funciones o de las facultades concedidas en el testamento.

Aceptado el cargo por el albacea, conforme a lo previsto en el artículo 899 del CC, se constituye en la obligación de cumplirlo, tal como señala la doctrina ello comporta la prestación de la actividad necesaria con la diligencia de un buen padre de familia, por analogía con lo previsto en el artículo 1719. 2[115].

Sobre los límites en el ejercicio de las funciones señala la jurisprudencia en la materia que: "esa norma establece que: *"los albaceas tendrán todas las facultades que expresamente les haya conferido el testador y no sean contrarias a las leyes"*, y examinando el uso que consta en lo actuado de tales facultades se advierte: 1) Que la testadora al conceder a los albaceas las más amplísimas facultades respecto de sus bienes, les permitió disponer de éstos como les pareciese; 2) En este ámbito de poder les permitió destinar el edificio que se comenzó a construir para Hospital a una "obra benéfica de tipo moral, religioso o docente o de protección de la mujer, a juicio de los mismos albaceas"; 3) La obra benéfica elegida por los albaceas, no con carácter excluyente sino a través de la conjunción disyuntiva "o", junto a otras, fue la docencia a niños de la clase obrera; facultades todas ellas comprendidas dentro de las concedidas en ambos testamentos, no sólo de modo expreso sino también a través de una interpre-*

---

112   ALBALADEJO, M., *El albaceazgo en el Derecho español*, Editorial Tecnos, 1969, p. 360.
113   ALBALADEJO, op. cit., p. 361.
114   ROCA SASTRE, R. M., *Estudios de Derecho Privado*, II, p. 409 y ALBALADEJO, p. 362.
115   Vid. DÍEZ-PICAZO, L. y GULLÓN, A., p. 138.

tación de aquéllos, permitida aun en estos casos de aplicación del art. 901 por la sentencia de 19 junio 1958; todo lo que conduce a desestimar los motivos séptimo, octavo y duodécimo del presente recurso"[116].

En el cumplimiento de sus funciones y del juego de los artículos 901 y 902 del CC parece desprenderse y ha de entenderse en este sentido que atribuida una facultad concreta al albacea designado, no tendrá más función que la otorgada quedando excluidas las reconocidas por ley, en este sentido Cfr. STS 19 junio 1958[117]. Pero habrá que atenerse a la casuística en este sentido y además *"ha de valorarse, por tanto, en qué medida la concesión de una facultad supone irremediablemente relegación de las legales y cuando pueden reputarse concurrentes, como sucederá en los casos en que al nombramiento se añade la precisión de una facultad no comprendida en el elenco del 902, que el causante puede querer como acumulada a aquellos (STS 15 abril 1982), sobre la compatibilidad de la atribución testamentaria al albacea de la función de contar y partir con la facultad, ex art. 902, de conservación y custodia de los bienes hereditarios"*[118].

Cualquier disquisición en torno a si el albacea se ha excedido o no de las facultades tendrá que partir de las facultades que ostente, y si su nombramiento es como albacea universal o particular, porque la nota de distinción es primordial para saber el modo en que se ha producido el ejercicio. También estará sujeta a principios como la buena fe en la actuación, el deber de lealtad[119] que ostenta el cargo y a la interpretación que se haga por parte de la jurisprudencia del actuar del albacea y de las cláusulas testamentarias. En este sentido dice la jurisprudencia que: *"la amplitud de facultades concedidas por la testadora a los albaceas para que procedan como les parezca respecto de los bienes relictos no tiene más límite que evitar quede el testamento al arbitrio de los albaceas desvirtuando la voluntad de la testadora*[120]*"*.

En cuanto a las funciones realizadas fuera de sus atribuciones alguna jurisprudencia ha estimado que son actos nulos, así como alguna doctrina. Otros auto-

---

[116]   STS (Sala de lo Civil) Sentencia de 8 febrero 1980 (*Tol* 1740569).

[117]   (*Tol* 4351006).

[118]   CARBALLO FIDALGO, M., Comentario al artículo 901, Título III, Capítulo II, Directores CAÑIZARES LAGO, A., DE PABLO CONTRERAS, P., ORDUÑA MORENO, J., VALPUESTA FERNÁNDEZ, R., coord. CAÑIZARES LAGO, CÁMARA LAPUENTE, SÁNCHEZ HERNÁNDEZ, C. Civitas, Thomson Reuters, 2011, p. 1179.

[119]   Este deber se une al deber de actuar con la diligencia de un buen padre de familia. Vid. FERRER RIBA, J., Comentario al artículo 899, Título III, Capítulo II, Directores CAÑIZARES LAGO, A., DE PABLO CONTRERAS, P., ORDUÑA MORENO, J., VALPUESTA FERNÁNDEZ, R., coord. CAÑIZARES LAGO, CÁMARA LAPUENTE, SÁNCHEZ HERNÁNDEZ, C., Civitas, Thomson Reuters, 2011, p. 1170.

[120]   Cfr. STS (Sala de lo Civil) Sentencia de 8 febrero 1980 (*Tol* 1740569) citada anteriormente.

res entienden que en este supuesto responde como un representante que se ha extralimitado de sus poderes, o simplemente advierten que el acto es inoperante, en principio para la sucesión, debiendo responder personalmente el albacea, teniendo en cuenta lo previsto en el Art. 1725 CC[121].

La STS señala: "que si bien el Código Civil preceptúa que el albaceazgo termina por remoción del albacea, de donde se sigue que ha de haber casos en los cuales éste puede ser removido de su cargo, incurre en la deficiencia de no desenvolver esta materia, dejando de señalar cuáles han de ser las justas causas que den lugar a la remoción, vacío que hoy está subsanado en gran parte por esta Sala que en su Sentencia de 4 febrero 1902 declaró que no puede el silencio de la ley en punto a las causas de remoción de los albaceas, ser suplido con la aplicación analógica de lo estatuido con referencia a alguna otra institución jurídica, pues la única con motivo de la cual el Código Civil trata de remoción de cargos, es la tutela, institución que ni por la causa que le sirve de fundamento, ni por su peculiar organismo, ni por la finalidad a que responde, tiene analogía con el albaceazgo, por lo que dada la falta de ley expresa, y con sujeción a los principios generales de Derecho, según los cuales las leyes prohibitivas y las que envuelven una sanción penal, no pueden en modo alguno interpretarse extensivamente, las causas de remoción de los albaceas no deben ser otras que las que incapacitan para el desempeño del cargo o para el ejercicio de los derechos civiles, por la razón fundamental de que no puede desempeñar cargo alguno el que incurra en incapacidad legal para obtenerlo, y además la conducta dolosa de los albaceas, causa que se deriva, primero del principio inconcuso de que no debe ejercer función ni desempeñar cargo, debido exclusivamente a la confianza del testador, el que por actos engañosos o fraudulentos se hace indigno de ella y evidencia que carece de la condición esencial a la que debe su nombramiento, y segundo, del racional fundamento de que no puede ser ejecutor de la voluntad del finado quien maliciosamente la contraría, doctrina que completa la Sentencia de 18 febrero 1908, dando a entender que también la negligencia, cuando es rayana en el dolo, puede estimarse como causa de remoción, pues establece que procede conceptuar como tal el incumplimiento durante larguísimo tiempo de la voluntad del testador y la abusiva gestión en cuanto al manejo de los bienes, revelada principalmente por la falta de inventario de los que el testador dejó a su fallecimiento, señalando finalmente la Sentencia de 5 julio 1947 (RJ 1947/937), que una de las notas diferenciales entre el albaceazgo y el mandato es la imposibilidad de que el nombramiento de los albaceas se revoque después de la muerte del testador, ya que no son mandatarios de los herederos, como ni el cargo es

---

[121] Vid ALBALADEJO, op. cit. p. 673, citando a ARMERO, p. 517 y la STS 10 junio 1948 (*Tol* 4461672).

perpetuo ni en él les es dable producirse a su capricho, necesariamente ha de asistir a aquéllos la facultad de instar la remoción que entre los otros modos de terminar el albaceazgo establece el art. 910, y cierto es que este precepto no enumera las causas que a la misma pueden dar lugar, pero, precisamente por ello, queda remitido el determinarlas a la prudente y justificada apreciación de los Tribunales, que en cada caso concreto habrán de fundar su criterio decisivo atendiendo a la naturaleza y finalidad del albaceazgo y a la observancia que el albacea presta a sus principios rectores, de donde se sigue que serán causas justas de remoción, además de las que incapaciten para el cargo a los albaceas nombrados, su conducta dolosa y el uso malicioso en perjuicio de los llamados a la herencia, de facultades que no les asistan"[122].

Alguna sentencia destaca la improcedencia de la extralimitación de las funciones, porque el albacea ha tenido en consideración el cumplimiento de la voluntad del testador[123], que en definitiva es la ley de la sucesión.

---

[122]   Tribunal Supremo (Sala de lo Civil) Sentencia de 23 febrero 1973 (Tol 4258268).

[123]   *"Como primer motivo de apelación se alega por los recurrentes infracción de Ley por interpretación errónea o aplicación indebida del artículo 902.4 del Código Civil (), por infracción del artículo 901, en relación con los artículos 398, 657, 659 y 661 del mismo texto legal y artículos 66.2, 93 y 123 de la Ley de Sociedades Anónimas (RCL 1989, 2737 y RCL 1990, 206). Consideran en este punto los apelantes que los albaceas se han extralimitado en las funciones que les correspondían al haber realizado actos de administración de la herencia para los que no estaban facultados al no haberles sido conferida por el testador la representación de la herencia, amén de que, según sus palabras, no se trataría de una herencia yacente sino de una herencia aceptada y en comunidad hereditaria. De este modo, entienden los apelantes que la representación de las acciones correspondientes a la herencia de Dra. Natalia en pleno dominio, así como la quinta parte indivisa de 200 acciones y cuotas indivisas de 4 acciones más correspondería de forma exclusiva y excluyente a sus cuatro herederos. Y otro tanto cabría afirmar, siempre según palabras de la parte actora y hoy apelante, de las 168 acciones correspondientes a la sucesión intestada de Dra. Gema, de las quintas partes indivisas de 200 acciones que se arrogaron Dra. Diana y D. Romeo.*
Sin embargo, como acertadamente destaca la parte demandada y hoy apelada, la fallecida testadora Dra. Natalia, entre otros extremos que se contienen en la disposición testamentaria obrante en autos que igualmente se ponen de relieve en la Alegación Primera de su escrito de oposición al Recurso de Apelación, establecía literal y meridianamente las siguientes funciones de los albaceas: "Los albaceas-contadores-partidores tendrán las más amplias facultades para formalizar inventarios, realizar avalúos, adjudicar los bienes, determinar y pagar legítimas y, en general, realizar cuantos actos sean necesarios a fin de cumplir fielmente la voluntad de la testadora". De este modo, su intervención en la controvertida Junta General tiene como misión fundamental la de cumplir la voluntad de Dra. Natalia consistente en que se nombrase un Administrador único, cargo que hasta entonces venía desempeñando la propia testadora, por lo que en modo alguno puede afirmarse que se haya producido extralimitación alguna en las funciones de los albaceas sino que, antes al contrario, mediante lo que en esencia no pasa de ser un acto de mera conservación del patrimonio (no de administración, como insisten los actores y hoya apelantes), han permitido que se llevase a cabo la voluntad o intención última de la testadora y, al mismo tiempo, han evitado las graves consecuencias que a corto y medio plazo podrían haberse derivado ante la falta del órgano de dirección de la sociedad debido a las

NORMATIVA

Artcs 901 y ss. CC.

JURISPRUDENCIA

STS número 16, de 10 junio 1948 (*Tol 4461672*).
STS número 300 19 junio 1958 (*Tol 4351006*).
STS (Sala de lo Civil) Sentencia de 23 febrero 1973 (*Tol 4258268*).
STS (Sala de lo Civil) Sentencia de 8 febrero 1980 (*Tol 1740569*).
STS Sentencia núm. 597/1993 de 9 junio (*Tol 1664370*).
STS (Sala de lo Civil, Sección1ª) Sentencia núm. 254/2014 de 3 septiembre (*Tol 4521095*).
Audiencia Provincial de Málaga (Sección 6ª) Sentencia núm. 79/2005 de 2 febrero (*Tol 650162*).

Formulario 7. DEMANDA DE JUICIO ORDINARIO INTERESANDO LA ADICIÓN DE UN BIEN A LA HERENCIA

FUNDAMENTO LEGAL Y JURISPRUDENCIAL

Fase del procedimiento en la que se encuentra este formulario

Art. 1079 del Código Civil.

Jurisprudencia:

Tribunal Supremo/ 20/01/2012 (*Tol 2411978*).

Tribunal Supremo/ 20/11/2003 (*Tol 324989*).

Fase: inicial, alegaciones de la parte actora. Demanda.

ÓRGANO COMPETENTE

AL JUZGADO DE PRIMERA INSTANCIA

DE [...............]

—que por turno de reparto corresponda—

---

deterioradas relaciones personales existentes entre los socios que se han puesto de manifiesto a lo largo del proceso". Cfr. SAP de Badajoz (Sección 3ª) Sentencia núm. 312/2002 de 16 octubre. (*JUR 2003/70700*). Vid. Audiencia Provincial de Málaga (Sección 6ª) Sentencia núm. 79/2005 de 2 febrero (*Tol 650162*).

ENCABEZAMIENTO

D./Dª [...............], Procurador/a de los Tribunales, colegiado/a n° [...............] del Ilustre Colegio de Procuradores de [...............], actuando en nombre y representación de D./Dª [...............], mayor de edad, DNI número [...............], con domicilio en [...............], calle [...............] núm............... [...............], piso [...............], puerta [...............] (CP...............) según acredito mediante la copia de escritura de poder que acompaño/poder otorgado "apud acta" electrónico/poder que será otorgado "apud acta" ante el/la sr/a Letrado/a de la Administración de Justicia; ante el Juzgado comparezco bajo la dirección técnica del/la Letrado/a D./Dª [...............], colegiado/a n° [...............] del Ilustre Colegio de Abogados de [...............]; como mejor proceda en Derecho, **DIGO**:

DIGO/MANIFIESTO

Que siguiendo expresas instrucciones de mi representado/a, por medio del presente escrito y al amparo del art. 1079 del Código Civil, formulo DEMANDA DE JUICIO ORDINARIO en ejercicio de la acción de ADICIÓN DE UN BIEN A LA HERENCIA DEL CAUSANTE D./Dª [...............]; contra:

D/Dª [...............], mayor de edad, DNI número [...............], con domicilio en [...............], calle [...............] n° [...............], piso [...............], puerta [...............] (CP...............).

Y ello sobre la base de los siguientes hechos y fundamentos de derecho.

HECHOS

PRIMERO.– D./Dª [...............] falleció el día [...............] de [...............] de [...............] en la localidad de [...............].

En su prueba se acompaña:

Documento n° 1. Certificado de defunción expedido por el Registro Civil de [...............].

SEGUNDO.– D./Dª [...............] había otorgado testamento, no revocado por otro posterior, ante el/la notario de [...............], D./Dª [...............] el día [...............] de [...............] de [...............], bajo el n° [...............] de su protocolo.

Documento n° 2. Certificado del Registro de Actos de Última Voluntad

Documento n° 3. Copia autorizada del testamento

TERCERO.– Con fecha [...............] se practicó la partición de la herencia de D./Dª [...............] en virtud del siguiente documento particional.

Documento n° 4. Cuaderno particional en documento público/privado que incluye el inventario, avalúo, liquidación de la herencia y adjudicación de bienes.

CUARTO.- En este cuaderno particional no se incluyó el bien, desconocido en dicho momento por mi mandante, que se describe como:

Vivienda sita en [...............], calle [...............], n° [...............], piso [...............], puerta [...............], con una superficie construida de [...............] m2 y superficie útil de [...............] m2. Consta de [...............]. Linda; frente [...............], derecha entrando [...............]; izquierda [...............] y fondo [...............], con referencia catastral [...............] e inscrita en el Registro de la Propiedad de [...............], tomo [...............], libro [...............], folio [...............], finca n° [...............].

Este bien figura inscrito en el Registro de la Propiedad de [...............] a nombre del padre fallecido del causante, del que fue su único heredero.

Documento n° 5. Certificado expedido por el Registro de la Propiedad de [...............]

Documento n° 6. Certificado de defunción del titular inscrito expedido por el Registro Civil de [...............]

Documento n° 7. Certificado del Registro de Actos de Última Voluntad

Documento n° 8. Copia autorizada del testamento otorgado por el titular inscrito.

QUINTO.- Habiéndose omitido este bien de la herencia y no habiendo podido llegar a un acuerdo al respecto con el/la demandado/a procede la adición de este bien a la herencia.

A los anteriores hechos son de aplicación los siguientes

FUNDAMENTOS DE DERECHO

(1) Jurisdicción y competencia

Corresponde a la jurisdicción civil de conformidad con lo dispuesto en el art. 36 de la LEC. Y es competente el Juzgado de Primera Instancia al que me dirijo con arreglo a lo dispuesto en el art. 45 y *52.1.4° de la LEC. En los juicios sobre cuestiones hereditarias, será competente el tribunal del lugar en que el finado tuvo su último domicilio y si lo hubiere tenido en país extranjero, el del lugar de su último domicilio en España, o donde estuviere la mayor parte de sus bienes, a elección del demandante.*

(2) Capacidad y legitimación

Las partes tienen capacidad, con arreglo al art. 6 de la LEC y se encuentran legitimadas activa y pasivamente para interponer y soportar el presente procedimiento a tenor de lo preceptuado en el art. 10 de la LEC.

(3) *Representación y defensa*

Artículos 23 y 31 de la LEC. Esta parte comparece por medio de procurador y dirigida por abogado cumpliendo lo prevenido en ambos artículos.

(4) Procedimiento

Procede seguir el procedimiento del juicio ordinario regulado en los arts. 399 y siguientes, de conformidad con el art. 249 [................], todos de la LEC, al ser la cuantía de este procedimiento superior a 6000 €.

(5) Cuantía

Se fija la cuantía de este procedimiento en [................] con arreglo a las reglas para su determinación establecidas en los arts. 251.2ª y 12ª y art. 252 de la LEC.

(6) Fondo del asunto

Es de aplicación a este caso el siguiente fundamento legal:

Art. 1079 del Código Civil (CC): *"La omisión de alguno o algunos objetos o valores de la herencia no da lugar a que se rescinda la partición por lesión, sino a que se complete o adicione con los objetos o valores omitidos".*

(7) Costas

Es de aplicación el art. 394 de la LEC en cuanto a la condena en las costas causadas de la primera instancia.

Por lo expuesto,

SUPLICO AL JUZGADO

Que teniendo por presentado este escrito con sus documentos y copias, se sirva admitirlo y tenerme por personado/a y parte en la representación que ostento de D./Dª [................] y por formulada demanda de juicio ordinario en ejercicio de la acción de adición de un bien a la herencia del/la causante D./Dª [................], contra D./Dª [................] y contra D./Dª [................] y en su virtud, seguido el procedimiento por sus trámites legales, dicte en su día sentencia por la que, estimando íntegramente esta demanda, acuerde:

a) Ordenar la adición del bien [................] a la herencia de D./Dª [................]

b) Condenar al/la demandado/a al pago de las costas procesales causadas en este procedimiento.

OTROSÍ DIGO

PRIMERO.– SOLICITUD DE MEDIDA CAUTELAR. Existe peligro por la mora procesal concretado en [................] y a fin de evitarlo es idónea y proporcional la medida cautelar que interesa esta parte consistente en [................] y siendo que esta parte tiene apariencia de buen derecho manifestado en [................] y que hace ofrecimiento de prestación de caución del tipo [................] por importe de [................], que resulta bastante para responder, de manera rápida y efectiva, de los daños y perjuicios que la adopción de la cautela pueda causar, que podrían consistir en [................] con un valor máximo de [................]. En su virtud, **SUPLICO AL JUZGADO**. Que atendiendo a la naturaleza y el contenido de la pretensión y la valoración del fundamento de la medida cautelar que se interesa, teniendo por cumplidos los presupuestos y al amparo del art. 721 de la LEC, se digne decretar la medida cautelar consistente en [...............]

SEGUNDO.– INAUDITA PARTE. Existen razones de urgencia o La audiencia previa a la adopción de la medida cautelar puede comprometer el buen fin de la medida interesada por cuanto [...............]. En su virtud, **SUPLICO AL JUZGADO**: se sirva acordar la medida cautelar interesada sin la previa audiencia a la otra parte conforme permite el art. 733.2 de la LEC.

TERCERO.– Esta parte manifiesta su voluntad e intención de cumplir con todos y cada uno de los requisitos exigidos por la Ley a los efectos de los art. 231 de la LEC y 243.3 de la LOPJ. **SUPLICO AL JUZGADO**: tenga por efectuada la anterior declaración a los efectos de permitir subsanar a esta parte los defectos procesales que se adviertan.

En [...............], a fecha [...............], de [...............], de [...............]

Firma del Letrado/a   Firma del Procurador/a

COMENTARIO

Estos formularios tienen por objeto la cuestión atinente a la demanda de juicio ordinario interesando la adición de un bien a la herencia. Téngase en cuenta la siguiente información:

DOCTRINA

Acerca de la demanda de juicio ordinario interesando la adición de un bien a la herencia

Art. 1079 CC.

"La omisión de alguno o algunos objetos o valores de la herencia no da lugar a que se rescinda la partición por lesión, sino a que se complete o adicione con los objetos o valores omitidos".

El artículo 1079 estable un supuesto de partición adicional que se practicará cuando en la partición principal del caudal relicto se han omitido bienes heredita- rios, que según la doctrina, a pesar de que la norma no lo señala han de ser de escasa importancia, lo que tiene correspondencia con otras acciones previstas como la rescisión de la partición, la cual no ha lugar.

Definida por un sector de la doctrina como aquella que corresponde al he- redero de integrar y solicitar la distribución de bienes del acervo hereditario que por error u omisión no se han tenido en cuenta al inventariar los bienes hereditarios[124].

La partición adicional se practicará cuando el inventario de la partición principal fuere incompleto y no cuando ha existido un error en la valoración de los bienes que se han incluido en el mismo, porque se trata de otro supuesto distinto. Así la STS 8 junio 1945[125] casa la sentencia de instancia por el grave error de aplicar el Art. 1079 CC a un supuesto que concretamente no trataba de suplir la omisión de objetos y valores de la herencia en una partición, sino de rectificar la partición en puntos tan específicos como la calificación jurídica de los bienes que integran el caudal hereditario.

La doctrina señala además que la omisión perjudica a todos los herederos en general y no a alguno en particular; razón por la que el remedio no es la rescisión sino la partición complementaria[126].

Cabe señalar que la aplicación de este artículo está condicionada por la importancia de los bienes omitidos en relación con los que se han inventariado, porque si la omisión es referida a bienes de importante valor, la partición no se completa sino que se nula y ha de practicarse una nueva partición refiere O'CALLAGHAN[127]. El que estuvo además en posesión de los bienes omitidos debe hacerse cargo de los frutos e intereses desde la fecha en que murió el causante, porque es el momento en que los bienes pasan a mano de los herederos[128]. Sobre esta cuestión la sentencia de 12 junio 2008: *"estima, por otra parte, el Tribunal Supremo que la adición o complemento de la partición requiere que los bienes omitidos sean de escasa importancia en el conjunto de la herencia, lo que no acontece en el caso litigioso, en el que se omitieron veinticuatro fincas rústicas y urbanas, cantidad suficiente para suponer razonablemente que produciría un reajuste importante de todas las operaciones particionales, que significarían de hecho una total rectificación de la partición que se impugna, realmente una nueva. A todo ello el Tribunal Supremo añade que la nulidad del cuaderno particional tuvo como causa también el que recayese sobre otras fincas que no pertenecían al testador, lo que refuerza más la idea de que, más que adición o complemento de la partición ya hecha, se trataría de una nueva"*.

---

[124]   GARÍ MUNSURÍ, E. M., "Las acciones procesales en las particiones hereditarias", en *El patrimonio sucesorio: reflexiones para un debate reformista*//coord. por Óscar Monje Balmaseda; Francisco Lledó Yagüe (dir.), María Pilar Ferrer Vanrell (dir.), José Angel Torres Lana (dir.), Vol. 2, Editorial Dykinson, 2014, op. cit., p. 1326.

[125]   (*Tol 4458482*).

[126]   O'CALLAGHAN MUÑOZ, X., Código Civil. Comentario y Jurisprudencia, Sexta Edición, La Ley, 2008, op. cit., p. 1056.

[127]   Vid. op. cit., p. 1057.

[128]   O'CALLAGHAN MUÑOZ, p. 1057.

La aplicación del artículo a nivel jurisprudencial no ha sido unánime y como dice RUBIO GARRIDO: "presenta *amplias cotas de inseguridad*[129]". Para alguna corriente es de aplicación el artículo haya sido o no intencional la omisión de bienes[130], sin embargo doctrina especializada cree se aplica el citado artículo cuando la omisión es involuntaria, puesto que si ha sido voluntaria se le podría aplicar la nulidad[131].

La aplicación del Art. 1079 CC presupone que la partición haya sido válida, lo que significa que si la misma no lo ha sido se excluye la solución que prevé el artículo, así lo ha señalado la Sentencia 25 enero 1967[132].

El uso del término valor en el precepto ha generado polémica en la doctrina[133], ofreciéndose dos interpretaciones significativas. Según la primera el legislador quería aclarar que no sólo podía dar lugar al complemento la omisión de cosas materiales sino también el dinero, las acciones etc.[134] La segunda engloba en el término valor toda aquella valoración errónea, de modo que sirve para tratar lesiones menores al 25% derivada de tasaciones inexactas o equivocadas, con vistas a evitar las impugnaciones de particiones por error en el consentimiento[135].

NORMATIVA

Art. 1079 CC.

JURISPRUDENCIA

STS 8 junio 1945 (*Tol 4458482*).

---

[129] GARRIDO RUBIO, T., *La partición de la herencia*, Thomson Reuters Aranzadi, 2017, p. 587 y ss.

[130] Vid. GUILARTE ZAPATERO, "Consideraciones sobre la partición adicional del Art. 1079 CC", en *ADC*, 1966, pp. 56 y ss.

[131] Vid. ALBALADEJO, M., *Derecho Civil V-1*, p. 402.

[132] Cfr. (*Tol 4300880*).

[133] Vid DE LA CÁMARA, Comentario del Código Civil, Ministerio de Justicia, Tomo I, Madrid, 1991, p. 2530.

[134] Vid STS 16 mayo 1997 (*Tol 215232*).

[135] Cfr. STS 26 febrero 1979 (*Tol 1740848*), que señala que: "*porque la sanción contenida en ese art. 1079 debe conducir a su interpretación literalista, en el sentido de que se está refiriendo a la omisión que, en su caso, se padezca en la correspondiente partida de la partición recayente en alguna de las dos realidades económicas perfectamente diferenciadas, es decir, una referente a los objetos materiales o corpóreos y otra sobre los valores o títulos o derechos de indiscutible naturaleza inmaterial, por lo cual no es posible compartir la otra tesis o posición sostenida en el motivo de que al hablar de "valores" deba referirse a un aspecto cuantitativo de la valoración del bien (o defecto de la misma o su avalúo)de que se trate de la herencia en cuestión*".

STS 16 mayo 1997 (*Tol 215232*).
STS 26 febrero 1979 (*Tol 1740848*).
STS 12 junio 2008 (*Tol 1333407*).
STS 12 diciembre 2005 (*Tol 795279*).

Formulario 8. DEMANDA DE JUICIO VERBAL RECLAMANDO LA POSESIÓN DE BIENES HEREDITARIOS

FUNDAMENTO LEGAL Y JURISPRUDENCIAL

Fase del procedimiento en la que se encuentra este formulario

Art. 440 del Código Civil.

Jurisprudencia:

Audiencia Provincial de Illes Balears/ 23/11/2018 *(Tol 7017663)*.

Audiencia Provincial de Barcelona/ 26/01/2018 *(Tol 6550014)*.

Fase: inicial, alegaciones de la parte actora. Demanda.

ÓRGANO COMPETENTE

AL JUZGADO DE PRIMERA INSTANCIA

DE [...............]

—que por turno de reparto corresponda—

ENCABEZAMIENTO

D./Dª [...............], Procurador/a de los Tribunales, colegiado/a nº [...............] del Ilustre Colegio de Procuradores de [...............], actuando en nombre y representación de D./Dª [...............], mayor de edad, DNI número [...............], con domicilio en [...............], calle [...............] núm.............. [...............], piso [...............], puerta [...............] (CP..............) según acredito mediante la copia de escritura de poder que acompaño/poder otorgado "apud acta" electrónico/poder que será otorgado "apud acta" ante el/la sr/a Letrado/a de la Administración de Justicia; ante el Juzgado comparezco bajo la dirección técnica del/la Letrado/a D./Dª [...............], colegiado/a nº [...............] del Ilustre Colegio de Abogados de [...............]; como mejor proceda en Derecho, **DIGO:**

DIGO/MANIFIESTO

Que siguiendo expresas instrucciones de mi representado/a y al amparo del art. 250.1.3° de la Ley de Enjuiciamiento Civil (en adelante, LEC) por medio del presente escrito formulo demanda de JUICIO VERBAL en ejercicio de la acción de RECLAMACIÓN DE LA POSESIÓN DE UN BIEN HEREDITARIO contra: D/D° [...............], DNI n° [...............], con domicilio en [...............], calle [...............] n° [...............], piso [...............], puerta [...............] (CP...............).

Y ello sobre la base de los siguientes hechos y fundamentos de derecho.

HECHOS

PRIMERO.- D./D° [...............] falleció el día [...............] de [...............] de [...............] en la localidad de [...............].

En su prueba se acompaña:

Documento n° 1. Certificado de defunción expedido por el Registro Civil de [...............].

SEGUNDO.- D./D° [...............] había otorgado testamento, no revocado por otro posterior, ante el/la notario de [...............], D./D° [...............] el día [...............] de [...............] de [...............], bajo el n° [...............] de su protocolo.

Documento n° 2. Certificado del Registro de Actos de Última Voluntad

Documento n° 3. Copia autorizada del testamento

TERCERO.- En virtud del citado testamento mi mandante heredó la siguiente finca: vivienda sita en [...............], calle [...............], n° [...............], piso [...............], puerta [...............], con una superficie construida de [...............] m2 y superficie útil de [...............] m2. Consta de [...............]. Linda; frente [...............], derecha entrando [...............]; izquierda [...............] y fondo [...............], con referencia catastral [...............] e inscrita en el Registro de la Propiedad de [...............], tomo [...............], libro [...............], folio [...............], finca n° [...............].

Documento n° 4. Certificación de inscripción de esta finca en el Registro de la Propiedad de [...............] a favor del causante.

CUARTO.- Esta finca fue arrendada por el/la causante D./D° [...............] al/la demandado/a, mediante contrato de fecha [...............] con el siguiente mobiliario y enseres: [...............]

Documento n° 5. Contrato de arrendamiento suscrito entre causante y demandado/a.

QUINTO.- Mi mandante ha comunicado al/la demandado/a su sucesión sin que hasta la fecha el/la demandado/a le haya reconocido como legítimo/a heredero/a y propietario/a de la dicha finca.

A los anteriores hechos son de aplicación los siguientes

FUNDAMENTOS DE DERECHO

(1) Jurisdicción y competencia

Corresponde a la jurisdicción civil de conformidad con lo dispuesto en el art. 36 de la LEC. Y es competente el Juzgado de Primera Instancia al que me dirijo con arreglo a lo dispuesto en el art. 45 y *52.1.1° de la LEC*, que la atribuye al Tribunal del lugar en que esté sita la finca en los juicios en que se ejerciten acciones reales sobre bienes inmuebles.

(2) Capacidad y legitimación

Las partes tienen capacidad, con arreglo al art. 6 de la LEC y se encuentran legitimadas activa y pasivamente para interponer y soportar el presente procedimiento a tenor de lo preceptuado en el art. 10 de la LEC.

(3) Representación y defensa

Artículos 23 y 31 de la LEC. Esta parte comparece por medio de procurador y dirigida por abogado cumpliendo lo prevenido en ambos artículos.

(4) Procedimiento

Procede seguir el procedimiento del juicio verbal regulado en los arts. 437 y siguientes, de conformidad con el art. 250.1.3°, con las especialidades del art. 441.1 todos de la LEC.

(5) Cuantía

Se fija la cuantía de este procedimiento en [................] atendiendo al valor del inmueble, con arreglo a las reglas para su determinación establecidas en los arts. 251.2° y 12° y art. 252 de la LEC.

(6) Fondo del asunto

Son de aplicación a este caso los siguientes fundamentos legales:

Art. 440 del Código Civil (CC) por el que: *"La posesión de los bienes hereditarios se entiende transmitida al heredero sin interrupción y desde el momento de la muerte del causante, en el caso de que llegue a adirse la herencia".*

Art. 446 CC: *"Todo poseedor tiene derecho a ser respetado en su posesión; y, si fuere inquietado en ella, deberá ser amparado o restituido en dicha posesión por los medios que las leyes de procedimiento establecen".*

Art. 449 CC: *"La posesión de una cosa raíz supone la de los muebles y objetos que se hallen dentro de ella, mientras no conste o se acredite que deben ser excluidos".*

Art. 454 CC: *"Los gastos de puro lujo o mero recreo no son abonables al poseedor de buena fe; pero podrá llevarse los adornos con que hubiese embellecido la cosa principal si no sufriere deterioro, y si el sucesor en la posesión no prefiere abonar el importe de lo gastado".*

Art. 456 CC: *"Las mejoras provenientes de la naturaleza o del tiempo ceden siempre en beneficio del que haya vencido en la posesión".*

Artículo 458 CC: *"El que obtenga la posesión no está obligado a abonar mejoras que hayan dejado de existir al adquirir la cosa"*.

(7) Costas

Es de aplicación el art. 394 de la LEC en cuanto a la condena en las costas causadas de la primera instancia.

Por lo expuesto,

SUPLICO AL JUZGADO

Que teniendo por presentado este escrito con sus documentos y copias, se sirva admitirlo y tenerme por personado/a y parte en la representación que ostento de D./Dª [..............] y por formulada demanda de juicio verbal en reclamación de la posesión de bienes hereditarios contra D./Dª [..............] y en su virtud, seguido el procedimiento por sus trámites legales y estimando íntegramente esta demanda, acuerde:

a) Dictar auto por el que otorgue a mi representado/a la posesión del bien [..............] con el mobiliario y enseres que se hallan en su interior desde la fecha de la muerte de D./Dª [..............] y resuelva llevar a cabo las actuaciones conducentes a tal efecto, publique el auto por edictos en la forma prevenida en el art. 441.1 de la LEC instando a los/las interesados/as a comparecer y reclamar si consideran tener mejor derecho para, finalmente, confirmar a mi representado/a en la posesión del citado bien si nadie compareciere.

b) Subsidiariamente, para el caso de que comparecieren interesados, se sirva seguir el procedimiento por sus trámites legales y, dicte en su día sentencia por la que otorgando a mi representado/a la posesión mediata del citado bien, con el mobiliario y enseres desde la fecha del fallecimiento de D./Dª [..............], condene al/la demandado/a a reconocer esta posesión a todos los efectos y al pago de las costas procesales causadas en este procedimiento.

OTROSÍ DIGO

PRIMERO.– A los efectos de ofrecer información testifical de que este bien no es poseído por ninguna persona a título de dueño o usufructuario conforme a lo prevenido en los arts. 266.3° y 441.1 LEC, se proponen como testigos a:

D./Dª [..............]; DNI núm. [..............]; con domicilio en la localidad de [..............], calle [..............], número [..............], CP [..............]; teléfono [..............]; correo electrónico [..............]; otros datos [..............].

D./Dª [..............]; DNI núm. [..............]; con domicilio en la localidad de [..............], calle [..............], número [..............], CP [..............]; teléfono [..............]; correo electrónico [..............]; otros datos [..............].

SUPLICO AL JUZGADO: tenga por propuestos a los citados testigos y acuerde su llamamiento a los dichos efectos.

SEGUNDO.- SOLICITUD DE MEDIDA CAUTELAR. Existe peligro por la mora procesal concretado en [...............] y a fin de evitarlo es idónea y proporcional la medida cautelar que interesa esta parte consistente en [...............] y siendo que esta parte tiene apariencia de buen derecho manifestado en [...............] y que hace ofrecimiento de prestación de caución del tipo [...............] por importe de [...............], que resulta bastante para responder, de manera rápida y efectiva, de los daños y perjuicios que la adopción de la cautela pueda causar, que podrían consistir en [...............] con un valor máximo de [...............]. En su virtud, **SUPLICO AL JUZGADO**. Que atendiendo a la naturaleza y el contenido de la pretensión y la valoración del fundamento de la medida cautelar que se interesa, teniendo por cumplidos los presupuestos y al amparo del art. 721 de la LEC, se digne decretar la medida cautelar consistente en [...............]

TERCERO.- INAUDITA PARTE. Existen razones de urgencia o La audiencia previa a la adopción de la medida cautelar puede comprometer el buen fin de la medida interesada por cuanto [...............]. En su virtud, **SUPLICO AL JUZGADO**: se sirva acordar la medida cautelar interesada sin la previa audiencia a la otra parte conforme permite el art. 733.2 de la LEC.

CUARTO.- Esta parte manifiesta su voluntad e intención de cumplir con todos y cada uno de los requisitos exigidos por la Ley a los efectos de los art. 231 de la LEC y 243.3 de la LOPJ. **SUPLICO AL JUZGADO**: tenga por efectuada la anterior declaración a los efectos de permitir subsanar a esta parte los defectos procesales que se adviertan.

En [...............], a fecha [...............], de [...............], de [...............]

Firma del Letrado/a   Firma del Procurador/a

COMENTARIO

Estos formularios tienen por objeto documentos notariales atinentes a la demanda de juicio verbal reclamando la posesión de bienes hereditarios. Téngase en cuenta la siguiente información:

Art. 440 CC.

"La posesión de los bienes hereditarios se entiende transmitida al heredero sin interrupción y desde el momento de la muerte del causante, en el caso de que llegue a adirse la herencia.

El que válidamente repudia una herencia se entiende que no la ha poseído en ningún momento".

Doctrina

El artículo 440 del CC reconoce la llamada posesión civilísima. Antigua sentencia ha señalado en cuanto a esta figura lo siguiente: *"que el principio jurídico de que los herederos son continuadores de la personalidad patrimonial del causante, no tuvo el Derecho romano la trascendencia de conceder a aquéllos de pleno derecho la posesión de las cosas específicas que forman parte de la herencia; pero a esta doctrina se opone en el Derecho patrio el artículo 440 días Código Civil, que no se inspira en el Derecho romano, sino en el artículo 724 del Código Civil francés, y responde a la idea germánica de la posesión; por lo que en caso de herencia se produce para el heredero en nuestro Derecho la posesión llamada civilísima, que es la que se adquiere por ministerio de la Ley, y que tiene lugar en el: momento de la muerte del "decuius" / sin necesidad de la aprehensión material de la cosa, con ánimo de tenerla para sí; y aunque el legatario tenga derecho al legado desde el momento de la muerte del testador, le falta la posesión y no puede ocupar por su propia voluntad la cosa legada, sino que debe pedir su entrega y posesión al heredero o albacea. La liquidación de bienes gananciales, mientras no se lleve a cabo no puede impedir que los bienes conocidamente hereditarios estén en la posesión de aquel a quien la Ley se la confiere de pleno derecho"*[136].

La doctrina en sede de posesión civilísima cabe destacar la STS 9 junio de 1964 que explica que en el citado artículo 440 no se recoge en su total fidelidad la institución de la saisine[137].

---

[136] STS 3 junio 1947 (Tol 4452531).

[137] STS 9 junio 1964 (Tol 4324978): *"Que la sucesión "mortis causa" de los derechos se opera a través de la vocación o llamamiento "in abstracto" a una eventual sucesión, la delación u ofrecimiento de la herencia y la adquisición o perfección del derecho hereditario, que históricamente ha tenido lugar con arreglo a dos sistemas diferentes: al romano, que en los primeros estudios de la evolución histórica de este Derecho se producía "ope legis" en el momento mismo del óbito del causante, respecto de los herederos "sult et nece-saru", es decir, de quienes por hallarse sometidos a la potestad patria o dominical del causante eran sus inmediatos continuadores y no podían rechazar la herencia, pero a medida que fue posible y aun frecuente instituir por testamento heredero a un extraño, resultó imprescindible subordinar la adquisición del título de heredero y del derecho hereditario a la aceptación del llamado, en forma expresa cretio-aditio o tácita pro herede gestio, dadas las responsabilidades que ser heredero podía acarrear (responsabilidad personal y "ultra vires" por las deudas hereditarias), organizándose en el Derecho intermedio como único sistema el de los "herede extrañe vel volum taru", no transmitiéndose la herencia al heredero mientras no efectuaba la tradición, y el germánico, que partiendo de que es la sangre, el parentesco, lo hace heredero, y de su concepción de la herencia como adquisición del saldo favorable que pudiera resultar luego de enjugadas las deudas se prescinde de la necesidad de la aceptación, entendiéndose que la transmisión de titularidades del causante al heredero se produce en el instante mismo de la muerte, sin solución de continuidad, a que responden los principios medievales "Der Tod erbe den Lebindigen, Le mort saisit le vif", es decir, que el muerto invierte, transmite y entrega los bienes al vivo, aunque al heredero le*

Las consecuencias de la transmisión hereditaria en sede de posesión se corrigen en orden a la posesión viciosa en el Art. 442 del CC; habida cuenta que como continúan advirtiendo DÍEZ-PICAZO y GULLÓN: *"quiere ello decir que, aunque la posesión del causante fuere viciosa, la del heredero deja de serlo desde el momento de la transmisión hereditaria, si no fue partícipe en el vicio ni era consciente de él"*[138].

NORMATIVA

Artículos 440 al 445, 450, 657, 661, 882, 883, 885, 989 y 1016 del Código Civil.

JURISPRUDENCIA

STS 3 junio 1947 (*Tol 4452531*).
STS 9 junio 1964 (*Tol 4324978*).
STS 22 febrero 2000 (*Tol 4927278*).

---

sea posible la renuncia o repudiación, fingiéndose que el renunciante no fue nunca heredero, y que lo fue en cambio desde la muerte del "de cujus", quien haya de sustituir al renunciante, a diferencia del sistema romano en que para no adquirir basta con no aceptar. Que respecto a la posesión de los bienes hereditarios, mientras en el sistema romano el heredero sucede en la "condictio usucapendi" del causante y continúa la usucapión iniciada por él, pero no hereda la "posesión", los Derechos germánicos proclaman que "morius facit vivus possessorem", máxima que significaba en su origen que el heredero podía Inmiscuirse en la posesión de las cosas hereditarias sin cumplir ninguna formalidad, y más tarde en el Derecho feudal, autorizó el tránsito del feudo al sucesor sin necesidad de nueva investidura, y de ahí se dedujo entonces para el Derecho privado, que la "Gevvere" de los bienes del difunto se prolongaba en el heredero, el cual siempre era un pariente, en virtud de una especie de investidura necesaria que recibe el nombre de "saisine". Que la institución de la "saisine", y en España sus reflejos en la Ley de 45 de Toro, introducen en la doctrina del Derecho común el concepto de posesión civilísima, así llamada según Antonio Gómez, "quia juris civilis ministerio, sIne artificio nulloque actu intervInlente.............. sed sola legis statuti vel consuetudi-nis dispositione transfertus", que no se recoge fielmente en el artículo 440 del Código Civil español, pues la posesión sólo se entiende transmitida desde la aceptación de la herencia, y por ello el llamado no aceptante no la tiene, pero el que acepta sí, siguiendo con ello el sistema romano, si bien una vez aceptada la herencia, la adquisición de la posesión ya tiene lugar con arreglo al sistema germánico, por ministerio de la Ley, produciéndose "ipso jure" sin necesidad de la aprehensión material de la cosa con ánimo de tenerla para sí, como el Derecho romano exigía retrotrayéndose también en sus efectos al momento de la muerte del causante, pero de manera forzosa y necesaria, ya favorezca, ya perjudique al heredero".

[138]   DÍEZ-PICAZO, L Y GULLÓN, A. *Sistema de Derecho Civil, Derecho de Sucesiones*, Volumen IV, Tecnos, 2017, p. 258.

Formulario 9. DEMANDA DE JUICIO VERBAL PIDIENDO LA ENTREGA Y POSESIÓN DE LEGADO DE COSA ESPECÍFICA Y DETERMINADA

FUNDAMENTO LEGAL Y JURISPRUDENCIAL

Fase del procedimiento en la que se encuentra este formulario

Art. 885 del Código Civil.

Jurisprudencia:

Audiencia Provincial de Orense/ 22/05/2012 *(Tol 2597209)*.

Resolución de la DGRN/ 20/07/2015 *(Tol 5505204)*.

Fase: inicial, alegaciones de la parte actora. Demanda.

ÓRGANO COMPETENTE

AL JUZGADO DE PRIMERA INSTANCIA Nº [...............]

DE [...............]

—que por turno de reparto corresponda—

ENCABEZAMIENTO

D./Dª [...............], Procurador/a de los Tribunales, colegiado/a nº [...............] del Ilustre Colegio de Procuradores de [...............], actuando en nombre y representación de D./Dª [...............], mayor de edad, DNI número [...............], con domicilio en [...............], calle [...............] núm............... [...............], piso [...............], puerta [...............] (CP...............) según acredito mediante la copia de escritura de poder que acompaño/poder otorgado "apud acta" electrónico/poder que será otorgado "apud acta" ante el/la sr/a Letrado/a de la Administración de Justicia; ante el Juzgado comparezco bajo la dirección técnica del/la Letrado/a D./Dª [...............], colegiado/a nº [...............] del Ilustre Colegio de Abogados de [...............]; como mejor proceda en Derecho, **DIGO**:

DIGO/MANIFIESTO

Que siguiendo expresas instrucciones de mi representado/a, por medio del presente escrito y al amparo del art. 885 del Código Civil formulo DEMANDA DE JUICIO VERBAL en ejercicio de la acción de ENTREGA Y POSESIÓN DE LEGADO DE COSA ESPECÍFICA Y DETERMINADA contra: D/Dª [...............], DNI Nº [...............] con domicilio en [...............], calle [...............] nº [...............], piso [...............], puerta [...............] (CP...............), heredero/a del/la causante D./Dª [...............].

Y ello sobre la base de los siguientes hechos y fundamentos de derecho.

HECHOS

PRIMERO.– D./Dª [...............] falleció el día [...............] de [...............] de [...............] en la localidad de [...............].

En su prueba se acompaña:

Documento nº 1. Certificado de defunción expedido por el Registro Civil de [...............].

SEGUNDO.– D./Dª [...............] otorgó testamento, no revocado por otro posterior, ante el/la notario de [...............], D./Dª [...............] el día [...............] de [...............] de [...............], bajo el nº [...............] de su protocolo.

Documento nº 2. Certificado del Registro de Actos de Última Voluntad

Documento nº 3. Copia autorizada del testamento

TERCERO.– En virtud del citado testamento se instituyó heredero/a al/la demando/a D./Dª [...............] y se otorgó un legado a favor de mi mandante consistente en el siguiente bien: vivienda sita en [...............], calle [...............], nº [...............], piso [...............], puerta [...............], con una superficie construida de [...............] m2 y superficie útil de [...............] m2. Consta de [...............] Linda; frente [...............], derecha entrando [...............]; izquierda [...............] y fondo [...............], con referencia catastral [...............] e inscrita en el Registro de la Propiedad de [...............], tomo [...............], libro [...............], folio [...............], finca nº [...............].

Documento nº 4. Certificación acreditativa de la inscripción de esta finca en el Registro de la Propiedad a favor del causante.

CUARTO.– El/la demando/a ha aceptado la herencia y mi mandante no ha renunciado al legado.

En su prueba:

Documento nº 5. [...............]

QUINTO.– El bien legado ha producido los siguientes frutos y rentas desde la muerte del/ la causante.

En su prueba:

Documento nº 6. [...............]

SEXTO.– Mi representado/a ha intentado infructuosamente que se le haga entrega del legado en cumplimiento de las últimas voluntades del/la causante.

A los anteriores hechos son de aplicación los siguientes

FUNDAMENTOS DE DERECHO

(1) Jurisdicción y competencia

Corresponde a la jurisdicción civil de conformidad con lo dispuesto en el art. 36 de la LEC. Y es competente el Juzgado de Primera Instancia al que me dirijo con arreglo a lo dispuesto en el art. 45 y *52.4° de la LEC. En los juicios sobre cuestiones hereditarias, será competente el tribunal del lugar en que el finado tuvo su último domicilio y si lo hubiere tenido en país extranjero, el del lugar de su último domicilio en España, o donde estuviere la mayor parte de sus bienes, a elección del demandante.*

(2) Capacidad y legitimación

Las partes tienen capacidad, con arreglo al art. 6 de la LEC y se encuentran legitimadas activa y pasivamente para interponer y soportar el presente procedimiento a tenor de lo preceptuado en el art. 10 de la LEC.

(3) Representación y defensa

Artículos 23 y 31 de la LEC. Esta parte comparece por medio de procurador y dirigida por abogado cumpliendo lo prevenido en ambos artículos.

(4) Procedimiento

Procede seguir el procedimiento del juicio ordinario regulado en los arts. 399 y siguientes, de conformidad con el art. 249 [................], todos de la LEC, al ser la cuantía de este procedimiento superior a 6000 €.

(5) Cuantía

Se fija la cuantía de este procedimiento en [................] con arreglo a las reglas para su determinación establecidas en los arts. 251.2ª y 12ª y art. 252 de la LEC.

(6) Fondo del asunto

Son de aplicación a este caso los siguientes fundamentos legales:

Art. 881 CC: *"El legatario adquiere derecho a los legados puros y simples desde la muerte del testador, y lo transmite a sus herederos".*

Art. 882 CC: *"Cuando el legado es de cosa específica y determinada, propia del testador, el legatario adquiere su propiedad desde que aquél muere, y hace suyos los frutos o rentas pendientes, pero no las rentas devengadas y no satisfechas antes de la muerte.*

La cosa legada correrá desde el mismo instante a riesgo del legatario, que sufrirá, por lo tanto, su pérdida o deterioro, como también se aprovechará de su aumento o mejora".

Art. 883 CC: *"La cosa legada deberá ser entregada con todos sus accesorios y en el estado en que se halle al morir el testador".*

Art. 885 del Código Civil (CC): *"El legatario no puede ocupar por su propia autoridad la cosa legada, sino que debe pedir su entrega y posesión al heredero o al albacea, cuando éste se halle autorizado para darla".*

Art. 886 CC, en cuanto que: *"El heredero debe dar la misma cosa legada, pudiendo hacerlo, y no cumple con dar su estimación".*

(7) Costas

Es de aplicación el art. 394 de la LEC en cuanto a la condena en las costas causadas de la primera instancia.

Por lo expuesto,

SUPLICO AL JUZGADO

Que teniendo por presentado este escrito con sus documentos y copias, se sirva admitirlo y tenerme por personado/a y parte en la representación que ostento de D./Dª [...............] y, en su virtud, tenga por formulada demanda de juicio verbal en ejercicio de la acción de entrega y posesión de legado de cosa específica y determinada contra D./Dª [...............], para, seguido el procedimiento por sus trámites legales, dictar en su día sentencia por la que, estimando íntegramente esta demanda, acuerde:

a) Condenar al/la demandado/a a la entrega y dar posesión del bien [...............], con todos los frutos y rentas producidos desde el fallecimiento del/ la causante.

b) Condenar al/la demandado/a al pago de las costas procesales causadas en este procedimiento.

OTROSÍ DIGO

PRIMERO.– SOLICITUD DE MEDIDA CAUTELAR. Existe peligro por la mora procesal concretado en [...............] y a fin de evitarlo es idónea y proporcional la medida cautelar que interesa esta parte consistente en [...............] y siendo que esta parte tiene apariencia de buen derecho manifestado en [...............] y que hace ofrecimiento de prestación de caución del tipo [...............] por importe de [...............], que resulta bastante para responder, de manera rápida y efectiva, de los daños y perjuicios que la adopción de la cautela pueda causar, que podrían consistir en [...............] con un valor máximo de [...............]. En su virtud, **SUPLICO AL JUZGADO**. Que atendiendo a la naturaleza y el contenido de la pretensión y la valoración del fundamento de la medida cautelar que se interesa, teniendo por cumplidos los presupuestos y al amparo del art. 721 de la LEC, se digne decretar la medida cautelar consistente en [...............]

SEGUNDO.– INAUDITA PARTE. Existen razones de urgencia o La audiencia previa a la adopción de la medida cautelar puede comprometer el buen fin de la medida interesada por cuanto [...............]. En su virtud, **SUPLICO AL JUZGADO**: se sirva acordar la medida cautelar interesada sin la previa audiencia a la otra parte conforme permite el art. 733.2 de la LEC.

TERCERO.– Esta parte manifiesta su voluntad e intención de cumplir con todos y cada uno de los requisitos exigidos por la Ley a los efectos de los art. 231 de la LEC y 243.3 de la LOPJ. **SUPLICO AL JUZGADO**: tenga por efectuada la anterior declaración a los efectos de permitir subsanar a esta parte los defectos procesales que se adviertan.

En [...............], a fecha [...............], de [...............], de [...............]

Firma del Letrado/a   Firma del Procurador/a

COMENTARIO

Estos formularios tienen por objeto la demanda de juicio verbal pidiendo la entrega y posesión de legado de cosa específica y determinada. Téngase en cuenta la siguiente información:

DOCTRINA

El legado es el llamamiento en testamento a suceder al causante en uno o varios bienes o derechos concretos del patrimonio hereditario —sucesión particular— (art. 660 y 858 ss. CC). A diferencia de la sucesión universal, ya como heredero único o como coheredero sobre una cuota ideal del patrimonio hereditario, que se da sobre el global de la herencia, salvo, el caso del heredero en cosa cierta, en el que se produce el llamamiento a la herencia acompañado de una partición con adjudicación de un bien o bienes concretos.

Mediante el legado puede atribuirse un derecho o facultad que no exista con anterioridad en el patrimonio del testador o causante.

El legatario es propietario de forma automática de los bienes legados, en cuanto que no precisa la aceptación (art. 881 CC). Esto es válido únicamente respecto de los legados de bienes del propio causante (no respecto de legados de cosa ajena). Pero, tiene la facultad de repudiar el legado, retrotrayendo sus efectos al momento de la muerte del causante.

El legatario no puede tomar posesión por sí mismo de los bienes que le son legados, sino que precisa el concurso del heredero o administrador de la herencia (art. 885 CC). Es simple "acreedor de la posesión", frente al heredero.

Ha sentado la jurisprudencia en la materia que: *"como señaló la añeja sentencia de esta Sala de 3 de junio de 1947, el legatario tiene derecho a la cosa legada desde el fallecimiento del testador, pero le falta la posesión para lo que es precisa la entrega. La Sentencia de 25 de mayo de 1992 (RJ 1992, 4378) ha recogido que de acuerdo con el art. 882 del Código civil () cuando el legado es de cosa específica y determinada, propia del testador, el legatario adquiere la propiedad desde que aquél muere, si bien debe pedir la entrega al heredero o albacea, cuando éste se halle autorizado para darla (art. 885 del CC) lo que implica que en el caso de ser varios legatarios de un mismo bien se constituye sobre él una comunidad ordinaria sometida a las reglas de los arts. 392 y siguientes. Asimismo, ya recogió la sentencia de 19 de mayo de 1947 que la entrega constituye un requisito complementario para la efectividad del legado, al mismo tiempo que una circunstancia "sine qua non" para el legatario que quiera disfrutar por sí mismo de la cosa legada, con independencia de la adquisición dominical que tendrá lugar en los términos prevenidos en el art. 882. En la misma línea, la de 29 de mayo de 1963 que aunque el legatario adquiere la propiedad de la cosa legada desde la muerte del testador, ello no le faculta por sí para ocupar la cosa, sino que ha de pedir su entrega y posesión al heredero o albacea, lo que constituye un requisito complementario para la efectividad del legado"[139].*

De los preceptos se desprende que aunque el legatario tenga derecho al legado desde el momento de la muerte del testador y adquiera su propiedad de la cosa legada cuando es específica, determinada y propia del testador, incluso la esté poseyendo, ello no significa que no tenga que pedir su entrega al heredero o albacea autorizado ya que su adquisición no se verifica de forma inmediata como en la herencia sino de forma mediata a través del heredero, otorgando al legatario una acción personal ex testamento para pedir la entrega del legado e incluso ejercitar la acción reivindicatoria contra todo tercero que tenga la cosa legada en su poder. La petición de entrega del legado exige que se haya formado inventario y haya transcurrido el tiempo para deliberar, pues mientras no se liquide la herencia y se sepa si hay bienes suficientes para aplicar al pago de los legados y su aceptación por el heredero, no se puede asegurar que no sea necesaria la reducción o hasta la insuficiencia de los mismos, de ahí que el art. 1025 del Código Civil disponga que "durante la formación de inventario y término para deliberar no podrán los legatarios demandar el pago de sus legados". Así se pronuncia el Tribunal Supremo en sentencias de 11 enero 1950, 24 enero 1963 y constantemente las Audiencias Provinciales como en las sentencias de la Audiencia Provincial de Barcelona de 4 de junio de 2008, Oviedo de 14 de abril de 2008 y 29 de abril de 2002, Santander de 4 de julio de 2008, Palma de Mallorca de 27 febrero de 2007, Pontevedra de 7 noviembre de 2007, Zaragoza de 5 abril de 2006, La Coruña de 31 de enero de 2005, 22 de abril de 2004 y 28 de octubre de 1997, Palencia de 6 de mayo de 2002, Granada de 27 diciembre de 2000 y Santa Cruz de 30 de octubre de 1997, entre otras muchas. En el mismo sentido se ha pronunciado esta Audiencia Provincial de Madrid (Sección 25ª) en su sentencia de 14 de octubre de 2009. Al respecto, por su parte, la Resolución de la Dirección General de Registros y Notariado de 20 noviembre

---

[139]   STS Sala de lo Civil (Sección única). Sentencia número 397/2003, de 21 de abril (Tol 1071098).

de 1998 en su fundamento tercero dice: "*el segundo extremo de la nota de calificación plantea la cuestión de decidir si es posible la entrega de legados de cosa específica habiendo herederos forzosos que no prestan su consentimiento y sin que conste haberse realizado el inventario, liquidación y adjudicación de la herencia en su totalidad y, consiguientemente, sin que haya sido determinado el haber hereditario correspondiente.............. Sobre esta cuestión persiste la doctrina de la Resolución de 27 de febrero de 1982: no es posible la entrega sin que preceda la liquidación y partición de la herencia con expresión de las operaciones particionales de las que resulte cuál es el haber y lotes de bienes correspondientes a los herederos forzosos cuyo consentimiento para la entrega de los legados no consta, porque solamente de este modo puede saberse si dichos legados se encuentran dentro de la cuota de que puede disponer el testador y no perjudica, por tanto, la legítima de los herederos forzosos*". Lo que se ratifica en la Resolución de 13 de enero de 2006.

Antes de proceder a la entrega del legado, de cualquier clase que sea debe verificarse la liquidación y partición de herencia, pues ésa es la única forma de saber si se encuentran dentro de la cuota de la que puede disponer el testador por no perjudicar la legítima de los herederos forzosos. Razón por la cual el derecho conferido por el artículo 882 del Código Civil está subordinado a la liquidación de la masa hereditaria, para saber si el valor de los legados entra dentro de las porciones de las que puede disponer el causante[140].

NORMATIVA

Art. 885 CC.

JURISPRUDENCIA

STS Sala de lo Civil (Sección única). Sentencia número 397/2003, de 21 de abril (*Tol 1071098*).
STS Tribunal Supremo (Sala de lo Civil) Sentencia de 25 mayo 1992 (*Tol 1659847*).
STS Tribunal Supremo (Sala de lo Civil) Sentencia de 8 mayo 1989 (*Tol 3248740*).
SAP de Madrid (Sección 9ª) Sentencia núm. 461/2011 de 26 septiembre (*Tol 2269833*).
STS Tribunal Supremo (Sala de lo Civil) Sentencia núm. 199/2020 de 28 mayo 2020 (*Tol 966044*).

---

[140] SAP de Madrid (Sección 9ª) Sentencia núm. 461/2011 de 26 septiembre (*Tol 2269833*).

Formulario 10. CONTESTACIÓN A LA DEMANDA DE PETICIÓN DE LEGADO CON RECONVENCIÓN ALEGANDO LA CAUTELA SOCINI

FUNDAMENTO LEGAL Y JURISPRUDENCIAL

Fase del procedimiento en la que se encuentra este formulario

Art. 675 del Código Civil.

Jurisprudencia:

Tribunal Supremo/ 19/07/2018 (Tol 6676446).

Tribunal Supremo/ 03/09/2014 (Tol 4521095).

Tribunal Supremo/ 10/06/2014 (Tol 4374204).

Fase: inicial, alegaciones del/la demandado/a. Contestación a la Demanda.

ÓRGANO COMPETENTE

Procedimiento: [...............]

AL JUZGADO DE PRIMERA INSTANCIA Nº [...............]

DE [...............]

ENCABEZAMIENTO

D./Dª [...............], Procurador/a de los Tribunales, colegiado/a nº [...............] del Ilustre Colegio de Procuradores de [...............], actuando en nombre y representación de D./Dª [...............], mayor de edad, DNI número [...............], con domicilio en [...............], calle [...............] núm............... [...............], piso [...............], puerta [...............] (CP...............) según acredito mediante la copia de escritura de poder que acompaño/poder otorgado "apud acta" electrónico/poder que será otorgado "apud acta" ante el/la sr/a Letrado/a de la Administración de Justicia; ante el Juzgado comparezco en el procedimiento al margen referenciado bajo la dirección técnica del/la Letrado/a D./Dª [...............], colegiado/a nº [...............] del Ilustre Colegio de Abogados de [...............] y como mejor proceda en Derecho, **DIGO**:

DIGO/MANIFIESTO

Que en fecha [...............] se le ha notificado a mi representado el Decreto del/la sr/a Letrado de la Administración de Justicia de fecha [...............] por el que, entre otros pronunciamientos, se admite la demanda presentada por D./Dª [...............] y D./Dª [...............] instando el juicio ordinario en ejercicio de la acción de petición de legado y se emplaza a esta parte por veinte días para contestarla. Por lo que, en su virtud y por medio del presente escrito, al amparo del art. 405 de la ley de Enjuiciamiento Civil (en adelante LEC), formulo escrito de CONTESTACIÓN A LA DEMANDA, oponiéndome a la misma y negando todo aquello que no quede expresamente admitido, sobre la base de los siguientes hechos y fundamentos de derecho.

HECHOS

PRIMERO.– Se admite el hecho correlativo de la demanda.

SEGUNDO.– Se admite/se niega el hecho correlativo de la demanda.

TERCERO.– Se niega el hecho correlativo de la demanda. El/la demandante, aparte del legado reclamado, le fue legado el siguiente que tiene carácter oneroso: [...............]

Por lo que, siendo instituido/a legatario/a con dos legados, de los que sólo uno es oneroso, no puede renunciar a éste y aceptar el otro, conforme expresa el art. 890 del Código Civil.

FUNDAMENTOS DE DERECHO

(1) Jurisdicción y competencia

Conforme con el correlativo de la demanda.

(2) Capacidad y legitimación

Conforme con el correlativo de la demanda.

(3) *Representación y defensa*

Esta parte comparece por medio de procurador y dirigida por abogado cumpliendo lo prevenido en los artículos 23 y 31 de la LEC.

(4) *Procedimiento*

Conforme con el correlativo de la demanda.

(5) Cuantía

Conforme con el correlativo de la demanda.

(6) Fondo del asunto

Es de aplicación a este caso el siguiente fundamento legal:

El art. 890 del Código Civil (CC), por el que: el legatario de dos legados, de los que uno fuere oneroso, no podrá renunciar éste y aceptar el otro.

(7) Costas

Es de aplicación el art. 394 de la LEC en cuanto a la condena en las costas causadas de la primera instancia.

Por lo expuesto,

SUPLICO AL JUZGADO

Que teniendo por presentado este escrito con sus documentos y copias en tiempo y forma legales, se sirva admitirlo y tenerme por personado/a y parte en la representación que ostento de D./Dª [...............], por contestada la demanda instada por D./Dª [...............] y D./Dª [...............] con oposición a la misma y en su virtud y tras seguir el procedimiento por sus trámites legales, dicte en su día sentencia por la que, desestimando íntegramente la demanda, acuerde:

a) Absolver libremente a mi representado/a de todas y cada una de las pretensiones deducidas en su contra.

b) Condenar al/la demandante al pago de las costas procesales causadas en este procedimiento.

RECONVENCIÓN

Con arreglo a los arts. 406 y ss. de la Ley de Enjuiciamiento civil, asimismo, por medio del presente, escrito, formulo reconvención sobre la base de los siguientes hechos y fundamentos de derecho:

HECHOS

PRIMERO.– En el testamento que se aporta como documento n° [...............] de la demanda, el/la causante, tras la ordenación de diversos legados y el nombramiento de herederos/as universales en el remanente de sus bienes, incluyó en la cláusula [...............] la prohibición de la intervención judicial en su herencia (cautela socini) en los siguientes términos:

"[cláusula...............] Prohíbe la intervención judicial en su herencia y si alguno la reclamara, quedará privado de cualquier derecho que el testador le haya legado, acrecentando su parte el caudal hereditario citado como remanente".

SEGUNDO.– Los/Las herederos/as del/la causante D./Dª [...............], demandantes reconvenidas, han promovido diferentes pleitos, además del presente, en los que ejercitan diversas acciones ante diferentes juzgados de lo civil y de lo penal, todos ellos con relación directa o indirecta con la herencia de D./Dª [...............]. Por lo que, incumpliendo la cautela socini y no concurriendo herederos forzosos, deben quedar privados de cualquier derecho contemplado en el testamento, conforme a la cita cláusula [...............] del testamento.

En prueba de los diferentes pleitos promovidos:

Documento n° [...............]

Documento n° [...............]

A los anteriores hechos son aplicables los siguientes:

FUNDAMENTOS DE DERECHO

(1) Jurisdicción y competencia

Es Juez competente en las demandas de reconvención el que está conociendo de la que hubiere promovido el litigio conforme al art. 406.1 de la Ley de Enjuiciamiento Civil (LEC).

Art. 406.2. LEC: "No se admitirá la reconvención cuando el Juzgado carezca de competencia objetiva por razón de la materia o de la cuantía o cuando la acción que se ejercite deba ventilarse en juicio de diferente tipo o naturaleza".

(2) Capacidad y legitimación

Conforme con el correlativo de la demanda

(3) Representación y defensa

Esta parte comparece por medio de procurador y dirigida por abogado cumpliendo lo prevenido en los artículos 23 y 31 de la LEC.

(4) Procedimiento

Conforme con el correlativo de la demanda.

(5) Cuantía

Se fija la cuantía de esta reconvención en [...............] con arreglo a las reglas para su determinación establecidas en los arts. 251.2ª y 12ª y art. 252 de la LEC.

6) Fondo del asunto

Son de aplicación a este caso los siguientes fundamentos legales:

Art. 675, párrafo segundo del Código Civil (CC), por el que se faculta al testador para disponer la prohibición de intervención judicial de la herencia.

La STS 464/2018, de 19-07-2018 expresa que la validez de la denominada cautela socini en el marco de las disposiciones testamentarias ha sido declarada por la doctrina jurisprudencial de esta sala, particularmente en las SSTS 835/2013, de 17 de enero de 2014 y 254/2014, de 3 de septiembre. Con base en esta jurisprudencia, esta sala, en la sentencia 717/2014, de 21 de abril de 2015, ha declarado que: "[...............] lo relevante a los efectos de la aplicación testamentaria de la cautela socini es tener en cuenta que el incumplimiento de la prohibición que incorpora no se produce, o se contrasta, con el mero recurso a la intervención judicial, sino que es preciso valorar el fundamento del contenido impugnatorio que determina el recurso a dicha intervención, pues no todo fundamento o contenido impugnatorio de la ejecución testamentaria llevada a cabo queda comprendido en la prohibición impuesta en la cautela socini. En efecto, desde la validez conceptual de la figura, se debe indicar que solo aquéllos contenidos impugnatorios que se dirigen a combatir el ámbito dispositivo y distributivo ordenado por el testador son los que incurren frontalmente en la prohibición y desencadenan la atribución de la legítima estricta, como sanción testamentaria. Por contra, aquellas impugnaciones que no traigan causa de este fundamento y se dirijan a denunciar irregularidades, propiamente dichas, del proceso de ejecución testamentaria, tales como la omisión de bienes hereditarios, la adjudicación *de bienes, sin la previa liquidación de la sociedad legal de gananciales como, en su caso, la inclusión de bienes ajenos a la herencia diferida, entre otras, escapan de la sanción prevista en la medida en que el testador, por ser contrarias a la norma, no puede imbricarlas, ya de forma genérica o particular, en la prohibición testamentaria que acompaña a la cautela y, por tanto, en la correspondiente sanción""*. En un supuesto muy próximo al aquí enjuiciado, esta sala en su sentencia 254/2014, de 3 de septiembre, ha declarado lo siguiente: "[...............] también interesa puntualizar que el objeto de la aplicación de la cautela socini, esto es, el recurso a la intervención judicial en el presente caso, no queda referenciado en la propia acción de petición o entrega del legado de cantidad que dio curso a la demanda ejercitada, pues en su correcto entendimiento la petición del legado y su ejercicio justificado constituye una facultad inherente a la posición jurídica del legatario que el testador no puede abrogar o limitar ya que, en su caso, articula el derecho del legatario a obtener, conforme a la disposición testamentaria, el pago de su legado. Como tampoco lo sería, por extensión, respecto del derecho del legatario de cantidad de anotar preventivamente su legado en el Registro de la Propiedad (artículo 48 LH).*

(7) Costas

Es de aplicación el art. 394 de la LEC en cuanto a la condena en las costas causadas de la primera instancia.

Por lo expuesto,

SUPLICO AL JUZGADO: tenga por formulada RECONVENCIÓN contra D./Dª [...............] y D./Dª [...............] y en su virtud y siguiendo el procedimiento por sus trámites legales, dicte en su día, sentencia, por la que estimándola íntegramente, acuerde:

a) Declarar la privación a los/las demandantes-reconvenidos/as D./Dª [...............] y D./Dª [...............] de todo derecho contemplado en el testamento, conforme a la cláusula [...............] del mismo.

b) Condenar a los/las demandantes-reconvenidos/as al pago de las costas procesales causadas en este procedimiento.

En [...............], a [...............], de [...............], de [...............]

Firma del Letrado/a Firma del Procurador/a

OTROSÍ DIGO

Esta parte manifiesta su voluntad e intención de cumplir con todos y cada uno de los requisitos exigidos por la Ley a los efectos de los art. 231 de la LEC y 243.3 de la LOPJ. **SUPLICO AL JUZGADO**: tenga por efectuada la anterior declaración a los efectos de permitir subsanar a esta parte los defectos procesales que se adviertan.

COMENTARIO

Se remite al formulario referido a la cautela socini.

Formulario 11. SOLICITUD DE MEDIDA CAUTELAR EN MOMENTO POSTERIOR A LA DEMANDA

FUNDAMENTO LEGAL Y JURISPRUDENCIAL

Fase del procedimiento en la que se encuentra este formulario

Art. 730.4 Ley de Enjuiciamiento Civil.

Jurisprudencia:

Tribunal Supremo/ 06/04/2017 (Tol 6037016).

Tribunal Supremo/ 28/09/2005 (Tol 715880).

Fase: en cualquier momento posterior a la demanda en que vengan justificadas por nuevos hechos y circunstancias

ÓRGANO COMPETENTE

Procedimiento: [...............]

AL JUZGADO DE PRIMERA INSTANCIA Nº [...............]

DE [...............]

ENCABEZAMIENTO

D./Dª [...............], Procurador/a de los Tribunales y de D./Dª [...............], como consta ya acreditado en los presentes autos; ante el Juzgado comparezco y como mejor proceda en Derecho, DIGO:

DIGO/MANIFIESTO

Que por medio del presente escrito y al amparo del art. 730.4 de la Ley de Enjuiciamiento Civil (LEC), formulo SOLICITUD DE MEDIDA CAUTELAR interesando en virtud del art. 727.1º LEC el embargo preventivo de [...............] /

(interesando en virtud del art. 727.2º LEC la intervención judicial de la herencia).

(interesando en virtud del art. 727.3º LEC el depósito del bien mueble de la herencia).

(interesando en virtud del art. 727.4° LEC la formación de inventario de bienes de la herencia).

(interesando en virtud del art. 727.5° ó 6° LEC la anotación registral de la demanda o del derecho hereditario).

(interesando en virtud del art. 727.7° LEC se dicte orden judicial de cesación o prohibición de [...............]).

(otras...............); sobre la base de los siguientes hechos y fundamentos de derecho.

HECHOS

PRIMERO.– HECHOS Y CIRCUNSTANCIAS QUE JUSTIFICAN LA SOLICITUD EN ESTE MOMENTO.

[...............]

SEGUNDO.– PELIGRO POR LA MORA PROCESAL.

[...............]

TERCERO.– IDONEIDAD Y PROPORCIONALIDAD DE LA MEDIDA CAUTELAR QUE SE INTERESA. La medida interesada es idónea y proporcional para impedir la situación de peligro, dado que [...............]

CUARTO.– APARIENCIA DE BUEN DERECHO DEL SOLICITANTE.

[...............]

QUINTO.– OFRECIMIENTO DE CONSTITUCIÓN DE CAUCIÓN. Atendida la naturaleza y el contenido de la pretensión así como la valoración del fundamento de la medida, se ofrece la prestación de caución del tipo [...............] por importe de [...............], que resulta bastante para responder, de manera rápida y efectiva, de los daños y perjuicios que la adopción de la cautela pueda causar, que podrían consistir en [...............] con un valor máximo de [...............]

SEXTO.– INAUDITA PARTE. RAZONES DE URGENCIA O QUE LA AUDIENCIA PREVIA PUEDA COMPROMETER EL BUEN FIN DE LA MEDIDA CAUTELAR QUE FUNDAMENTAN ADOPTAR LAS MEDIDAS CAUTELARES SIN PREVIA AUDIENCIA A LA OTRA PARTE.

[...............]

FUNDAMENTOS DE DERECHO

Son de aplicación a este caso los siguientes fundamentos legales:

Art. 728.1 de la Ley de Enjuiciamiento Civil (LEC). Peligro de mora.

Arts. 726 y 727 de la LEC. Idoneidad y proporcionalidad de la medida interesada.

Art. 728.2 de la LEC. Apariencia de buen derecho.

Arts. 728.3, 732.3 y 737 de la LEC. Caución.

Art. 733.2 de la LEC. Inaudita parte.

Art. 394 de la LEC en cuanto a la condena en las costas causadas

(El art. 166 Primera del Reglamento Hipotecario se ocupa de la anotación preventiva del embargo de bienes hereditarios en procedimientos seguidos contra herederos por responsabilidades del causante y también por deudas propias de los mismos)

(El art. 46 de la Ley Hipotecaria no permite practicar al coheredero individual un asiento de inscripción sobre los bienes inmuebles de la herencia durante la fase de comunidad hereditaria, pero, sí le permite un asiento de anotación preventiva de su derecho hereditario en abstracto, conforme al art. 42 sexto d ella misma Ley)

(El art. 42 séptimo, 47 y 48 de la Ley Hipotecaria facultan al legatario que no tenga derecho a promover el juicio de testamentaría para pedir la anotación preventiva de su derecho en el Registro)

Artículo 49, segundo párrafo de la Ley Hipotecaria: "*Si alguno de los legatarios no fuere persona cierta, el Juez o Tribunal mandará hacer la anotación preventiva de su legado, bien a instancia del mismo heredero o de otro interesado, bien de oficio*".

Por lo expuesto,

SUPLICO AL JUZGADO

Que teniendo por presentado este escrito con sus documentos y copias, se sirva admitirlo y en su virtud, estimando esta solicitud y tras los trámites legales, se digne decretar:

(el embargo preventivo del siguiente bien [...............])

(La intervención judicial de la herencia de D./Dª [...............])

(el depósito del siguiente bien mueble de la herencia)

(la formación de inventario de bienes de la herencia)

(la anotación registral de la demanda o del derecho hereditario sobre las fincas relacionadas, expidiendo para ello mandamiento por duplicado al/la Sr./Sra Registrador/a de la Propiedad de [...............])

(orden judicial de cesación o prohibición de [...............])

(otras...............)

condenando a la contraparte al pago de las costas procesales causadas.

En [...............], a [...............], de [...............], de [...............]

Firma del Letrado/a   Firma del Procurador/a

COMENTARIO

Estos formularios tienen por objeto la solicitud de medida cautelar en momento posterior a la demanda. Téngase en cuenta la siguiente información:

DOCTRINA

Las medidas cautelares tienen por objeto asegurar la efectividad de la resolución judicial que debe dictarse en el proceso, evitando el peligro de la demora procesal. Tratan de impedir que el transcurso del tiempo genere situaciones que dificulten o imposibiliten la ejecución del pronunciamiento judicial que se insta, con perjuicio a la tutela efectiva de los derechos o intereses legítimos que se pretende. Constituyen un mecanismo de tutela cuya finalidad es garantizar la efectividad de la justicia.

Pueden solicitarse medidas cautelares por persona legitimada, junto con la demanda principal (por medio de otrosí). Pero, también antes de la demanda por razones de urgencia y necesidad y con posterioridad a la demanda, cuando se base en hechos y circunstancias que justifiquen la solicitud en esos momentos.

Las medidas cautelares que pueden solicitarse no están tasadas legalmente, cabe cualquier actuación directa o indirecta sobre los bienes y derechos del demandado que cumpla con los caracteres de una medida cautelar. Y se prevén para todo proceso (genéricas), salvo aquéllas que son específicas de uno determinado[141].

Procede se adopten las medidas menos gravosas para el demandado, pueden modificarse si se alteran las circunstancias que se hayan tenido en cuenta y deben alzarse cuando dejen de cumplir su función aseguradora.

---

[141] *"La ley opta por un sistema abierto, es decir, autoriza a los tribunales para decretar cualesquiera medidas que resulten adecuadas en cada caso a los efectos de asegurar la eficacia de una eventual sentencia estimatoria (arts. 721.1 y 726.1 LECiv). Lo que no impide que el artículo 727 LECiv ofrezca un catálogo de medidas específicas con el objeto de guiar a los tribunales y evitar que la indeterminación les produzca el denominado "miedo al vacío". Como es sabido, el artículo 1428 LECiv/1881 también permitía la adopción de medidas innominadas pero, con independencia de las muchas deficiencias que aquejaban al precepto, el propio planteamiento era bien diferente del actual, ya que dicho artículo establecía una suerte de cláusula residual, de la que cabía echar mano cuando las medidas específicas resultaban insuficientes o inadecuadas. En la actualidad, por el contrario, la indeterminación es la regla y la ulterior especificación del artículo 727 LECiv no persigue otra cosa que guiar al juzgador a superar el referido "metum vacui" y establecer alguna concreción".* Vid. ORMAZÁBAL SÁNCHEZ, G., "Comentario al artículo 726 de la Ley de Enjuiciamiento Civil. Características de las medidas cautelares. Comentarios a la Ley de Enjuiciamiento Civil (Tomo II)", *Grandes Tratados*, Editorial Aranzadi, SAU, 2011.

La anotación preventiva del derecho hereditario no otorga registralmente al coheredero un derecho sobre la cuota concreta del bien inmueble a que se refiere la anotación, sino que, informa a terceros de que existe un derecho hereditario en abstracto y que el dicho bien está sujeto a futura partición.

Las medidas cautelares en la LEC presentan notas destacadas como temporalidad, provisionalidad, discrecionalidad, instrumentalidad y homogeneidad, asignándose una función de garantía de la sentencia estimatoria que recaiga, pero dotando al proceso cautelar de una autonomía propia junto con el proceso declarativo y de ejecución; así se deduce del artículo 5 de dicha Ley, donde se prevén las distintas clases de tutela judicial que pueden otorgarse.

Tratándose de medidas instrumentales afrontan una realidad procesal que tiende a cubrir la eventualidad de que durante la sustanciación presente o futura del proceso principal, que requiere un lapso de tiempo para su tramitación y termino, pueda obligarse al demandado, tanto a no llevar a cabo determinados actos como a realizar otros en su patrimonio; también se ha de tener en cuenta su configuración, si bien no como un proceso judicial autónomo, sí como una tutela judicial autónoma, dentro del ámbito del derecho a la tutela judicial efectiva (SSTC 238/1992 [RTC 1992, 238] y 218/1994 [RTC 1994, 218]). Por otra parte, el artículo 726 de la *Ley de Enjuiciamiento Civil* (RCL 2000, 34, 962 y RCL 2001, 1892), en relación con el 721.1 y 727.11ª de la misma, establecen que se pueden acordar como medidas cautelares genéricas las que recaigan sobre bienes y derechos del demandado y las que consistan en ordenes y prohibiciones de contenido similar a lo que se pretenda en el proceso, sin prejuzgar la sentencia que en definitiva se dicte. Las primeras son exclusivamente conducentes a hacer efectiva la tutela judicial que pudiera otorgarse en una eventual sentencia estimatoria de modo que no pueda verse impedida o dificultada por situaciones producidas durante la pendencia del proceso. Ha de notarse que no se protege la ejecución propiamente dicha, sino la efectividad de la sentencia, es decir, que de lo que se trata es de evitar que por los posibles peligros existentes durante la tramitación del proceso, en su día no pueda cumplirse totalmente lo resuelto; de ahí que incluso puedan anticiparse, con carácter provisional, algunos de los efectos de dicha sentencia, característica que va unida a la accesoriedad regulada en el artículo 731 de esta Ley; así pues, como tienen dicho nuestros tribunales, las medidas cautelares tienen como fin asegurar la efectividad de la sentencia condenatoria que se pretende y para el caso de que el tribunal falle según la petición efectuada, pero lo que nunca pueden pretender es un simple anticipo sin más del fallo definitivo, en tanto se debate en el pleito, pues ello no sería sino ejecutar una sentencia que no ha sido dictada. Sin embargo, junto a las medidas específicas que se contienen en el artículo 727, la Ley de Enjuiciamiento regula en el 726 las medidas cautelares innominadas. Y dentro de estas distingue unas con una finalidad aseguratoria de la efectividad de la sentencia, y otras con un contenido similar al previsto en el suplico de la demanda, esto es anticipatorias. Las primeras, como ya se ha señalado, son medidas que tienden a asegurar la efectividad de la tutela judicial que pudiere otorgarse en una eventual sentencia estimatoria (art. 726.1 LECiv) y proceden siempre que no sean susceptibles de sustitución por otra medida igualmente eficaz pero menos gravosa y perjudicial para el demandado (art. 726.1, 2ª), mientras que las segundas, habilitan al Juez para dictar órdenes y prohibiciones de contenido similar a lo que se pretende en el proceso, sin prejuzgar la sentencia que en definitiva se dicte (art. 726.2 de la LECiv)[142].

Acordada una medida cautelar y prestada la caución que proceda, señala la doctrina en la materia en su análisis de lo previsto en el artículo 738[143] que el tribunal debe proceder de oficio a su inmediata ejecución o cumplimiento. A tal fin, el legislador permite al tribunal acudir a los medios que resulten precisos, que podrán ser, si conviene, los establecidos para la ejecución de sentencias. De poco servirían medidas cautelares enérgicas si no se dispusiese también de enérgicos medios para hacerlas cumplir o ejecutar. Es razonable, pues, que las medidas cautelares puedan hacerse efectivas de igual modo que si de una sentencia se tratase.

En todo caso, el tribunal habrá de acudir a aquellos medios que resulten menos gravosos o contundentes para asegurar la efectividad de la medida. Y, en principio, parece que los medios más agresivos de que cabe echar mano para el cumplimiento de las medidas serán los propios de la ejecución de sentencias, aunque bien puede suceder que no quepa proceder de forma distinta y la medida pensada para la ejecución resulte la única idónea para hacer cumplir la medida cautelar. Por otra parte, cuando la Ley se refiere a la utilización de las medidas previstas para la ejecución de sentencias parece estar pensando en aquellasencaminadas a garantizar la efectividad de la medida ejecutiva correspondiente (inscripciones registrales para hacer efectivo el embargo, depósito, administración, etc.).

NORMATIVA

Ley 1/2000, de 7 de enero, LEC RCL/2000/34.

---

[142]   SAP de Santa Cruz de Tenerife (Sección 4ª) Auto núm. 117/2006 de 15 septiembre (*Tol* 6276661).

[143]   Vid. ORMAZÁBAL SÁNCHEZ, G., "Comentario al art. 738 de la LECiv Ejecución de la medida cautelar. Comentarios a la Ley de Enjuiciamiento Civil (Tomo II)", *Grandes Tratados*, Editorial Aranzadi, SAU, marzo de 2011.

Art. 721-746 de la LEC.

Ley 13/2009, de 3 de noviembre, de reforma de la legislación procesal para la implantación de la nueva Oficina judicial ("BOE" 4 noviembre). Vigencia: 4 mayo 2010.

Ley 8/2021, de 2 de junio, por la que se reforma la legislación civil y procesal para el apoyo a las personas con discapacidad en el ejercicio de su capacidad jurídica.

JURISPRUDENCIA

STS (Sala de lo Civil, Sección 1ª), Sentencia núm. 464/2018 de 19 de julio (*Tol 6676446*).

Auto de la AP de Santa Cruz de Tenerife (Sección 4ª), Auto núm. 117/2006, de 15 de septiembre (*Tol 6276661*).

2. LA DIVISIÓN JUDICIAL DE LA HERENCIA

Ley 1/2000, de 7 de enero, de Enjuiciamiento Civil

Formulario 1. SOLICITUD DE DIVISIÓN JUDICIAL DE HERENCIA POR COHEREDERO/A O LEGATARIO/A DE PARTE ALÍCUOTA INTERESANDO LA INTERVENCIÓN DE LOS BIENES

FUNDAMENTO LEGAL Y JURISPRUDENCIAL

Fase del procedimiento en la que se encuentra este formulario

Art. 1059 del Código Civil.

Jurisprudencia:

Audiencia Provincial de Burgos/ 18/06/2015 (Tol 5511393).

Audiencia Provincial de Asturias/ 21/12/2009 (Tol 6742561).

Fase: Inicial. Demanda en el procedimiento judicial para la división de la herencia

ÓRGANO COMPETENTE

AL JUZGADO DE PRIMERA INSTANCIA

DE [...............]

—que por turno de reparto corresponda—

ENCABEZAMIENTO

D./Dª [...............], Procurador/a de los Tribunales, colegiado/a n° [...............] del Ilustre Colegio de Procuradores de [...............], actuando en nombre y representación de D./Dª [...............], DNI n° [...............], mayor de edad, con domicilio en [...............], calle [...............] núm. [...............], piso [...............], puerta [...............] (CP...............) según acredito mediante la copia de escritura de poder que acompaño/poder otorgado "apud acta" electrónico/poder que será otorgado "apud acta" ante el/la sr/a Letrado/a de la Administración de Justicia; ante el Juzgado comparezco bajo la dirección técnica del/la Letrado/a D./Dª [...............], colegiado/a n° [...............] del Ilustre Colegio de Abogados de [...............] con despacho profesional en [...............] y como mejor proceda en Derecho, **DIGO**:

DIGO/MANIFIESTO

Que siguiendo expresas instrucciones de mi representado/a y en su condición de heredero/a o legatario/a de parte alícuota, por medio del presente escrito y al amparo del art. 782.1 de la Ley de Enjuiciamiento Civil (en adelante, LEC) formulo solicitud de DIVISIÓN JUDICIAL DE LA HERENCIA de D./Dª [.......................................], con INTERVENCIÓN DE LOS BIENES de la misma. Resultando interesados en este procedimiento:

D/Dª [...............], DNI Nº [...............] con domicilio en [...............], calle [...............] nº [...............], piso [...............], puerta [...............] (CP...............), como coheredero/a del/la causante.

D/Dª [...............], DNI Nº [...............] con domicilio en [...............], calle [...............] nº [...............], piso [...............], puerta [...............] (CP...............), como legatario/a de parte alícuota.

D/Dª [...............], DNI Nº [...............] con domicilio en [...............], calle [...............] nº [...............], piso [...............], puerta [...............] (CP...............), como cónyuge sobreviviente.

[Ministerio Fiscal por el menor/incapacitado/ausente D/Dª [...............], DNI Nº [...............] con domicilio en [...............], calle [...............] nº [...............], piso [...............], puerta [...............] (CP...............)]]

Y ello sobre la base de los siguientes hechos y fundamentos de derecho.

HECHOS

PRIMERO.– D./Dª [...............] falleció el día [...............] de [...............] de [...............] en la localidad de [...............]

En su prueba se acompaña:

Documento nº 1. Certificado de defunción expedido por el Registro Civil de [...............]

SEGUNDO.– D./Dª [...............] falleció sin testar, lo que motivó que se instara del/ el notario de la ciudad de [...............] D./Dª [...............] acta de notoriedad de declaración de herederos *ab intestato* de fecha [...............] en la que se declara, tras las pruebas practicadas y conforme al vigente Código Civil, que son herederos/as del/ la causante:

D/Dª [...............], con domicilio en [...............], c/ [...............] nº [...............], piso [...............], puerta [...............] (CP...............)

D/Dª [...............], con domicilio en [...............], c/ [...............] nº [...............], piso [...............], puerta [...............] (CP...............)

Siendo su cónyuge sobreviviente:

D/Dª [...............], con domicilio en [...............], c/ [...............] nº [...............],
piso [...............], puerta [...............] (CP...............)

Documento nº 2. Certificado del Registro de Actos de Ultima Voluntad

Documento nº 3. Copia autorizada del acta de notoriedad de declaración de herederos ab intestato de D/Dª [...............] expedida por el/la citado/a notario, bajo el nº
[...............] de su protocolo.

(EN OTRO CASO). D./Dª [...............] había otorgado testamento, no revocado por
otro posterior, ante el/el notario de [...............], D./Dª [...............] el día [...............]
de [...............] de [...............], bajo la nº [...............] de su protocolo, en el que
instituyó herederos y legatarios de parte alícuota a los siguientes:

HEREDERO/A: D/Dª [...............], con domicilio en [...............], c/ [...............]
nº [...............], piso [...............], puerta [...............] (CP...............)

HEREDERO/A: D/Dª [...............], con domicilio en [...............], c/ [...............]
nº [...............], piso [...............], puerta [...............] (CP...............)

LEGATARIO/A DE PARTE ALÍCUOTA: D/Dª [...............], con domicilio en
[...............], c/ [...............] nº [...............], piso [...............], puerta [...............]
(CP...............)

Siendo su cónyuge sobreviviente:

D/Dª [...............], con domicilio en [...............], c/ [...............] nº [...............],
piso [...............], puerta [...............] (CP...............)

Documento nº 2. Certificado del Registro de Actos de Última Voluntad

Documento nº 3. Copia autorizada del testamento

TERCERO.– Los herederos/as han aceptado la herencia.

Documento nº 4. Copia de la escritura de aceptación

CUARTO.– No habiéndose otorgado testamento/no habiéndose nombrado/a albacea ni comisario/a contador/a-partidor/a, interesa la división judicial, dado que en el
tiempo transcurrido desde el fallecimiento del/la causante no se ha podido llegar a un
acuerdo entre los/las interesados/as sobre la división, partición y adjudicación de la herencia, manteniéndose el patrimonio relicto en situación de indivisión al día de hoy.

QUINTO.– El caudal hereditario que esta parte conoce está formado por los siguientes
bienes:

BIENES INMUEBLES:

1. Vivienda sita en [...............] (...............), calle [...............], nº
[...............], piso [...............], puerta [...............], con una superficie construida de
[...............] m2 y superficie útil de [...............] m2. Consta de [...............] Linda;
derecha entrando [...............]; izquierda [...............]; frente [...............] y fondo
[...............]. Referencia catastral [...............] e inscrita en el Registro de la Propiedad

de [...............], tomo [...............], libro [...............], folio [...............], finca nº [...............].

2. Finca rústica, tierra de [...............], sita en el paraje [...............], término de [...............] (...............). Tiene una superficie de [...............] hectáreas, [...............] áreas y [...............] centiáreas. Linda al norte con [...............], sur con [...............], este con [...............] y oeste con [...............]. Es la parcela nº [...............] del polígono [...............] de [...............]. Referencia catastral [...............] e inscrita en el Registro de la Propiedad de [...............], tomo [...............], libro [...............], folio [...............], finca nº [...............].

BIENES MUEBLES:

Saldo en cuenta bancaria, tipo de cuenta depósito a la vista en entidad [...............], sucursal de [...............], calle [...............] nº [...............]. Con un haber a fecha [...............] de [...............] euros. IBAN [...............].

A los anteriores hechos son de aplicación los siguientes:

FUNDAMENTOS DE DERECHO

(1) Jurisdicción y competencia

Corresponde a la jurisdicción civil de conformidad con lo dispuesto en el art. 36 de la LEC. Y es competente el Juzgado de Primera Instancia al que me dirijo con arreglo a lo dispuesto en el art. 45 y *52.4º de la LEC. En los juicios sobre cuestiones hereditarias, será competente el tribunal del lugar en que el finado tuvo su último domicilio y si lo hubiere tenido en país extranjero, el del lugar de su último domicilio en España, o donde estuviere la mayor parte de sus bienes, a elección del demandante.*

Téngase en cuenta lo previsto en el artículo 52.5 de la LEC en orden a la reforma de la Ley 8/2021, de 2 de junio, por la que se reforma la legislación civil y procesal para el apoyo a las personas con discapacidad en el ejercicio de su capacidad jurídica. 5º "En los juicios en que se ejerciten acciones relativas a las medidas judiciales de apoyo de personas con discapacidad será competente el Tribunal del lugar en que resida la persona con discapacidad, conforme se establece en el apartado 3 del artículo 756".

(2) Capacidad y legitimación

Las partes tienen capacidad, con arreglo al art. 6 de la LEC y se encuentran legitimadas activa y pasivamente para interponer y soportar el presente procedimiento a tenor de lo preceptuado en el art. 10 de la LEC. Art. 782.1 LEC. 1. *"Cualquier coheredero o legatario de parte alícuota podrá reclamar judicialmente la división de la herencia, siempre que esta no deba efectuarla un comisario o contador-partidor designado por el testador, por acuerdo entre los coherederos o por el Letrado de la Administración de Justicia o el Notario".* (artículo modificado en cuanto a las referencias al secretario judicial, que se entenderán hechas a Letrado de la Administración de Justicia, por disposición adicional 1 de la Ley Orgánica número 7/2015, de 21 de julio.

(3) Representación y defensa

Artículos 23 y 31 de la LEC. Esta parte comparece por medio de procurador y dirigida por abogado cumpliendo lo prevenido en ambos artículos.

(4) Procedimiento

Procede seguir los trámites previstos en los arts. 782 a 789 de la LEC.

(5) Cuantía

Se fija la cuantía de este procedimiento en [...............] con arreglo a las reglas para su determinación establecidas en los arts. 251.2ª y 12ª y art. 252 de la LEC.

(6) Fondo del asunto

Son de aplicación a este caso los siguientes fundamentos legales:

Art. 1051 del Código Civil (CC), por el que: *"Ningún coheredero podrá ser obligado a permanecer en la indivisión de la herencia, a menos que el testador prohíba expresamente la división".*

Art. 1052 CC: *"Todo coheredero que tenga la libre administración y disposición de sus bienes podrá pedir en cualquier tiempo la partición de la herencia. Lo harán sus representantes legales si el coheredero está en situación de ausencia. Si el coheredero contase con medidas de apoyo por razón de discapacidad, se estará a lo que se disponga en estas".* (Redacción dada por la Ley 8/2021, de 2 de junio, por la que se reforma la legislación civil y procesal para el apoyo a las personas con discapacidad en el ejercicio de su capacidad jurídica).

El art. 1059 CC, establece que cuando los herederos mayores de edad no se entendieren sobre el modo de hacer la partición, quedará a salvo su derecho para que le ejerciten en la forma prevenida en la Ley de Enjuiciamiento Civil.

(7) Costas

Es de aplicación el art. 394 de la LEC en cuanto a la condena en las costas causadas de la primera instancia.

Por lo expuesto,

SUPLICO AL JUZGADO

Que teniendo por presentado este escrito con sus documentos y copias, se sirva admitirlo y tenerme por personado/a y parte en la representación que ostento de D./Dª [...............] y por formulada solicitud de división judicial de la herencia causada por D./Dª [...............] y en su virtud, acuerde el/la sr./a Letrado de la Administración de Justicia:

a) Convocar a Junta a todos los herederos, al cónyuge sobreviviente, a los legatarios, legatarios de parte alícuota, al Ministerio Fiscal (si hubieren menores o ausentes) y a los acreedores del art. 782.5 LEC que se personaren, además de mi mandante, para la designación de contador y, en su caso, peritos prevista en el artículo 783 de la Ley de Enjuiciamiento Civil.

El artículo 783.4 de la LEC fue modificado por la Ley 8/2021.

b) Seguir el procedimiento por sus trámites legales para, una vez practicadas las operaciones divisorias del caudal hereditario, si no se formulase oposición, aprobarlas por Decreto del/la sr./a Letrado de la Administración de Justicia. Y si no hubiere conformidad de todos/as los/as interesados/as y tras sustanciarse el procedimiento con arreglo a lo dispuesto para el juicio verbal, aprobarlas mediante sentencia, condenando a los/as vencidos/as al pago de las costas causadas.

OTROSÍ DIGO

PRIMERO.– Conforme al art. 783.1 LEC, si el que solicita la división interesa oportunamente la intervención del caudal y la formación de inventario, se decretará, si resulta procedente, practicándose las medidas prevenidas en el art. 791.2, conforme al art. 792 y 793 de la LEC. En su virtud, **SUPLICO AL JUZGADO**: acuerde la intervención del caudal hereditario, mandando se proceda a ocupar los libros, papeles, correspondencia y efectos del difunto y a inventariar y depositar los bienes, nombrando a persona que efectúe y garantice el inventario y su depósito.

SEGUNDO.– Esta parte manifiesta su voluntad e intención de cumplir con todos y cada uno de los requisitos exigidos por la Ley a los efectos de los art. 231 de la LEC y 243.3 de la LOPJ. **SUPLICO AL JUZGADO**: tenga por efectuada la anterior declaración a los efectos de permitir subsanar a esta parte los defectos procesales que se adviertan.

En [...............], a fecha [...............], de [...............], de [...............]

Firma del Letrado/a   Firma del Procurador/a

COMENTARIO

Estos formularios tienen por objeto la Solicitud de división judicial de la herencia por el/la coheredero/a o legatario/a de parte alícuota, interesando además la intervención de los bienes. Téngase en cuenta la siguiente información:

DOCTRINA

Solicitud de división judicial de la herencia por el/la coheredero/a o legatario/a de parte alícuota, interesando además la intervención de los bienes.

Tres son los artículos claves en el estudio de la división judicial de la herencia. Los artículos 1051[144], 1052 del Código Civil[145] y el artículo 782 de la LEC[146].

El procedimiento de división judicial de herencia aparece regulado en la *Ley de Enjuiciamiento Civil* (RCL 2000, 34, 962 y RCL 2001, 1892) dentro del libro IV, relativo a los procesos especiales, y el primero de los artículos relativo a la división judicial de la herencia, el artículo 782, concede a cualquier coheredero o legatario de parte alícuota el derecho a reclamar judicialmente la división de la herencia, pero añadiendo "*siempre que ésta no deba efectuarla un comisario o contador-partidor designado por el testador*".

Este procedimiento constituye un conjunto de actuaciones cuyo objetivo final es partir la herencia, obteniendo la división de un patrimonio hereditario cuando existe Litis entre los sucesores. Conceptualizado por la doctrina en lo que respecta a su naturaleza jurídica como un proceso contencioso, al que continúa su subsidiariedad o supletoriedad, universalidad, extinción de la comunidad hereditaria y preceptividad[147].

Nos dice sobre el proceso Auto de Audiencia Provincial de Madrid (Sección 12ª), de 28 de julio de 2008[148]: "*el procedimiento de división judicial de herencia, del que surge la incidencia que ahora se resuelve, se integra por tres procesos sucesivos y complementarios, que son (1) el de intervención del caudal hereditario, (2) el de formación de inventario y aseguramiento del caudal, y (3) el de designación de contador y perito; práctica y aprobación de las operaciones divi-*

---

[144] Cfr. Artículo 1051 del CC. "*Ningún coheredero podrá ser obligado a permanecer en la indivisión de la herencia, a menos que el testador prohíba expresamente la división. Pero, aun cuando la prohíba, la división tendrá siempre lugar mediante alguna de las causas por las cuales se extingue la sociedad*".

[145] Artículo 1052 del CC. "*Todo coheredero que tenga la libre administración y disposición de sus bienes podrá pedir en cualquier tiempo la partición de la herencia. Lo harán sus representantes legales si el coheredero está en situación de ausencia. Si el coheredero contase con medidas de apoyo por razón de discapacidad, se estará a lo que se disponga en estas*".

[146] Artículo 782 de la LEC. *Solicitud de división judicial de la herencia 1. Cualquier coheredero o legatario de parte alícuota podrá reclamar judicialmente la división de la herencia, siempre que esta no deba efectuarla un comisario o contador-partidor designado por el testador, por acuerdo entre los coherederos o por el Letrado de la Administración de Justicia o el Notario*".............. Número 1 del artículo 782 redactado por el apartado catorce de la disposición final tercera de la Ley 15/2015, de 2 de julio, de la Jurisdicción Voluntaria ("BOE" 3 julio). Vigencia: 23 julio 2015. Vid también la modificación en virtud de la Ley Orgánica número 7/2015, de 21 de julio.

[147] POUS DE LA FLOR, M. P., "La acción de división de herencia y el procedimiento previo de la liquidación del régimen económico de gananciales. Nulidad, rescisión y modificación de la partición", *El patrimonio sucesorio: reflexiones para un debate reformista*, coord. por ÓSCAR MONJE BALMASEDA; FRANCISCO LLEDÓ YAGÜE (dir.), MARÍA PILAR FERRER VANRELL (dir.), JOSÉ ANGEL TORRES LANA (dir.), Vol. 2, Editorial Dykinson, 2014, p. 1268.

[148] Auto núm. 593/2008 de 28 julio *(Tol 3781127)*.

sorias, y entrega de los bienes adjudicados a cada heredero. El procedimiento de división de la herencia se puede instar desde cada una de las tres fases indicadas, en función de la situación de hecho en que se encuentre la herencia yacente y las relaciones entre los coherederos, pues nada obsta que —como ha ocurrido en este caso donde no hay cuestión alguna sobre el haber hereditario—, si todas lo asumen, se pueda iniciar y concluir en su fase final (3), con las operaciones divisorias y adjudicación. También puede incoarse en la fase de inventario (2), al que seguirán las operaciones particionales. Nada se opone, en último caso, a que el procedimiento se inicie desde la intervención del caudal hereditario (1), que comprende el desarrollo completo del proceso sucesorio".

Señala el Auto de la Audiencia Provincial de A Coruña de 10-03-2017: *"que la partición tiene por objeto poner fin a la comunidad hereditaria y el reparto o adjudicación del activo y pasivo integrante de la herencia de que se trate entre los correspondientes herederos y sucesores mortis causa de los causantes. Y también lo es que el procedimiento para la división judicial de la herencia, regulado en los artículos 782 y siguientes de la Ley de Enjuiciamiento Civil, es de tipo subsidiario o supletorio respecto de las otras formas de partición. No es admisible cuando ya haya sido realizada extrajudicialmente por acuerdo entre los coherederos, o por el propio testador, o cuando lo hubiere hecho o deba efectuarla un comisario o contador partidor designado por éste, o el letrado/a de la Administración de Justicia o el notario, según se desprende de lo dispuesto en el artículo 782.1 de la* Ley de Enjuiciamiento Civil, *y en la medida correspondiente los artículos 1056 a 1059 del* Código Civil".

El hecho de que se configure la división de la herencia como un proceso especial no quiere decir que no puedan aplicarse supletoriamente al mismo la regla de carácter general que contiene la Ley de Enjuiciamiento Civil (RCL 2000, 34, 962 y RCL 2001, 1892), especialmente cuando el procedimiento se convierte realmente en contencioso al no llegar las partes a ningún acuerdo a la hora de realizar el inventario, y debiendo acudir, en consecuencia, a los trámites del juicio verbal, tal como sostiene la SAP de Audiencia Provincial de Salamanca (Sección 1ª)[149].

Ante la falta de acuerdo, el procedimiento se convierte en contencioso y, ahí sí, puede legítimamente, y al amparo de lo establecido en los artículos 387 y siguientes de la Ley de Enjuiciamiento Civil (RCL 2000, 34, 962 y RCL 2001, 1892), promoverse la cuestión incidental de previo pronunciamiento, relativa a la inadecuación de procedimiento, cuestión incidental que cabe plantear

---

[149]   Cfr. SAP de Salamanca (Sección 1ª) Sentencia núm. 46/2015 de 11 febrero (*Tol 4761448*).

perfectamente en el juicio verbal, según lo previsto en el artículo 443 y 444, en relación con los artículos 422 y 423 de la misma Ley.

La legitimación para instar a este procedimiento se atribuye a quien acredite su condición de coheredero o legatario de parte alícuota sobre el patrimonio hereditario[150].

---

[150] En lo concerniente a la legitimación en el proceso civil advierte la SAP de Madrid lo siguiente: *"es criterio aceptado que la comunidad que existe entre los copartícipes de una herencia indivisa, llamada comunidad hereditaria, se rige, con carácter supletorio y en lo no regulado especialmente por la Ley, por las disposiciones del Código civil relativas a la comunidad de bienes (artículo 394 y concordantes) en cuanto lo permita su peculiar naturaleza (SSTS 21 de marzo de 1944, 25 de noviembre de 1961 y 7 de mayo de 1985), entre las cuales se encuentran las relativas a los derechos del coheredero sobre la herencia indivisa, como son las facultades de uso y gestión del patrimonio hereditario, siendo una de las más características la de ejercitar acciones en beneficio de la comunidad, que legitima activamente a cualquier comunero (SSTS 15 de noviembre de 1963, 17 de noviembre de 1977, 7 de febrero de 1981 y 14 de marzo de 1994, entre otras) y, en consecuencia, a cualquier coheredero. Aun cuando la herencia se encuentre en situación de indivisión, existiendo la comunidad hereditaria integrada por la demandante y los restantes hijos e hijos de los hijos fallecidos de la causante como titular de los bienes de la herencia, cualquiera de los coherederos está legitimado procesalmente para ejercitar acciones en beneficio de todos los herederos, de modo que, en legítima defensa de sus intereses, puede cualquiera de ellos promover acciones, sin que los resultados perjudiciales vinculen a los demás coherederos, dejando a salvo las acciones que asistan a los coherederos entre sí, no constando, en este caso, una eventual oposición de los demás coherederos a la acción promovida por la actora. De acuerdo con esta doctrina, cualquiera que sea la naturaleza del derecho ejercitado en la demanda, la actora está legitimada activamente, legitimación que nace de la transmisión del mismo por sucesión, bien testamentaria, bien forzosa de su madre, anterior titular del contrato en virtud del cual abonó el precio a la demandada con numerario de su propiedad (de la fallecida) y, por ello, de los derechos inherentes a dicho pago, con independencia de que no se haya realizado la partición de la herencia y ésta permanezca indivisa o se haya realizado sólo en parte y permanezca indivisa en lo aún no partido (precisamente el crédito aquí reclamado). Por último, es doctrina jurisprudencial, establecida en sentencias de 5 de marzo de 1992, 22 de mayo de 1993, 14 de marzo de 1994 o 17 de febrero de 2003, que la legitimación concurre en el comunero (coheredero) que promueve acciones en beneficio de la comunidad y ello, aún cuando no se hubiera hecho constar en la demanda de una forma expresa que se actúa en nombre e interés de la comunidad, siempre que se plantee una pretensión que de prosperar, ha de redundar en provecho de la misma, salvo que se demuestre que se trata de una actuación en beneficio exclusivo del promotor de la acción o conste la oposición manifiesta de los comuneros (coherederos). En el presente supuesto, la actora, a requerimiento del juzgador rectifica o aclara su pretensión en el sentido de accionar en interés y beneficio de la comunidad hereditaria y no en interés exclusivo y beneficio propio y desde esa rectificación o aclaración su legitimación, aunque no haya hecho constar en la demanda que actúa en beneficio de la comunidad hereditaria, su legitimación no ofrece duda. Además, la acción ejercitada era objetivamente en provecho común (recuperar en parte la contraprestación entregada a la demandada) y el resultado pretendido era provechoso prima facie para la comunidad hereditaria. En el presente caso, la acción ejercitada redunda objetivamente en beneficio de la comunidad hereditaria, de donde resulta la legitimación de la demandante".* Cfr. Audiencia Provincial de Madrid (Sección 14ª) Sentencia núm. 318/2011 de 29 junio (*Tol 2205547*). Cfr. Audiencia Provincial de Segovia (Sección 1ª) Sentencia núm. 327/2016 de 29 julio (*Tol 5843349*).

Sobre la legitimación la doctrina señala: "*además de los coherederos, podrán solicitar la partición: a) los legatarios de parte alícuota (STS 14 julio 2008 [RJ 2008, 3361] y 12 junio 2006 [RJ 2006, 3364]); b) los cesionarios de cuota (STS 27 noviembre 1961 [RJ 1961, 4125]); c) el cónyuge viudo, no separado judicialmente o de hecho; d) el nudo propietario, el usufructuario y el heredero fiduciario por ser instituido bajo condición resolutoria; respecto al fiduciario, se entiende que debe actuar con el fideicomisario y, en caso de indeterminación, con autorización judicial; e) los herederos del heredero fallecido antes de la partición. Los acreedores hereditarios no podrán instar la división, sin perjuicio de: a) las acciones que les correspondan contra la herencia, la comunidad hereditaria o los coherederos, que se ejercitarán en el juicio declarativo que corresponda, sin suspender ni entorpecer las actuaciones de división de la herencia (art. 782.3 LECiv); b) cuando estén reconocidos como tales en el testamento o por los coherederos y los que tengan su derecho documentado en un título ejecutivo podrán oponerse hasta el pago o afianzamiento de la deuda (art. 792.4 LECiv). Los acreedores particulares podrán intervenir a su costa en la partición para evitar que ésta se haga en fraude o perjuicio de sus derechos (art. 782.5 LECiv). Tampoco puede pedir la partición el coheredero que ha enajenado su cuota, ni las personas que no son titulares de cuotas (herederos "ex re certa", legatarios de cosa cierta y determinada, de género y de cantidad). A la solicitud deberá acompañarse el certificado de defunción de la persona de cuya sucesión se trate y el documento que acredite la condición de heredero o legatario del solicitante (art. 782.2 LECiv)*"[151].

Los coherederos que haya sido instituido bajo condición suspensiva no pueden pedir la partición[152]. En cambio el artículo 1054 autoriza a ello a los coherederos puros, lo mismo que a practicarla "*asegurando competentemente el derecho de los primeros para el caso de cumplirse la condición; y, hasta saberse que ésta ha faltado o no puede ya verificarse, se entenderá provisional la partición*".

La legitimación del legatario de parte alícuota como parte en la división judicial de la herencia resulta de lo dispuesto en el Art. 782.1 de la LEC[153].

---

[151]   MARTÍNEZ ESPÍN, P., "Comentario al art. 1052 del CCBIB 2009/7874". *Grandes Tratados. Comentarios al Código Civil.* Aranzadi, 2009.

[152]   DÍEZ-PICAZO, L y GULLÓN, A., *Sistema de Derecho Civil*, Volumen IV, Editorial Tecnos, 2017, op. cit., p. 268.

[153]   En este sentido destaca la doctrina del Tribunal Supremo al decir: "*no obstante, pese a la dicción literal del artículo 1058 del Código Civil, el motivo ha de ser desestimado, pues si bien el artículo 660 del mismo código distingue entre heredero y legatario considerando que el primero sucede a título universal y el segundo a título particular, no puede desconocerse la asimilación a ciertos efectos de la figura del legatario de parte alícuota a la del heredero en cuanto acreedor de una parte de la herencia. Así ha de entenderse que el régimen del legado de parte alícuota —que en este caso atribuyó el testador a sus sobrinos demandantes— es distinto del*

La jurisprudencia ha señalado como doctrina jurisprudencial constantemente mantenida por la Sala, que cualquiera de los partícipes en una comunidad hereditaria, puede ejercitar en beneficio de ellos las acciones que estime pertinentes, pero no las que puedan perjudicarla, porque entonces, al poder quedar vinculados los demás comuneros por la decisión que se pronuncie, según el párrafo segundo del art. 1252 del CC, de no ser parte éstos en el litigio quedaría mal constituida la relación jurídica procesal y faltaría uno da los presupuestos más esenciales del juicio, cuestión que, por pertenecer a la esfera del "jus cogens", debe ser apreciada incluso de oficio por los Tribunales[154].

El contenido consiste en la petición divisoria del caudal hereditario, además de la formación de inventario de bienes y derechos. Téngase en cuenta las operaciones particionales entre las que se encuentran el inventario, el avalúo, liquidación y adjudicación, a lo que hay que añadir la colación.

La intervención del caudal hereditario constituye el conjunto de medidas de prevención, de carácter inmediato y urgente que, a instancia de parte o en ciertos supuestos de oficio, o incluso a petición de los acreedores, puede adoptar el juez para asegurar los bienes y efectos de la herencia.

Los Art. 790 y Art. 796 de la LEC se ocupan de regular la intervención del caudal hereditario, que constituyen aquel conjunto de medidas de prevención, de carácter inmediato y urgente que, a instancia de parte o en ciertos supuestos de oficio, o incluso a petición de los acreedores, puede adoptar el juez para asegurar los bienes y efectos de la herencia[155]. Los supuestos que abocan la intervención judicial son el aseguramiento de los bienes de la herencia y de los documentos del difunto, cuando no conste la existencia de testamento ni de parientes llamados a la suce-

---

legado de cosa específica —cualquiera que sea la posición doctrinal que se adopte acerca de su naturaleza— por la afinidad entre aquel legado y la herencia, derivada en ambos de la común atribución indeterminada de bienes —aunque sea por diferente título— que obliga a que se concrete o materialice mediante la partición el contenido económico para fijar la parte que le corresponde a uno y otro. Al respecto, la sentencia de esta Sala de 22 de enero de 1963 ya señaló que "dada la naturaleza, alcance y efecto de esta especie de legado y la ausencia de su reglamentación en nuestro Código Civil, deben serle aplicables determinados preceptos legales relativos al heredero, y muy especialmente aquellos cuyo fin inmediato es el conocimiento por el sucesor del patrimonio en que haya de participar, su cuantía y composición, punto en el que la semejanza entre el heredero y el legatario de parte alícuota aparece más destacada". Así el artículo 1038-3° de la Ley de Enjuiciamiento Civil de 1881 (LEG 1881, 1) consideraba a los legatarios de parte alícuota como legitimados para promover el juicio de testamentaría, como igualmente establece la nueva Ley de Enjuiciamiento Civil de 7 de enero de 2000 (RCL 2000, 34, 962 y RCL 2001, 1892) en su artículo 782.1 que están facultados para pedir la división judicial de la herencia". STS (Sala de lo Civil, Sección 1ª) Sentencia núm. 642/2006 de 12 junio (Tol 961863).

[154]   STS (Sala de lo Civil) Sentencia de 11 mayo 1964 (Tol 4324639).
[155]   Cfr. STS (Sala de lo Civil) Sentencia núm. 120/1997 de 22 febrero (Tol 5114353).

sión legítima, y la intervención judicial de la herencia durante la tramitación de la declaración de herederos o de la división judicial de la herencia.

Téngase en cuenta la reforma del artículo 790 de la LEC, a tenor de la Ley 8/2021, de 2 de junio, en todo aquello que incida en las cuestiones referidas a la intervención del caudal hereditario.

De acuerdo a lo preceptuado en el artículo 1965 CC, la acción para pedir la partición de la herencia no prescribe, tampoco su seguimiento, en caso de que se llegue a acuerdos posteriores en el reparto de la herencia, en virtud del Art. 789 de la LEC, si se ponen en conocimiento judicial, producirán el archivo de las actuaciones y la puesta de los bienes a disposición de los herederos.

Normativa

Artículos 782-789 de la LEC.
Artículos 1051 y 1052 CC.
Ley 15/2015, de 2 de julio, de la Jurisdicción Voluntaria ("BOE" 3 julio).
Ley 8/2021, de 2 de junio, por la que se reforma la legislación civil y procesal para el apoyo a las personas con discapacidad en el ejercicio de su capacidad jurídica. "BOE" núm. 132, de 03/06/2021.

Jurisprudencia

STS (Sala de lo Civil) Sentencia de 11 mayo 1964 (*Tol 4324639*).
SAP de Madrid (Sección 14ª) Sentencia núm. 318/2011 de 29 junio (*Tol 2205547*).
STS (Sala de lo Civil, Sección1ª) Sentencia núm. 642/2006 de 12 junio (*Tol 961863*).
STS (Sala de lo Civil, Sección1ª) Sentencia núm. 464/2018 de 19 julio (*Tol 6676446*).
STS Tribunal Supremo (Sala de lo Civil) Sentencia núm. 120/1997 de 22 febrero (*Tol 5114353*).
SAP de Audiencia Provincial de Salamanca (Sección 1ª) Sentencia núm. 46/2015 de 11 febrero (*Tol 4761448*).
SAP de Segovia (Sección 1ª) Sentencia núm. 327/2016 de 29 julio (*Tol 5843349*).
Auto núm. 593 de la Audiencia Provincial de Madrid de 28 julio 2008 (*Tol 3781127*).

Formulario 2. OPOSICIÓN DE UN/A ACREEDOR/A A QUE SE LLEVE A EFECTO LA PARTICIÓN DE LA HERENCIA HASTA EL PAGO O AFIANZAMIENTO DE SU CRÉDITO

FUNDAMENTO LEGAL Y JURISPRUDENCIAL

Fase del procedimiento en la que se encuentra este formulario

Art. 1082 del Código Civil.

Jurisprudencia:

Audiencia Provincial de Madrid/ 27/09/2018 *(Tol 6935733)*.

Audiencia Provincial de Granada/ 27/03/2015 *(Tol 5220072)*.

Fase: En cualquier momento, antes de la entrega de los bienes adjudicados a cada heredero, dentro del procedimiento judicial para la división de la herencia.

ÓRGANO COMPETENTE

Procedimiento n° [...............] de división judicial de herencia

AL JUZGADO DE PRIMERA INSTANCIA

N° [...............]

DE [...............]

ENCABEZAMIENTO

D./D° [...............], Procurador/a de los Tribunales, colegiado/a n° [...............] del Ilustre Colegio de Procuradores de [...............], actuando en nombre y representación de D./D° [...............], DNI n° [...............], mayor de edad, con domicilio en [...............], calle [...............] núm. [...............], piso [...............], puerta [...............] (CP...............) según acredito mediante la copia de escritura de poder que acompaño/poder otorgado "apud acta" electrónico/poder que será otorgado "apud acta" ante el/la sr/a Letrado/a de la Administración de Justicia; ante el Juzgado comparezco bajo la dirección técnica del/la Letrado/a D./D° [...............], colegiado/a n° [...............] del Ilustre Colegio de Abogados de [...............] con despacho profesional en [...............] y como mejor proceda en Derecho, DIGO:

DIGO/MANIFIESTO

Que siguiendo expresas instrucciones de mi representado/a en su calidad de ACREEDOR/A [...............] por medio del presente escrito y al amparo del art. 782.4 de la Ley de Enjuiciamiento Civil (en adelante, LEC) formulo OPOSICIÓN A QUE SE LLEVE A EFECTO LA PARTICIÓN DE LA HERENCIA DE D/D° [...............], instada por el coheredero/a D/D° [...............] hasta en tanto se pague o afiance el importe del crédito de mi mandante.

Escrito de oposición que presento sobre la base de los siguientes hechos y fundamentos de derecho.

HECHOS

PRIMERO.– Mi representado/a es acreedor/a del/la causante con derecho documentado en título ejecutivo/reconocido en el testamento/reconocido por los coherederos/as, como se prueba mediante el siguiente documento:

Documento n° 1. [...............]

SEGUNDO.– En este procedimiento todavía no se ha producido la entrega de los bienes adjudicados a los herederos/as.

A los anteriores hechos son de aplicación los siguientes

FUNDAMENTOS DE DERECHO

(1) Capacidad y legitimación

Mi representado/a tiene capacidad, con arreglo al art. 6 de la LEC y se encuentra legitimado/a a tenor de lo preceptuado en el art. 782.4 de la LEC.

(2) Representación y defensa

Artículos 23 y 31 de la LEC. Esta parte comparece por medio de procurador y dirigida por abogado cumpliendo lo prevenido en ambos artículos.

(3) Fondo del asunto

Son de aplicación a este caso los siguientes fundamentos legales:

Art. 403 del Código Civil (CC): *"Los acreedores o cesionarios de los partícipes podrán concurrir a la división de la cosa común y oponerse a la que se verifique sin su concurso. Pero no podrán impugnar la división consumada, excepto en caso de fraude, o en el de haberse verificado no obstante la oposición formalmente interpuesta para impedirla, y salvo siempre los derechos del deudor o del cedente para sostener su validez".*

Art. 1082 CC: *"Los acreedores reconocidos como tales podrán oponerse a que se lleve a efecto la partición de la herencia hasta que se les pague o afiance el importe de sus créditos".*

Art. 782.4 de la LEC: *"4. No obstante, los acreedores reconocidos como tales en el testamento o por los coherederos y los que tengan su derecho documentado en un título ejecutivo podrán oponerse a que se lleve a efecto la partición de la herencia hasta que se les pague o afiance el importe de sus créditos. Esta petición podrá deducirse en cualquier momento, antes de que se produzca la entrega de los bienes adjudicados a cada heredero".*

Por lo expuesto,

SUPLICO AL JUZGADO

Que teniendo por presentado este escrito junto con sus documentos y copias, se sirva admitirlo y tenerme por personado/a y parte en la representación que ostento del acreedor/a [...............] y por formulada oposición a que se lleve a efecto la partición de la herencia causada por D./Dº [...............] hasta tanto no sea satisfecho o afianzado el crédito de mi principal y, en su virtud, acuerde conforme a lo interesado antes de que se produzca la entrega de los bienes adjudicados a cada heredero/a.

En [...............], a fecha [...............], de [...............], de [...............]

Firma del Letrado/a   Firma del Procurador/a

COMENTARIO

Estos formularios tienen por objeto la cuestión de la oposición de un/a acreedor/a a que se lleve a efecto la partición de la herencia hasta el pago o afianzamiento de su crédito. Téngase en cuenta la siguiente información:

Doctrina

Oposición de un/a acreedor/a a que se lleve a efecto la partición de la herencia hasta el pago o afianzamiento de su crédito.

Aunque el CC no lo regula expresamente, de varios preceptos se desprende que en las liquidaciones de herencia existe un orden de prelación para el cobro. En primer lugar acreedores de la herencia y del causante, legitimarios por su legítima y su suplemento, legatarios, herederos voluntarios, y acreedores particulares de los herederos.

"Los acreedores del causante siguen teniendo como garantía genérica de su crédito el activo del antiguo patrimonio, ahora herencia, pero se enfrentan a un doble riesgo: la existencia sobrevenida de otros acreedores interesados en la herencia (los particulares de cada heredero y los legatarios) y la disolución de la unidad patrimonial, por la partición y la adjudicación de los bienes hereditarios. Varios problemas suscita esta materia, relativos a la responsabilidad de los herederos, a la preferencia entre los acreedores, a la insuficiencia patrimonial de la herencia, entre otros, que se irán analizando al hilo de estos artículos, en la medida que ellos permiten y con la sistemática, un tanto deslavazada, que ellos imponen"[156].

Los acreedores hereditarios reconocidos como tales, a tenor de lo regulado en el artículo 1082 del CC tienen la facultad de oponerse a que se lleve a cabo la

---

[156] Vid. NÚÑEZ IGLESIAS, A., Comentario al art. 1082 del Código Civil, *Código Civil Comentado.* Volumen II. Editorial Civitas, S.A., enero de 2016.

partición de la herencia hasta que se les pague o se les afiancen sus créditos. En cuanto a este precepto señala la doctrina que aunque lo ha desarrollado la LEC del año 2000 en lo que respecta a la partición judicial, nada obsta para que se pueda aplicar por analogía a la partición extrajudicial[157]. Sobre este artículo con la doctrina especializada cuando advierte que es un reflejo de la separación de patrimonio del heredero y del causante, beneficiando a los acreedores hereditarios, impidiendo la confusión de los patrimonios. "*La cuota y sólo la cuota hereditaria del deudor es lo que puede ser objeto de agresión por sus acreedores, y es posible que se reduzca su materialización o concreción al partir, si los hereditarios han actuado contra bienes concretos de la herencia, que eran bienes del causante y contra los que puede dirigir su acción*"[158].

El acreedor ostenta facultad de oposición a la partición, como parte de protección de su crédito y efectividad de su cobro, además del derecho a solicitar, conforme a lo dicho, la declaración de concurso de la herencia y el derecho a pedir anotación preventiva sobre los bienes adjudicados para el pago de sus deudas (art. 45 LH), el derecho que le reconoce este art. 1082, de oponerse a la práctica de la partición hasta que se le pague o afiance el importe de su crédito. Este derecho tiene su configuración procesal en el art. 782.4 LECiv y, en los Derechos civiles territoriales, está también reconocido en el art. 55.1 de la Ley 1/1999, de 24 de febrero, de Sucesiones, de Aragón y en el art. 464.3 del *Codi civil* de Cataluña señala la doctrina[159].

Este artículo pone de manifiesto el principio de que antes es pagar que heredar y por tanto es necesario establecer una preferencia de los acreedores de la herencia sobre los acreedores particulares de los herederos y legatarios[160]. Principio romano "*nemo liberalis, nisi liberatus*".

Los acreedores para instar la acción están regulados en el artículo 782.4 de la LEC, son aquellos reconocidos como tales en el testamento o por los coherederos y los que tengan su derecho documentado en un título ejecutivo podrán oponerse a que se lleve a efecto la partición de la herencia hasta que se les pague o afiance el importe de sus créditos. Esta petición podrá deducirse en cualquier momento, antes de que se produzca la entrega de los bienes adjudicados a cada heredero.

---

[157]   Vid. DÍEZ-PICAZO, L y GULLÓN, A., *Sistema de Derecho Civil*, Volumen IV, Editorial Tecnos, 2017, p. 269.

[158]   Vid. DÍEZ-PICAZO, L y GULLÓN, A., p. 269.

[159]   Vid. NÚÑEZ IGLESIAS, A. op. cit. s/n p.

[160]   Vid. O'CALLAGHAN MUÑOZ, X., *Código Civil. Comentario y Jurisprudencia*, Sexta Edición, La Ley, 2008, p. 1061.

En cuanto a los presupuestos es necesario que para el ejercicio de esta facultad la herencia no se haya dividido y se haya instada la división judicial. Aunque señala la doctrina en la materia, que ni el artículo 1082 CC ni el 792 de la LEC limitan la posibilidad de oponerse a la partición a que los herederos hayan solicitado la división judicial, parece posible que, cuando la partición se realice por contador-partidor, también pueda el acreedor oponerse, previa solicitud de la intervención judicial.

Cabe además consignar que el artículo 1082 CC faculta al acreedor (y el 782.4 LECiv le legitima) para oponerse a la partición con el fin de obtener satisfacción o garantía de su crédito. No le faculta, por tanto, si ya está garantizado o desde que lo está, salvo que el crédito haya vencido y sea exigible, con la finalidad de conseguir que se produzca el pago.

En la LECiv-1881 el acreedor estaba legitimado para promover el juicio de testamentaría (art. 1038), por lo que, una vez iniciado el juicio divisorio, podía oponerse. En la LECiv vigente, el acreedor no puede instar la división judicial, debido a que el acreedor no tiene interés en ella, sino en el cobro de la deuda antes de la partición. Ahora bien, puesto que los herederos pueden no partir o partir extrajudicialmente sin liquidar la herencia, el acreedor del causante podría ver frustrado su derecho. Para evitarlo, la LECiv le legitima para instar la intervención judicial de la herencia (art. 792.2), lo que le permitirá ejercer a continuación el contenido de este artículo 1082 CC. Y si no se le paga ni afianza, no se practicará la división ni se acordará la cesación de la intervención a tenor de lo previsto en el art. 796.3 LECiv.

Cualquier acreedor hereditario entonces, no está legitimado para pedir la división de la herencia, teniendo en cuenta lo preceptuado en el artículo 782.3 de la LEC que regula: *"los acreedores no podrán instar la división, sin perjuicio de las acciones que les correspondan contra la herencia, la comunidad hereditaria o los coherederos, que se ejercitarán en el juicio declarativo que corresponda, sin suspender ni entorpecer las actuaciones de división de la herencia"*.

NORMATIVA

Artículo 1082 CC.

JURISPRUDENCIA

STS (Sala de lo Civil, Sección1ª) Sentencia núm. 24/2011 de 28 enero (*Tol 2034418*).
STS (Sala de lo Civil) Sentencia de 31 diciembre 1985 (*Tol 1736131*).
STS (Sala de lo Civil, Sección1ª) Sentencia núm. 643/2013 de 5 de noviembre (*Tol 4119478*).

Formulario 3. SOLICITUD DE INTERVENCIÓN EN LA PARTICIÓN DE LA HERENCIA POR PARTE DEL/LA ACREEDOR/A DE UNO O MÁS COHEREDEROS/AS PARA EVITAR QUE SE HAGA LA PARTICIÓN EN FRAUDE O PERJUICIO DE SUS DERECHOS

FUNDAMENTO LEGAL Y JURISPRUDENCIAL

Fase del procedimiento en la que se encuentra este formulario

Art. 1083 del Código Civil.

Jurisprudencia:

Audiencia Provincial de Granada/ 27/03/2015 (Tol 5220072).

Audiencia Provincial de Madrid/ 28/07/2008 (Tol 3781127).

Fase: en cualquier momento dentro del procedimiento para la división de herencia

ÓRGANO COMPETENTE

Procedimiento n° [...............] de división de herencia

AL JUZGADO DE PRIMERA INSTANCIA

N° [...............]
DE [...............]

ENCABEZAMIENTO

D./D° [...............], Procurador/a de los Tribunales, colegiado/a n° [...............] del Ilustre Colegio de Procuradores de [...............], actuando en nombre y representación de D./D° [...............], DNI n° [...............], mayor de edad, con domicilio en [...............], calle [...............] núm. [...............], piso [...............], puerta [...............] (CP...............) según acredito mediante la copia de escritura de poder que acompaño/poder otorgado "apud acta" electrónico/poder que será otorgado "apud acta" ante el/la sr/a Letrado/a de la Administración de Justicia; ante el Juzgado comparezco bajo la dirección técnica del/la Letrado/a D./D° [...............], colegiado/a n° [...............] del Ilustre Colegio de Abogados de [...............] con despacho profesional en [...............] y como mejor proceda en Derecho, **DIGO**:

DIGO/MANIFIESTO

Que siguiendo expresas instrucciones de mi representado/a, por medio del presente escrito y al amparo del art. 782.5 de la Ley de Enjuiciamiento Civil (en adelante, LEC) me persono en los presentes autos en calidad de ACREEDOR/A del coheredero/a D./ Dª [...............], interesando mi INTERVENCIÓN EN LA PARTICIÓN DE LA HERENCIA del/la causante D./Dª [...............] a fin de evitar que ésta se haga en perjuicio de los derechos de mi mandante.

HECHOS

ÚNICO.– Mi representado/a es acreedor/a del coheredero/a D./Dª [...............], como acredito mediante

Documento nº 1. [...............]

Al anterior hecho es de aplicación los siguientes

FUNDAMENTOS DE DERECHO

(1) Capacidad y legitimación

Mi representado/a tiene capacidad, con arreglo al art. 6 de la LEC y se encuentra legitimado/a a tenor de lo preceptuado en el art. 782.5 de la LEC.

(2) Representación y defensa

Artículos 23 y 31 de la LEC. Esta parte comparece por medio de procurador y dirigida por abogado cumpliendo lo prevenido en ambos artículos.

(3) Fondo del asunto

Son de aplicación a este caso los siguientes fundamentos legales:

Art. 1083 del Código Civil (CC): *"Los acreedores de uno o más de los coherederos podrán intervenir a su costa en la partición para evitar que ésta se haga en fraude o perjuicio de sus derechos".*

Art. 782.5 de la LEC: *"Los acreedores de uno o más de los coherederos podrán intervenir a su costa en la partición para evitar que ésta se haga en fraude o perjuicio de sus derechos".*

Por lo expuesto,

SUPLICO AL JUZGADO

Que teniendo por presentado este escrito con sus documentos y copias, se sirva admitirlo y tenerme por personado/a y parte en la representación que ostento de D./Dª [...............], en la condición de acreedor/a del/la coheredero/a D./Dª [...............], a fin de que se entiendan conmigo las sucesivas actuaciones.

En [...............], a fecha [...............], de [...............], de [...............]
Firma del Letrado/a   Firma del Procurador/a

COMENTARIO

Estos formularios tienen por objeto la cuestión de la solicitud de intervención en la partición de la herencia por parte del acreedor/a de uno o más coherederos/as para evitar que se haga en fraude o perjuicio de sus derechos. Téngase en cuenta la siguiente información:

Doctrina

Solicitud de intervención en la partición de la herencia por parte del acreedor/a de uno o más coherederos/as para evitar que se haga en fraude o perjuicio de sus derechos.

Los acreedores tienen derecho a intervenir a su costa en la partición, para evitar que ésta se haga en fraude o en perjuicio de su derecho, así lo regula el artículo *1083* que: *"los acreedores de uno o más de los coherederos podrán intervenir a su costa en la partición para evitar que ésta se haga en fraude o perjuicio de sus derechos"*[161].

El citado artículo regula una facultad de intervención que permite a los acreedores particulares del coheredero de fiscalizar y controlar la partición con el fin de evitar posibles confabulaciones entre los interesados que impida o haga imposible el pago de los créditos correspondientes.

El Art. 1083 CC faculta al acreedor particular a estar presente y conocer las actuaciones, pero como señala la doctrina no podrán impedir la división del caudal ni participar en ella. Hecha la partición con o sin la intervención del acreedor particular que regula el precepto, podrá impugnar la partición hecha en fraude de su derecho, cuando no pueda cobrar de otro modo, teniendo en cuenta lo que previene el artículo 1291. 3 del CC.

Normativa

Artículo 1083 CC.

Jurisprudencia

STS (Sala de lo Civil, Sección1ª) Sentencia núm. 510/2012 de 7 septiembre (*Tol 2692672*).
STS (Sala de lo Civil, Sección Unica) Sentencia núm. 535/2003 de 30 mayo (*Tol 4928581*).
SAP de Lleida (Sección 2ª) Sentencia núm. 268/2013 de 8 julio (*Tol 4001363*).

---

[161]   Dicen DÍEZ-PICAZO y GULLÓN. op. cit., p. 269.

Formulario 4. SOLICITUD DE FIJACIÓN DE PLAZO AL/LA CONTADOR/A-PARTIDOR/A DATIVO/A PARA QUE PRESENTE LAS OPERACIONES DIVISORIAS

FUNDAMENTO LEGAL Y JURISPRUDENCIAL

Fase del procedimiento en la que se encuentra este formulario

Art. 785.3 Ley de Enjuiciamiento Civil.

Jurisprudencia:

Audiencia Provincial de Madrid/ 31/03/2016 (Tol 5759526).

(Audiencia Provincial de Albacete/ 05/04/2010Tol 38541059) .

Fase: Alegaciones tras la Junta de herederos en el procedimiento para la división de herencia.

ÓRGANO COMPETENTE

Procedimiento n° [...............] de división de herencia

AL JUZGADO DE PRIMERA INSTANCIA

N° [...............]

DE [...............]

ENCABEZAMIENTO

D./Dª [...............], Procurador/a de los Tribunales, colegiado/a n° [...............] del Ilustre Colegio de Procuradores de [...............], en nombre y representación de D./Dª [...............], heredero/a o legatario/a de parte alícuota o cónyuge sobreviviente o acreedor/a de [...............], según tengo ya acreditado en los presentes autos; ante el Juzgado comparezco y como mejor proceda en Derecho, **DIGO**:

DIGO/MANIFIESTO

Que habida cuenta del tiempo transcurrido sin que se hayan practicado las operaciones divisorias, por medio del presente escrito y al amparo del art. 785.3 de la Ley de Enjuiciamiento Civil (en adelante, LEC) intereso se fije un PLAZO AL/LA CONTADOR/A-PARTIDOR/A DATIVO/A para realizar las citadas operaciones, sobre la base de los siguientes hechos y fundamentos de derecho.

HECHOS

PRIMERO.– En la Junta de herederos/as fecha [...............] presidida por el sr./a letrado de la Administración no se alcanzó acuerdo para el nombramiento de contador y se designó por sorteo contador/a-partidor/a a D./Dª [...............], conforme a lo dispuesto en el art. 341 de la Ley de Enjuiciamiento Civil.

Y en fecha [...............] el/la designado/a contador/a-partidor/a aceptó el cargo, le fueron entregados los autos y se pusieron a a su disposición los objetos, documentos y papeles que le eran necesarios para practicar el inventario, el avalúo, la liquidación y la división del caudal hereditario.

SEGUNDO.– D./Dª [...............] fue designado/a contador/a-partidor/a sin que le fuera fijado plazo para el cumplimiento de su encargo y desde la fecha de su aceptación han transcurrido más de dos meses sin que haya presentado el debido escrito conteniendo las operaciones divisorias.

A los anteriores hechos son de aplicación los siguientes

FUNDAMENTOS DE DERECHO

(1) Fondo del asunto

Son de aplicación a este caso los siguientes fundamentos legales:

Art. 785.3 de la LEC: *"A instancia de parte, podrá el Letrado de la Administración de Justicia mediante diligencia fijar al contador un plazo para que presente las operaciones divisorias, y si no lo verificare, será responsable de los daños y perjuicios".*

Art. 786.2 de la LEC: *"2. Las operaciones divisorias deberán presentarse en el plazo máximo de dos meses desde que fueron iniciadas, y se contendrán en un escrito firmado por el contador, en el que se expresará:*

1° La relación de los bienes que formen el caudal partible.

2° El avalúo de los comprendidos en esa relación.

3° La liquidación del caudal, su división y adjudicación a cada uno de los partícipes".

Por lo expuesto,

SUPLICO AL JUZGADO

Que teniendo por presentado este escrito con sus copias, se sirva admitirlo y en su virtud, acuerde dictar providencia fijando un plazo prudencial al/la contador/a-partidor/a para que practique las operaciones divisorias presentando escrito firmado que exprese la relación de bienes que forme el caudal partible de D./Dª [...............], el avalúo de los comprendidos en la relación, la liquidación del caudal, su división y la adjudicación a cada uno de los partícipes del caudal hereditario, con apercibimiento de que, de no verificarlo en dicho plazo, sea responsable de los daños y perjuicios.

En [...............], a fecha [...............], de [...............], de [...............]

Firma del Letrado/a   Firma del Procurador/a

COMENTARIO

Estos formularios tienen por objeto la solicitud de fijación del plazo al contador/a-partidor/a para que presente las operaciones divisorias. Téngase en cuenta la siguiente información:

DOCTRINA

Solicitud de fijación de plazo al contador/a-partidor/a para que presente las operaciones divisorias.

El Código Civil español apenas dedica articulado a la figura del contador partidor, que es aquella persona encargada de hacer la partición de la herencia.

La parquedad y ausencia de normativa conduce a la eterna disquisición de la aplicación de la normativa del albacea al contador partidor, que tendrá que ser tenida en consideración para cualquier análisis en la materia sobre todo en el supuesto de contador partidor testamentario, por la aplicación analógica que suele hacerse históricamente y en la doctrina y jurisprudencia.

Adentrarse en el estudio del contador-partidor suele ser complejo por la insuficiente o carencia de normativa, cuya regulación hay que extraerla de lo previsto en los artículos 841, 844 y 1057 del CC, pero en lo que la inmensa mayoría de autores están conformes es que se trata de un nombramiento con funciones concretas.

Entre las funciones propiamente dichas del contador-partidor se encuentran las de contar y partir —como su propio nombre indica—, comenzando con el inventario de los bienes que forman parte del caudal relicto y finalizando con la adjudicación a cada uno de los herederos de los bienes concretos que le corresponden por su participación en la herencia[162]. Sus funciones principales consisten en realizar el inventario, el avaluó, la liquidación y la adjudicación de los bienes[163].

---

[162]   ESPEJO RUIZ, M., *La partición realizada por contador partidor testamentario.* Madrid: Dykinson, 2013, p. 158.

[163]   Vid. RODRÍGUEZ ELORRIETA, N., "Extralimitación del contador-partidor al otorgar la totalidad de los bienes a la viuda usufructuaria, sin exigir la renuncia formal a la herencia

La figura del contador partidor dativo fue introducida en el Código Civil por la Ley de reforma de 13 de mayo de 1981, con vistas a paliar, en caso de desacuerdo los problemas derivados de la unanimidad[164], siendo la finalidad o pretensión del legislador *"crear un sistema supletorio al testamentario de nombramiento de contador partidor. La calificación de dativa se hizo por analogía con la regulación de la tutela"*[165].

Los contadores partidores pueden ser nombrados por el testador o por el Secretario judicial o el Notario a petición de los herederos y legatarios. El

---

por parte de los demás herederos", *Revista Cuadernos Civitas de Jurisprudencia Civil*, núm. 108/2018 parte Sentencias, Resoluciones, comentarios Editorial Civitas, SA, Pamplona. 2018. Dirección General de los Registros y del Notariado, Resolución de 10 enero 2012, RJ/2012/260. Vid. En este sentido, las RRDGRN de 26 de febrero de 2003 (RJ 2003, 4135) y 16 de septiembre de 2008 (RJ 2009, 516) matizan la cuestión que nos ocupa cuando establecen que esas funciones se concretan en la "simple facultad de hacer la partición" (cfr. artículo 1057 del Código Civil (LEG 1889, 27). En este sentido Tribunal Supremo (Sala de lo Civil, Sección 1ª) Sentencia núm. 643/2006 de 19 junio. RJ 2006/3382 ha señalado en relación a las funciones del mismo: *"no se limitan a redactar el cuaderno particional dentro del año de ocurrido el fallecimiento del causante, sino que su función abarca la ejecución de las gestiones precisas y necesarias para llevar a cabo la liquidación de la sociedad conyugal, realización de todo tipo de actos tendentes a la liquidación provisional del Impuesto con el fin de abonar a la Administración la menor cantidad posible en Impuestos, la aceptación o rechazo (con conocimiento y consentimiento de los herederos) de los valores fijados a los bienes hereditarios, y una vez obtenida la oportuna comprobación de valores y determinación definitiva de las bases imponibles a los efectos del Impuesto, redactar el cuaderno procurando que las adjudicaciones sean concordes con las valoraciones fijadas por la Administración para evitar que se produzcan excesos de adjudicación, y lógicamente obtener la exención en el pago de Impuestos de cualquier índole, tanto en el de sucesiones, como en el Impuesto de transmisiones patrimoniales"*.

[164]   Introducida la figura del contador partidor dativo para evitar los inconvenientes prácticos que se siguen del llamado principio de unanimidad en la partición, Cfr. Audiencia Provincial de León (Sección 2ª) Auto núm. 12/2005 de 17 febrero (Tol 598234) que señala: *"ahora bien, introducida la figura del contador partidor dativo para evitar los inconvenientes prácticos que se siguen del llamado principio de unanimidad en la partición, la realizada por el mismo requiere, según el propio artículo 1057, la aprobación judicial, salvo la confirmación expresa de todos los herederos y legatarios, debiendo reputarse válida "prima facie" una vez obtenida aquélla, sin que quepa recurso alguno contra la consiguiente resolución ni, antes, la formalización ni sustanciación de ningún tipo de oposición, so pena de desnaturalizar la propia finalidad del artículo 1057. Cualquiera que se sienta perjudicado y puesto que la resolución judicial se dicta en un expediente de jurisdicción voluntaria, que no produce excepción de cosa juzgada, podrá impugnarla en procedimiento aparte"*. Dicho con otras palabras y empleando las utilizadas por JUAN ÁLVAREZ SALA en comentarios al Código Civil y Compilaciones Forales dirigidos por Manuel Albadalejo: *"............... el Juez, al dar o no su aprobación, debe controlar únicamente que el contador-partidor dativo no se haya extralimitado en el ejercicio de sus facultades al hacer la partición. Si el Juez denegare la aprobación, no parece que esta decisión sea recurrible, pues no se ha producido dentro de un proceso judicial. Simplemente se ha frustrado la modalidad de partición prevista en el artículo 1057, párrafo 2°"*.

[165]   Vid. SÁNCHEZ SÁNCHEZ, E., "Contador partidor dativo en Notario", https://www.essnotario.com/portfolio/contador-partidor-dativo/.

segundo supuesto es el conocido como contador partidor dativo. Téngase en cuenta lo dispuesto en el artículo 1057 del CC[166].

Esta partición requerirá aprobación judicial, salvo que exista una confirmación expresa de todos los herederos y legatarios y siempre que no haya menores o incapacitados, que requerirá la aprobación judicial.

La Ley de Jurisdicción Voluntaria confiere esta facultad a un secretario judicial o a un Notario que sea competente territorialmente, ofreciendo como señala la doctrina en la materia un procedimiento para el nombramiento de contador partidor dativo[167].

El artículo 786 de la LEC regula que las operaciones divisorias han de hacerse en el plazo máximo de dos meses desde que fueron iniciadas, y se contendrán en un escrito firmado por el contador.

La Ley de 28 de mayo 1862, Orgánica del Notariado por su parte en el artículo 68. 4 regula lo siguiente: *"el inventario deberá concluir dentro de los sesenta días a contar desde su comienzo. Si por justa causa se considerase insuficiente el plazo de sesenta días, podrá el Notario prorrogar el mismo hasta el máximo de un año. Terminado el inventario, se cerrará y protocolizará el acta. Quedarán a salvo en todo caso los derechos de terceros"*[168].

---

[166] *"El testador podrá encomendar por acto "inter vivos" o "mortis causa" para después de su muerte la simple facultad de hacer la partición a cualquier persona que no sea uno de los coherederos.*

No habiendo testamento, contador-partidor en él designado o vacante el cargo, el Secretario judicial o el Notario, a petición de herederos y legatarios que representen, al menos, el 50 por 100 del haber hereditario, y con citación de los demás interesados, si su domicilio fuere conocido, podrá nombrar un contador-partidor dativo, según las reglas que la Ley de Enjuiciamiento Civil y del Notariado establecen para la designación de peritos. La partición así realizada requerirá aprobación del Secretario judicial o del Notario, salvo confirmación expresa de todos los herederos y legatarios.

Lo dispuesto en este artículo y en el anterior se observará aunque entre los coherederos haya algún sujeto a patria potestad o tutela; pero el contador-partidor deberá en estos casos inventariar los bienes de la herencia, con citación de los representantes legales de dichas personas. Si el coheredero tuviera dispuestas medidas de apoyo, se estará a lo establecido en ellas". Redacción dada por la Disposición final 1ª-90 de la Ley de Jurisdicción Voluntaria. Tras la actualización publicada el 03/06/2021 que entró en vigor el 03/09/2021, se modifica el párrafo tercero y se añade el cuarto de este artículo por el art. 2.45 de la Ley 8/2021, de 2 de junio.

[167] RUBIO GARRIDO, T. *La partición de la herencia*, Thomson Reuters Aranzadi, 2017, p. 523.

[168] Tal como señala la doctrina en la materia, al asemejar el contador partidor dativo con la figura del albacea el plazo para el ejercicio de sus funciones será de un año contado desde la aceptación, que es el plazo establecido para el ejercicio del albaceazgo, a tenor del artículo 904. Vid. SÁNCHEZ SÁNCHEZ, E., "Contador partidor dativo en Notario", https://www.essnotario.com/portfolio/contador-partidor-dativo/. Cfr. *Título VII introducido por el apartado uno de la disposición final undécima de la Ley 15/2015, de 2 de julio, de la*

De ahí que los plazos se regirán por dos procedimientos diferentes, con plazos distintos en dependencia de frente a qué funcionario público se inste el nombramiento de contador partidor dativo.

Normativa

Artículos 841, 844 y 1057 CC.
Artículo 786 de la LEC.

Jurisprudencia

SAP de León (Sección 2ª) Auto núm. 12/2005 de 17 febrero (*Tol 598234*).
STS Tribunal Supremo (Sala de lo Civil, Sección1ª) Sentencia núm. 2/2008 de 16 enero (*Tol 1235313*).
SAP de Salamanca (Sección 1ª) Sentencia núm. 46/2015 de 11 febrero (*Tol 4761448*).

Formulario 5. OPOSICIÓN A LAS OPERACIONES DIVISORIAS REALIZADAS POR EL/LA CONTADOR/A-PARTIDOR/A

FUNDAMENTO LEGAL Y JURISPRUDENCIAL

Fase del procedimiento en la que se encuentra este formulario

Art. 787.1 Ley de Enjuiciamiento Civil.

Jurisprudencia:

Audiencia Provincial de Cuenca/ 30/10/2012 (*Tol 2682609*).

Audiencia Provincial de León/ 17/07/2012 (*Tol 2618255*).

Jurisdicción Voluntaria ("BOE" 3 julio). Vigencia: 23 julio 2015. Téngase en cuenta lo previsto en la SAP de Salamanca de 11 febrero 2015, cuando señala en un supuesto de hecho en que la testadora en su testamento abierto otorgado el 10 de enero de 2007 deja muy clara su voluntad de designar como albaceas, comisarios, contadores partidores, solidariamente, a dos amigos y convecinos, y además prórroga el ejercicio de su cargo por dos años después de expirado el plazo legal y sean requeridos notarialmente de cumplimiento. La cláusula es sumamente clara: sobre el plazo legal de ejercicio del albaceazgo de un año, previsto en el artículo 904 del Código Civil, y al amparo de lo establecido en el artículo 905 del Código, les concede un plazo de dos años más, lo que quiere decir que el plazo total es de tres años, plazo que, según la misma cláusula, no tiene que comenzar necesariamente en la fecha de fallecimiento de la testadora, sino en el momento en el que sean requeridos notarialmente para cumplir el encargo encomendado. Cfr. SAP de Salamanca (Sección 1ª) Sentencia núm. 46/2015 de 11 febrero (*Tol 4761448*).

Audiencia Provincial de Asturias/ 14/07/2003 *(Tol 573485).*

Fase: Alegaciones de oposición tras la práctica de las operaciones divisorias en el procedimiento para la división de herencia.

ÓRGANO COMPETENTE

Procedimiento n° [...............] de división de herencia

AL JUZGADO DE PRIMERA INSTANCIA

N° [...............]
DE [...............]

ENCABEZAMIENTO

D./Dª [...............], Procurador/a de los Tribunales, colegiado/a n° [...............] del Ilustre Colegio de Procuradores de [...............], en nombre y representación de D./ Dª [...............], heredero/a o legatario/a de parte alícuota o cónyuge sobreviviente o acreedor/a de [...............], según tengo ya acreditado en los presentes autos; ante el Juzgado comparezco y como mejor proceda en Derecho, **DIGO**:

DIGO/MANIFIESTO

Que en la representación que ostento, por medio del presente escrito y al amparo del art. 787 de la Ley de Enjuiciamiento Civil (en adelante, LEC) formulo OPOSICIÓN A LAS OPERACIONES DIVISORIAS realizadas por el/la contador/a-partidor/a de la herencia de D./Dª [...............], sobre la base de los siguientes hechos y fundamentos de derecho.

HECHOS

PRIMERO.- El/La designado/a contador/a-partidor/a, tras haber dispuesto de los objetos, documentos y papeles que le eran necesarios, ha realizado y presentado el cuaderno particional con el inventario, el avalúo, la liquidación y la división del caudal hereditario y adjudicación a cada partícipe.

SEGUNDO.- El citado cuaderno particional incurre en graves defectos y omisiones que han conducido al/la contador/a-partidor/a la práctica de operaciones particionales erróneas. En concreto:

a) El/La contador/a-partidor/a no ha llevado a cabo una adecuada valoración de los bienes y derechos integrados en el haber hereditario, por cuanto [...............]

b) [...............]

c) [...............]

En su prueba:

Documento nº 1: [...............]

Documento nº 2: [...............]

A los anteriores hechos son de aplicación los siguientes

FUNDAMENTOS DE DERECHO

(1) Jurisdicción y competencia

Corresponde a la jurisdicción civil de conformidad con lo dispuesto en el art. 36 de la LEC. Y es competente el Juzgado de Primera Instancia al que me dirijo con arreglo a lo dispuesto en el art. 45 y *52.4º de la LEC. En los juicios sobre cuestiones hereditarias, será competente el tribunal del lugar en que el finado tuvo su último domicilio y si lo hubiere tenido en país extranjero, el del lugar de su último domicilio en España, o donde estuviere la mayor parte de sus bienes, a elección del demandante.*

(2) Capacidad y legitimación

Ambas partes tienen capacidad, con arreglo al art. 6 de la LEC y se encuentran legitimadas activa y pasivamente para interponer y soportar el presente procedimiento a tenor de lo preceptuado en el art. 10 de la LEC.

(3) *Representación y defensa*

Artículos 23 y 31 de la LEC. Esta parte comparece por medio de procurador y dirigida por abogado cumpliendo lo prevenido en ambos artículos.

(4) *Procedimiento*

Procede seguir los trámites del art. 787 de la LEC, en sus apartados 3, 4 y 5, continuando, en su caso, la sustanciación del procedimiento con arreglo a lo dispuesto para el juicio verbal.

(5) Cuantía

Se fija la cuantía de este procedimiento en [...............] conforme a las reglas para su determinación establecidas en los arts. 251.2ª y 12ª y art. 252 de la LEC.

(6) Fondo del asunto

Son de aplicación a este caso los siguientes fundamentos legales:

Arts. 1073 a 1081 del Código Civil (CC)

Art. 786.2 de la LEC: *"2. Las operaciones divisorias deberán presentarse en el plazo máximo de dos meses desde que fueron iniciadas, y se contendrán en un escrito firmado por el contador, en el que se expresará:*

1º La relación de los bienes que formen el caudal partible.

2º El avalúo de los comprendidos en esa relación.

3º La liquidación del caudal, su división y adjudicación a cada uno de los partícipes".

Art. 787.1 de la LEC: *"1. El Letrado de la Administración de Justicia dará traslado a las partes de las operaciones divisorias, emplazándolas por diez días para que formulen oposición. Durante este plazo, podrán las partes examinar en la Oficina judicial los autos y las operaciones divisorias y obtener, a su costa, las copias que soliciten.*

La oposición habrá de formularse por escrito, expresando los puntos de las operaciones divisorias a que se refiere y las razones en que se funda".

(7) Costas

Es de aplicación el art. 394 de la LEC en cuanto a la condena en las costas causadas de la primera instancia.

Por lo expuesto,

SUPLICO AL JUZGADO

Que teniendo por presentado este escrito con sus copias, se sirva admitirlo teniendo por formulada oposición a las operaciones divisorias realizadas por el/la contador/a-partidor/a y, en su virtud, convoque al/la contador/a-partidor/a y a las partes a una comparecencia para alcanzar un acuerdo y en caso de no lograrse, se sirva seguir el procedimiento por sus trámites legales para dictar en su día sentencia, por la que, atendiendo a lo expuesto en el presente escrito, acuerde rectificar el cuaderno particional presentado por el/la contador/a-partidor/a en los siguientes términos:

a) Incluya como valor del bien nº [...............] de la relación el de [...............] euros.

b) [...............]

c) [...............]

d) Condene a los/las vencidos/as al pagos de las costas causadas.

En [................], a fecha [................], de [................], de [................]
Firma del Letrado/a   Firma del Procurador/a

COMENTARIO

Estos formularios tienen por objeto la oposición a las operaciones divisorias realizadas por el/la contador/a-partidor/a. Téngase en cuenta la siguiente
información:

Doctrina

Oposición a las operaciones divisorias realizadas por el/la contador/a-partidor/a.

Las operaciones divisorias realizadas por el contador partidor no son vincu-
lantes ni de cumplimiento obligatorio, porque de lo que se trata es de lograr la
mayor unanimidad entre los coherederos a efectos de la partición y no lesionar
el derecho a una tutela judicial efectiva.

Téngase en cuenta la doctrina constitucional (Sentencias del Tribunal
Constitucional 8/1991, 106/1993 y 217/1993) que resalta que el concepto de
indefensión —íntimamente ligado al de nulidad de los actos procesales— es
de carácter material y no exclusivamente formal, de modo que, de una parte,
no toda vulneración o infracción de normas procesales puede producir indefensión, sino sólo aquella que priva al justiciable de la aplicación efectiva del
principio de contradicción, con el consiguiente perjuicio real y efectivo para sus
intereses. Dicho Tribunal ha declarado que la indefensión es una limitación de
los medios de defensa producida por una indebida actuación de los órganos
judiciales que consiste en el impedimento del derecho a alegar y de mostrar en
el proceso los propios derechos, privando de la potestad de alegar, y en su caso,
justificar unos intereses de parte (SS. 10 junio 1987, 15 octubre 1987 y 8 junio
1988). La indefensión surge de la privación del derecho de alegar y demostrar
en el proceso los propios derechos y tiene su manifestación más trascendente
cuando el órgano jurisdiccional impide a una parte el ejercicio de ese derecho
a la defensa privándole de ejercitar su potestad de alegar y en su caso justificar
sus derechos e intereses para que le sean reconocidos o para replicar dialéctica-
mente las posiciones contradictorias (SSTC 28 noviembre 1988, 1 febrero 1989
y 6 julio 1989). Es decir, que la relevancia en el ámbito constitucional de una
determinada infracción procesal no viene dada por la irregularidad procesal en
sí, sino por su incidencia sobre aquellas facultades de la parte en que se resume

el derecho consagrado en el art. 24.1, cuya limitación prescribe el referido derecho de defensa (S. 12 marzo 1991), por ello una indefensión relevante no tiene lugar siempre que se vulneran cualesquiera normas procesales, sino sólo cuando con esa vulneración se aparejan consecuencias prácticas consistentes en la privación de aquel derecho y en un principio real y efectivo de los intereses del afectado por ella. *"En definitiva, la Jurisprudencia Constitucional se ha orientado a una definición de carácter realista, estimando que "no se da indefensión cuando ha existido posibilidad de defenderse en términos reales y efectivos", o, "cuando no se ha llegado a producir efectivo y real menoscabo del derecho de defensa"*[169].

Razón por la cual la ley establece plazo para formular oposición, así en el plazo de diez días[170] formuladas las operaciones divisorias de la herencia, el secretario judicial en dará plazo a las partes para que formulen la oposición, como parte de las garantías del proceso. Durante este plazo, podrán las partes examinar en la Oficina judicial los autos y las operaciones divisorias y obtener, a su costa, las copias que soliciten.

La oposición habrá de formularse por escrito, expresando los puntos de las operaciones divisorias a que se refiere y las razones en que se funda a tenor de lo preceptuado en el artículo 787 de la LEC. Las causas de oposición pueden versar sobre cualquier punto de las cuestiones de la división de la herencia, tanto formales como de fondo, las cuestiones formales pueden versar sobre defectos en la convocatoria de la junta por ejemplo o la omisión de personas interesadas, en cuanto a las de fondo puede alegarse la incorrecta exclusión o inclusión de bienes, defectos en la liquidación del caudal relicto, en general todas aquellas causas de nulidad o rescisión de las operaciones particionales[171]. Pero sobre la base del principio de conservación de las particiones como señala la doctrina jurisprudencial[172].

---

[169]   Cfr. SAP de Cuenca núm. 318, 30 octubre 2012 (*Tol* 2682609).
[170]   Este plazo resulta insuficiente según la doctrina en la materia. Vid. OSTOS MOTA, M. J., *"Proceso división judicial de la herencia"*, *La partición de la herencia*, Dir O'CALLAGHAN, X., Editorial Universitaria Ramón Aceres, 2009, p. 61.
[171]   Cfr. OSTOS MOTA, M. J., "Proceso división judicial de la herencia", op. cit., p 63-64, siguiendo a SANCHO GARGALLO, I., BRIONES JURADO, C., *El juicio sucesorio*, Atelier, 2002, p. 73.
[172]   Cfr. STS 31 octubre 1996 (*Tol* 1659094), que destaca que: *"la jurisprudencia ha vencido afirmando la necesidad de respetar el criterio de nuestro ordenamiento jurídico que resulta restrictivo en cuanto a la admisión de las pretensiones de invalidez de las particiones, tanto contractuales como las judiciales, como se deduce de los artículos 1056, 1057, 1079 y 1080 del Código Civil, para evitar situaciones que se presentan más complejas y con dificultades de realización práctica, de volver al estado de indivisión hereditaria (sentencias de 17-4-1943, 17-3 y 5-10-1955, 25-2-1969 y 15-6-1982)".*

Cuando por esta vía se concluye, habiendo conformidad de todas las partes, bien porque no ha existido oposición, o bien porque se haya logrado un acuerdo tras la oposición, señala la doctrina en la materia que estaríamos en presencia no de una partición propiamente judicial, sino ante una partición contractual hecha ante el Tribunal, con apoyo de contador partidor judicial. Sobre ello además insiste la doctrina[173] que este acuerdo puede incluso alcanzarse contra el parecer del contador partidor judicial, ya que prevalece la naturaleza consensual, a su juicio claramente transaccional. Argumento además que encuentra cabida en lo previsto en el artículo 789 de la LEC.

Normativa

Art. 787.1 Ley de Enjuiciamiento Civil.
Art. 789. LEC.
Ley 13/2009, de 3 de noviembre, de reforma de la legislación procesal para la implantación de la nueva Oficina judicial ("BOE" 4 noviembre). Vigencia: 4 mayo 2010.

Jurisprudencia

STS 10/02/2000 (*Tol 1791*).
SAP de Cuenca, 30 octubre 2012 (*Tol 2682609*).
SAP de León, 17 julio 2012 (*Tol 2618255*).
SAP de Asturias, 14 julio 2003 (*Tol 573485*).
STS 31 octubre 1996 (*Tol 1659094*).

Formulario 6. SOLICITUD DE ALZAMIENTO DE LA SUSPENSIÓN DE LA DIVISIÓN DE LA HERENCIA

FUNDAMENTO LEGAL Y JURISPRUDENCIAL

Fase del procedimiento en la que se encuentra este formulario

Art. 787.6 Ley de Enjuiciamiento Civil.

---

[173] RUBIO GARRIDO, T., *La partición de la herencia*, Thomson Reuters Aranzadi, 2017, p. 511. Advierte que: "*estamos en presencia de una partición consensual cuando dentro de un juicio de división de herencia, todas las partes alcanzan un acuerdo ante el trabajo hecho por el contador-partidor judicialmente designado, de entrada o con reajustes que se pacten entre otros, incluso en la propia vista judicial. Así puede verse en la STS 10 febrero 2000 que hace descansar la voluntariedad en el pacta sunt servanda*". Vid. op. cit., p. 492.

Jurisprudencia:

Audiencia Provincial de Cáceres/ 11/12/2013 *(Tol 4062139)*.

Audiencia Provincial de Valencia/ 05/03/2008 *(Tol 6949591)*.

Fase: Alegaciones para que se dicte sentencia sobre aprobación de las operaciones divisorias en el procedimiento para la división de herencia estando suspendidas las actuaciones por causa penal.

ÓRGANO COMPETENTE

Procedimiento n° [...............] de división de herencia

AL JUZGADO DE PRIMERA INSTANCIA

N° [..............]
DE [..............]

ENCABEZAMIENTO

D./Dª [..............], Procurador/a de los Tribunales, colegiado/a n° [..............] del Ilustre Colegio de Procuradores de [..............], en nombre y representación de D./Dª [..............];

D./Dª [..............], Procurador/a de los Tribunales, colegiado/a n° [..............] del Ilustre Colegio de Procuradores de [..............], en nombre y representación de D./Dª [..............] y

D./Dª [..............], Procurador/a de los Tribunales, colegiado/a n° [..............] del Ilustre Colegio de Procuradores de [..............], en nombre y representación de D./Dª [..............],

Según tenemos ya acreditado en los presentes autos; ante el Juzgado comparecemos y como mejor proceda en Derecho, **DECIMOS**:

DIGO/MANIFIESTO

Que en la representación que ostentamos, por medio del presente escrito y al amparo del art. 787.6 de la Ley de Enjuiciamiento Civil (en adelante, LEC) solicitamos el ALZAMIENTO DE LA SUSPENSIÓN de las actuaciones que fue acordada en este procedimiento mediante Auto de fecha [..............], sobre la base de los siguientes hechos y fundamentos de derecho.

HECHOS

PRIMERO.– La citada resolución judicial de suspensión de las actuaciones fue motivada en la pendencia de una causa penal [...............] del Juzgado [...............] en la que se investiga un delito de cohecho cometido en el avalúo de los bienes de la herencia, estando el proceso pendiente sólo de sentencia.

SEGUNDO.– Los interesado/as prescinden del avalúo impugnado y presentan otro hecho de común acuerdo, que adjuntamos como:

Documento único. Avalúo de los bienes de la herencia de D./Dª [...............] suscrito por todos/as los interesados/as.

FUNDAMENTOS DE DERECHO

(1) Fondo del asunto

Son de aplicación a este caso los siguientes fundamentos legales:

Art. 787.6 de la LEC: *"Cuando, conforme a lo establecido en el artículo 40 de esta ley, se hubieran suspendido las actuaciones por estar pendiente causa penal en que se investigue un delito de cohecho cometido en el avalúo de los bienes de la herencia, la suspensión se alzará por el Letrado de la Administración de Justicia, sin esperar a que la causa finalice por resolución firme, en cuanto los interesados, prescindiendo del avalúo impugnado, presentaren otro hecho de común acuerdo, en cuyo caso se dictará sentencia con arreglo a lo que resulte de éste".*

Artículo 40, puntos 4 y 5 de la LEC. Prejudicialidad penal.

"4. No obstante, la suspensión que venga motivada por la posible existencia de un delito de falsedad de alguno de los documentos aportados se acordará, sin esperar a la conclusión del procedimiento, tan pronto como se acredite que se sigue causa criminal sobre aquel delito, cuando, a juicio del tribunal, el documento pudiera ser decisivo para resolver sobre el fondo del asunto.

5. En el caso a que se refiere el apartado anterior no se acordará por el Tribunal la suspensión, o se alzará por el Letrado de la Administración de Justicia la que aquél hubiese acordado, si la parte a la que pudiere favorecer el documento renunciare a él. Hecha la renuncia, se ordenará por el Letrado de la Administración de Justicia que el documento sea separado de los autos".

Por lo expuesto,

SUPLICAMOS AL JUZGADO

Que teniendo por presentado este escrito con sus copias, se sirva admitirlo y en su virtud, prescindiendo los interesados/as del avalúo impugnado y aportándose otro avalúo hecho de común acuerdo entre ellos, se alce por el sr./a Letrado de la Administración de Justicia la suspensión de las actuaciones de división de la herencia que fue acordada en este procedimiento mediante Auto de fecha [...............], para que se dicte sentencia con arreglo a lo que resulte del avalúo que se aporta con este escrito, hecho de común acuerdo por todos/as los interesados/as.

En [...............], a fecha [...............], de [...............], de [...............]

Firma del Letrado/a   Firma del Procurador/a

COMENTARIO

Estos formularios tienen por objeto la solicitud de alzamiento de la suspensión de la división de la herencia. Téngase en cuenta la siguiente información:

Doctrina

Solicitud de alzamiento de la suspensión de la división de la herencia.

La suspensión de la división de la herencia se alzará aun cuando se hubiesen suspendido las actuaciones por estar pendiente una causa penal en que se investigue un delito de cohecho cometido en el avalúo de los bienes de la herencia, y sin esperar a que la causa se finalice por resolución firme, en cuanto los interesados prescindiendo del avalúo impugnado, presentaren otro hecho de común acuerdo. En cuyo caso preceptúa el artículo 787. 6[174] de la LEC se dictará sentencia con arreglo a lo que resulte de éste.

Téngase además en cuenta el artículo 4°, puntos 4 y 5 de la LEC. Prejudicialidad penal, que al decir de la doctrina si se alza la suspensión, el proceso de división de la herencia terminará en sentencia[175].

---

[174] Regula el citado artículo: 787.6: *"Cuando, conforme a lo establecido en el artículo 40 de esta ley, se hubieran suspendido las actuaciones por estar pendiente causa penal en que se investigue un delito de cohecho cometido en el avalúo de los bienes de la herencia, la suspensión se alzará por el Letrado de la Administración de Justicia, sin esperar a que la causa finalice por resolución firme, en cuanto los interesados, prescindiendo del avalúo impugnado, presentaren otro hecho de común acuerdo, en cuyo caso se dictará sentencia con arreglo a lo que resulte de éste"*. redactado por el apartado trescientos cincuenta y cinco del artículo decimoquinto de la Ley 13/2009, de 3 de noviembre, de reforma de la legislación procesal para la implantación de la nueva Oficina judicial ("BOE" 4 noviembre). Vigencia: 4 mayo 2010. Modificado en cuanto a las referencias a Secretario judicial se entenderán hechas a Letrado de la Administración de Justicia, por disposición adicional de la Ley Orgánica número 7/2015, de 21 de julio.

[175] 4. *"No obstante, la suspensión que venga motivada por la posible existencia de un delito de falsedad de alguno de los documentos aportados se acordará, sin esperar a la conclusión del procedimiento, tan pronto como se acredite que se sigue causa criminal sobre aquel delito,*

NORMATIVA

Art. 787.6 de la LEC.

JURISPRUDENCIA

SAP de Cáceres, 11 diciembre 2013 (*Tol 4062139*).
SAP de Valencia, 5 abril 2008 (*Tol 6949591*).
STS número 238, 30 abril 2015 (*Tol 4918089*).

Formulario 7. SOLICITUD POR EL/LA PARTÍCIPE DE TESTIMONIO DE SU HABER Y ADJUDICACIÓN

FUNDAMENTO LEGAL Y JURISPRUDENCIAL

Fase del procedimiento en la que se encuentra este formulario

Art. 788 Ley de Enjuiciamiento Civil.

Jurisprudencia:

Audiencia Provincial de Bizkaia/ 05/03/2012 (*Tol 3560789*).

Resolución DGRN/ 09/12/2010 (*Tol 2016033*).

Fase: Entrega de los bienes adjudicados en el procedimiento para la división de herencia

ÓRGANO COMPETENTE

Procedimiento nº [...............] de división de herencia

AL JUZGADO DE PRIMERA INSTANCIA

Nº [...............]

---

cuando, a juicio del tribunal, el documento pudiera ser decisivo para resolver sobre el fondo del asunto".
5. "En el caso a que se refiere el apartado anterior no se acordará por el Tribunal la suspensión, o se alzará por el Letrado de la Administración de Justicia la que aquél hubiese acordado, si la parte a la que pudiere favorecer el documento renunciare a él. Hecha la renuncia, se ordenará por el Letrado de la Administración de Justicia que el documento sea separado de los autos".
Vid. OSTOS MOTA, M. J., "Proceso división judicial de la herencia", *La partición de la herencia*, Dir O'CALLAGHAN, X., Editorial Universitaria Ramón Aceres, 2009, p. 68.

DE [..............]

ENCABEZAMIENTO

D./Dª [..............], Procurador/a de los Tribunales, colegiado/a n° [..............] del Ilustre Colegio de Procuradores de [..............], en nombre y representación de D./Dª [..............], según tengo ya acreditado en los presentes autos; ante el Juzgado comparezco y como mejor proceda en Derecho, DIGO:

DIGO/MANIFIESTO

Que en la representación que ostento, por medio del presente escrito y al amparo del art. 788.2 de la Ley de Enjuiciamiento Civil (en adelante, LEC), en mi condición de partícipe de la herencia de D./Dª [..............] intereso la entrega de TESTIMONIO DEL HABER Y ADJUDICACIÓN de bienes que ha correspondido a mi mandante, sobre la base de los siguientes hechos y fundamentos de derecho.

HECHOS

PRIMERO.– Las operaciones divisorias de la herencia de D./Dª [..............] fueron aprobadas definitivamente mediante sentencia n° [..............] de fecha [..............], que ordenó se protocolizaran en la notaría que por turno correspondiera y se oficiara al sr. Decano del Colegio Notarial de [..............] para que informara del notario al que le correspondiere por turno y conocido, se le remitieran las operaciones divisorias y testimonio de la sentencia.

SEGUNDO.– La partición ha sido protocolizada por el/la notario de [..............] D./Dª [..............] mediante escritura de fecha [..............] y bajo el n° de protocolo.

Asimismo, el sr./a Letrado de la Administración de Justicia procedió a entregar a cada interesado/a lo adjudicado con sus títulos de propiedad con la correspondiente nota de la adjudicación.

TERCERO.– No existe ningún/a acreedor/a que conforme al art. 782.4 de la LEC se haya opuesto a que se lleve a efecto la partición de la herencia hasta tanto se le pague o afiance el importe de su crédito.

A los anteriores hechos son de aplicación los siguientes

FUNDAMENTOS DE DERECHO

(1) Fondo del asunto

Son de aplicación a este caso los siguientes fundamentos legales:

Art. 788 de la LEC: "1. Aprobadas definitivamente las particiones, el Letrado de la Administración de Justicia procederá a entregar a cada uno de los interesados lo que en *ellas le haya sido adjudicado y los títulos de propiedad, poniéndose previamente en éstos por el actuario notas expresivas de la adjudicación.*

2. Luego que sean protocolizadas, el Letrado de la Administración de Justicia dará a los partícipes que lo pidieren testimonio de su haber y adjudicación respectivos.

3. No obstante lo dispuesto en los apartados anteriores, cuando se haya formulado por algún acreedor de la herencia la petición a que se refiere el apartado 4 del artículo 782, no se hará la entrega de los bienes a ninguno de los herederos ni legatarios sin estar aquéllos completamente pagados o garantizados a su satisfacción".

Por lo expuesto,

SUPLICO AL JUZGADO

Que teniendo por presentado este escrito junto con sus copias, se sirva admitirlo y en su virtud, acuerde el sr./a Letrado de la Administración de Justicia hacerme entrega de testimonio del haber y adjudicación que ha correspondido a mi representado/a en la herencia de D./Dº [...............], objeto de este procedimiento.

En [...............], a fecha [...............], de [...............], de [...............

Firma del Letrado/a   Firma del Procurador/a

COMENTARIO

DOCTRINA

Estos formularios tienen por objeto la solicitud por el partícipe de testimonio de su haber y adjudicación.

Téngase en cuenta la siguiente información:

Solicitud por el partícipe de testimonio de su haber y adjudicación.

El artículo 1068 del CC refiere los efectos de la partición, la cual legalmente hecha confiere a cada heredero la propiedad de los bienes que le hayan sido adjudicados, cualesquiera que hay sido la el tipo de partición utilizada judicial o extrajudicial, culminando de esta forma el proceso hereditario. Señalando STS que: *"la partición de la herencia del causante creó un estado entre los herederos que no puede alterarse sin que se ataque la eficacia y validez de la misma"*.

Tradicionalmente para la inscripción en el Registro de la Propiedad de las adjudicaciones, se exigía el otorgamiento de Escritura Pública por Notario Público a quien por turno le correspondiere. La nueva ley sin embargo, opta al igual que ha hecho con las adjudicaciones después de subastas públicas, con buen criterio como señala la doctrina en la materia[176], considera que es título directo para la inscripción del testimonio expedido por el secretario judicial del auto aprobatorio de las operaciones particionales con expresión de aquellos particulares necesarios para que se proceda a la práctica de la inscripción. Téngase en cuenta que la expedición de los testimonios y consiguiente inscripción en el Registro no podrá hacerse si ha habido una oposición de los acreedores a tenor de lo que establecen los artículos 782.4 y 788.3 de la LEC, en tanto como bien indica la norma hasta que se les pague o de garantice de *"manera bastante su derecho"*[177].

Este testimonio es de interés para la inscripción de las adjudicaciones en el Registro de la Propiedad.

Siguiendo el recordatorio de la Resolución de la Dirección General de los Registros y del Notariado de 1 de febrero de 2018 (*Tol 6501787*), cuando en el procedimiento de división de herencia las partes no consienten en la partición propuesta y el procedimiento se transforma en contencioso, con los consecuentes trámites de juicio verbal y sentencia, esta sentencia, una vez firme, es título suficiente a los efectos de la alteración del contenido del Registro de la Propiedad (artículo 40 de la Ley Hipotecaria), sin perjuicio de que los interesados ejerciten cualesquiera otros procedimientos judiciales que la ley les confiere (artículo 787.5). Es el caso implícito del artículo 14 de la Ley Hipotecaria, segundo párrafo, cuando refiere la sentencia firme para inscribir adjudicaciones concretas.

Si por el contrario los interesados prestan su conformidad a las operaciones de avalúo y división (con o sin las modificaciones a que se refiere el artículo 787.4), el procedimiento finaliza con el decreto del letrado de la Administración de Justicia por el que se dan por aprobadas, mandando protocolizarlas, como dice el artículo 787.2 de la LEC. Por tanto, en este caso se precisará la escritura pública (cfr. Resoluciones de 9 de diciembre de 2010 y 20 de junio de 2017) para la posterior inscripción de las adjudicaciones.

Y en caso de sobreseimiento del procedimiento por transacción, el auto que se dicte no será directamente inscribible en el Registro de la Propiedad, al no ser una resolución sobre el fondo.

---

[176]   RUBIO GARRIDO, T., *La partición de la herencia*, Thomson Reuters Aranzadi, 2017, p. 518.
[177]   Vid. RUBIO GARRIDO, op. cit., p. 518.

Normativa

Art. 1068 CC.
Art. 782.2, 782.4. 788.3, 785.4 y 5 de la LEC.

Jurisprudencia

RDGRN 13 abril 2000. BOE 15 mayo 2000.
STS 28 junio 2001 (*Tol 32413*).

Formulario 8. SOLICITUD DE SOBRESEIMIENTO DEL PROCEDIMIENTO PARA LA DIVISIÓN DE LA HERENCIA POR ACUERDO DE TODOS LOS COHEREDEROS/AS

FUNDAMENTO LEGAL Y JURISPRUDENCIAL

Fase del procedimiento en la que se encuentra este formulario

Art. 789 Ley de Enjuiciamiento Civil.

Jurisprudencia:

Audiencia Provincial de Madrid/ 20/12/2011 (*Tol 3561690*).

Audiencia Provincial de Madrid/ 17/10/2011 (*Tol 5336509*).

Fase: Terminación del procedimiento para la división de la herencia.

ÓRGANO COMPETENTE

Procedimiento n° [...............] de división de herencia

AL JUZGADO DE PRIMERA INSTANCIA

N° [...............]
DE [...............]

ENCABEZAMIENTO

D./Dª [...............], Procurador/a de los Tribunales, colegiado/a n° [...............] del Ilustre Colegio de Procuradores de [...............], en nombre y representación de D./Dª [...............], según tengo ya acreditado en los presentes autos;

D./Dª [...............], Procurador/a de los Tribunales, colegiado/a n° [...............] del Ilustre Colegio de Procuradores de [...............], en nombre y representación de D./Dª [...............], según tengo ya acreditado en los presentes autos;

D./Dª [...............], Procurador/a de los Tribunales, colegiado/a n° [...............] del Ilustre Colegio de Procuradores de [...............], en nombre y representación de D./Dª [...............], según tengo ya acreditado en los presentes autos;

Ante el Juzgado comparecemos y como mejor proceda en Derecho, DECIMOS:

DIGO/MANIFIESTO

Que en la representación que ostentamos, por medio del presente escrito y al amparo del art. 789 de la Ley de Enjuiciamiento Civil (en adelante, LEC) PONEMOS DE MANIFIESTO AL JUZGADO EL ACUERDO alcanzado por todas las partes de este procedimiento, sobre las base de los siguientes hechos y fundamentos de derecho.

HECHOS

PRIMERO.– Nuestros representados y representadas son los únicos herederos y partes interesadas y han alcanzado un acuerdo para distribuirse entre ellos la herencia de D./Dª [...............] objeto de este procedimiento, como acreditamos mediante:

Documento n° 1. [...............]

SEGUNDO.– Alcanzado el acuerdo por los únicos interesados en la distribución de la herencia de D./Dª [...............] procede el sobreseimiento de este juicio y que los bienes de la herencia queden a disposición de nuestros mandantes.

A los anteriores hechos son de aplicación los siguientes

FUNDAMENTOS DE DERECHO

(1) Fondo del asunto

Es de aplicación a este caso el siguiente fundamento legal:

Art. 789 de la LEC: *"En cualquier estado del juicio podrán los interesados separarse de su seguimiento y adoptar los acuerdos que estimen convenientes. Cuando lo solicitaren de común acuerdo, deberá el Letrado de la Administración de Justicia sobreseer el juicio y poner los bienes a disposición de los herederos".* Referencia al Letrado de la Administración de Justicia modificada conforme establece la disposición adicional primera de la LO 7/2015, de 21 de julio. Vigencia: 1 octubre 2015.

Por lo expuesto,

SUPLICO AL JUZGADO

Que teniendo por presentado este escrito junto con sus copias, se sirva admitirlo y, en su virtud, tenga por manifestado el acuerdo de todos los interesados sobre la distribución de la herencia, acuerde el sobreseimiento del juicio y ordene que se pongan los bienes a disposición de nuestros mandantes, en su calidad de coherederos únicos interesados.

En [...............], a fecha [...............], de [...............], de [...............]
....

Firma del Letrado/a   Firma del Procurador/a

COMENTARIO

Este formulario tiene por objeto la solicitud de sobreseimiento del procedimiento para la división de la herencia. Téngase en cuenta la siguiente información:

Doctrina

Solicitud de sobreseimiento del procedimiento para la división de la herencia.

El acuerdo de los herederos en cuanto a la partición de la herencia conlleva si existe procedimiento para la división de la herencia del sobreseimiento del proceso. Téngase en cuenta además que el artículo 1058 del CC, admite que cuando el testador no haya hecho la partición ni encomendada a otra persona, son libres los herederos de poder distribuir la herencia de la manera que estimen, siempre que tuvieran la libre administración de sus bienes[178].

El artículo 789 LEC regula que el procedimiento termina por acuerdo de los coherederos, de ahí que en cualquier estado del juicio podrán los interesados separarse de su seguimiento y adoptar los acuerdos que estimen convenientes. Cuando lo solicitaren de común acuerdo, deberá el Letrado de la administración de Justicia sobreseer el juicio y poner los bienes a disposición de los herederos. Prima en este artículo el principio dispositivo de las partes sobre el objeto del proceso en la división de la herencia, y se pone de relieve la nota de

---

[178]   El artículo 1058 del Código Civil autoriza a los herederos mayores de edad y capaces a llevar a cabo la distribución y adjudicación de las herencias a las que son invocados en la manera que tengan por más conveniente (SS. de 14-7-1995 y 8-2-1996, entre otras). Cfr. STS 10 febrero 2000 (Tol 1791).

subsidiariedad de la partición judicial frente a la autonomía de la voluntad y los acuerdos de los coherederos[179].

La regla es la unanimidad como señala OSTOS MOTA[180], pero advirtiendo que dentro del término deben excluirse los acreedores de la herencia y de los herederos.

Acordado el sobreseimiento procede el archivo de las actuaciones, sin perjuicio de los gastos que se hubieren producido y que han de abonarse al contador partidor, a los peritos o administradores, finalizando de esta forma también todas las medidas de intervención o administración del caudal relicto.

Téngase en cuenta en este extremo la Sentencia núm. 1273/1991 de 25 abril. (RJ 1994/322), pues las facultades de todo contador-partidor, por muy amplias que sean, quedan agotadas una vez que ha realizado las operaciones particionales y las mismas han sido aceptadas por los herederos interesados, sin que posteriormente pueda modificar la partición, por su exclusiva y unilateral decisión sin contar con el consentimiento unánime de dichos herederos, que habían aceptado plenamente la inicialmente practicada.

NORMATIVA

Artículos 1058,1079, 1300 a 1314 del Código Civil.
Art. 789 LEC.
Ley 13/2009, de 3 de noviembre, de reforma de la legislación procesal para la implantación de la nueva Oficina judicial ("BOE" 4 noviembre).

JURISPRUDENCIA

STS 10 febrero 2000 (*Tol 1791*).
STS 9 abril 1990 (*Tol 1730486*).
STS 4 noviembre 1969 (*Tol 4275029*).

---

[179] Cfr. STS 9 abril 1990 (*Tol 1730486*), que plantea como Doctrina lo siguiente: "*la existencia de acuerdo previo al juicio, entre los interesados en la herencia, plasmado en escritura pública, con relación del inventario y avalúo de bienes y adjudicaciones a los sucesores, determina que ha de sobreseerse el de testamentaría, cuya finalidad es hacer la división y adjudicación de bienes entre los herederos*".

[180] Vid. OSTOS MOTA, M. J., "Proceso división judicial de la herencia", *La partición de la herencia*, Dir O'CALLAGHAN, X., Editorial Universitaria Ramón Aceres, 2009, op. cit., p. 72.

Formulario 9. SOLICITUD DE INTERVENCIÓN JUDICIAL DE LA HERENCIA POR ACREEDOR/A RECONOCIDO/A O CON TÍTULO EJECUTIVO

FUNDAMENTO LEGAL Y JURISPRUDENCIAL

Fase del procedimiento en la que se encuentra este formulario

Art. 792.2 Ley de Enjuiciamiento Civil.

Jurisprudencia:

Audiencia Provincial de Bizkaia/ 07/06/2011 *(Tol 3720018)* (sobre art. 791 LEC) .

Audiencia Provincial de Las Palmas/ 20/02/2006 *(Tol 888524)* (sobre art. 791 LEC).

Audiencia Provincial de Madrid/ 15/12/2017 *(Tol 6512160)* (sobre art. 792 LEC).

Audiencia Provincial de Madrid/ 12/04/2016 *(Tol 5896227)* (sobre art. 792 LEC).

Fase: Inicio de pieza de intervención del caudal hereditario en procedimiento de declaración de herederos o de la división judicial de la herencia.

ÓRGANO COMPETENTE

Procedimiento n° [...............]

AL JUZGADO DE PRIMERA INSTANCIA

N° [...............]
DE [...............]

ENCABEZAMIENTO

D./Dª [...............], Procurador/a de los Tribunales, colegiado/a n° [...............] del Ilustre Colegio de Procuradores de [...............], actuando en nombre y representación de D./Dª [...............], DNI n° [...............], mayor de edad, con domicilio en [...............], calle [...............] núm. [...............], piso [...............], puerta [...............] (CP...............) según acredito mediante la copia de escritura de poder que acompaño/poder otorgado "apud acta" electrónico/poder que será otorgado "apud acta" ante el/la sr/a Letrado/a de la Administración de Justicia; ante el Juzgado comparezco bajo la dirección técnica del/la Letrado/a D./Dª [...............], colegiado/a n° [...............] del Ilustre Colegio de Abogados de [...............] con despacho profesional en [...............] y como mejor proceda en Derecho, **DIGO**:

DIGO/MANIFIESTO

Que siguiendo expresas instrucciones de mi representado/a, por medio del presente escrito, al amparo del art. 792.2 de la Ley de Enjuiciamiento Civil (en adelante, LEC) y en su condición de acreedor/a del/la causante, formulo solicitud de INTERVENCIÓN JUDICIAL DE LA HERENCIA DE D./Dª [...............], sobre la base de los siguientes hechos y fundamentos de derecho.

HECHOS

PRIMERO.– Mi mandante es acreedor/a del/la causante reconocido como tal en el testamento/o reconocido por los coherederos/o con derecho documentado en título ejecutivo por el importe de principal [...............], más los intereses [...............], como se acredita mediante:

Documento nº 1. [...............]

Al anterior hecho es de aplicación el siguiente

FUNDAMENTOS DE DERECHO

(1) Capacidad y legitimación

Mi representado/a tiene capacidad, con arreglo al art. 6 de la LEC y se encuentra legitimado/a a tenor de lo dispuesto en el nº 2 del art. 792 de la Ley de Enjuiciamiento Civil.

(2) Representación y defensa

Artículos 23 y 31 de la LEC. Esta parte comparece por medio de procurador y dirigida por abogado cumpliendo lo prevenido en ambos artículos.

(3) Procedimiento

Procede se sigan los trámites legales previstos para la intervención del caudal hereditario previstos en los arts. 790 a 796 de la LEC y los arts. 797 a 805 de la misma Ley para su administración.

(4) Fondo del asunto

Son de aplicación a este caso los siguientes fundamentos legales:

Art. 792.2 de la LEC, por el que se admite la intervención judicial de la herencia con arreglo a lo establecido en el art. 791.2 de la LEC durante la tramitación de la declaración de herederos, o de la división judicial de la herencia a petición de los acreedores de la herencia, reconocidos como tales en el testamento o por los coherederos y los que tengan su derecho documentado en un título ejecutivo.

Art. 791.2 de la LEC, por el que, si resultare haber fallecido sin testar y sin parientes llamados por la ley a la sucesión, mandará el Tribunal, por medio de auto, que se proceda:

1º A ocupar los libros, papeles y correspondencia del difunto.

2° A inventariar y depositar los bienes, disponiendo lo que proceda sobre su administración, con arreglo a lo establecido en esta Ley. El Tribunal podrá nombrar a una persona, con cargo al caudal hereditario, que efectúe y garantice el inventario y su depósito.

Art. 795 de la LEC: *"Hecho el inventario, determinará el tribunal, por medio de auto, lo que según las circunstancias corresponda sobre la administración del caudal, su custodia y conservación, ateniéndose, en su caso, a lo que sobre estas materias hubiere dispuesto el testador y, en su defecto, con sujeción a las reglas siguientes:*

1° El metálico y efectos públicos se depositarán con arreglo a derecho.

2° Se nombrará administrador al viudo o viuda y, en su defecto, al heredero o legatario de parte alícuota que tuviere mayor parte en la herencia. A falta de éstos, o si no tuvieren, a juicio del tribunal, la capacidad necesaria para desempeñar el cargo, podrá el tribunal nombrar administrador a cualquiera de los herederos o legatarios de parte alícuota, si los hubiere, o a un tercero.

3° El administrador deberá prestar, en cualquiera de las formas permitidas por esta Ley, caución bastante a responder de los bienes que se le entreguen, que será fijada por el tribunal. Podrá éste, no obstante, dispensar de la caución al cónyuge viudo o al heredero designado administrador cuando tengan bienes suficientes para responder de los que se le entreguen.

4° Los herederos y legatarios de parte alícuota podrán dispensar al administrador del deber de prestar caución. No habiendo acerca de esto conformidad, la caución será proporcionada al interés en el caudal de los que no otorguen su relevación. Se constituirá caución, en todo caso, respecto de la participación en la herencia de los menores que no tengan representante legal y de los ausentes a los que no se haya podido citar por ignorarse su paradero". Apartado 4° del artículo 795 redactado por el apartado veintiocho del artículo cuarto de la Ley 8/2021, de 2 de junio, por la que se reforma la legislación civil y procesal para el apoyo a las personas con discapacidad en el ejercicio de su capacidad jurídica ("BOE" 3 junio). Vigencia: 3 septiembre 2021.

Por lo expuesto,

SUPLICO AL JUZGADO

Que teniendo por presentado este escrito junto con sus documentos y copias, se sirva admitirlo y tenerme por personado/a y parte en la representación que ostento de D./D° [...............] y por formulada petición de intervención judicial de la herencia de D./D° [...............] y en su virtud, acuerde mediante auto ordenar la práctica de las siguientes diligencias:

a) Ocupar los libros, papeles, correspondencia y efectos del difunto.

b) Ordenar la formación de inventario y el depósito de los bienes,

c) Nombrar administrador/a de la herencia hasta tanto se proceda a la adjudicación de los bienes hereditarios.

En [................], a fecha [................], de [................], de [................]

Firma del Letrado/a   Firma del Procurador/a

COMENTARIO

Estos formularios tienen por objeto la cuestión de la solicitud de intervención judicial de la herencia por acreedor/a reconocido/a o con título ejecutivo Téngase en cuenta la siguiente información:

DOCTRINA

Solicitud de intervención judicial de la herencia por acreedor/a reconocido/a o con título ejecutivo.

Téngase en cuenta los comentarios en el epígrafe de los acreedores.

El artículo 792.2 de la Ley de Enjuiciamiento Civil establece la intervención judicial de la herencia durante la tramitación bien de la declaración de herederos o bien en el supuesto de división judicial de la herencia. Estableciendo determinados presupuestos para la solicitud, así como las partes que pueden solicitar la intervención judicial.

En primer lugar procede a instancia de parte o a instancia de los acreedores de la herencia. El artículo comprende dos supuestos de personas legitimadas para la solicitud de intervención judicial de la herencia, en primer lugar están el cónyuge o cualquiera de los parientes que se crea con derecho a la sucesión legítima, siempre que acrediten haber promovido la declaración de herederos abintestato ante Notario o se formule la solicitud de intervención judicial del caudal hereditario al tiempo de promover la declaración notarial de herederos. En segundo lugar la norma legitima también a cualquier coheredero o legatario de parte alícuota, al tiempo de solicitar la división judicial de la herencia, salvo que la intervención hubiera sido expresamente prohibida por disposición testamentaria y finalmente también podrá solicitar la intervención la Administración Pública que haya iniciado un procedimiento para su declaración como heredero abintestato[181]. En segundo lugar el artículo habilita o legitima a los acreedores

---

[181]   Cfr. Número 1 del artículo 792 redactado por el apartado diecisiete de la disposición final tercera de la Ley 15/2015, de 2 de julio, de la Jurisdicción Voluntaria ("BOE" 3 julio). Vigencia: 23 julio 2015. Téngase en este punto como referencia los llamamientos a suceder abintestatos previsto en los artículos 930 y ss. del CC.

reconocidos como tales en el testamento o por los coherederos y los que tengan su derecho documentado en un título ejecutivo.

En lo que respecta a los acreedores de la herencia reconocidos ostentan un interés obvio como nos dice la doctrina en el tema, porque la sustracción y ocultación de bienes de la herencia repercute en la garantía del cobro de sus créditos[182].

El artículo no establece el momento procesal oportuno en el cual los acreedores podrán solicitar la intervención judicial a diferencia del supuesto también contemplado en el propio artículo sobre los sucesores y cónyuge viudo, por lo que podrán hacerlo en el momento que estimen oportuno y necesario dice la doctrina en la materia[183], entendiendo además otro sector de la doctrina[184] que la intervención puede solicitarse antes de que se tramite la declaración de herederos abintestato o la división judicial de la herencia, dado que las medidas de intervención pueden adoptarse de oficio desde el fallecimiento de la persona, tal como regula el art. 790.1 y 791.2 de la LEC.

Téngase en cuenta las modificaciones del artículo 790.1 de la LEC en virtud de la Ley 8/2021, de 2 de junio, por la que se reforma la legislación civil y procesal para el apoyo a las personas con discapacidad en el ejercicio de su capacidad jurídica.

Normativa

Art. 792.2 Ley de Enjuiciamiento Civil.
Ley 15/2015, de 2 de julio, de la Jurisdicción Voluntaria ("BOE" 3 julio). Vigencia: 23 julio 2015.
Ley 8/2021, de 2 de junio, por la que se reforma la legislación civil y procesal para el apoyo a las personas con discapacidad en el ejercicio de su capacidad jurídica.

Jurisprudencia

SAP de Bizkaia, 7 junio 2011 (*Tol 3720018*), (sobre art. 791 LEC).
SAP de las Palmas, 20 febrero 2006 (*Tol 888524*), (sobre art. 791 LEC).
SAP de Madrid, 15 diciembre 2017 (*Tol 6512160*), (sobre art. 792 LEC).
SAP de Madrid, 12 abril 2016 (*Tol 5896227*), (sobre art. 792 LEC).

---

[182] Vid. SANCHO GARGALLO, I., BRIONES JURDO, C., *El juicio sucesorio*, Atelier, 2002, p. 107.
[183] GARGALLO, op. cit., p. 108.
[184] OSTOS MOTA, op. cit., p. 84.

Formulario 10. PRESENTACIÓN DE LAS CUENTAS POR EL/LA ADMINISTRADOR/A DE LA HERENCIA

FUNDAMENTO LEGAL Y JURISPRUDENCIAL

Fase del procedimiento en la que se encuentra este formulario

Art. 800.1 Ley de Enjuiciamiento Civil.

Jurisprudencia:

Audiencia Provincial de Zaragoza/ 16/02/2016 (Tol 926195).

Audiencia Provincial de Cáceres/ 07/10/2010 (Tol 3619274).

Fase: Rendición final de cuentas de la administración en la pieza de intervención del caudal hereditario dentro del procedimiento de declaración de herederos o de la división judicial de la herencia.

ÓRGANO COMPETENTE

Procedimiento n° [...............]

AL JUZGADO DE PRIMERA INSTANCIA

N° [...............]
DE [...............]

ENCABEZAMIENTO

D./D° [...............], en calidad de administrador/a de la herencia designado en los presentes autos; ante el Juzgado comparezco y como mejor proceda en Derecho, **DIGO**:

DIGO/MANIFIESTO

Que mediante el presente escrito y al amparo del art. 800.1 de la Ley de Enjuiciamiento Civil (en adelante LEC) acompaño la cuenta final complementaria de las ya presentadas.

HECHOS

PRIMERO.- En virtud de Auto de fecha [...............] de este Juzgado el/la que suscribe fue designado/a administrador/a de la herencia de D./D° [...............] por plazo de [...............] y bajo caución de [...............] euros, que fue prestada en fecha [...............], como consta acreditado en los autos.

SEGUNDO.– En el cumplido ejercicio de su cargo y en fechas [...............] este/a administrador/a ha presentado en este Juzgado las siguientes cuentas provisionales en los plazos que le fueron señalados, consignando los saldos resultantes y/o presentando los resguardos que acreditaban haberlo depositado en el establecimiento destinado al efecto: [...............]

TERCERO.– En fecha [...............] ha cesado en el desempeño de su cargo de administrador/a de la citada herencia y, en su consecuencia, procede presentar la cuenta final complementaria de las anteriores.

A los anteriores hechos son de aplicación los siguientes

FUNDAMENTOS DE DERECHO

(1) Fondo del asunto

Son de aplicación a este caso los siguientes fundamentos legales:

Art. 800 de la LEC: *"Rendición final de cuentas. Impugnación de las cuentas.*

1. Cuando el administrador cese en el desempeño de su cargo, rendirá una cuenta final complementaria de las ya presentadas.

2. Todas las cuentas del administrador, incluso la final, serán puestas de manifiesto a las partes en la Oficina judicial, cuando cese en el desempeño de su cargo, por un término común, que el Letrado de la Administración de Justicia señalará mediante diligencia según la importancia de aquéllas.

3. Pasado dicho término sin hacerse oposición a las cuentas, el Letrado de la Administración de Justicia dictará decreto aprobándolas y declarando exento de responsabilidad al administrador. En el mismo decreto mandará devolver al administrador la caución que hubiere prestado.

4. Si las cuentas fueren impugnadas en tiempo hábil, se dará traslado del escrito de impugnación al cuentadante para que conteste conforme a lo establecido en el artículo 438. Las partes, en sus respectivos escritos de impugnación y contestación a ésta, podrán solicitar la celebración de vista, continuando la tramitación con arreglo a lo dispuesto para el juicio verbal".

Por lo expuesto,

SUPLICO AL JUZGADO

Que teniendo por presentado este escrito con la cuenta final que se acompaña, la una a los autos, se pongan de manifiesto a las partes en la oficina judicial y en su momento, se aprueben declarando exento de responsabilidad al administrador con devolución a este administrador de la caución prestada en su día.

En [...............], a fecha [...............], de [...............], de [...............]

Firma del Letrado/a   Firma del Procurador/a

COMENTARIO

Estos formularios tienen por objeto la presentación de las cuentas por administrador. Téngase en cuenta la siguiente información:

Doctrina

Presentación de las cuentas por Administrador.

Con la presentación de la demanda de división de herencia se puede pedir y si se acuerda la intervención del caudal y la formación de inventario, tal como estipula el art. 783 de la LEC.

La función de la rendición de las cuentas es que las partes puedan mostrar o no su conformidad con la gestión que se le atribuye al administrador. El administrador debe conservar los bienes de la herencia, garantizando la integridad del patrimonio relicto y por ende de los derechos e intereses que sobre éste tienen los llamados por el testamento o la ley a suceder al causante, como se desprende de lo dispuesto en el artículo 801 de la Ley de Enjuiciamiento Civil. La integridad del patrimonio relicto debe comprender también los actos encaminados a mantener el valor del patrimonio y, en la medida de lo posible, revalorizarlo logrando la máxima rentabilidad de los bienes. En consecuencia, el administrador debe dar cuenta de los ingresos o rendimientos obtenidos del caudal y de los gastos soportados por el mismo.

La aprobación de las cuentas del administrador hace referencia al resultado de su gestión. El que esta labor sirva a su vez para esclarecer las posiciones entre la herencia y los herederos u otros interesados no justifica que éstos sean motivos para impugnar las cuentas, por cuanto, la determinación del activo o pasivo del caudal es extremo que debe solventarse con ocasión de la confección del inventario, no con la aprobación de cuentas. Como bien señala la STS 12 junio 1957 en su Considerando número uno al referirse a la cuestión: *"al Administrador del abintestato de rendir una cuenta final no es más que una aplicación de la regla general a la que están sujetos todos los que por cualquier título administran negocios ajenos, es la consecuencia y, por así decirlo, el último acto de su gestión, que sería incompleta si no indicase todo lo que ha hecho, todo lo que ha pagado y todo lo que ha recibido, las obligaciones que ha asumido frente a los terceros y las que los terceros asumieron frente a él, debiendo resultar de la dación de cuentas no sólo todo lo que ha dado o recibido, sino el índice de todas las operaciones: venta, compra, custodia procedimientos judiciales incoados y resultado obtenido, créditos acordados o recibidos, dilaciones o plazos concedidos, etcétera de modo que contengan la demostración de toda la actividad que ha desarrollado para que pueda juzgarse si ha administrado como un buen padre de familia*"[185].

El art. 799.3 LEC contempla una fiscalización permanente, por parte de los interesados personados, de las rendiciones de cuentas periódicas, a los que se les legitima para "promover cualesquiera medidas que versen sobre su rectificación o aprobación". Pero, una cosa son las medidas que se previenen en dicho precepto, que sólo darán lugar a la aprobación de cuentas parciales si éstas son cuestionadas y otra es la aprobación de las cuentas finales del administrador regulada en el art. 800 LEC, en cuyo ordinal segundo se deja sentado con claridad que el examen de dichas cuentas para su aprobación o reprobación es necesario y afecta a "todas las cuentas del administrador".

No por no haberse cuestionado las cuentas parciales se impide hacerlo en la rendición final de las cuentas, pero esa pasividad puede repercutir en privar al administrador de una información a los efectos de posibilitar salvar las imprecisiones o salvedades que pudieran contenerse en las primeras y que podrían quedar faltas de prueba posteriormente.

La rendición final de cuentas es una cuenta complementaria al resto de cuentas periódicas ya presentadas y no puede presentarse hasta que el administrador haya cesado en el cargo. Si la rendición final de cuentas es el último acto de gestión de la administradora, sólo podrá realizarse cuando hayan terminado todos los demás actos, con la partición y entrega de todos bienes a los coherederos. La ley no establece ningún plazo para la presentación de las cuentas; habida cuenta que el artículo 800. 1 de la LEC sólo hace referencia a "cuando *el administrador cese en el desempeño de sus funciones"*, de lo que queda claro es que sólo se le podrá exigir esta rendición de cuentas cuando haya finalizado el plazo de su gestión[186].

NORMATIVA

Art. 800, y 799.3 LEC.

---

[185]   STS número 1321, 12 junio 1957 (*Tol 4377713*).
[186]   Vid. OSTOS MOTA, op. cit., p. 118.

JURISPRUDENCIA

STS 16 abril 1998 (*Tol 169708*).
STS 12 junio 1957 (*Tol 4377713*).

Formulario 11. IMPUGNACIÓN DE LAS CUENTAS PRESENTADAS POR EL/LA ADMINISTRADOR/A DE LA HERENCIA

FUNDAMENTO LEGAL Y JURISPRUDENCIAL

Fase del procedimiento en la que se encuentra este formulario

Art. 800.4 Ley de Enjuiciamiento Civil.

Jurisprudencia:

Audiencia Provincial de Bizkaia/ 12/07/2018 *(Tol 6925517)*.

Audiencia Provincial de Cádiz/ 30/11/2015 *(Tol 5701937)*.

Fase: Impugnación de cuentas de la administración en la pieza de intervención del caudal hereditario dentro del procedimiento de declaración de herederos o de la división judicial de la herencia.

ÓRGANO COMPETENTE

Procedimiento n° [...............]

AL JUZGADO DE PRIMERA INSTANCIA

N° [...............]
DE [...............]

ENCABEZAMIENTO

D./Dª [...............], Procurador/a de los Tribunales, colegiado/a n° [...............] del Ilustre Colegio de Procuradores de [...............], en nombre y representación de D./Dª [...............], según tengo ya acreditado en los presentes autos; ante el Juzgado comparezco y como mejor proceda en Derecho, **DIGO**:

DIGO/MANIFIESTO

Que en la representación que ostento, por medio del presente escrito y al amparo del art. 800.4 de la Ley de Enjuiciamiento Civil (en adelante, LEC) formulo OPOSICIÓN A LAS CUENTAS PRESENTADAS POR EL/LA ADMINISTRADOR/A, que impugno en base a los siguientes motivos.

HECHOS

ÚNICO.– Las cuentas presentadas por el/la administrador/a incurren en las siguientes omisiones y errores graves [...............]

Al anterior hecho es de aplicación los siguientes

FUNDAMENTOS DE DERECHO

(1) Procedimiento

Procede seguir los trámites del art. 800.4 de la Ley de Enjuiciamiento Civil (LEC), pudiendo las partes solicitar la celebración de vista, continuando la tramitación con arreglo a lo dispuesto para el juicio verbal.

(2) Fondo del asunto

Son de aplicación a este caso los siguientes fundamentos legales:

Art. 799 de la LEC: *"Rendición periódica de cuentas.*

1. El administrador rendirá cuenta justificada en los plazos que el tribunal le señale, los que serán proporcionados a la importancia y condiciones del caudal, sin que en ningún caso puedan exceder de un año.

2. Al rendir la cuenta, el administrador consignará el saldo que de la misma resulte o presentará el resguardo original que acredite haberlo depositado en el establecimiento destinado al efecto. En el primer caso, el Letrado de la Administración de Justicia acordará inmediatamente mediante diligencia el depósito y, en el segundo, que se ponga en los autos diligencia expresiva de la fecha y cantidad del mismo.

3. Para el efecto de instruirse de las cuentas y a fin de inspeccionar la administración o promover cualesquiera medidos que versen sobre rectificación o aprobación de aquéllas, serán puestas de manifiesto en la Oficina judicial a la parte que, en cualquier tiempo, lo pidiere".

Art. 800 de la LEC: *"Rendición final de cuentas. Impugnación de las cuentas.*

1. Cuando el administrador cese en el desempeño de su cargo, rendirá una cuenta final complementaria de las ya presentadas.

2. Todas las cuentas del administrador, incluso la final, serán puestas de manifiesto a las partes en la Oficina judicial, cuando cese en el desempeño de su cargo, por un término común, que el Letrado de la Administración de Justicia señalará mediante diligencia según la importancia de aquéllas.

3. Pasado dicho término sin hacerse oposición a las cuentas, el Letrado de la Administración de Justicia dictará decreto aprobándolas y declarando exento de responsabilidad al administrador. En el mismo decreto mandará devolver al administrador la caución que hubiere prestado.

4. Si las cuentas fueren impugnadas en tiempo hábil, se dará traslado del escrito de impugnación al cuentadante para que conteste conforme a lo establecido en el artículo 438. Las partes, en sus respectivos escritos de impugnación y contestación a ésta, podrán solicitar la celebración de vista, continuando la tramitación con arreglo a lo dispuesto para el juicio verbal".

(3) Costas

Es de aplicación el art. 394 de la LEC en cuanto a la condena en las costas causadas de la primera instancia.

Por lo expuesto,

SUPLICO AL JUZGADO

Que teniendo por presentado este escrito junto con sus copias, se sirva admitirlo teniendo por formulada oposición a las cuentas presentadas por el/la administrador/a de la herencia de D./Dª [...............], dé traslado de la misma al cuentadante para su contestación conforme a lo establecido en el art. 438 LEC y previos los trámites legales del juicio verbal, dicte en su día, sentencia, por la que, atendiendo a lo expuesto e interesado en el presente escrito, acuerde:

a) Rectificar las cuentas en los siguientes términos [...............].

b) Condenar a los/las vencidos/as al pago de las costas causadas.

OTROSÍ DIGO

PRIMERO.– que interesando al derecho de esta parte la celebración de vista conforme a lo prevenido en el art. 800.4 de la LEC, SUPLICO: acuerde en su conformidad y señale día para la celebración de la vista, continuando la tramitación con arreglo a lo dispuesto para el juicio verbal.

En [...............], a fecha [...............], de [...............], de [...............]

Firma del Letrado/a   Firma del Procurador/a

COMENTARIO

Estos formularios tienen por objeto la impugnación de cuentas por administrador. Téngase en cuenta la siguiente información:

Doctrina

Impugnación de cuentas presentadas por Administrador.

La función de administrador lleva consigo la realización de actos que pudieran ser calificados de conservación, de administración propiamente dicha y también de disposición, en este caso sujetos a autorización judicial cuando se trate de actos de enajenación y gravamen. Pero, el concreto administrador sólo puede rendir cuentas de lo que ha administrado y de los actos realizados durante el periodo al que se contrae su administración. Debe ir referida al periodo de tiempo en que el administrador ha ostentado dicho cargo en el procedimiento, fijando como dies a quo el de la toma de posesión.

Señala SANCHO GARGALLO: *"que el objeto de la impugnación será, en primer lugar los reparos puestos en las partidas no aceptables por ser gastos excesivos o indebidos, o propugnar la inclusión de otros ingresos o aumentar el importe de los consignados, de forma que haciendo las rectificaciones procedentes en la contabilidad, se llegue a la conclusión cierta de los ingresos obtenidos, gastos ocasionados y el saldo resultante a favor o en contra de la herencia"*[187].

La STS de 12 junio 1957 en cuanto a esto señalaba que cuando la gestión realizada ha sido contraria a la diligencia de y rectitud que obliga el cargo de administrador judicial, podrá solicitarse la declaración de responsabilidad pecuniaria a que la conducta del administrador dé lugar, a fin de restituir a la masa hereditaria los bienes económicos que con tal proceder haya mermado.

Téngase en cuenta además lo previsto en el artículo 798 de la LEC que trata la cuestión también de la representación de la herencia por el administrador[188],

---

[187] Vid. SANCHO GARGALLO, I., BRIONES JURDO, C., *El juicio sucesorio*, Atelier, 2002, op. cit., p. 154.

[188] Cfr. la Sentencia Civil N° 180/2016, AP-Alicante, Sec. 6, de 12 de julio 2016 (*Tol 5867027*) mentando la Sentencia Civil N° 299/2015, AP-Madrid, Sec. 10, Rec 377/2015, 10-09-2015: "*de forma que solo se puede dirigir frente a la herencia yacente por resultar de nuestra Ley de Enjuiciamiento Civil la capacidad para ser parte de los patrimonios sin personalidad, así conforme el art. 6.4° LEC podrá ser parte las masas patrimoniales o los patrimonios separados que carezcan transitoriamente de titular. (................) En estos casos el artículo 798 LEC dice que mientras la herencia no haya sido aceptada por los herederos el administrador de los bienes representará a la herencia en todos los pleitos que se promuevan o estuvieran iniciados al*

así como lo regulado en el artículo 799 de la LEC que aborda la rendición de cuentas por parte del administrador.

Por tanto, en el procedimiento incidental establecido para la impugnación de la rendición de cuentas del artículo 800 de la LEC[189] sólo puede tener cabida y, por tanto, sólo pueden ser discutidas y resueltas aquéllas cuestiones propias de esa gestión o administración de los bienes hereditarios. De forma que, cualesquiera otras, aunque puedan derivarse de la misma, exceden de la materia propia de la impugnación de cuentas y deben ventilarse por medio de los procedimientos oportunos. Asimismo, los actos de gestión y disposición de la herencia realizada en otro periodo distinto al del administrador, no puede ser objeto de examen en su rendición y deberán enjuiciarse frente a la persona o personas que hayan sido responsables de los mismos.

Normativa

Art. 800 LEC.
Ley 13/2009, de 3 de noviembre, de reforma de la legislación procesal para la implantación de la nueva Oficina judicial ("BOE" 4 noviembre). Vigencia: 4 mayo 2010.

Jurisprudencia

STS 15 octubre 1902 (*Tol 5064469*).
STS 12 junio 1957 (*Tol 4377713*).
SAP de Alicante núm. 180, de 12 julio 2016 (*Tol 5867027*).

---

fallecer el causante y sobre la persona a la que corresponda la administración de la herencia dice el art. 795.2 LEC que se nombrara administrador al viudo o viuda, a falta de los anteriores podrá nombrar a cualquier heredero o legatario o tercero".

[189] *Cfr. citado artículo que señala: "cuando el administrador cese en el desempeño de su cargo, rendirá una cuenta final complementaria de las ya presentadas. 2. Todas las cuentas del administrador, incluso la final, serán puestas de manifiesto a las partes en la Oficina judicial, cuando cese en el desempeño de su cargo, por un término común, que el Secretario judicial señalará mediante diligencia según la importancia de aquéllas".*

3. EXPEDIENTES DE JURISDICCIÓN VOLUNTARIA
Ley 15/2015, de 2 de julio, de la Jurisdicción Voluntaria

Formulario 1. RENUNCIA DEL/LA ALBACEA A SU CARGO

FUNDAMENTO LEGAL Y JURISPRUDENCIAL

Fase del procedimiento en la que se encuentra este formulario

Art. 899 del Código Civil.

Jurisprudencia:

AP Madrid/ 15/06/2017 (Tol 6365740).

AP Madrid/ 28/03/2011 (Tol 5319977).

Fase: iniciación del expediente

ÓRGANO COMPETENTE

AL JUZGADO DE PRIMERA INSTANCIA

DE [...............]

—que por turno de reparto corresponda—

ENCABEZAMIENTO

D./Dª [...............], Procurador/a de los Tribunales, colegiado/a nº [...............] del Ilustre Colegio de Procuradores de [...............], actuando en nombre y representación de D./Dª [...............], mayor de edad, DNI número [...............], con domicilio en [...............], calle [...............] núm............... [...............], piso [...............], puerta [...............] (CP...............) según acredito mediante la copia de escritura de poder que acompaño/poder otorgado "apud acta" electrónico/poder que será otorgado "apud acta" ante el/la sr/a Letrado/a de la Administración de Justicia; ante el Juzgado comparezco bajo la dirección técnica del/la Letrado/a D./Dª [...............], colegiado/a nº [...............] del Ilustre Colegio de Abogados de [...............]; como mejor proceda en Derecho, **DIGO**:

DIGO/MANIFIESTO

Que mediante el presente escrito y al amparo del artículo 91.1.1° de la Ley 15/2015, de 2 de junio, de la Jurisdicción Voluntaria, promuevo expediente de jurisdicción voluntaria para la RENUNCIA AL CARGO DE ALBACEA de la herencia del/la causante D./Dª [................], para el que fue nombrado mi representado/a, sobre la base de los siguientes hechos y fundamentos de derecho.

HECHOS

PRIMERO.– D./Dª [................] falleció el día [................] de [................] de [................] en la localidad de [................]. Y había otorgado testamento, no revocado por otro posterior, ante el/la notario de [................], D./Dª [................] el día [................] de [................] de [................], bajo el n° [................] de su protocolo.

En su prueba se acompaña:

Documento n° 1. Certificado de defunción expedido por el Registro Civil de [................]

Documento n° 2. Certificado del Registro de Actos de Última Voluntad

Documento n° 3. Copia autorizada del testamento

SEGUNDO.– En virtud del citado testamento, D./Dª [................] instituyó herederos/as a D./Dª [................] y D./Dª [................] y en su cláusula [................] designó albacea a mi representado/a.

TERCERO.– Mi representado/a no pudo excusarse del cargo de albacea en el que era nombrado, dentro de los seis días siguientes al día en que tuvo noticia de la muerte del testador, por estar padeciendo grave enfermedad que requirió en dichas fechas su ingreso en servicio de urgencias del hospital [................] de [................] que le derivó a la UCI del mismo hospital.

Documento n° 4. Informe de alta del hospital

CUARTO.– Concurre justa causa para la renuncia de mi representado/a, dado que la enfermedad le impide cumplir con las funciones propias del cargo.

Documento n° 5. Informe pericial médico

QUINTO.– A los efectos del art. 14.2 de la Ley 15/2015, de 2 de junio, de la Jurisdicción Voluntaria, hago constar que, al margen del/la solicitante, son interesados/as en el expediente:

D./Dª [................]; DNI núm. [................]; con domicilio en la localidad de [................], calle [................], número [................], CP [................]; teléfono [................]; correo electrónico [................]; otros datos [................], en su condición de heredero.

D./Dª [................]; DNI núm. [................]; con domicilio en la localidad de [................], calle [................], número [................], CP [................]; teléfono

[..............]; correo electrónico [..............]; otros datos [..............], en su condición de heredero.

A los anteriores hechos son de aplicación los siguientes

FUNDAMENTOS DE DERECHO

(1) Jurisdicción y competencia

Corresponde a la jurisdicción civil de conformidad con lo dispuesto en el art. 36 de la LEC. Y es competente el Juzgado de Primera Instancia al que me dirijo con arreglo a lo dispuesto en el art. 2 y art. 91.3 de la Ley 15/2015, de 2 de julio, de la Jurisdicción Voluntaria. La competencia para conocer del presente expediente corresponde al Juzgado de Primera Instancia del último domicilio o residencia habitual del causante, o de donde estuviere la mayor parte de su patrimonio, con independencia de su naturaleza de conformidad con la ley aplicable, o el del lugar en que hubiera fallecido, siempre que estuvieran en España, a elección del solicitante. En defecto de todos ellos, será competente el Juzgado de Primera Instancia del lugar del domicilio del solicitante.

Según se establece en el art. 2 y art. 91.4 de la misma Ley 15/2015, de 2 de julio, de la Jurisdicción Voluntaria, la resolución del supuesto previsto en el número 1° del apartado 1 de este artículo, que incluye la renuncia del albacea a su cargo, corresponderá al Letrado de la Administración de Justicia.

(2) Capacidad y legitimación

Mi mandante tiene capacidad con arreglo al art. 6 de la LEC y se encuentra legitimado/a para promover este expediente a tenor de lo preceptuado en el art. 3.1 Ley 15/2015, de 2 de julio, de la Jurisdicción Voluntaria, por haber sido designado/a albacea y pretender la renuncia a este cargo.

(3) Representación y defensa

Art. 3.2 y art. 91.2 de la Ley de la Ley 15/2015, de 2 de julio, de la Jurisdicción Voluntaria. Es preceptiva la intervención de abogado y procurador cuando la cuantía del haber hereditario sea igual o superior a 6000 euros. Y en todo caso es necesaria la actuación de abogado y procurador a partir del momento en que se formule oposición.

(4) Procedimiento

Procede seguir el procedimiento con arreglo a las normas comunes, recogidas en los arts. 9 a 22 de la Ley de la Ley 15/2015, de 2 de julio, de la Jurisdicción Voluntaria, conforme a lo establecido en el art. 91.3 de la misma Ley.

(5) Fondo del asunto

Son de aplicación a este caso los siguientes fundamentos legales:

Art. 898 del Código Civil (CC): *"El albaceazgo es cargo voluntario, y se entenderá aceptado por el nombrado para desempeñarlo si no se excusa dentro de los seis días siguientes a aquel en que tenga noticia de su nombramiento, o, si éste le era ya conocido, dentro de los seis días siguientes al en que supo la muerte del testador".*

Art. 899 CC: *"El albacea que acepta el cargo se constituye en la obligación de desempeñarlo; pero lo podrá renunciar alegando causa justa al criterio del Secretario judicial o del Notario".*

Art. 900 CC: *"El albacea que no acepte el cargo, o lo renuncie sin justa causa, perderá lo que le hubiese dejado el testador, salvo siempre el derecho que tuviere a la legítima".*

Por lo expuesto,

SUPLICO AL JUZGADO

Que teniendo por presentado este escrito con sus documentos y copias, se sirva admitirlo y tenerme por personado/a y parte en la representación que ostento de D./Dª [...............] promoviendo expediente de jurisdicción voluntaria para renunciar al cargo de albacea y, en su virtud, tras los trámites legales, dicte Decreto el/la sr./a Letrado de la Administración de Justicia, por el que estimando esta solicitud admita la renuncia de mi representado/a al cargo de albacea en la herencia de D./Dª [...............] por venir justificada en justa causa.

OTROSÍ DIGO

Que a fin de acreditar la certeza de los hechos relatados, propongo como medios de prueba a practicar en el acto de la comparecencia, los siguientes:

TESTIFICAL, consistente en que sean examinados los siguientes testigos:

D./Dª [...............]; DNI núm. [...............]; con domicilio en la localidad de [...............], calle [...............], número [...............], CP [...............]; teléfono [...............]; correo electrónico [...............]; otros datos [...............]

D./Dª [...............]; DNI núm. [...............]; con domicilio en la localidad de [...............], calle [...............], número [...............], CP [...............]; teléfono [...............]; correo electrónico [...............]; otros datos [...............]

PERICIAL, consistente en que el perito D./Dª [...............] DNI núm. [...............]; con domicilio en la localidad de [...............], calle [...............], número [...............], CP [...............]; teléfono [...............]; correo electrónico [...............]; otros datos [...............], intervenga en la comparecencia al objeto de [...............]

SUPLICO AL JUZGADO: tenga por propuestos los medios de prueba a practicar en la comparecencia, solicitando que sean citados por la oficina judicial.

En [...............], a fecha [...............], de [...............], de [...............]

Firma del Letrado/a   Firma del Procurador/a

COMENTARIO

Este formulario tiene por objeto presentar las principales cuestiones en orden al albacea dentro de los expedientes de jurisdicción voluntaria. Téngase en cuenta la siguiente información:

Artículos 892 y siguientes del CC.

Doctrina

La primera parte dedicada a la figura del albacea es introductoria.

1. El albacea

El albacea según doctrina ya consolidada constituye un ejecutor testamentario, nombrado sólo a través de testamento, bien notarial, cerrado, u ológrafo o cualesquiera de las diversas modalidades reconocidas por ley. La institución tiene naturaleza sucesoria, cuyo funcionamiento se rige por los principios que ordenan la sucesión mortis causa, teniendo como fuente la voluntad del testador, manifestada en una sucesión testada, siendo el testamento el negocio jurídico que contiene el nombramiento[190].

Definido como un cargo testamentario de gestión y ejecución de las últimas voluntades del testador, ya que designa a persona de su confianza para llevar a cabo el cometido de liquidación, partición y adjudicación de sus bienes y demás que prevé el art. 902, las funciones tuitivas que lo integran abarcan asimismo las acumuladas correspondientes a los contadores-partidores (art. 1057 del Código Civil)[191].

El albacea se caracteriza por la amplitud y flexibilidad de su contenido, que hacen de la misma el ejecutor del testamento por excelencia. El Código le otorga un conjunto de facultades por defecto a tenor de lo previsto en el artículo 902, las que pueden ser ampliadas o restringidas por el propio testador, mientras que

---

[190] Vid. COBAS COBIELLA, M. E., "Aspectos sustantivos del derecho hereditario", *Tratado de Derecho de sucesiones*, dir ALVENTOSA DEL RÍO, J. y COBAS COBIELLA, M. E., Tirant lo Blanch, 2017, pp. 499 y 501. COBAS COBIELLA, M. E., *El albaceazgo*, Monografía Revista Aranzadi de Derecho Patrimonial, Thomson Aranzadi, 2007, p. 30. En igual sentido PUIG FERRIOL, L., *El albaceazgo*, Bosch, 1967, p. 34.

[191] STS, Sentencia de 20 febrero 1993, (Sala de lo Civil) (*Tol 5127062*).

los cargos tanto de contador partidor como de administrador de la herencia ejercen funciones específicas[192].

La administración de la herencia y la función de dividir el caudal hereditario puede ser encomendada al albacea, el cual seguirá ostentado el carácter de albacea. Lo que resalta la distinción que existe tanto doctrinal como jurisprudencial entre estas figuras. Así por ejemplo la STS 30 marzo 2004[193], que reconoce que el albacea puede desempeñar funciones propias del contador partidor.

La naturaleza jurídica de la institución ha estado permeada por diversas posiciones y escuelas que han transitado desde el mandato, la tutela o incluso se ha llegado a asimilar la misma a la figura de un representante del causante[194].

Las facultades del albacea aparecen reguladas en el artículo 901 CC. "*Los albaceas tendrán todas las facultades que expresamente le haya conferido el testador y no sean contrarias a las leyes*". Al decir de un sector de la doctrina[195], tiene sólo las facultades que de forma expresa le hay conferido el testador, pudiendo darse el hecho de que el testador no haya determinado todas sus facultades o que se haya remitido a las que le corresponden legalmente, entendiendo además que esta interpretación no debe hacerse de forma estricta, si bien con el límite de aquellas que excepcionalmente indiquen actos de disposición. Seguidamente el artículo 902 CC regula las facultades legales, para el supuesto que el testador no haya determinado específicamente cuales son las que ha de desempeñar, entre las que aparecen las tradicionales de disponer y pagar los sufragios y el funeral del testador, satisfacer los legados, vigilar la ejecución del testamento, tomar todas las precauciones necesarias para la conservación de los bienes. Señalamiento aparte merecen las del artículo 903 CC que establecen que el

---

[192]   Vid. FERRER RIBA, J., "Comentario al Artículo 660, Código Civil Comentado, Volumen II, Libro III. De los diferentes modos de adquirir la propiedad (arts. 609 a 1087)", Directores CAÑIZARES LAGO, A., DE PABLO CONTRERAS, P., ORDUÑA MORENO, J., VALPUESTA FERNÁNDEZ, R., Coord. CAÑIZARES LAGO, CÁMARA LAPUENTE, SÁNCHEZ HERNÁNDEZ, C., Civitas, Thomson Reuters, 2011, p. 1147.

[193]   De lo que no cabe la menor duda es de que el Contador-Partidor, a diferencia del Albacea, en cuanto que éste tiene más bien una función representativa de la herencia, siendo el vigilante del cumplimiento del testamento y el que cuida de las precauciones necesarias para su conservación y custodia (arts. 901 y 902 Cc), recibe aquél por el contrario, un encargo distinto, cual es el de distribuir la herencia entre los herederos y demás beneficiarios de ella, en virtud de un mandato especial que el testador le da confiando en sus cualidades personales, por ser un cargo de confianza, con lo que, en principio, y si su actuación no se engloba en un proceso judicial (art. *1057* Cc), habrá que pasar por lo que él decida, por sustituir al testador en estas labores (SS de esta Sala de 25-IV y 17-VI-63, 4-II-64 y 16-III-01) a menos de que haya un apartamiento claro de la voluntad de aquél (*Tol 365400*).

[194]   Cfr. SAP de Salamanca (Sección 1ª) Sentencia núm. 46/2015 de 11 febrero (*Tol 4761448*).

[195]   LORA-TAMAYO RODRÍGUEZ; I y PÉREZ RAMOS, C., *Cuestiones prácticas sobre Herencias para Especialistas en Sucesiones*, Memento Experto, Lefebvre, 2016, p. 308.

albacea puede pagar los legados en metálico con el conocimiento y beneplácito del heredero, promover la venta de inmuebles con intervención de los herederos. En lo que concierne a la representación de la herencia, si bien la misma corresponde a los herederos y no al albacea, salvo que el testador haya conferido expresamente la misma al albacea.

Las facultades que se le conceden al albacea tienen que encontrarse dentro de los límites legales; razón por la cual el albacea no puede ostentar la facultad de testar o conferir facultades en detrimento o perjuicio de los legitimarios, o cualesquiera que pudiera vulnerar las normas imperativas. La actuación en contra de la ley conllevaría la nulidad e incurriría el albacea en responsabilidad por los daños ocasionados, a pesar de tratarse de un cargo voluntario la aceptación cierra esta nota y se constituye en un encargo con consecuencias jurídicas en todos los sentidos, donde se incluyen la rendición de cuentas de la administración, así como la citada responsabilidad, vinculada con la diligencia de un buen padre de familia. *"Si los albaceas tienen capacidad para obligarse lo son también para responder de su actuar negligente quedando sujetos a indemnización de los daños y perjuicios ocasionados"*[196].

Téngase en cuenta además a la hora de apreciar la responsabilidad del albacea tener en cuenta que ha de actuar como mínimo con una diligencia media[197].

---

[196] COBAS. *El albaceazgo*, op. cit., p. 266. En igual sentido doctrina especializada PUIG FERRIOL, op. cit, p. 128. *"La responsabilidad del albacea se deriva de su aceptación del cargo y de su obligación consiguiente de desempeñarlo. Responsabilidad, en suma, derivada de su obligación de ejercicio, tanto si la incumple como si no la lleva a cabo debidamente. En consecuencia, se ha de acudir al campo general de las obligaciones para precisar la responsabilidad de los albaceas. La responsabilidad del albacea y la indemnización que quepa exigirle se apoyan en el artículo 1902 del Código Civil (LEG 1889, 27) o, por analogía con el mandato, en los artículos 1718 y 1726 del mismo Cuerpo Legal y, por ende en los más generales artículo 1100 y concordantes del Código Civil relativos a la responsabilidad contractual"*. Audiencia Provincial de Islas Baleares (Sección 3ª) Sentencia núm. 109/2013 de 8 marzo (Tol 3539822).

[197] Audiencia Provincial de Valladolid (Sección 3ª) Sentencia núm. 206/2005 de 30 mayo (Tol 673235): *"La Sala al igual que el Juzgador de la primera instancia no encuentra demostraciones suficientes del dolo o la culpa que la actora imputa al demandado para exigirle responsabilidad, pues los posibles errores de valoración que sostiene la actora no consta que sean debidos a una actuación dolosa o negligente del albacea por haber actuado caprichosa o arbitrariamente al tiempo de atribuirle una valoración a la finca litigiosa, habida cuenta que siempre ha apoyado el ejercicio de sus funciones en materia de valoración de los bienes en los correspondientes dictámenes de expertos, por lo que no puede atribuírsele que no haya observado al menos una diligencia media. Indicio de lo anterior es que el desempeño de sus funciones ha contado con la aprobación del resto de los coherederos, incluso de dos de ellos, hermanas de la actora a las que correspondía igual cuota hereditaria y que se han aquietado con las valoraciones efectuadas. De ser acertadas las apreciaciones de la actora sobre el real valor de la finca litigiosa el remedio de la situación debería de venir de la mano del ejercicio de la oportuna acción de rescisión por lesión como se le indicaba en la resolución dictada por*

Jurisprudencia

STS Tribunal Supremo, Sentencia de 5 de julio de 1947 (*Tol 4454351*).
STS (Sala de lo Civil, Sección 1ª), sentencia de 5 enero 2012 (*Tol 2395218*).
STS (Sala de lo Civil), Sentencia de 20 febrero 1993 (*Tol 1655963*).
STS (Sala de lo Civil), Sentencia de 13 abril 1992 (*Tol 1659718*).
SAP de Salamanca (Sección 1ª) Sentencia núm. 46/2015 de 11 febrero (*Tol 4761448*).

Renuncia del albacea a su cargo

Estos formularios tienen por objeto la renuncia del albacea a su cargo. Téngase en cuenta la siguiente información:

Doctrina

Previamente hay que señalar que existen dos tipos de renuncia, la primera previa a la aceptación, que es completamente libre, y la segunda que es posterior a la calificación, calificada por algún autor como renuncia abdicativa[198].

La renuncia del albacea a su cargo viene regulada por ley, en el artículo 898 CC. 2, el albaceazgo es cargo voluntario, y se entenderá aceptado por el nombrado para desempeñarlo si o se excusa dentro de los seis días siguientes a aquel en que tenga noticia de su nombramiento, o, si éste le era ya conocido

Al tratarse de un cargo voluntario una de las causas para la extinción del cargo nacen de la renuncia. El designado albacea no está obligado a aceptar el cargo, sin embargo el artículo 900 CC establece una especie de sanción al albacea, que renuncie sin justa causa, el cual perderá lo que le hubiese dejado el testador salvo el derecho a la legítima.

El Código Civil a la renuncia del cargo le denomina excusa, pero en puridad constituye una repudiación o renuncia libre que no requiere prueba ni alegaciones, lo que es entendible por la nota de voluntariedad del cargo. Ahora bien habiendo aceptado el cargo se produce una obligación de desempeño, pero la norma permite la renuncia posterior bien ante el Secretario Judicial y el Notario, alegando causa justa, que queda a apreciación del criterio de éstos (Art. 899).

---

uno de los Órganos del orden jurisdiccional penal (folio 529). Del escrito de la propia parte recurrente (folio 779) se infiere cual es la razón de la acción ejercitada, pues considera prescritas las acciones rescisorias derivadas de la lesión padecida por la actora en una partición aún admitiendo la hipótesis de ser errónea no podemos calificarla de dolosa ni siquiera de negligentemente hecha por lo ya argumentado".

[198] Vid. COBAS COBIELLA, M. E., op. cit., pp. 244-245. Vid. CASASÚS HOMET, E., "Renuncia al albaceazgo", *Revista de Derecho Notarial*, enero-marzo 1970, p. 39.

Redacción dada por la Ley de Jurisdicción Voluntaria, Ley 15/2015, de 2 de julio.

Sin que el legislador prevea los supuestos que han de ser entendidos por justa causa, ni tampoco las formalidades de la renuncia, que dada la importancia y afectación que tiene para los derechos del albacea debería ser expresa, siguiendo las reglas de la renuncia de la herencia en cuanto a que no es posible hacerla a plazo, ni sujeta a condición o su carácter irrevocable. Aunque algún sector de la doctrina[199] entiende que puede admitirse la tácita si se producen actos concluyentes del llamado, sin obviar lo previsto en el artículo 898, que considera aceptado el cargo si no hay pronunciamiento acerca del mismo en el plazo fijado por ley, que tampoco es muy amplio de seis días siguientes a aquel en que tenga noticia de su nombramiento, o si éste le era ya conocido, dentro de los seis días siguientes al que supo la muerte del testador.

La LN (Ley de 28 de mayo 1862, Orgánica del Notariado) en su artículo 66.2 regula la Escritura Pública como instrumento para la renuncia del cargo, siendo competente el Notario, que tenga su residencia en el lugar en que hubiera tenido el causante su último domicilio o residencia habitual, o donde estuviere la mayor parte de su patrimonio, con independencia de su naturaleza de conformidad con la ley aplicable, o en el lugar en que hubiera fallecido, siempre que estuvieran en España, a elección del solicitante. También podrá elegir a un Notario de un distrito colindante a los anteriores. En defecto de todos ellos, será competente el Notario del lugar del domicilio del requirente.

El Notario podrá también autorizar escritura pública, si fuera requerido para ello, de excusa o aceptación del cargo de albacea. Art. 66.3 *Título VII introducido por el apartado uno de la disposición final undécima de la Ley 15/2015, de 2 de julio, de la Jurisdicción Voluntaria ("BOE" 3 julio). Vigencia: 23 julio 2015.*

Por aplicación analógica del artículo 1737 del Código Civil el albacea deberá seguir desempeñando el cargo hasta que los interesados hayan podido tomar las disposiciones necesarias (por aplicación analógica del artículo 1737 del Código Civil), igualmente si se aplica analógicamente el artículo 1736 del Código Civil la renuncia al cargo deberá ponerse en conocimiento de los interesados, con indemnización de daños y perjuicios. Téngase en cuenta la STS de 20 febrero 1993[200] que dice que la mera inacción o el silencio no equivale a renuncia o excusa en el cargo, siendo, en su cargo, supuesto de hecho para pedir la remoción más la exigencia del resarcimiento de todos los daños y perjuicios.

---

[199] FERRER RIBA, op. cit., p. 1173.
[200] Cfr. (Tol 655963).

Las principales cuestiones que complejizan la renuncia del cargo y que siguen sin resolverse a efectos de la aplicación práctica son las referidas a que se entiende por causa justa, a las formalidades en cuanto a la renuncia, o a la forma de realizarla, si la renuncia debe ser expresa o si la tácita vale, y sí, se admite la no aceptación del cargo de forma tácita cuáles serían estos actos que indican que no ha aceptado.

En lo que respecta a la concurrencia de justa causa, al tratarse de un concepto jurídico indeterminado resulta difícil la tipificación de las causas, a pesar de la aplicación del artículo 1736 CC por analogía, por parte de la práctica jurídica y la doctrina en su mayoría. Aunque otro sector de la doctrina entiende que en última instancia deberá realizarse una interpretación generosa de los posibles motivos que ampararían una renuncia justificada, teniendo en cuenta también las posibles causas de renuncia no previstas por el legislador[201]. Teniendo además en consideración que si se ha emitido la correspondiente Escritura o Decreto, si se aplica el artículo 19.3 de la Ley de Jurisdicción Voluntaria, a cuyo tenor una vez resuelto el expediente de jurisdicción voluntaria y firme la resolución que se dicte, no podrá iniciarse otro sobre idéntico objeto, salvo que se produzca un cambio de circunstancias.

Téngase en cuenta que el artículo 19.3 de la Ley de Jurisdicción Voluntaria ha sido reformado en virtud de la Ley 8/2021, sustituyéndose los conceptos capacidad de obrar y capacidad modificada judicialmente por el de persona con discapacidad con medidas de apoyo para el ejercicio de su capacidad jurídica. Vid. Ley 8/2021, de 2 de junio, por la que se reforma la legislación civil y procesal para el apoyo a las personas con discapacidad en el ejercicio de su capacidad jurídica.

La renuncia al cargo sólo podrá realizarse por el albacea, al tratarse de un cargo personalísimo, de forma tal que no podrá considerarse como causa justa la renuncia hecha por todos los herederos y legatarios.

Algunas de las justas causas de renuncia del albacea, que podrían mencionarse —con independencia que pueda el propio ejercicio de la práctica añadir otras— tenemos: las razones de enfermedad, la edad, ocupaciones tanto personales como profesionales que le impidan un correcto cometido del encargo, la carencia por parte del nombrado como albacea de los medios necesarios para llevar a buen término el cargo, bien por sus propias circunstancias personales, o que no esté lo suficientemente cualificado para ello.

---

[201] LORA-TAMAYO RODRÍGUEZ; I y PÉREZ RAMOS, C., *Cuestiones prácticas sobre Herencias para Especialistas en Sucesiones*, Memento Experto, Lefebvre, 2016, op. cit., p. 316.

"Que, con cierta ambigüedad en la expresión del concepto, se acusa en el motivo primero del presente recurso la infracción por falta de aplicación del art. 905 del CC, al amparo del ordinal 1º del art. 1692 de la Ley Procesal aplicable, aunque de la exposición del motivo examinado se desprende que lo que se alega es la violación, en su aspecto negativo, por no aplicación del citado precepto del Código; mas debe notarse al respecto que lo que dispone el segundo párrafo del mencionado art. 905 es que, si transcurrida la prórroga a que se refiere el párr. 1º, "no se hubiese todavía cumplido la voluntad del testador, podrá el Juez conceder otra por el tiempo que fuese necesario, atendidas las circunstancias del caso"; de modo que la ley no ordena imperativamente que si no se hubiese cumplido la voluntad del testador tenga el Juez, forzosamente, que conceder otra prórroga, sino que entra en las facultades del órgano Jurisdiccional el estimar su procedencia o improcedencia, y consecuentemente, el otorgarla o denegarla por el tiempo que fuere necesario, atendidas las expresadas circunstancias, usando al respecto la ley la palabra podrá, que es término potestativo y no imperativo, siendo, en principio, de la incumbencia judicial la apreciación de las razones y circunstancias en que el albacea funda su pretensión de prórroga, cual lo ha hecho en el caso presente el Juzgado y el Tribunal "a quo", sin que sus acertadas razones y apreciaciones queden desvirtuadas por la argumentación que el recurrente hace al desenvolver el motivo examinado, ni tenga aplicación en esta caso concreto la doctrina contenida en la Sentencia de este Tribunal de 7 diciembre 1903, única que el recurrente cita en apoyo de su pretensión, pues tal sentencia contempla un diferente supuesto, como su simple lectura revela, y en este caso, el sentenciador de instancia ha entendido y razonado que no está acreditada la procedencia de la cuarta prórroga, solicitada por los motivos que claramente se exponen en la resolución recurrida, en orden a las razones en que la petición del albacea se fundamentaba, sin que las apreciaciones del Juzgador al respecto hayan sido debida y eficazmente combatidas, habiendo sido aplicado rectamente el art. 905 del CC que se dice infringido, precepto éste expresamente citado en el auto dictado por el Juzgado, cuyos fundamentos han sido aceptados en la resolución impugnada, por todo lo que es procedente la desestimación del motivo analizado"[202].

Más problemas en este sentido se dan en orden a las retribuciones que se han fijado por el testador al albacea y que puede percibir o no por la renuncia al cargo a tenor de lo previsto en el artículo 899, aquí se incluyen cuestiones referidas a los honorarios del albacea, las retribuciones o gratificaciones que se hayan

---

[202] Tribunal Supremo (Sala de lo Civil) Sentencia de 3 febrero 1966 (*Tol 4305548*). Vid en este sentido CÁMARA ÁGUILA, M. P., "Comentario al art. 905 del CCBIB 2009/7815", *Grandes Tratados. Comentarios al Código Civil.* Editorial Aranzadi, SAU, enero de 2009.

previsto, todo ello además tomando en consideración que el testador puede hacer constar en su testamento que quiere gratificar al albacea con independencia de la aceptación o no del encargo y de las vicisitudes o complicaciones que pueden perturbar el buen cumplimiento del encargo.

Normativa

Arts. 892-911 y 1005 y 1057 del Código Civil. Art. 91-95 de la Ley 15/2015, de 2 de julio, de la Jurisdicción Voluntaria. BOE núm. 158 de 03 de julio de 2015. Todos estos artículos son comunes a este apartado.

Ley 8/2021, de 2 de junio, por la que se reforma la legislación civil y procesal para el apoyo a las personas con discapacidad en el ejercicio de su capacidad jurídica.

Jurisprudencia

STS (Sala de lo Civil) Sentencia de 3 febrero 1966 (*Tol 4305548*).

STS (Sala de lo Civil), Sentencia núm. 194/1995 de 8 marzo (*Tol 5127662*).

Resolución de 18 de marzo de 2015, de la Dirección General de los Registros y del Notariado. Resolución de 18 de marzo de 2015, de la Dirección General de los Registros y del Notariado, en el recurso interpuesto contra la calificación del registrador de la propiedad de Tomelloso, por la que se suspende la inscripción de una escritura de protocolización de operaciones particionales practicada por el albacea contador-partidor. BOE núm. 91, de 16 de abril de 2015.

Formulario 2. PRÓRROGA DEL PLAZO DE ALBACEAZGO

FUNDAMENTO LEGAL Y JURISPRUDENCIAL

Fase del procedimiento en la que se encuentra este formulario

Art. 905, segundo párrafo, del Código Civil.

Jurisprudencia:

Tribunal Supremo/ 19/06/2006 (*Tol 961825*).

AP Barcelona/ 18/12/2018 (*Tol 6981362*).

Auto Tribunal Supremo/ 20/04/2021 (*Tol 8403198*).

Fase: iniciación del expediente

ÓRGANO COMPETENTE

AL JUZGADO DE PRIMERA INSTANCIA

DE [...............]

—que por turno de reparto corresponda—

ENCABEZAMIENTO

D./Dª [...............], Procurador/a de los Tribunales, colegiado/a n° [...............] del Ilustre Colegio de Procuradores de [...............], actuando en nombre y representación de D./Dª [...............], mayor de edad, DNI número [...............], con domicilio en [...............], calle [...............] núm............... [...............], piso [...............], puerta [...............] (CP...............) según acredito mediante la copia de escritura de poder que acompaño/poder otorgado "apud acta" electrónico/poder que será otorgado "apud acta" ante el/la sr/a Letrado/a de la Administración de Justicia; ante el Juzgado comparezco bajo la dirección técnica del/la Letrado/a D./Dª [...............], colegiado/a n° [...............] del Ilustre Colegio de Abogados de [...............]; como mejor proceda en Derecho, **DIGO**:

DIGO/MANIFIESTO

Que mediante el presente escrito y al amparo del artículo 91.1.1° de la Ley 15/2015, de 2 de junio, de la Jurisdicción Voluntaria, promuevo expediente de jurisdicción voluntaria instando la PRÓRROGA DEL PLAZO DE ALBACEAZGO en la herencia de D./Dª [...............] para el que fue nombrado mi representado/a, sobre la base de los siguientes hechos y fundamentos de derecho.

HECHOS

PRIMERO.- D./Dª [...............] falleció el día [...............] de [...............] de [...............] en la localidad de [...............].

En su prueba se acompaña:

Documento n° 1. Certificado de defunción expedido por el Registro Civil de [...............]

SEGUNDO.- D./Dª [...............] había otorgado testamento, no revocado por otro posterior, ante el/la notario de [...............], D./Dª [...............] el día [...............] de [...............] de [...............], bajo el n° [...............] de su protocolo.

Documento n° 2. Certificado del Registro de Actos de Última Voluntad

Documento n° 3. Copia autorizada del testamento

TERCERO.– En virtud del citado testamento, D./Dª [...............] instituyó herederos/as a D./Dª [...............] y D./Dª [...............] y legatario/a a D./Dª [...............]. Y en su cláusula [...............] designó albacea a mi representado/a.

El testador dejó estipulado que D./Dª [...............] ejercería las funciones de albacea en el plazo de [...............], fijándole la prórroga de [...............] para el cumplimiento del encargo.

CUARTO.– Que han concurrido circunstancias diversas que han impedido que se cumpla la voluntad del/la testador/a en los plazos señalados. Y esas circunstancias son las siguientes [...............]

En su prueba:

Documento nº 4. [...............]

QUINTO.– A los efectos del art. 14.2 de la Ley 15/2015, de 2 de junio, de la Jurisdicción Voluntaria, hago constar que, al margen del/la solicitante, son interesados/as en el expediente:

D./Dª [...............]; DNI núm. [...............]; con domicilio en la localidad de [...............], calle [...............], número [...............], CP [...............]; teléfono [...............]; correo electrónico [...............]; otros datos [...............], en su condición de heredero.

D./Dª [...............]; DNI núm. [...............]; con domicilio en la localidad de [...............], calle [...............], número [...............], CP [...............]; teléfono [...............]; correo electrónico [...............]; otros datos [...............], en su condición de heredero.

D./Dª [...............]; DNI núm. [...............]; con domicilio en la localidad de [...............], calle [...............], número [...............], CP [...............]; teléfono [...............]; correo electrónico [...............]; otros datos [...............], en su condición de legatario/a.

A los anteriores hechos son de aplicación los siguientes

FUNDAMENTOS DE DERECHO

(1) Jurisdicción y competencia

Corresponde a la jurisdicción civil de conformidad con lo dispuesto en el art. 36 de la LEC. Y es competente el Juzgado de Primera Instancia al que me dirijo con arreglo a lo dispuesto en el art. 2 y art. 91.3 de la Ley 15/2015, de 2 de julio, de la Jurisdicción Voluntaria. La competencia para conocer del presente expediente corresponde al Juzgado de Primera Instancia del último domicilio o residencia habitual del causante, o de donde estuviere la mayor parte de su patrimonio, con independencia de su naturaleza de conformidad con la ley aplicable, o el del lugar en que hubiera fallecido, siempre que estuvieran en España, a elección del solicitante. En defecto de todos ellos, será competente el Juzgado de Primera Instancia del lugar del domicilio del solicitante.

Según se establece en el art. 2 y art. 91.4 de la misma Ley 15/2015, de 2 de julio, de la Jurisdicción Voluntaria, la resolución del supuesto previsto en el número 1° del apartado 1 de este artículo, que incluye la renuncia del albacea a su cargo, corresponderá al Letrado de la Administración de Justicia.

(2) Capacidad y legitimación

Mi mandante tiene capacidad con arreglo al art. 6 de la LEC y se encuentra legitimado/a para promover este expediente a tenor de lo preceptuado en el art. 3.1 Ley 15/2015, de 2 de julio, de la Jurisdicción Voluntaria, al ser el/la albacea que interesa la prórroga de su encargo.

(3) Representación y defensa

Art. 3.2 y art. 91.2 de la Ley de la Ley 15/2015, de 2 de julio, de la Jurisdicción Voluntaria. Es preceptiva la intervención de abogado y procurador cuando la cuantía del haber hereditario sea igual o superior a 6000 euros. Y en todo caso es necesaria la actuación de abogado y procurador a partir del momento en que se formule oposición.

(4) Procedimiento

Procede seguir el procedimiento con arreglo a las normas comunes, recogidas en los arts. 9 a 22 de la Ley de la Ley 15/2015, de 2 de julio, de la Jurisdicción Voluntaria, conforme a lo establecido en el art. 91.3 de la misma Ley.

(5) Fondo del asunto

Son de aplicación a este caso los siguientes fundamentos legales:

Art. 904 del Código Civil (CC): "El albacea, a quien el testador no haya fijado plazo, deberá cumplir su encargo dentro de un año, contado desde su aceptación, o desde que terminen los litigios que se promovieren sobre la validez o nulidad del testamento o de algunas de sus disposiciones".

Art. 905 CC: "Si el testador quisiera ampliar el plazo legal, deberá señalar expresamente el de la prórroga. Si no lo hubiese señalado, se entenderá prorrogado el plazo por un año. Si, transcurrida esta prórroga, no se hubiese cumplido todavía la voluntad del testador, podrá el Secretario judicial o el Notario conceder otra por el tiempo que fuere necesario, atendidas las circunstancias del caso".

Art. 906 CC: "Los herederos y legatarios podrán, de común acuerdo, prorrogar el plazo del albaceazgo por el tiempo que crean necesario; pero, si el acuerdo fuese sólo por mayoría, la prórroga no podrá exceder de un año".

Por lo expuesto,

SUPLICO AL JUZGADO

Que teniendo por presentado este escrito con sus documentos y copias, se sirva admitirlo y tenerme por personado/a y parte en la representación que ostento de D./Dª [...............] promoviendo expediente de jurisdicción voluntaria instando la prórroga del plazo del albaceazgo en la herencia de D./Dª [...............] y, en su virtud, tras los trámites legales, dicte Decreto el/la sr./a Letrado de la Administración de Justicia, por el que atendidas las circunstancias del caso y estimando esta solicitud, prorrogue el plazo del albaceazgo hasta el término de [...............].

OTROSÍ DIGO

Que a fin de acreditar la certeza de los hechos relatados, propongo como medios de prueba a practicar en el acto de la comparecencia, los siguientes:

TESTIFICAL, consistente en que sean examinados los siguientes testigos:

D./Dª [...............]; DNI núm. [...............]; con domicilio en la localidad de [...............], calle [...............], número [...............], CP [...............]; teléfono [...............]; correo electrónico [...............]; otros datos [...............]

D./Dª [...............]; DNI núm. [...............]; con domicilio en la localidad de [...............], calle [...............], número [...............], CP [...............]; teléfono [...............]; correo electrónico [...............]; otros datos [...............]

PERICIAL, consistente en que el perito D./Dª [...............] DNI núm. [...............]; con domicilio en la localidad de [...............], calle [...............], número [...............], CP [...............]; teléfono [...............]; correo electrónico [...............]; otros datos [...............], intervenga en la comparecencia al objeto de [...............]

SUPLICO AL JUZGADO: tenga por propuestos los medios de prueba a practicar en la comparecencia, solicitando que sean citados por la Oficina Judicial.

En [...............], a fecha [...............], de [...............], de [...............]

Firma del Letrado/a   Firma del Procurador/a

COMENTARIO

Este formulario tiene por objeto la prórroga del plazo del albaceazgo. Téngase en cuenta la siguiente información:

DOCTRINA

2. Prórroga del plazo del albaceazgo

El encargo testamentario es temporal; habida cuenta que el estado de indivisión de la herencia es temporal y circunstancial por lo que el ejercicio del albaceazgo es temporal, no indefinido ni permanente precisamente por la interinidad que lo caracteriza, debiendo ser señalado por el testador el tiempo para su ejercicio y en su ausencia se ocupará de ello la ley[203].

Sobre ello nos dice la RDGRN: *"la justificación del límite temporal del encargo de partir la herencia está en el carácter no perpetuo del cargo así como también en que las facultades del albacea están destinadas a su ejercicio, no a su conservación, pues por la propia finalidad del mismo lo que debe procurar es la ejecución de la última voluntad del testador, y así también el que al tratarse de un cargo de confianza en interés ajeno, sería anómalo que los interesados de una sucesión vieran recortadas o constreñidas sus facultades sobre los bienes hereditarios permanentemente o por un período de tiempo ilimitado, por voluntad de un tercero que necesariamente no tiene que estar llamado a la herencia"*[204].

Como ha señalado además la jurisprudencia en relación al plazo: *"considerando que de la recta aplicación de la excepción que consigna el art. 904 del Código civil acerca del plazo dentro del cual han de cumplir los albaceas las disposiciones testamentarias, es indudable que, por debida y lógica analogía, ha de entenderse también comprendido entre los pleitos que puedan promoverse sobre nulidad del testamento o de alguna de sus disposiciones, el de la prevención del juicio de abintestato de aquellos bienes de que no hubiera dispuesto el causante"*[205].

El albaceazgo acaba automáticamente por el transcurso del plazo concedido al albacea, pero como señala ALBALADEJO, *"el plazo no es fatal sino prorrogable"*[206]. El concepto de prórroga no es dar un plazo más, sino continuar el plazo fijado (ampliarlo)[207].

La prórroga del cargo está regulada en los artículos 904 al 906 del CC. Sistemática que plantea algunas disquisiciones, porque la institución del albacea no es una de las instituciones de más desarrollo en el Código civil.

El artículo 904 CC dice: *"el albacea, a quien el testador no haya fijado plazo deberá cumplir su encargo dentro de un año contado desde su aceptación, o desde que terminen los litigios que se promovieren sobre la validez o nulidad del testamento o de alguna de sus disposiciones"*.

---

[203]   Sobre ello. Vid. COBAS COBIELLA, *El albaceazgo*, op. cit., p. 108.
[204]   Resolución de 18 de marzo de 2015, de la Dirección General de los Registros y del Notariado, en el recurso interpuesto contra la calificación del registrador de la propiedad de Tomelloso, por la que se suspende la inscripción de una escritura de protocolización de operaciones particionales practicada por el albacea contador-partidor. BOE", núm. 91, de 16 de abril de 2015, pp. 33665 a 33670.
[205]   STS de 23 de octubre de 1923, publicada el 6 de febrero de 1924 (*Tol 504092*).
[206]   Vid op. cit., pp. 586-587.
[207]   O'CALLAGHAN, p. 905.

Mientras que el artículo 905 regula que: *"si el testador quisiera ampliar el plazo legal, deberá señalar expresamente el de la prórroga. Si no lo hubiese señalado, se entenderá prorrogado el plazo por un año. Si, transcurrida esta prórroga, no se hubiese cumplido todavía la voluntad del testador, podrá el Secretario judicial o el Notario conceder otra por el tiempo que fuere necesario, atendidas las circunstancias del caso"* (Artículo 905 redactado por el apartado setenta y tres de la disposición final primera de la Ley 15/2015, de 2 de julio, de la Jurisdicción Voluntaria ("BOE" 3 julio). Vigencia: 23 julio 2015).

El artículo 906 regula por su parte que: *"los herederos y legatarios podrán, de común acuerdo, prorrogar el plazo del albaceazgo por el tiempo que crean necesario; pero, si el acuerdo fuese sólo por mayoría, la prórroga no podrá exceder de un año"*.

Algunas cuestiones que en la práctica ofrecen dudas son las relativas como el tiempo de solicitarla, la duración o cuáles son las eventuales causas que la condicionan. Así también suscitan interrogantes, la forma de pedir la prórroga, si es libre o requiere requisitos de forma, si la concesión revista alguna formalidad específica o la computación del plazo y de las prórrogas.

El tiempo para solicitar la prórroga no está regulado en el Código Civil, se entiende por la jurisprudencia[208], la doctrina por su parte señala que ha de hacerse antes de que se termine el plazo de duración del albaceazgo, pues, si no, cesando este automáticamente, se vendría a comenzar uno nuevo[209]. Sobre ello téngase en cuenta lo comentado en la sentencia de la Audiencia Provincial de Salamanca (Sección 1ª)[210].

---

[208] Efectivamente, y acertadamente en la sentencia recurrida se dice que el actor, ahora recurrente, no ha probado como le incumbía, cuál era la fecha en el que se solicitó, en el acto de jurisdicción voluntaria correspondiente, la prórroga que puede conceder el Juez para continuar las funciones propias del albaceazgo. Pues como es lógico, la prórroga judicial deberá solicitarse antes de que se haya extinguido dicho albaceazgo por cumplimiento del período de tiempo inicial o en su caso de la primera o anteriores prórrogas. STS Tribunal Supremo 29/03/2001 (Tol 71710). En resumen, que el periodo a contar se deberá iniciar a partir del momento de la petición de prórroga del albaceazgo, y esa es la data inicial para ver si ha caducado o no el plazo para ejercer —en el presente caso— las funciones de albaceazgo en su faceta de contador-partidor.

[209] Vid. O'CALLAGHAN, op. cit., p. 905.

[210] Sentencia núm. 46/2015 de 11 febrero (Tol 4761448): *"la testadora, en el testamento abierto otorgado el 10 de enero de 2007 deja muy clara su voluntad de designar como albaceas, comisarios, contadores partidores, solidariamente, a dos amigos y convecinos, y además prórroga el ejercicio de su cargo por dos años después de expirado el plazo legal y sean requeridos notarialmente de cumplimiento. La cláusula es sumamente clara: sobre el plazo legal de ejercicio del albaceazgo de un año, previsto en el artículo 904 del Código Civil (LEG 1889, 27), y al amparo de lo establecido en el artículo 905 del Código, les concede un plazo de dos años más, lo que quiere decir que el plazo total es de tres años, plazo que, según la misma cláusula,*

La duración de la prórroga, en concreto la que concede el Secretario judicial o el Notario no tiene tope máximo, porque la ley señala que podrá concederse por el tiempo que fuere necesario, tampoco se ha establecido cuando la prórroga la piden los herederos y legatarios. Si la prórroga se concede en estos supuestos, al no establecerse plazo ni fijada la duración, se entiende que será de un año, por aplicación del artículo 905 CC.

El Código Civil tampoco resuelve cuál es el Secretario judicial ni el Notario competentes de la concesión de la misma. Será competente el Secretario judicial del lugar en que se ejerza el albaceazgo y el Notario que conozca de la testamentaría. Pero la cuestión no está resuelta por la norma.

Téngase en cuenta la sustitución de la categoría de Secretario judicial por Letrado de la administración.

En lo que respecta a las formalidades para su solicitud, la doctrina entiende que la petición de la prórroga puede realizarse en cualquier forma, dado que la ley no establece formalidades específicas, siendo por tanto posible realizarla de forma directa por el albacea a los interesados o a los herederos, o de forma notarial o judicial. La solicitud tácita parece tener alguna aceptación doctrinal[211].

En lo que respecta a la concesión tampoco ha de revestir forma especial alguna, y alguna doctrina entiende que puede ser tácita[212].

En cuanto al común acuerdo entre herederos y legatarios para la prórroga del cargo, la jurisprudencia ha sentado que: *"el artículo 906 del Código Civil dispone que "los herederos y legatarios podrán, de común acuerdo, prorrogar el*

---

no tiene que comenzar necesariamente en la fecha de fallecimiento de la testadora, sino en el momento en el que sean requeridos notarialmente para cumplir el encargo encomendado. Esto quiere decir que los albaceas designados tienen un plazo para cumplir su encargo de tres años desde tal requerimiento, plazo que, habiendo fallecido la causante el 10 de marzo de 2010, evidentemente no se había cumplido el 20 de febrero de 2013, fecha de presentación de la solicitud de división judicial de herencia, por lo que, directamente, el Juzgado de Primera Instancia, sin necesidad de efectuar el requerimiento ordenado por diligencia de 25 de febrero de 2013, debió inadmitir a trámite la solicitud".

[211]   Vid ALBALADEJO, *El albaceazgo*, op. cit., pp. 608-609. La STS 4 febrero 1902 trata un supuesto en el cual la firma de un convenio entre albaceas y herederos, relativo a una segunda partición (de ciertos bienes no incluidos en la primera) que habría de realizarse por aquéllos posteriormente a ciertos hechos que sobrepasaban el plazo del albaceazgo, es innegable que presupone que los albaceas piden seguir en su cargo hasta ultimar dicha segunda partición, y que los herederos lo conceden. Cfr. (Tol 5064589).

[212]   OSSORIO MORALES, J., *Manual de Sucesión testada*, Instituto de Estudios Políticos, Madrid, 1957, p. 437 que nos dice: "la prórroga concedida por los herederos no sólo puede ser expresa, sino también tácita, deducida de los actos de éstos, según lo reconoció la S de 4 de febrero 19002 y Res de 3 de julio 1910". PUIG FERRIOL, L., *El albaceazgo*, Bosch, 1967, op. cit., p. 249.

plazo del albaceazgo por el tiempo que crean necesario; pero si el acuerdo fuese sólo por mayoría, la prórroga no podrá exceder de un año". El propio tenor de la norma lleva a considerar la necesidad de que se trate de un acuerdo expreso al referirse a "común acuerdo" y prever las consecuencias de su adopción sólo por mayoría; y así ha de entenderse fuera de supuestos en que concurran actos verdaderamente concluyentes de los herederos y legatarios que lleven a obtener un juicio de certeza sobre la existencia de tal voluntad"[213]. Es pacífica la opinión de que el Juez no puede conceder prórroga del plazo cuando lo prohíbe expresamente el testador[214].

La doctrina[215] ha propuesto entre las causas para aducir la prórroga del albaceazgo las siguientes:

1. La contienda sobre la titularidad de los bienes, objeto de legados.

2. La existencia de cláusulas de opción compensatoria que exigen la adopción de una decisión por el o los instituidos, sujetos a cautela sociniana.

3. Reticencia del viudo o los herederos a proceder a la liquidación de la sociedad de gananciales.

4. Necesidad del nombramiento de defensor judicial para menores o incapacitados.

5. Concesión a alguno de los descendientes de la facultad de conmutar la legítima de sus hermanos.

La concesión de la prórroga no debe dejarse al libre albedrío, sino que se debe realizar un análisis o estudios de las circunstancias, pero sobre la premisa de que la prórroga debe ser un instrumento a beneficio de la ejecución de la voluntad del testador, y no para dilatar el proceso hereditario. Téngase en cuenta que alguna doctrina dice que la voluntad del causante encuentra un límite en la razonabilidad del plazo otorgado, con proscripción de aquellos que, por ser excesivamente largos o indeterminados, lleguen a frustrar el interés general de cumplimiento de las últimas voluntades. En tales casos hay varias soluciones como puede ser la remoción por negligencia del ejecutor, la entrada en juego el plazo legal de un año, el derecho a solicitar la reducción del plazo. No así toda, porque alguna doctrina estima que el único límite que existe son los derechos

---

[213] STS número 897 de 18/09/2006, Sala: Primera Sección: Primera, Número Recurso: 4792/1999 (Tol 998580).

[214] MANRESA, pgs. 879 y 880; GÓMEZ YSABEL, p. 297; SÁNCHEZ ROMÁN, p. 1451.

[215] LORA y PÉREZ. op. cit., p. 320.

de los legitimarios, que son los únicos que no han de ver demorado su derecho y puedan forzar la actuación del albacea[216].

La doctrina notarial considera que en cuanto la concesión de la prórroga redunde en beneficio de la ejecución del testamento, no deberá ser sometida a una investigación por parte del Notario, bastando a mera manifestación, señalando que las consecuencias de su concesión no son potencialmente peligrosas, delicadas o dañinas como otros expedientes como por ejemplo la aprobación de la renuncia o la aprobación de la partición efectuada por el contador partidor dativo o del pago en metálico de la legítima[217].

NORMATIVA

Artículo 905 CC.

DOCTRINA

STS Sentencia núm. 46/2015 de 11 febrero (*Tol 4761448*).
STS (Sala de lo Civil) Sentencia de 3 febrero 1966 (*Tol 4305548*).
TS (Sala de lo Civil, Sección 1ª), sentencia núm. 643/2006 de 19 junio (*Tol 961825*).
STS (Sala de lo Civil), sentencia de 14 febrero 1952 (*Tol 4448629*).
STS (Sala de lo Civil, Sección 1ª), sentencia núm. 897/2006 de 18 septiembre (*Tol 998580*).
STS (Sala de lo Civil), sentencia de 13 marzo 1989 (*Tol 1731692*).
STS (Sala de lo Civil), sentencia de 2 abril 1996 (*Tol 1659365*).

Formulario 3. REMOCIÓN DEL CARGO DE ALBACEA

FUNDAMENTO LEGAL Y JURISPRUDENCIAL

Fase del procedimiento en la que se encuentra este formulario

Art. 910 del Código Civil.

---

[216] Vid. CARBALLO FIDALGO, M., "Comentario al Artículo 904, *Código Civil Comentado*, Volumen II, Libro III. De los diferentes modos de adquirir la propiedad (artcs 609 a 1087)", Directores CAÑIZARES LAGO, A., DE PABLO CONTRERAS, P., ORDUÑA MORENO, J., VALPUESTA FERNÁNDEZ, R., coord. CAÑIZARES LAGO, CÁMARA LAPUENTE, SÁNCHEZ HERNÁNDEZ, C., Civitas, Thomson Reuters, 2011, p. 1186.

[217] LORA y PÉREZ, op. cit., p. 321.

Jurisprudencia:

Tribunal Supremo/ 20/02/1993 (Tol 5127062).

Tribunal Supremo/ 13/04/1992 (Tol 1659718).

Tribunal Supremo/ 28/05/2020 (Tol 7966044).

Fase: iniciación del expediente

ÓRGANO COMPETENTE

AL JUZGADO DE PRIMERA INSTANCIA

DE [...............]

—que por turno de reparto corresponda—

ENCABEZAMIENTO

D./Dª [...............], Procurador/a de los Tribunales, colegiado/a nº [...............] del Ilustre Colegio de Procuradores de [...............], actuando en nombre y representación de D./Dª [...............], DNI nº [...............], mayor de edad, con domicilio en [...............], calle [...............] núm. [...............], piso [...............], puerta [...............] (CP...............) según acredito mediante la copia de escritura de poder que acompaño/poder otorgado "apud acta" electrónico/poder que será otorgado "apud acta" ante el/la sr/a Letrado/a de la Administración de Justicia; ante el Juzgado comparezco bajo la dirección técnica del/la Letrado/a D./Dª [...............], colegiado/a nº [...............] del Ilustre Colegio de Abogados de [...............] con despacho profesional en [...............] y como mejor proceda en Derecho, **DIGO**:

DIGO/MANIFIESTO

Que mediante el presente escrito y al amparo del artículo 91.1.2º de la Ley 15/2015, de 2 de junio, de la Jurisdicción Voluntaria, promuevo expediente de jurisdicción voluntaria para la REMOCIÓN de D./Dª [...............] DEL CARGO DE ALBACEA para el que fue nombrado/a en la herencia de D./Dª [...............], sobre la base de los siguientes hechos y fundamentos de derecho.

HECHOS

PRIMERO.– D./Dª [...............] falleció el día [...............] de [...............] de [...............] en la localidad de [...............].

En su prueba se acompaña:

Documento nº 1. Certificado de defunción expedido por el Registro Civil de [...............]

SEGUNDO.– D./Dª [...............] había otorgado testamento, no revocado por otro posterior, ante el/la notario de [...............], D./Dª [...............] el día [...............] de [...............] de [...............], bajo el n° [...............] de su protocolo.

Documento n° 2. Certificado del Registro de Actos de Última Voluntad

Documento n° 3. Copia autorizada del testamento

TERCERO.– D./Dª [...............] instituyó herederos/as a D./Dª [...............] y D./Dª [...............] y dejó estipulado en su testamento que D./Dª [...............] ejercería las funciones de albacea.

CUARTO.– D./Dª [...............] aceptó el cargo de albacea en fecha [...............], pero, se ha conducido mal en el desempeño de sus funciones al incumplir reiteradamente la prohibición de [...............].

En su prueba:

Documento n° 4. [...............]

Documento n° 5. [...............]

QUINTO.– A los efectos del art. 14.2 de la Ley 15/2015, de 2 de junio, de la Jurisdicción Voluntaria, hago constar que, al margen del/la solicitante, son interesados/as en el expediente:

D./Dª [...............]; DNI núm. [...............]; con domicilio en la localidad de [...............], calle [...............], número [...............], CP [...............]; teléfono [...............]; correo electrónico [...............]; otros datos [...............], en su condición de albacea.

D./Dª [...............]; DNI núm. [...............]; con domicilio en la localidad de [...............], calle [...............], número [...............], CP [...............]; teléfono [...............]; correo electrónico [...............]; otros datos [...............], en su condición de coheredero.

D./Dª [...............]; DNI núm. [...............]; con domicilio en la localidad de [...............], calle [...............], número [...............], CP [...............]; teléfono [...............]; correo electrónico [...............]; otros datos [...............], en su condición de [...............]

A los anteriores hechos son de aplicación los siguientes

FUNDAMENTOS DE DERECHO

(1) Jurisdicción y competencia

Corresponde a la jurisdicción civil de conformidad con lo dispuesto en el art. 36 de la LEC. Y es competente el Juzgado de Primera Instancia al que me dirijo con arreglo a lo dispuesto en el art. 2 y art. 91.3 de la Ley 15/2015, de 2 de julio, de la Jurisdicción Voluntaria. La competencia para conocer del presente expediente corresponde al Juzgado de Primera Instancia del último domicilio o residencia habitual del causante, o de donde estuviere la mayor parte de su patrimonio, con independencia de su naturaleza de conformidad con la ley aplicable, o el del lugar en que hubiera fallecido, siempre que estuvieran en España, a elección del solicitante. En defecto de todos ellos, será competente el Juzgado de Primera Instancia del lugar del domicilio del solicitante.

Según se establece en el art. 2 y art. 91.4 de la misma Ley 15/2015, de 2 de julio, de la Jurisdicción Voluntaria, la resolución de este supuesto corresponde al Juez.

(2) Capacidad y legitimación

Mi mandante tiene capacidad con arreglo al art. 6 de la LEC y se encuentra legitimado/a para promover este expediente a tenor de lo preceptuado en el art. 3.1 Ley 15/2015, de 2 de julio, de la Jurisdicción Voluntaria.

(3) Representación y defensa

Art. 3.2 y art. 91.2 de la Ley de la Ley 15/2015, de 2 de julio, de la Jurisdicción Voluntaria. Es preceptiva la intervención de abogado y procurador cuando la cuantía del haber hereditario sea igual o superior a 6000 euros. Y en todo caso es necesaria la actuación de abogado y procurador a partir del momento en que se formule oposición.

(4) Procedimiento

Procede seguir el procedimiento con arreglo a las normas comunes, recogidas en los arts. 9 a 22 de la Ley de la Ley 15/2015, de 2 de julio, de la Jurisdicción Voluntaria, conforme a lo establecido en el art. 91.3 de la misma Ley.

(5) Fondo del asunto

Son de aplicación a este caso los siguientes fundamentos legales:

El artículo 910 del Código Civil establece que: "termina el albaceazgo por la muerte, imposibilidad, renuncia o remoción del albacea, y por el lapso del término señalado por el testador, por la ley y, en su caso, por los interesados. La remoción deberá ser apreciada por el Juez".

Por lo expuesto,

SUPLICO AL JUZGADO

Que teniendo por presentado este escrito con sus documentos y copias, se sirva admitirlo y tenerme por personado/a y parte en la representación que ostento de D./Dª [...............] promoviendo expediente de jurisdicción voluntaria para la remoción del albacea y, en su virtud, tras los trámites legales, dicte Auto, por el que estimando esta solicitud acuerde la remoción de D./Dª [...............] del cargo de albacea en la herencia de D./Dª [...............] para el que fue nombrado/a.

OTROSÍ DIGO

Que a fin de acreditar la certeza de los hechos relatados, propongo como medios de prueba a practicar en el acto de la comparecencia, los siguientes:

TESTIFICAL, consistente en que sean examinados los siguientes testigos:

D./Dª [...............]; DNI núm. [...............]; con domicilio en la localidad de [...............], calle [...............], número [...............], CP [...............]; teléfono [...............]; correo electrónico [...............]; otros datos [...............]

D./Dª [...............]; DNI núm. [...............]; con domicilio en la localidad de [...............], calle [...............], número [...............], CP [...............]; teléfono [...............]; correo electrónico [...............]; otros datos [...............]

PERICIAL, consistente en que el perito D./Dª [...............] DNI núm. [...............]; con domicilio en la localidad de [...............], calle [...............], número [...............], CP [...............]; teléfono [...............]; correo electrónico [...............]; otros datos [...............], intervenga en la comparecencia al objeto de [...............]

SUPLICO AL JUZGADO: tenga por propuestos los medios de prueba a practicar en la comparecencia, solicitando que sean citados por la Oficina Judicial.

En [...............], a fecha [...............], de [...............], de [...............]

Firma del Letrado/a   Firma del Procurador/a

COMENTARIO

DOCTRINA

Este formulario tiene por objeto la remoción del cargo de albacea. Téngase en cuenta la siguiente información:

3. Remoción del albaceazgo

La remoción implica la destitución del albacea de su cargo. Al decir de la doctrina: *"al igual que otros cargos de derecho privado, el albacea puede ser removido a instancia de persona interesada en la sucesión, cuando se conduce en el cargo de modo doloso o gravemente negligente"*[218].

El art. 910 del Código Civil sólo menciona la remoción como terminación del albaceazgo, sin referencia alguna a las causas motivadoras de tal remoción, por lo que ha sido la jurisdicción casacional la que ha ido completando el vacío legal, sin haber logrado una definitiva determinación de los supuestos integradores de tal caso, tal como ha advertido la jurisprudencia[219]. Aunque la cuestión no ha sido pacífica en sede jurisprudencial por la existencia de dos grandes tendencias, una que ha negado que el silencio puede ser suplido con la aplica-

---

[218]   CARBALLO FIDALGO, Comentario al artículo 910, op. cit., p. 1201.
[219]   Tribunal Supremo (Sala de lo Civil) Sentencia de 13 abril 1992 (Tol 1659718).

ción analógica de lo establecido en relación a otras figuras como podría ser la tutela[220], en sentido antagónico la aplicación de la tutela ha sido defendida por otra jurisprudencia[157].

Así el Tribunal Supremo ha declarado que no son de aplicación al ejecutor testamentario las causas que la ley regula para el tutor, porque son dos cargos distintos, señala la doctrina[221], remitiendo sin embargo a las normas del mandato, en concreto las previstas en el artículo 1732 del CC, cuando las mismas con sobrevenidas. En particular se destacan las que incapacitan para el ejercicio del cargo o de los derechos civiles, la conducta dolosa o negligente grave o una mala administración. Téngase en cuenta las facultades y funciones del albacea expuestas en el epígrafe general sobre la figura, así como las modificaciones de la Ley 8/2021, de 2 de junio en lo que respecta a la figura del tutor y el ámbito de aplicación de esta.

"En este sentido es factible tener en cuenta la concurrencia de causas exclusivamente personales, que hacen imposible el ejercicio del cargo, como son la pérdida y suspensión o carencia de plenos derechos civiles y capacidad de obrar, incapacitación y minoría de edad (arts. 893, 322, 199 y siguientes del Código Civil) o lo hagan sumamente dificultoso [enfermedades, senectud con disminución de las facultades intelectuales —S. 2-12-1991 (RJ 1991/8899)—, ausencia, privación de libertad por cumplimiento de ejecutoria penal], e incluso las que son determinantes de indignidad para suceder (art. 756 del Código Civil), desconocidas por el testador o al menos no suficientemente ponderadas, pero con influencia notoria y acreditada de matiz negativo en la ejecución de voluntad testamentaria. Asimismo también puede atribuirse cualidad de remoción a los supuestos relacionados con

---

[220]　STS 23 febrero 1973 (Tol 4258268). La jurisprudencia antigua se mostró contraria al aplicar a la remoción de los albaceazgos las causas previstas al efecto para las tutelas y así efectivamente se hace constar en la sentencia de la instancia, pero hay que tener en cuenta y ello es eludido en el recurso, que la institución tutelar ha sido objeto de importantes reformas legislativas —entre ellas las operadas por la Ley de 24-4-1958 (RCL 1958/769 y NDL 5660), Ley de 2-5-1975 (RCL 1975/913)—, en los artículos a tener en cuenta 237 y 238 y la última correspondiente a la Ley 13/1983 de 24 octubre (RCL 1983/2298 y ApNDL 13654), mediante la cual (art. 247, en relación al 244-4°) se prevé como uno de los supuestos de remoción de los designados como tutores, los de incompatibilidades por tener importantes conflictos de intereses, aparte de mantener pleitos sobre la titularidad de los bienes. De esta manera se introduce una nueva situación motivadora de remoción, superando el criterio enumerativo anterior, adoptando mayor amplitud jurídica a la libre decisión de los jueces en cada caso concreto, de tal manera que se llega así a una más amplia cobertura en la fijación de las causas de remoción, que fue la línea interpretadora seguida por el Tribunal de apelación, al acudir al apoyo de los preceptos cuya violación ataca el motivo, por la vía analógica del art. 4 del Código Civil, en relación a su actualización, pues no existe norma prohibitiva alguna que impida tener en cuenta su incidencia en el caso presente. Tribunal Supremo (Sala de lo Civil) Sentencia de 13 abril 1992 (Tol 1659718).

[221]　LORA TAMAYO y PÉREZ, op. cit., pp. 321-322.

la actividad propia y encomendada a los albaceas, así cuando realizan conductas dolosas civiles o penales en perjuicio del caudal relicto y derechos de los herederos [SS. 4-2-1902, 23-2-1973 (RJ 1973/536) y 5-7-1947 (RJ 1947/937)] y a su vez si su actividad resulta totalmente inoperante o ineficaz por negligencia maliciosa o indiferencia, omisión y desatención constatada, que rebasan el simple descuido [SS. 6-10-1897, 18-2-1908, 3-10-1931 (RJ 1931/2173) y 23-2-1973]. También se procede contraviniendo la confianza que genera el mandato delegando las funciones en contra de lo dispuesto en el art. 909 del Código Civil".

También ha entendido la jurisprudencia, que ha de considerarse que la remoción puede ocasionarse por causas sobrevenidas, determinadas por actuaciones y conductas concretas, como sucede si se infringe la regla prohibitiva que contiene el art. 1459-3° del Código Civil, *"mediante la cual el albacea no puede adquirir lícitamente por compra, aunque sea en subasta pública o judicial, los bienes confiados a su cargo o gestión, y, a su vez, cuando concurre, como en el caso de autos, una colisión clara, precisa y notoriamente influyente de los intereses de uno de los albaceas, con la anexión solidaria de los otros dos, con parte de los herederos, determinada por los procesos civiles referidos que mantienen y los relacionan y que ocasionan un enfrentamiento que suele superar los cauces procesales, para degenerar en enemistades, rencores y suspicacias, no obstante la honorabilidad de los albaceas de referencia.*

La necesaria transparencia en el desempeño de un cargo tan especial y delicado como es el de albacea, la misma dignidad de los nombrados, la paz y la convivencia en adecuada armonía familiar de los herederos e incluso la voluntad del testador que refleja su disposición testamentaria, dictada sobre bases firmes de escrupulosa igualdad para sus sucesores, la independencia profesional de dos de los recurrentes, conlleva la necesaria liberación de toda sospecha respecto a su hacer, y hacen ajustada a Derecho y del todo conveniente la decisión judicial recurrida, pues los intereses enfrentados resultan suficientemente acreditados y los pleitos en los que se debaten; correspondiendo en todo caso a los Tribunales la procedente y justificada apreciación de la convergencia de las causas de remoción justa, trascendente y necesaria, que es lo que sucede en el caso que se enjuicia, en adecuada y actualizada interpretación de la norma (art. 3 del Código Civil), incluso por la vía de la analogía (art. 4), sin perder el norte de la institución del albaceazgo y las funciones que integran su actividad operativa de gestión de las testamentarías, conforme a las directrices del verdadero interesado que no es otro que el testador y que se proyectan a que sus sucesores acaten y cumplan su última voluntad, siquiera valiéndose para su realización material del actuar de los albaceas, que, en todo caso, deben de estar asistidos de la más exquisita corrección, no debiendo de dejar resquicios a su labor, ni huellas de suspicacia de un mal hacer, que tiene que ser imparcial y laboriosamente positivo, sin trabas que puedan proceder de la indiscutible incomodidad moral e incluso material que generan los pleitos que sostienen los litigantes y pueden presentarse con apariencias fundadas de limitaciones a la necesaria independencia de los afectados, conllevando lo expuesto a que el motivo sea desestimado"[222].

Téngase en cuenta la reforma en materia del ejercicio de la capacidad, la figura del tutor y otras categorías vinculadas con la discapacidad y la incapacidad de las personas. Se eliminan del ámbito de la discapacidad no sólo la tutela, sino también la patria potestad prorrogada y la patria potestad rehabilitada, figuras demasiado rígidas y poco adaptadas al sistema de promoción de la autonomía de las personas adultas con discapacidad[223].

La jurisprudencia ha señalado que no hay causa de remoción cuando el albacea nombrado también como contador partidor ha cumplido la voluntad del testador, siguiendo además lo previsto en la ley[224].

Examinando además algunas causas que pueden entenderse como de remoción, la deslealtad con la parte actora, la falta de transparencia, el dolo o negligencia grave; así como la falta del rigor exigible a un buen padre de familia en la elaboración del inventario; la falta de rectitud y corrección y el conflicto de intereses y que hacen referencia a las siguientes actuaciones en concreto: 1) que los albaceas contadores partidores testamentarios se han reunido con algunos de los herederos y no con otros, 2) que han prestado servicios para las empresas que componían el caudal relicto y para algunos de los herederos en particular elaboran el modelo 661 del Impuesto de sucesiones y donaciones para ellos, 3)

---

[222]   Tribunal Supremo (Sala de lo Civil) Sentencia de 13 abril 1992 (*Tol 1659718*).

[223]   Vid. Preámbulo de la Ley 8/2021, de 2 de junio, por la que se reforma la legislación civil y procesal para el apoyo a las personas con discapacidad en el ejercicio de su capacidad jurídica. "BOE" núm. 132, de 03/06/2021.

[224]   *"Centrado el contexto interpretativo, y una vez considerada tanto la validez de la cautela socini dispuesta, como el carácter injustificado de la intervención judicial a raíz de la acción de remoción ejercitada, cabe plantearse si el albacea contador partidor actuó en el presente caso conforme a las facultades de su cargo, bien respecto de las previstas legalmente, o bien con relación a las conferidas testamentariamente. La respuesta en el presente caso debe ser afirmativa en ambos sentidos pues tanto de la disposición testamentaria aplicable (cláusula sexta), en donde se le nombra albacea "con las más amplias facultades, incluso para entregar legados", como de lo dispuesto por el artículo 902 del Código Civil, regla 3ª: "vigilar la ejecución de todo lo demás ordenado en el testamento y sostener, siendo justo, su validez en juicio y fuera de él", se observa que el albacea contador partidor al no proceder al pago o entrega del legado de cantidad lo hizo conforme a lo dispuesto en el testamento ante el incumplimiento de la prohibición ordenada, lícitamente, por el testador (cláusula quinta), de forma que el presente caso se encuadra, técnicamente, en los supuestos de ineficacia derivada de la extinción de un legado, válido ab initio, pero ineficaz por no darse las circunstancias o condiciones previstas a tal efecto".* Tribunal Supremo (Sala de lo Civil, Sección 1ª) Sentencia núm. 254/2014 de 3 septiembre (*Tol 4521095*).

que han negado información y documentación a la actora, 4) que no facilitaron el inventario a la misma y realizaron propuestas de partición sin facilitarlo, 5) que realizaron un inventario incorrecto sin atender a las alegaciones realizadas por la actora, 6) que una de las empresas de la que los contadores partidores eran asesores, despidió a la demandante y estos elaboraron un informe a tal fin. Ha entendido la jurisprudencia que todas las causas que tienen que ver con el asesoramiento por parte de los albaceas contadores partidores a las empresas de las que era propietario o titular el causante, no pueden por sí mismas constituir causas de remoción, en tanto en cuanto esa circunstancia concurría con anterioridad al otorgamiento del testamento y era de sobra conocida por el testador que precisamente era quien contrató a los demandados con los que tenía una relación de varios años anteriores. El testador sabía que ambos eran los asesores fiscales, contables y laborales de sus empresas no sólo cuando los nombró, sino que seguían siéndolo cuando se produjo el fallecimiento y hasta que se resolvió la relación contractual con su asesoría en febrero de 2015.

Vid. Audiencia Provincial de Zamora (Sección 1ª) Sentencia núm. 252/2016 de 21 diciembre *(Tol 5955385)*.

Normativa

Artículo 910 CC.
Ley 8/2021, de 2 de junio, por la que se reforma la legislación civil y procesal para el apoyo a las personas con discapacidad en el ejercicio de su capacidad jurídica. "BOE" núm. 132, de 03/06/2021.

Jurisprudencia

STS (Sala de lo Civil, Sección1ª) Sentencia núm. 254/2014 de 3 septiembre *(Tol 4521095)*.
STS (Sala de lo Civil, Sección1ª) Sentencia núm. 954/2005 de 14 diciembre *(Tol 795337)*.
TS (Sala de lo Civil), sentencia de 13 abril 1992 *(Tol 1659718)*.
STS (Sala de lo Civil) Sentencia de 2 diciembre 1991 *(Tol 1728382)*.
STS (Sala de lo Civil) Sentencia de 23 febrero 1973 *(Tol 4258268)*.
STS (Sala de lo Civil) Sentencia de 3 octubre 1931 *(Tol 5033323)*.

Formulario 4. RENDICIÓN DE CUENTAS DEL/LA ALBACEA

FUNDAMENTO LEGAL Y JURISPRUDENCIAL

Fase del procedimiento en la que se encuentra este formulario

Art. 907 del Código Civil.

Jurisprudencia:

Tribunal Supremo/ 16/04/1998 (Tol 169708).

AP Madrid/ 10/06/2009 (Tol 6762568).

AP Zaragoza/ 09/02/1993 (Tol 382280).

Fase: iniciación del expediente

ÓRGANO COMPETENTE

AL JUZGADO DE PRIMERA INSTANCIA

DE [...............]

—que por turno de reparto corresponda—

ENCABEZAMIENTO

D./Dª [...............], Procurador/a de los Tribunales, colegiado/a nº [...............] del Ilustre Colegio de Procuradores de [...............], actuando en nombre y representación de D./Dª [...............], mayor de edad, DNI número [...............], con domicilio en [...............], calle [...............] núm............... [...............], piso [...............], puerta [...............] (CP...............) según acredito mediante la copia de escritura de poder que acompaño/poder otorgado "apud acta" electrónico/poder que será otorgado "apud acta" ante el/la sr/a Letrado/a de la Administración de Justicia; ante el Juzgado comparezco bajo la dirección técnica del/la Letrado/a D./Dª [...............], colegiado/a nº [...............] del Ilustre Colegio de Abogados de [...............]; como mejor proceda en Derecho, DIGO:

DIGO/MANIFIESTO

Que mediante el presente escrito y al amparo del artículo 91.1.3º de la Ley 15/2015, de 2 de junio, de la Jurisdicción Voluntaria, promuevo expediente de jurisdicción voluntaria para la RENDICIÓN DE CUENTAS DEL ALBACEA D./Dª [...............] nombrado/a en la herencia de D./Dª [...............], sobre la base de los siguientes hechos y fundamentos de derecho.

HECHOS

PRIMERO.- D./Dª [...............] falleció el día [...............] de [...............] de [...............] en la localidad de [...............].

En su prueba se acompaña:

Documento nº 1. Certificado de defunción expedido por el Registro Civil de [...............]

SEGUNDO.- D./Dª [...............] había otorgado testamento, no revocado por otro posterior, ante el/la notario de [...............], D./Dª [...............] el día [...............] de [...............] de [...............], bajo el nº [...............] de su protocolo.

Documento nº 2. Certificado del Registro de Actos de Última Voluntad

Documento nº 3. Copia autorizada del testamento

TERCERO.- En virtud del citado testamento, D./Dª [...............] instituyó heredero/a a mi representado/a y dejó estipulado en su cláusula [...............] que D./Dª [...............] ejerciera las funciones de albacea.

CUARTO.- El/La albacea D./Dª [...............] presentó a mi mandante escrito de rendición de cuentas de su actuación, que se impugna por los siguientes motivos: [...............]

En su prueba:

Documento nº 4. [...............]

Documento nº 5. [...............]

QUINTO.- A los efectos del art. 14.2 de la Ley 15/2015, de 2 de junio, de la Jurisdicción Voluntaria, hago constar que, al margen del/la solicitante, son interesados/as en el expediente:

D./Dª [...............]; DNI núm. [...............]; con domicilio en la localidad de [...............], calle [...............], número [...............], CP [...............]; teléfono [...............]; correo electrónico [...............]; otros datos [...............], en su condición de albacea.

D./Dª [...............]; DNI núm. [...............]; con domicilio en la localidad de [...............], calle [...............], número [...............], CP [...............]; teléfono [...............]; correo electrónico [...............]; otros datos [...............], en su condición de [...............]

A los anteriores hechos son de aplicación los siguientes

FUNDAMENTOS DE DERECHO

(1) Jurisdicción y competencia

Corresponde a la jurisdicción civil de conformidad con lo dispuesto en el art. 36 de la LEC. Y es competente el Juzgado de Primera Instancia al que me dirijo con arreglo a lo dispuesto en el art. 2 y art. 91.3 de la Ley 15/2015, de 2 de julio, de la Jurisdicción Voluntaria. La competencia para conocer del presente expediente corresponde al Juzgado de Primera Instancia del último domicilio o residencia habitual del causante, o de donde estuviere la mayor parte de su patrimonio, con independencia de su naturaleza de conformidad con la ley aplicable, o el del lugar en que hubiera fallecido, siempre que estuvieran en España, a elección del solicitante. En defecto de todos ellos, será competente el Juzgado de Primera Instancia del lugar del domicilio del solicitante.

Según se establece en el art. 2 y art. 91.4 de la misma Ley 15/2015, de 2 de julio, de la Jurisdicción Voluntaria, la resolución de este supuesto corresponde al Juez.

(2) Capacidad y legitimación

Mi mandante tiene capacidad con arreglo al art. 6 de la LEC y se encuentra legitimado/a para promover este expediente a tenor de lo preceptuado en el art. 3.1 Ley 15/2015, de 2 de julio, de la Jurisdicción Voluntaria.

(3) Representación y defensa

Art. 3.2 y art. 91.2 de la Ley de la Ley 15/2015, de 2 de julio, de la Jurisdicción Voluntaria. Es preceptiva la intervención de abogado y procurador cuando la cuantía del haber hereditario sea igual o superior a 6000 euros. Y en todo caso es necesaria la actuación de abogado y procurador a partir del momento en que se formule oposición.

(4) Procedimiento

Procede seguir el procedimiento con arreglo a las normas comunes, recogidas en los arts. 9 a 22 de la Ley de la Ley 15/2015, de 2 de julio, de la Jurisdicción Voluntaria, conforme a lo establecido en el art. 91.3 de la misma Ley.

(5) Fondo del asunto

Son de aplicación a este caso los siguientes fundamentos legales:

Art. 907 del Código Civil (CC), en cuya virtud, "Los albaceas deberán dar cuenta de su encargo a los herederos. Si hubieren sido nombrados no para entregar los bienes a herederos determinados, sino para darles la inversión o distribución que el testador hubiese dispuesto en los casos permitidos por derecho, rendirán sus cuentas al Juez. Toda disposición del testador contraria a este artículo será nula".

Art. 1720 CC: "Todo mandatario está obligado a dar cuenta de sus operaciones y a abonar al mandante cuanto haya recibido en virtud del mandato, aun cuando lo recibido no se debiera al segundo".

Por lo expuesto,

SUPLICO AL JUZGADO

Que teniendo por presentado este escrito con sus documentos y copias, se sirva admitirlo y tenerme por personado/a y parte en la representación que ostento de D./Dª [...............] promoviendo expediente de jurisdicción voluntaria para la rendición de cuentas del/la albacea y en su virtud, estimando esta solicitud y tras los trámites legales, se efectúe la rendición de cuentas del/la albacea D./Dª [...............] en la herencia de D./Dª [...............].

OTROSÍ DIGO

Que a fin de acreditar la certeza de los hechos relatados, propongo como medios de prueba a practicar en el acto de la comparecencia, los siguientes:

TESTIFICAL, consistente en que sean examinados los siguientes testigos:

D./Dª [.................]; DNI núm. [.................]; con domicilio en la localidad de [.................], calle [.................], número [.................], CP [.................]; teléfono [.................]; correo electrónico [.................]; otros datos [.................]

D./Dª [.................]; DNI núm. [.................]; con domicilio en la localidad de [.................], calle [.................], número [.................], CP [.................]; teléfono [.................]; correo electrónico [.................]; otros datos [.................]

PERICIAL, consistente en que el perito D./Dª [.................] DNI núm. [.................]; con domicilio en la localidad de [.................], calle [.................], número [.................], CP [.................]; teléfono [.................]; correo electrónico [.................]; otros datos [.................], intervenga en la comparecencia al objeto de [.................]

SUPLICO AL JUZGADO: tenga por propuestos los medios de prueba a practicar en la comparecencia, solicitando que sean citados por la Oficina Judicial.

En [.................], a fecha [.................], de [.................], de [.................]

Firma del Letrado/a   Firma del Procurador/a

COMENTARIO

Doctrina

Este formulario tiene por objeto la rendición de cuentas del albaceazgo. Téngase en cuenta la siguiente información:

4. Rendición de cuentas del albacea

El albacea además de facultades y funciones tiene que velar por el cumplimiento del encargo, a tenor de lo previsto en el artículo 907 CC, teniendo en cuenta que constituye un gestor de un patrimonio que le es ajeno. Esta obligación alcanza a todo albacea, incluso al que sea heredero. En el caso que la designación sea plural, cada albacea deberá rendir cuentas por separado.

Doctrina jurisprudencial ha señalado que: *"se ha rendido, aparte de que el mencionado artículo 907 no dice precisamente que los albaceas deberán rendir cuentas sino que deberán dar cuenta de su encargo a los herederos y la jurisprudencia tiene declarado (Sentencia de este Tribunal de 4 de enero de 1911) que dicha obligación queda cumplida con la práctica de las operaciones particionales que constituyen el medio más adecuado que los albaceas tienen de dar cuenta de su encargo"*[225].

---

[225] Tribunal Supremo (Sala de lo Civil) Sentencia de 7 enero 1942 (RJ 1942/4).

Las funciones del albacea no son solamente negociales, pero estas también entran dentro de aquellas que puede realizar, y aun cuando ostente amplios poderes sus libertades no son omnímodas y ello significa que han de tener determinados límites, ya que aparte de ajustar la ejecución del encargo a la ley a tenor de lo que regula el artículo 901 CC ha de rendir cuentas a los herederos o en su caso al juez de acuerdo a lo previsto en el artículo 907 CC.

Sometida la administración de los designados albaceas a las reglas generales, es claro que, de acuerdo con el art. 1720 del Código Civil, vienen obligados los administradores a rendir cuenta de sus operaciones y, no estableciéndose en las disposiciones testamentarias normas especiales acerca del tiempo en que habría de realizarse esa dación de cuentas, la misma ha de hacerse al finalizar el encargo recibido como último acto de su administración; será a través de la detallada y justificada rendición de cuentas al final de la administración cuando pueda apreciarse si los designados han cumplido sus funciones de acuerdo con las instrucciones del testador y con la diligencia de un buen padre de familia[226].

De acuerdo a lo establecido en el artículo 907 CC, el causante no puede dispensar al designado de rendir cuentas de su gestión, pero si puede modular su ejercicio. Ahora bien como ha señalado jurisprudencia en la materia, la obligación de dar cuenta de su encargo a los herederos no puede ser exigible hasta que no haya terminado su misión el albacea o haya expirado el plazo que el testador, la Ley o, en su caso, el Juez pudieran concederle[227].

NORMATIVA

Art. 907 CC.
Ley 8/2021, de 2 de junio, por la que se reforma la legislación civil y procesal para el apoyo a las personas con discapacidad en el ejercicio de su capacidad jurídica.

JURISPRUDENCIA

STS 12 de diciembre de 1963 (*Tol 4329123*).
STS, Sentencia de 7 enero 1942 (*RJ 1942/4*).
STS (Sala de lo Civil) Sentencia núm. 335/1998 de 16 abril (*Tol 169708*).
STS (Sala de lo Civil), sentencia núm. 72/1997 de 11 febrero (*Tol 5114400*).
STS (Sala de lo Civil) Sentencia de 29 enero 1985 (*Tol 1736561*).

---

[226] Tribunal Supremo (Sala de lo Civil) Sentencia núm. 335/1998 de 16 abril (*Tol 169708*).
[227] STS 5 de julio de 1947 (*Tol 4454351*).

Formulario 5. AUTORIZACIÓN JUDICIAL AL/LA ALBACEA PARA ACTO DE DISPOSICIÓN

FUNDAMENTO LEGAL Y JURISPRUDENCIAL

Fase del procedimiento en la que se encuentra este formulario

Art. 903 del Código Civil.

Jurisprudencia:

STS 5 de julio 1947 (*Tol 4452575*).

Auto del TS/20/04/2021 (*Tol 8403198*).

Fase: iniciación del expediente

ÓRGANO COMPETENTE

AL JUZGADO DE PRIMERA INSTANCIA

DE [...............]

—que por turno de reparto corresponda—

ENCABEZAMIENTO

D./Dª [...............], Procurador/a de los Tribunales, colegiado/a nº [...............] del Ilustre Colegio de Procuradores de [...............], actuando en nombre y representación de D./Dª [...............], mayor de edad, DNI número [...............], con domicilio en [...............], calle [...............] núm............... [...............], piso [...............], puerta [...............] (CP...............) según acredito mediante la copia de escritura de poder que acompaño/poder otorgado "apud acta" electrónico/poder que será otorgado "apud acta" ante el/la sr/a Letrado/a de la Administración de Justicia; ante el Juzgado comparezco bajo la dirección técnica del/la Letrado/a D./Dª [...............], colegiado/a nº [...............] del Ilustre Colegio de Abogados de [...............]; como mejor proceda en Derecho, **DIGO**:

DIGO/MANIFIESTO

Que mediante el presente escrito y al amparo del artículo 91.1.4º de la Ley 15/2015, de 2 de junio, de la Jurisdicción Voluntaria, promuevo expediente de jurisdicción voluntaria para la obtención por el ALBACEA de AUTORIZACIÓN PARA EFECTUAR ACTO DE DISPOSICIÓN sobre bienes de la herencia del/la causante D./Dº [...............], sobre la base de los siguientes hechos y fundamentos de derecho.

HECHOS

PRIMERO.– D./Dª [...............] falleció el día [...............] de [...............] de [...............] en la localidad de [...............].

En su prueba se acompaña:

Documento nº 1. Certificado de defunción expedido por el Registro Civil de [...............]

SEGUNDO.– D./Dª [...............] había otorgado testamento, no revocado por otro posterior, ante el/la notario de [...............], D./Dª [...............] el día [...............] de [...............] de [...............], bajo el nº [...............] de su protocolo.

Documento nº 2. Certificado del Registro de Actos de Última Voluntad

Documento nº 3. Copia autorizada del testamento

TERCERO.– En virtud del citado testamento, D./Dª [...............] instituyó heredero/a a D./Dª [...............] y legatario/a a D./Dª [...............]. Y dejó estipulado en su cláusula [...............] que mi representado/a ejerciera las funciones de albacea, cargo que mi representado/a aceptó en fecha [...............].

En su prueba [...............]

Documento nº 4. [...............]

CUARTO.– No existe en la herencia dinero bastante para el pago del funeral y del legado y el/la heredero/a no lo aporta de los suyo. Siendo que se ha recibido factura del funeral por importe de [...............], el valor del legado asciende a [...............] y el dinero obrante en la herencia se limita a [...............]

En su prueba:

Documento nº 5. Factura del funeral

Documento nº 6. Presupuesto del legado

Documento nº 7. Certificaciones bancarias de saldos en cuentas.

QUINTO.– Se estima necesaria la venta del siguiente bien de la herencia, cuyo valor cubre los pagos debidos y ofrece una mayor celeridad para su transmisión y obtención de dinero para la inmediata satisfacción de la factura del funeral y legado [...............]

SEXTO.– A los efectos del art. 14.2 de la Ley 15/2015, de 2 de junio, de la Jurisdicción Voluntaria, hago constar que, al margen del/la solicitante, son interesados/as en el expediente:

D./Dª [...............]; DNI núm. [...............]; con domicilio en la localidad de [...............], calle [...............], número [...............], CP [...............]; teléfono [...............]; correo electrónico [...............]; otros datos [...............], en su condición de heredero/a.

D./Dª [...............]; DNI núm. [...............]; con domicilio en la localidad de [...............], calle [...............], número [...............], CP [...............]; teléfono

[..............]; correo electrónico [..............]; otros datos [..............], en su condición de [..............]

A los anteriores hechos son de aplicación los siguientes

FUNDAMENTOS DE DERECHO

(1) Jurisdicción y competencia

Corresponde a la jurisdicción civil de conformidad con lo dispuesto en el art. 36 de la LEC. Y es competente el Juzgado de Primera Instancia al que me dirijo con arreglo a lo dispuesto en el art. 2 y art. 91.3 de la Ley 15/2015, de 2 de julio, de la Jurisdicción Voluntaria. La competencia para conocer del presente expediente corresponde al Juzgado de Primera Instancia del último domicilio o residencia habitual del causante, o de donde estuviere la mayor parte de su patrimonio, con independencia de su naturaleza de conformidad con la ley aplicable, o el del lugar en que hubiera fallecido, siempre que estuvieran en España, a elección del solicitante. En defecto de todos ellos, será competente el Juzgado de Primera Instancia del lugar del domicilio del solicitante.

Según se establece en el art. 2 y art. 91.4 de la misma Ley 15/2015, de 2 de julio, de la Jurisdicción Voluntaria, la resolución de este supuesto corresponde al Juez.

(2) Capacidad y legitimación

Mi mandante tiene capacidad con arreglo al art. 6 de la LEC y se encuentra legitimado/a para promover este expediente a tenor de lo preceptuado en el art. 3.1 Ley 15/2015, de 2 de julio, de la Jurisdicción Voluntaria, por haber sido designado albacea.

(3) *Representación y defensa*

Art. 3.2 y art. 91.2 de la Ley de la Ley 15/2015, de 2 de julio, de la Jurisdicción Voluntaria. Es preceptiva la intervención de abogado y procurador cuando la cuantía del haber hereditario sea igual o superior a 6000 euros. Y en todo caso es necesaria la actuación de abogado y procurador a partir del momento en que se formule oposición.

(4) *Procedimiento*

Procede seguir el procedimiento con arreglo a las normas comunes, recogidas en los arts. 9 a 22 de la Ley de la Ley 15/2015, de 2 de julio, de la Jurisdicción Voluntaria, conforme a lo establecido en el art. 91.3 de la misma Ley.

(5) Fondo del asunto

Son de aplicación a este caso los siguientes fundamentos legales:

Art. 902 del Código Civil (CC). *"No habiendo el testador determinado especialmente las facultades de los albaceas, tendrán las siguientes:*

1ª Disponer y pagar los sufragios y el funeral del testador con arreglo a lo dispuesto por él en el testamento; y, en su defecto, según la costumbre del pueblo.

2ª Satisfacer los legados que consistan en metálico, con el conocimiento y beneplácito del heredero.

3ª Vigilar sobre la ejecución de todo lo demás ordenado en el testamento, y sostener, siendo justo, su validez en juicio y fuera de él.

4ª Tomar las precauciones necesarias para la conservación y custodia de los bienes, con intervención de los herederos presentes".

Art. 903 CC: *"Si no hubiere en la herencia dinero bastante para el pago de funerales y legados, y los herederos no lo aprontaren de lo suyo, promoverán los albaceas la venta de los bienes muebles; y no alcanzando éstos, la de los inmuebles, con intervención de los herederos.*

Si estuviere interesado en la herencia algún menor, ausente, corporación o estableci-miento público, la venta de los bienes se hará con las formalidades prevenidas por las leyes para tales casos".

Por lo expuesto,

SUPLICO AL JUZGADO

Que teniendo por presentado este escrito con sus documentos y copias, se sirva ad-mitirlo y tenerme por personado/a y parte en la representación que ostento de D./Dª [...............] promoviendo expediente de jurisdicción voluntaria para la obtención de autorización, como albacea, para efectuar el acto de disposición que interesa sobre un bien de la herencia y, en su virtud, estimando esta solicitud y tras los trámites legales, dicte Auto por el que autorice a mi mandante para vender el bien de la herencia de D./Dª [...............]: que se describe como: [...............]

OTROSÍ DIGO

Que a fin de acreditar la certeza de los hechos relatados, propongo como medios de prueba a practicar en el acto de la comparecencia, los siguientes:

TESTIFICAL, consistente en que sean examinados los siguientes testigos:

D./Dª [...............]; DNI núm. [...............]; con domicilio en la localidad de [...............], calle [...............], número [...............], CP [...............]; teléfono [...............]; correo electrónico [...............]; otros datos [...............]

D./Dª [...............]; DNI núm. [...............]; con domicilio en la localidad de [...............], calle [...............], número [...............], CP [...............]; teléfono [...............]; correo electrónico [...............]; otros datos [...............]

PERICIAL, consistente en que el perito D./Dª [...............] DNI núm. [...............]; con domicilio en la localidad de [...............], calle [...............], número [...............], CP [...............]; teléfono [...............]; correo electrónico [...............]; otros datos [...............], intervenga en la comparecencia al objeto de [...............]

SUPLICO AL JUZGADO: tenga por propuestos los medios de prueba a practicar en la comparecencia, solicitando que sean citados por la Oficina Judicial.

En [...............], a fecha [...............], de [...............], de [...............]

Firma del Letrado/a   Firma del Procurador/a

COMENTARIO

Este formulario tiene por objeto la autorización judicial al/la albacea para acto de disposición. Téngase en cuenta la siguiente información:

DOCTRINA

5. Autorización judicial al/la albacea para acto de disposición.

El artículo 903 CC prevé que si no hubiere en la herencia dinero bastante para el pago de funerales y legados y los herederos no lo aportaren de lo suyo, promoverán los albaceas la venta de los bienes muebles; y no alcanzando éstos, la de los inmuebles, con intervención de los herederos. Si estuviere interesado en la herencia algún menor, ausente, corporación o establecimiento público, la venta de los bienes se hará con las formalidades prevenidas por las leyes para tales casos.

En lo que respecta a la disposición de los bienes de la herencia, que es el supuesto que trae a colación este artículo, si no existen herederos forzosos el albacea podrá enajenar por sí solo, sin necesidad del consentimiento de los herederos, dice la Resolución de la DGRN de 25 de enero de 1990, mientras que si existen herederos forzosos, el albacea precisa del consentimiento de los legitimarios, sin que pueda ser dispensado por el testador, señala la Resolución de la DGRN de 19 de julio de 1952. La doctrina no es pacífica en este sentido, pero la mayoría entiende que en caso de legitimarios se requiere el consentimiento de todos para proceder a la venta de los bienes[228].

La intervención de los herederos consiste en su notificación y posible oposición, que ha de resolverse por vía judicial.

---

[228] Vid. LORA-TAMAYO y PÉREZ, op. cit., pp. 309-310. Señalan en cuanto a ello DÍEZ-PICAZO, L y GULLÓN, A., "es criterio constante de la Dirección General de los Registros que el testador puede facultar a los albaceas para vender libremente los bienes hereditarios. No será preciso el consentimiento de los herederos voluntarios en tal caso, pero sí de los legitimarios. La razón es que estos tienen derecho a una porción de bienes hereditarios, no a que su legítima se pague en dinero", Sistema de Derecho Civil, Volumen IV, Tomo 2, Derecho de Sucesiones, Duodécima Edición, Tecnos, 2017, p. 139.

En el caso de la existencia de menores, ausentes y algún supuesto especial se requiere de la autorización judicial, lo que encuentra fundamento en la ley, además en la protección del interés superior del menor y de las personas más vulnerables[229], constituyendo según doctrina especializada en el tema, una cláusula de cierre, cuya finalidad no es otra que extender al albacea a las prevenciones establecidas por la ley. Tales prevenciones se traducen en la necesidad de recabar autorización judicial para la venta, a tenor de lo que previenen determinados artículos del CC, arts 166, 185.2, 271 y 290[230].

Téngase en cuenta que los artículos 271 y 290 del Código Civil han sido derogados en virtud de la reforma de la Ley 8/2021, de 2 de junio, por la que se reforma la legislación civil y procesal para el apoyo a las personas con discapacidad en el ejercicio de su capacidad jurídica.

En sede de partición de la herencia interesa lo previsto en el artículo 1060 del CC.

---

[229] De aquí que deba aplicarse lo dispuesto en el art. 1259 CC, porque la autorización judicial para la realización del acto por el representante legal cuando la ley lo requiera tiene naturaleza imperativa en el Código civil y no es un simple complemento del acto a realizar. De acuerdo con el Art. 166 CC, la representación de los padres como representantes legales, no alcanza los actos enumerados en el Art. 166 CC. Las excepciones se encuentran en que los actos de disposición tengan causas de utilidad justificadas y se deben realizar previa autorización judicial con audiencia del Ministerio Fiscal. La autorización judicial no es un complemento de capacidad como ocurre en la emancipación o en la curatela, sino que es un elemento del acto de disposición, puesto que los padres solos no lo ostentan. Y todo ello, para obtener la protección de los intereses del menor. *"El acto realizado con falta de poder, es decir, sin los requisitos exigidos en el artículo 166 CC constituye un contrato o un negocio jurídico incompleto, que mantiene una eficacia provisional, estando pendiente de la eficacia definitiva que se produzca la ratificación del afectado, que puede ser expresa o tácita. Por tanto, no se trata de un supuesto de nulidad absoluta, que no podría ser objeto de convalidación, sino de un contrato que aun no ha logrado su carácter definitivo al faltarle la condición de la autorización judicial exigida legalmente, que deberá ser suplida por la ratificación del propio interesado, de acuerdo con lo dispuesto en el art. 1259.2 CC, de modo que no siéndolo, el acto será inexistente. CUARTO Esta doctrina debe aplicarse también a los casos de actuación del tutor sin autorización judicial, porque obedece a la misma finalidad que la ya explicada en relación a los padres titulares de la patria potestad. En efecto, el art. 271 CC enuncia los actos que el tutor no puede llevar a cabo sin autorización judicial y el Art. 272 CC permite obtenerla a posteriori únicamente en el caso de la partición hereditaria. La jurisprudencia y la doctrina se han planteado para los actos no autorizados del tutor las mismas dudas que ya se han señalado respecto del tipo de ineficacia que afecta a los actos de disposición del titular de la potestad efectuados sin autorización judicial, y por ello debe aplicarse la doctrina de la sentencia de 22 abril 2010 también a este caso"*. Tribunal Supremo (Sala de lo Civil, Sección 1ª) Sentencia núm. 447/2010 de 8 julio. (RJ 2010/6030). Vid. BERROCAL LANZAROT. A. I., "Los actos realizados por los representantes legales sin autorización judicial. A propósito de las sentencias del Tribunal Supremo de 22 de abril y 8 de julio de 2010". *Revista Aranzadi Doctrina*, núm. 9/2012 parte Estudios, Editorial Aranzadi, SAU, Cizur Menor. 2012.

[230] Vid. CARBALLO FIDALGO, Código Civil Comentado, op. cit, p. 1185.

Artículo 1060 CC: *"Cuando los menores estén legalmente representados en la partición, no será necesaria la intervención ni la autorización judicial, pero el tutor necesitará aprobación judicial de la ya efectuada. El defensor judicial designado para representar a un menor en una partición, deberá obtener la aprobación de la autoridad judicial, si el Letrado de la Administración de Justicia no hubiera dispuesto otra cosa al hacer el nombramiento.*

Tampoco será necesaria autorización ni intervención judicial en la partición realizada por el curador con facultades de representación. La partición una vez practicada requerirá aprobación judicial.

La partición realizada por el defensor judicial designado para actuar en la partición en nombre de un menor o de una persona a cuyo favor se hayan establecido medidas de apoyo, necesitará la aprobación judicial, salvo que se hubiera dispuesto otra cosa al hacer el nombramiento".

Normativa

Art. 166, 185,2, 903 CC.

Jurisprudencia

Tribunal Supremo (Sala de lo Civil) Sentencia de 15 abril 1982 (*Tol 1738983*).
Tribunal Supremo (Sala de lo Civil) Sentencia de 2 junio 1989 (*Tol 1732576*).
Tribunal Supremo Sentencia de 22 abril 2010 (*Tol 1864654*).
Tribunal Supremo (Sala de lo Civil, Sección1ª) Sentencia núm. 447/2010 de 8 julio (*Tol 1954246*).
Tribunal Supremo (Sala de lo Civil, Sección1ª) Sentencia núm. 225/2010 de 22 abril (*Tol 1864654*).
Tribunal Supremo (Sala de lo Civil, Sección1ª) Sentencia de 5 enero 2012 (*Tol 2395218*).

Formulario 6. DESIGNACIÓN DE CONTADOR/A-PARTIDOR/A DATIVO/A

FUNDAMENTO LEGAL Y JURISPRUDENCIAL

Fase del procedimiento en la que se encuentra este formulario

Art. 1057, segundo párrafo, del Código Civil.

Jurisprudencia:

AP La Coruña/ 07/11/2017 (*Tol 6491383*).

AP Bizkaia/ 17/02/2011 (*Tol 3641533*).

AP Ciudad Real/ 12/11/2001 (Tol 134485).

Fase: iniciación del expediente

ÓRGANO COMPETENTE

AL JUZGADO DE PRIMERA INSTANCIA

DE [...............]

—que por turno de reparto corresponda—

ENCABEZAMIENTO

D./Dª [...............], Procurador/a de los Tribunales, colegiado/a nº [...............] del Ilustre Colegio de Procuradores de [...............], actuando en nombre y representación de D./Dª [...............], mayor de edad, DNI número [...............], con domicilio en [...............], calle [...............] núm............... [...............], piso [...............], puerta [...............] (CP...............) y de D./Dª [...............], mayor de edad, DNI número [...............], con domicilio en [...............], calle [...............] núm............... [...............], piso [...............], puerta [...............] (CP...............); según acredito mediante la copia de escritura de poder que acompaño/poder otorgado "apud acta" electrónico/poder que será otorgado "apud acta" ante el/la sr/a Letrado/a de la Administración de Justicia; ante el Juzgado comparezco bajo la dirección técnica del/la Letrado/a D./Dª [...............], colegiado/a nº [...............] del Ilustre Colegio de Abogados de [...............]; como mejor proceda en Derecho, **DIGO**:

DIGO/MANIFIESTO

Que mediante el presente escrito y al amparo del artículo 92.1.a) de la Ley 15/2015, de 2 de junio, de la Jurisdicción Voluntaria, promuevo expediente de jurisdicción voluntaria solicitando la DESIGNACIÓN DE CONTADOR/A-PARTIDOR/A DATIVO/A para practicar las operaciones particionales de la herencia de D./Dª [...............], [relación de parentesco] de mis mandantes, sobre la base de los siguientes hechos y fundamentos de derecho.

HECHOS

PRIMERO.– D./Dª [...............] falleció el día [...............] de [...............] de [...............] en la localidad de [...............].

En su prueba se acompaña:

Documento nº 1. Certificado de defunción expedido por el Registro Civil de [...............]

SEGUNDO.– D./Dª [...............] había otorgado testamento, no revocado por otro posterior, ante el/la notario de [...............], D./Dª [...............] el día [...............] de [...............] de [...............], bajo el nº [...............] de su protocolo.

Documento nº 2. Certificado del Registro de Actos de Última Voluntad

Documento nº 3. Copia autorizada del testamento

TERCERO.– D./Dª [...............] instituyó herederos/as a D./Dª [...............], D./Dª [...............] y D./Dª [...............], pero no designó comisario/a contador/a-partidor/a ni albacea con facultades para llevar a término la partición de la herencia y la ejecución de sus disposiciones de última voluntad.

CUARTO.– Mis mandantes representan el [...............] % del haber hereditario, que constituye más de la mitad del mismo y que les faculta para el fin prevenido en el art. 1057, segundo párrafo, del Código Civil.

QUINTO.– A los efectos del art. 14.2 de la Ley 15/2015, de 2 de junio, de la Jurisdicción Voluntaria, hago constar que, al margen del/la solicitante, son interesados/as en el expediente:

D./Dª [...............]; DNI núm. [...............]; con domicilio en la localidad de [...............], calle [...............], número [...............], CP [...............]; teléfono [...............]; correo electrónico [...............]; otros datos [...............], en su condición de coheredero/a.

D./Dª [...............]; DNI núm. [...............]; con domicilio en la localidad de [...............], calle [...............], número [...............], CP [...............]; teléfono [...............]; correo electrónico [...............]; otros datos [...............]

SEXTO.– El haber hereditario es el que se recoge en el testamento aportado y habida cuenta de las operaciones particionales que son previsibles, se estima suficiente un plazo de [...............] meses para su realización, que es el que se interesa se establezca judicialmente.

A los anteriores hechos son de aplicación los siguientes

FUNDAMENTOS DE DERECHO

(1) Jurisdicción y competencia

Corresponde a la jurisdicción civil de conformidad con lo dispuesto en el art. 36 de la LEC. Y es competente el Juzgado de Primera Instancia al que me dirijo con arreglo a lo dispuesto en el art. 2 y art. 92.3 de la Ley 15/2015, de 2 de julio, de la Jurisdicción Voluntaria. La competencia para conocer del presente expediente corresponde al sr./a Letrado de la Administración de Justicia del Juzgado de Primera Instancia del último domicilio o residencia habitual del causante, o de donde estuviere la mayor parte de su patrimonio, con independencia de su naturaleza de conformidad con la ley aplicable, o el del lugar en que hubiera fallecido, siempre que estuvieran en España, a elección del solicitante. En defecto de todos ellos, será competente el Juzgado de Primera Instancia del lugar del domicilio del solicitante.

(2) Capacidad y legitimación

Mis mandantes tienen capacidad con arreglo al art. 6 de la LEC y se encuentran legitimados/as para promover este expediente a tenor de lo preceptuado en el art. 3.1 Ley 15/2015, de 2 de julio, de la Jurisdicción Voluntaria, por ser herederos del/la causante.

(3) Representación y defensa

Art. 3.2 y art. 92.2 de la Ley de la Ley 15/2015, de 2 de julio, de la Jurisdicción Voluntaria. Es preceptiva la intervención de abogado y procurador cuando la cuantía del haber hereditario sea igual o superior a 6000 euros. Y en todo caso es necesaria la actuación de abogado y procurador a partir del momento en que se formule oposición.

(4) Procedimiento

Procede seguir el procedimiento con arreglo a las normas comunes, recogidas en los arts. 9 a 22 de la Ley de la Ley 15/2015, de 2 de julio, de la Jurisdicción Voluntaria, conforme a lo establecido en el art. 92.3 de la misma Ley.

(5) Fondo del asunto

Son de aplicación a este caso los siguientes fundamentos legales:

El art. 1057, párrafo segundo, del Código Civil (CC) establece que "No habiendo testamento, contador-partidor en él designado o vacante el cargo, el Letrado de la Administración de Justicia o el Notario, a petición de herederos y legatarios que representen, al menos, el 50 por 100 del haber hereditario, y con citación de los demás interesados, si su domicilio fuere conocido, podrá nombrar un contador-partidor dativo, según las reglas que la Ley de Enjuiciamiento Civil y del Notariado establecen para la designación de peritos. La partición así realizada requerirá aprobación del Letrado de la Administración de Justicia o del Notario, salvo confirmación expresa de todos los herederos y legatarios".

Por lo expuesto,

SUPLICO AL JUZGADO

Que teniendo por presentado este escrito con sus documentos y copias, se sirva admitirlo y tenerme por personado/a y parte en la representación que ostento de D./Dª [...............] promoviendo expediente de jurisdicción voluntaria para la designación de contador/a partidor/a-dativo/a y, en su virtud, estimando esta solicitud y tras los trámites legales, dicte el/la sr./a Letrado de la Administración de Justicia Decreto, por el que, designe contador/a-partidor/a dativo/a en la herencia del/la causante D./Dª [...............], señalándole el plazo de [...............] meses para llevar a cabo las operaciones particionales.

OTROSÍ DIGO

Que a fin de acreditar la certeza de los hechos relatados, propongo como medios de prueba a practicar en el acto de la comparecencia, los siguientes:

TESTIFICAL, consistente en que sean examinados los siguientes testigos:

D./Dª [...............]; DNI núm. [...............]; con domicilio en la localidad de [...............], calle [...............], número [...............], CP [...............]; teléfono [...............]; correo electrónico [...............]; otros datos [...............]

D./Dª [...............]; DNI núm. [...............]; con domicilio en la localidad de [...............], calle [...............], número [...............], CP [...............]; teléfono [...............]; correo electrónico [...............]; otros datos [...............]

PERICIAL, consistente en que el perito D./Dª [...............] DNI núm. [...............]; con domicilio en la localidad de [...............], calle [...............], número [...............], CP [...............]; teléfono [...............]; correo electrónico [...............]; otros datos [...............], intervenga en la comparecencia al objeto de [...............]

SUPLICO AL JUZGADO: tenga por propuestos los medios de prueba a practicar en la comparecencia, solicitando que sean citados por la Oficina Judicial.

En [...............], a fecha [...............], de [...............], de [...............]

Firma del Letrado/a   Firma del Procurador/a

COMENTARIO

Este formulario tiene por objeto la designación de contador partidor dativo. Téngase en cuenta la siguiente información:

DOCTRINA

6. Designación de contador partidor dativo

El partidor es aquella persona designada para realizar las operaciones de partición de la herencia. "*Un contador partidor sólo tiene sentido si hay una partición que hacer*", nos dice la doctrina[231].

El contador partidor es denominado por algún sector de la doctrina como "*un ejecutor testamentario cualificado por la especificidad de su función, el haz de facultades que al contador partidor corresponde en el marco del artículo 1057 CC viene dado por las que consideramos comprendidas en esa categoría negocial que es la partición de herencia*"[232].

---

[231]   Vid. RUBIO GARRIDO, T., *La partición de la herencia*, Thomson Reuters Aranzadi, 2017. p. 391.

[232]   Vid. CARBALLO FIDALGO, M., *Las facultades del contador-partidor testamentario*, Civitas, 1999, p. 36.

El partidor puede ser nombrado por los propios coherederos, por el testador en su testamento, o por el Secretario Judicial o Notario en cuyo caso estamos en presencia de lo que se conoce como contador partidor dativo, en cuyo caso se denomina contador partidor dativo, a petición de los coherederos y legatarios, y siempre que concurran tres requisitos contemplados en el artículo 1057 CC, que se comenta a continuación. El nombramiento de contador partidor dativo se debe realizar según las reglas que la LEC y del Notariado establecen para el nombramiento de peritos.

El artículo 1057 CC en su párrafo segundo dice: *"no habiendo testamento, contador-partidor en él designado o vacante el cargo, el Secretario judicial o Notario, a petición de herederos y legatarios que representen, al menos, el 50 por 100 del haber hereditario, y con citación de los demás interesados, si su domicilio fuere conocido, podrá nombrar un contador-partidor dativo, según las reglas que la Ley de Enjuiciamiento Civil y del Notariado establecen para la designación de Peritos. La partición así realizada requerirá aprobación del Secretario judicial o del Notario, salvo confirmación expresa de todos los herederos y legatarios".* Además, se desarrolla este procedimiento introduciendo el artículo 66 en la Ley del Notariado[233].

El contador partidor dativo no puede ser nombrado por el testador sino por el secretario judicial o por el notario. Este nombramiento vincula a todos los herederos y legatarios, es decir tanto si lo solicitaran como si no. Al decir de la doctrina se trata de un perito, el cual cumple funciones específicas y concretas, teniendo las mismas facultades que se le concedieron al contador partidor testamentario[234].

El contador partidor constituye una figura que no se encuentra regulada ni definida en el Código Civil. Su estudio debe partir de la regulación del albacea, y de lo previsto en los artículos 841, 844 y 1057 del CC, pero en lo que la inmensa

---

[233]   Redacción dada por la Ley de Jurisdicción voluntaria. En la regulación anterior se planteaba: *"no habiendo testamento, contador-partidor en él designado o vacante el cargo, el Juez, a petición de herederos y legatarios que representen, al menos, el 50 por 100 del haber hereditario, y con citación de los demás interesados, si su domicilio fuere conocido, podrá nombrar un contador-partidor dativo, según las reglas que la Ley de Enjuiciamiento Civil establece para la designación de Peritos. La partición así realizada requerirá aprobación judicial, salvo confirmación expresa de todos los herederos y legatarios".* Se partía, lógicamente, de que en verdad existiera el problema, y por ello se exigía la ausencia de un contador designado por el causante, puesto que en dicho caso él realizaría la partición. Y se exigía una mayoría en la comunidad hereditaria, que desee partir, para poder intimar al resto nos dice la doctrina notaria en I La partición de herencia conflictiva tras la Ley de Jurisdicción Voluntaria. Vid. CARRAU CARBONELL, J. M., "Notarios y Registradores". https://www.notariosyregistradores.com

[234]   Vid, O'CALLAGHAN MUÑOZ, X., *La partición de la herencia*, Editorial Ramón Aceres, 2009, pp. 209-210.

mayoría de autores están conformes es que se trata de un nombramiento con funciones concretas, entre las que están las de contar y partir —como su propio nombre indica—, comenzando con el inventario de los bienes que forman parte del caudal relicto y finalizando con la adjudicación a cada uno de los herederos de los bienes concretos que le corresponden por su participación en la herencia[235]. Sus funciones principales consisten en realizar el inventario, el avaluó, la liquidación y la adjudicación de los bienes[236]. En lo concerniente al contador partidor dativo es una figura introducida por la reforma operada en el Código Civil (LEG 1889, 27) *por* Ley 11/1981, de 13 de mayo (RCL 1981, 1151), vino a paliar los graves inconvenientes derivados de la exigencia de unanimidad para efectuar la partición hereditaria, cuando el propio testador no la había hecho ni había instituido quién la efectuara. La necesidad de intervención judicial para el nombramiento del contador-dativo y para la aprobación, en su caso, de la partición por éste efectuada, origina dudas sobre la naturaleza del cargo, y concretamente sobre si la partición efectuada por el contador es judicial o extrajudicial, con los muy diversos efectos y consecuencias que una y otra producen. A tal respecto, la colocación sistemática del precepto destinado a regular esta figura, revela que el contador dativo es en todo igual al que el mismo causante pudo nombrar en su testamento, y participa de la misma naturaleza y características; en realidad, el primer inciso del párrafo 2º del *art.* 1057 del Código Civil, al describir los supuestos de hecho que habilitan para solicitar el nombramiento

---

[235] ESPEJO RUIZ, M., *La partición realizada por contador partidor testamentario*. Madrid: Dykinson, 2013, p. 158.

[236] Vid. RODRÍGUEZ ELORRIETA, N., "Extralimitación del contador-partidor al otorgar la totalidad de los bienes a la viuda usufructuaria, sin exigir la renuncia formal a la herencia por parte de los demás herederos", *Revista Cuadernos Civitas de Jurisprudencia Civil*, núm. 108/2018 *parte Sentencias, Resoluciones*, comentarios Editorial Civitas, SA, Pamplona. 2018. Dirección General de los Registros y del Notariado, Resolución de 10 enero 2012, RJ/2012/260. Vid. En este sentido, las RRDGRN de 26 de febrero de 2003 (RJ 2003, 4135) y 16 de septiembre de 2008 (RJ 2009, 516) matizan la cuestión que nos ocupa cuando establecen que esas funciones se concretan en la "simple facultad de hacer la partición" (cfr. artículo 1057 del Código Civil (LEG 1889, 27). En este sentido Tribunal Supremo (Sala de lo Civil, Sección 1ª) Sentencia núm. 643/2006 de 19 junio (*Tol 961825*) ha señalado en relación a las funciones del mismo: *"no se limitan a redactar el cuaderno particional dentro del año de ocurrido el fallecimiento del causante, sino que su función abarca la ejecución de las gestiones precisas y necesarias para llevar a cabo la liquidación de la sociedad conyugal, realización de todo tipo de actos tendentes a la liquidación provisional del Impuesto con el fin de abonar a la Administración la menor cantidad posible en Impuestos, la aceptación o rechazo (con conocimiento y consentimiento de los herederos) de los valores fijados a los bienes hereditarios, y una vez obtenida la oportuna comprobación de valores y determinación definitiva de las bases imponibles a los efectos del Impuesto, redactar el cuaderno procurando que las adjudicaciones sean concordes con las valoraciones fijadas por la Administración para evitar que se produzcan excesos de adjudicación, y lógicamente obtener la exención en el pago de Impuestos de cualquier índole, tanto en el de sucesiones, como en el Impuesto de transmisiones patrimoniales"*.

("no habiendo testamento, contador-partidor en él designado o vacante el cargo") viene a demostrar que el Juez al oficiar el cargo suple o integra la voluntad del causante que, sin haber efectuado un nombramiento expreso, tampoco prohíbe que la partición de su herencia sea realizada por un tercero. Por tanto, el contador dativo se configura como el tercero independiente a los herederos con las únicas funciones de efectuar la partición de la herencia, lo que constituye un acto unilateral, no necesitado de asentimiento, adhesión o consentimiento de los herederos, a cuya figura se ha de aplicar todo el estatuto que doctrinal y jurisprudencialmente se ha construido para el contador testamentario. Siendo así que el Auto del Juez que decide sobre la aprobación de las operaciones particionales solo puede enjuiciar la concurrencia de los presupuestos habilitantes del nombramiento, la regularidad del procedimiento y el mantenimiento del contador dentro del ámbito de sus facultades, esto es, la no extralimitación en el ejercicio de su función. En aquella resolución analizábamos la imposibilidad de que el auto aprobatorio de las operaciones particionales pudiera constituir título judicial para la ejecución forzosa[237].

Al final de esta parte. Téngase en cuenta que el artículo 1057 del CC ha sido objeto de modificación por la Ley 8/2021, de 2 de junio.

NORMATIVA

Art. 1057 y 1061 CC.

JURISPRUDENCIA

STS (Sala de lo Civil, Sección1ª) Sentencia núm. 643/2006 de 19 junio (*Tol 961825*).
SAP de Pontevedra (Sección 1ª) Sentencia núm. 120/2014 de 1 abril (*Tol 4489583*).

Formulario 7. RENUNCIA AL CARGO O PRÓRROGA DEL PLAZO DE CONTADOR/A-PARTIDOR/A

FUNDAMENTO LEGAL Y JURISPRUDENCIAL

Fase del procedimiento en la que se encuentra este formulario

---

[237] Audiencia Provincial de Pontevedra (Sección 1º) Sentencia núm. 120/2014 de 1 abril (*Tol 4489583*).

Art. 899 (renuncia al cargo) / art. 905, segundo párrafo (prórroga del plazo), ambos del Código Civil.

Jurisprudencia:

Tribunal Supremo/ 19/02/1993 (Tol 1664702).

Tribunal Supremo/ 03/12/1931 (Tol 5033224).

Fase: iniciación del expediente

ÓRGANO COMPETENTE

AL JUZGADO DE PRIMERA INSTANCIA

DE [...............]

—que por turno de reparto corresponda—

ENCABEZAMIENTO

D./Dª [...............], Procurador/a de los Tribunales, colegiado/a nº [...............] del Ilustre Colegio de Procuradores de [...............], actuando en nombre y representación de D./Dª [...............], mayor de edad, DNI número [...............], con domicilio en [...............], calle [...............] núm.............. [...............], piso [...............], puerta [...............] (CP...............) según acredito mediante la copia de escritura de poder que acompaño/poder otorgado "apud acta" electrónico/poder que será otorgado "apud acta" ante el/la sr/a Letrado/a de la Administración de Justicia; ante el Juzgado comparezco bajo la dirección técnica del/la Letrado/a D./Dª [...............], colegiado/a nº [...............] del Ilustre Colegio de Abogados de [...............]; como mejor proceda en Derecho, **DIGO**:

DIGO/MANIFIESTO

Que mediante el presente escrito y al amparo del artículo 92.1.b) de la Ley 15/2015, de 2 de junio, de la Jurisdicción Voluntaria, promuevo expediente de jurisdicción para la RENUNCIA DEL CONTADOR/A-PARTIDOR/A nombrado/a en la herencia de D./Dª [...............] / solicitando la PRÓRROGA DEL PLAZO FIJADO AL CONTADOR/A-PARTIDOR/A para la realización de su encargo en la herencia de D./Dª [...............], sobre la base de los siguientes hechos y fundamentos de derecho.

HECHOS

PRIMERO.- D./Dª [...............] falleció el día [...............] de [...............] de [...............] en la localidad de [...............].

En su prueba se acompaña:

Documento n° 1. Certificado de defunción expedido por el Registro Civil de [...............]

SEGUNDO.– D./Dª [...............] había otorgado testamento, no revocado por otro posterior, ante el/la notario de [...............], D./Dª [...............] el día [...............] de [...............] de [...............], bajo el n° [...............] de su protocolo.

Documento n° 2. Certificado del Registro de Actos de Última Voluntad

Documento n° 3. Copia autorizada del testamento

TERCERO.– En virtud del citado testamento, D./Dª [...............] instituyó herederos/ as a D./Dª [...............] y D./Dª [...............] y en cláusula [...............] nombró contador/a-partidor/a a mi mandante por el plazo de [...............], fijándole la prórroga de [...............] para el cumplimiento del encargo.

CUARTO.– Que han concurrido circunstancias diversas que han impedido que se cumpla la voluntad del/la testador/a en los plazos señalados. Y son esas circunstancias las siguientes [...............]

En su prueba:

Documento n° 4. [...............]

QUINTO.– A los efectos del art. 14.2 de la Ley 15/2015, de 2 de junio, de la Jurisdicción Voluntaria, hago constar que, al margen del/la solicitante son interesados/as en el expediente:

D./Dª [...............]; DNI núm. [...............]; con domicilio en la localidad de [...............], calle [...............], número [...............], CP [...............]; teléfono [...............]; correo electrónico [...............]; otros datos [...............], en su condición de heredero/a.

D./Dª [...............]; DNI núm. [...............]; con domicilio en la localidad de [...............], calle [...............], número [...............], CP [...............]; teléfono [...............]; correo electrónico [...............]; otros datos [...............]

A los anteriores hechos son de aplicación los siguientes

FUNDAMENTOS DE DERECHO

(1) Jurisdicción y competencia

Corresponde a la jurisdicción civil de conformidad con lo dispuesto en el art. 36 de la LEC. Y es competente el Juzgado de Primera Instancia al que me dirijo con arreglo a lo dispuesto en el art. 2 y art. 92.3 de la Ley 15/2015, de 2 de julio, de la Jurisdicción Voluntaria. La competencia para conocer del presente expediente corresponde al sr./a Letrado de la Administración de Justicia del Juzgado de Primera Instancia del último domicilio o residencia habitual del causante, o de donde estuviere la mayor parte de su patrimonio, con independencia de su naturaleza de conformidad con la ley aplicable, o el del lugar en que hubiera fallecido, siempre que estuvieran en España, a elección del solicitante. En defecto de todos ellos, será competente el Juzgado de Primera Instancia del lugar del domicilio del solicitante.

(2) Capacidad y legitimación

Mi mandante tiene capacidad con arreglo al art. 6 de la LEC y se encuentra legitimado/a para promover este expediente a tenor de lo preceptuado en el art. 3.1 Ley 15/2015, de 2 de julio, de la Jurisdicción Voluntaria, por haber sido designado/a contador/a-partidor/a y pretender la renuncia a su cargo/la prórroga del plazo para el desempeño del cargo.

(3) Representación y defensa

Art. 3.2 y art. 92.2 de la Ley de la Ley 15/2015, de 2 de julio, de la Jurisdicción Voluntaria. Es preceptiva la intervención de abogado y procurador cuando la cuantía del haber hereditario sea igual o superior a 6000 euros. Y en todo caso es necesaria la actuación de abogado y procurador a partir del momento en que se formule oposición.

(4) Procedimiento

Procede seguir el procedimiento con arreglo a las normas comunes, recogidas en los arts. 9 a 22 de la Ley de la Ley 15/2015, de 2 de julio, de la Jurisdicción Voluntaria, conforme a lo establecido en el art. 92.3 de la misma Ley.

(5) Fondo del asunto

Son de aplicación a este caso los siguientes fundamentos legales, por analogía al albacea, tal como entiende la jurisprudencia, SSTS de 3 de diciembre de1931 (*Tol 5033224*) y de 19 de febrero de 1993 (*Tol 1664702*), entre otras:

(Para la renuncia al cargo)

Art. 899 del Código Civil (CC): "*El albacea que acepta el cargo se constituye en la obligación de desempeñarlo; pero lo podrá renunciar alegando causa justa al criterio del Secretario judicial o del Notario*".

Art. 898 CC: "*El albaceazgo es cargo voluntario, y se entenderá aceptado por el nombrado para desempeñarlo si no se excusa dentro de los seis días siguientes a aquel en que tenga noticia de su nombramiento, o, si éste le era ya conocido, dentro de los seis días siguientes al en que supo la muerte del testador*".

Art. 900 CC: "*El albacea que no acepte el cargo, o lo renuncie sin justa causa, perderá lo que le hubiese dejado el testador, salvo siempre el derecho que tuviere a la legítima*".

Art. 904 del Código Civil (CC): "*El albacea, a quien el testador no haya fijado plazo, deberá cumplir su encargo dentro de un año, contado desde su aceptación, o desde que terminen los litigios que se promovieren sobre la validez o nulidad del testamento o de algunas de sus disposiciones*".

Art. 905 CC: "*Si el testador quisiera ampliar el plazo legal, deberá señalar expresamente el de la prórroga. Si no lo hubiese señalado, se entenderá prorrogado el plazo por un año. Si, transcurrida esta prórroga, no se hubiese cumplido todavía la voluntad del testador, podrá el Secretario judicial o el Notario conceder otra por el tiempo que fuere necesario, atendidas las circunstancias del caso*".

Art. 906 CC: *"Los herederos y legatarios podrán, de común acuerdo, prorrogar el plazo del albaceazgo por el tiempo que crean necesario; pero, si el acuerdo fuese sólo por mayoría, la prórroga no podrá exceder de un año".*

Por lo expuesto,

SUPLICO AL JUZGADO

Que teniendo por presentado este escrito con sus documentos y copias, se sirva admitirlo y tenerme por personado/a y parte en la representación que ostento de D./Dª [...............] promoviendo expediente de jurisdicción voluntaria para la renuncia al cargo de contador/a-partidor/a// solicitando la prórroga del plazo para la realización del encargo de contador/a-partidor/a y, en su virtud, estimando esta solicitud y tras los trámites legales, dicte Decreto el/la sr./a Letrado de la Administración de Justicia, por el que acuerde admitir la renuncia de mi representado/a al cargo de contador/a-partidor/a de la herencia de D./Dª [...............] por venir justificada en justa causa // conceder la prórroga del plazo para la realización del encargo de contador/a-partidor/a hasta el término de [...............].

OTROSÍ DIGO

Que a fin de acreditar la certeza de los hechos relatados, propongo como medios de prueba a practicar en el acto de la comparecencia, los siguientes:

TESTIFICAL, consistente en que sean examinados los siguientes testigos:

D./Dª [...............]; DNI núm. [...............]; con domicilio en la localidad de [...............], calle [...............], número [...............], CP [...............]; teléfono [...............]; correo electrónico [...............]; otros datos [...............]

D./Dª [...............]; DNI núm. [...............]; con domicilio en la localidad de [...............], calle [...............], número [...............], CP [...............]; teléfono [...............]; correo electrónico [...............]; otros datos [...............]

PERICIAL, consistente en que el perito D./Dª [...............] DNI núm. [...............]; con domicilio en la localidad de [...............], calle [...............], número [...............], CP [...............]; teléfono [...............]; correo electrónico [...............]; otros datos [...............], intervenga en la comparecencia al objeto de [...............]

SUPLICO AL JUZGADO: tenga por propuestos los medios de prueba a practicar en la comparecencia, solicitando que sean citados por la Oficina Judicial.

En [...............], a fecha [...............], de [...............], de [...............]

Firma del Letrado/a   Firma del Procurador/a

COMENTARIO

Este formulario tiene por objeto la renuncia al cargo o prórroga del plazo de contador/A-Partidor/A. Téngase en cuenta la siguiente información:

DOCTRINA

7. Renuncia al cargo o prórroga del plazo de contador/a-partidor/a

Se remite al epígrafe referido al albacea. Téngase en cuenta que la doctrina dominante en la materia señala la aplicación de la normativa del albacea a la figura del contador partidor, pero teniendo en cuenta que: *"el Código Civil no refunde en los albaceas todas las funciones de ejecución de la herencia, sino que permite la coexistencia de tres cargos: albaceas, contadores-partidores y administradores provisionales de la herencia, si bien en la práctica nada impide que el testador agrupe el contenido de todos ellos en una sola figura, apareciendo la figura de los albaceas-contadores partidores"*[238].

Formulario 8. APROBACIÓN JUDICIAL DE LA PARTICIÓN REALIZADA POR CONTADOR/A-PARTIDOR/A DATIVO/A

FUNDAMENTO LEGAL Y JURISPRUDENCIAL

Fase del procedimiento en la que se encuentra este formulario

Art. 1057 del Código Civil.

Jurisprudencia:

AP Bizkaia/ 17/02/2011 (Tol 3641533).

Resol. DGRN/ 30/11/2016 (Tol 5919377).

Fase: iniciación del expediente

---

[238]   LORA-TAMAYO y PÉREZ, p. 304.

ÓRGANO COMPETENTE

AL JUZGADO DE PRIMERA INSTANCIA

DE [...............]

—que por turno de reparto corresponda—

ENCABEZAMIENTO

D./Dª [...............], Procurador/a de los Tribunales, colegiado/a n° [...............] del Ilustre Colegio de Procuradores de [...............], actuando en nombre y representación de D./Dª [...............], mayor de edad, DNI número [...............], con domicilio en [...............], calle [...............] núm............... [...............], piso [...............], puerta [...............] (CP...............) según acredito mediante la copia de escritura de poder que acompaño/poder otorgado "apud acta" electrónico/poder que será otorgado "apud acta" ante el/la sr/a Letrado/a de la Administración de Justicia; ante el Juzgado comparezco bajo la dirección técnica del/la Letrado/a D./Dª [...............], colegiado/a n° [...............] del Ilustre Colegio de Abogados de [...............]; como mejor proceda en Derecho, **DIGO**:

DIGO/MANIFIESTO

Que mediante el presente escrito y al amparo del artículo 92.1.c) de la Ley 15/2015, de 2 de junio, de la Jurisdicción Voluntaria, promuevo expediente de jurisdicción voluntaria para la APROBACIÓN DE LA PARTICIÓN REALIZADA POR MI MANDANTE COMO CONTADOR/A-PARTIDOR/A nombrado/a en la herencia de D./Dª [...............], sobre la base de los siguientes hechos y fundamentos de derecho.

HECHOS

PRIMERO.– D./Dª [...............] falleció el día [...............] de [...............] de [...............] en la localidad de [...............].

En su prueba se acompaña:

Documento n° 1. Certificado de defunción expedido por el Registro Civil de [...............]

SEGUNDO.– D./Dª [...............] había otorgado testamento, no revocado por otro posterior, ante el/la notario de [...............], D./Dª [...............] el día [...............] de [...............] de [...............], bajo el n° [...............] de su protocolo.

Documento n° 2. Certificado del Registro de Actos de Última Voluntad

Documento n° 3. Copia autorizada del testamento

TERCERO.- D./Dª [...............] instituyó herederos/as a D./Dª [...............] y D./ Dª [...............]; legatario/a a D./Dª [...............] y nombró contador/a-partidor/a a mi mandante por el plazo de [...............], fijándole la prórroga de [...............] para el cumplimiento del encargo.

CUARTO.- Mi representado/a ha realizado y presentado el cuaderno particional a herederos/as y legatarios/as, no siendo expresamente confirmado por todos ellos.

En su prueba:

Documento n° 4. Cuaderno particional

QUINTO.- A los efectos del art. 14.2 de la Ley 15/2015, de 2 de junio, de la Jurisdicción Voluntaria, hago constar que, al margen del/la solicitante son interesados/as en el expediente:

D./Dª [...............]; DNI núm. [...............]; con domicilio en la localidad de [...............], calle [...............], número [...............], CP [...............]; teléfono [...............]; correo electrónico [...............]; otros datos [...............], en su condición de heredero/a.

D./Dª [...............]; DNI núm. [...............]; con domicilio en la localidad de [...............], calle [...............], número [...............], CP [...............]; teléfono [...............]; correo electrónico [...............]; otros datos [...............], en su condición de heredero/a.

D./Dª [...............]; DNI núm. [...............]; con domicilio en la localidad de [...............], calle [...............], número [...............], CP [...............]; teléfono [...............]; correo electrónico [...............]; otros datos [...............], en su condición de legatario/a.

A los anteriores hechos son de aplicación los siguientes

FUNDAMENTOS DE DERECHO

(1) Jurisdicción y competencia

Corresponde a la jurisdicción civil de conformidad con lo dispuesto en el art. 36 de la LEC. Y es competente el Juzgado de Primera Instancia al que me dirijo con arreglo a lo dispuesto en el art. 2 y art. 92.3 de la Ley 15/2015, de 2 de julio, de la Jurisdicción Voluntaria. La competencia para conocer del presente expediente corresponde al sr. Letrado/a de la Administración de Justicia del Juzgado de Primera Instancia del último domicilio o residencia habitual del causante, o de donde estuviere la mayor parte de su patrimonio, con independencia de su naturaleza de conformidad con la ley aplicable, o el del lugar en que hubiera fallecido, siempre que estuvieran en España, a elección del solicitante. En defecto de todos ellos, será competente el Juzgado de Primera Instancia del lugar del domicilio del solicitante.

(2) Capacidad y legitimación

Mi mandante tiene capacidad con arreglo al art. 6 de la LEC y se encuentra legitimado/a para promover este expediente a tenor de lo preceptuado en el art. 3.1 Ley 15/2015, de 2 de julio, de la Jurisdicción Voluntaria, por ser el contador-partidor.

(3) Representación y defensa

Art. 3.2 y art. 92.2 de la Ley de la Ley 15/2015, de 2 de julio, de la Jurisdicción Voluntaria. Es preceptiva la intervención de abogado y procurador cuando la cuantía del haber hereditario sea igual o superior a 6000 euros. Y en todo caso es necesaria la actuación de abogado y procurador a partir del momento en que se formule oposición.

(4) Procedimiento

Procede seguir el procedimiento con arreglo a las normas comunes, recogidas en los arts. 9 a 22 de la Ley de la Ley 15/2015, de 2 de julio, de la Jurisdicción Voluntaria, conforme a lo establecido en el art. 92.3 de la misma Ley.

(5) Fondo del asunto

Es de aplicación a este caso el siguiente fundamento legal:

El art. 1057, párrafo segundo, del Código Civil (CC) establece que: "No habiendo testamento, contador-partidor en él designado o vacante el cargo, el Letrado de la Administración de Justicia o el Notario, a petición de herederos y legatarios que representen, al menos, el 50 por 100 del haber hereditario, y con citación de los demás interesados, si su domicilio fuere conocido, podrá nombrar un contador-partidor dativo, según las reglas que la Ley de Enjuiciamiento Civil y del Notariado establecen para la designación de peritos. La partición así realizada requerirá aprobación del Letrado de la Administración de Justicia o del Notario, salvo confirmación expresa de todos los herederos y legatarios".

Por lo expuesto,

SUPLICO AL JUZGADO

Que teniendo por presentado este escrito con sus documentos y copias, se sirva admitirlo y tenerme por personado/a y parte en la representación que ostento de D./Dª [...............] promoviendo expediente de jurisdicción voluntaria para la aprobación de la partición realizada por mi mandante como contador/a-partidor/a de la herencia de D./Dª [...............] y, en su virtud, estimando esta solicitud y tras los trámites legales, dicte Decreto el/la sr./a Letrado de la Administración de Justicia, por el que se aprobando el cuaderno particional presentado de fecha [...............], se declare procedente el inventario, avalúo y reparto de bienes que en él se contiene.

OTROSÍ DIGO

Que a fin de acreditar la certeza de los hechos relatados, propongo como medios de prueba a practicar en el acto de la comparecencia, los siguientes:

TESTIFICAL, consistente en que sean examinados los siguientes testigos:

D./Dª [...............]; DNI núm. [...............]; con domicilio en la localidad de [...............], calle [...............], número [...............], CP [...............]; teléfono [...............]; correo electrónico [...............]; otros datos [...............]

D./Dª [...............]; DNI núm. [...............]; con domicilio en la localidad de [...............], calle [...............], número [...............], CP [...............]; teléfono [...............]; correo electrónico [...............]; otros datos [...............]

PERICIAL, consistente en que el perito D./Dª [...............] DNI núm. [...............]; con domicilio en la localidad de [...............], calle [...............], número [...............], CP [...............]; teléfono [...............]; correo electrónico [...............]; otros datos [...............], intervenga en la comparecencia al objeto de [...............]

SUPLICO AL JUZGADO: tenga por propuestos los medios de prueba a practicar en la comparecencia, solicitando que sean citados por la Oficina Judicial.

En [...............], a fecha [...............], de [...............], de [...............]

Firma del Letrado/a   irma del Procurador/a

COMENTARIO

Este formulario tiene por objeto la aprobación judicial de la partición realizada por contador/a-partidor/a dativo/a. Téngase en cuenta la siguiente información:

DOCTRINA

8. *Aprobación judicial de la partición realizada por contador/a-partidor/a dativo/a*

Sobre partición se remite a la Doctrina general sobre el tema en el epígrafe.

La doctrina en la materia señala que: *"en principio, y salvo confirmación de todos los herederos y legatarios, la partición hecha por el contador partidor dativo debe ser aprobada judicialmente. En este sentido se puede citar la Sentencia del Tribunal Supremo de 30 de marzo de 1990. Tanto si la aprobación la hacen los herederos y legatarios, como si la hace el juez, la naturaleza jurídica de la partición sigue siendo la misma; es decir, la llevada a cabo por el contador-partidor de forma unilateral"*[239].

---

[239]   Vid. ABELLA RUBIO, J. M., "La *partición de la herencia*", Editorial Universitaria Ramón Areces, 2009, pp. 210-211.

"Otro sector doctrinal se ha planteado el significado y ámbito y efectos de esa aprobación. Incluso hay quien entiende que si la partición del CPT 1057.1 CC no requiere tal aprobación, por qué la va a requerir la del CPD del 1057.2 CC, si tiene la misma naturaleza que la del testamentario. El 1057.2, se limita a decir "requerirá" y ello fue tomado del juicio de testamentaría de la LEC 1881; la intervención del Juez en el procedimiento era supletoria y se limita a comprobar las bases que legitiman al CPD y la observancia de los procedimientos. Porque en lo que a efectos se refiere está plenamente equiparada a la del CPT. A mi juicio el resultado del acto de aprobación, puede ser simplemente, o en sentido positivo, aprobatorio; o en sentido negativo denegatorio de la aprobación fundamentada exclusivamente en el incumplimiento de los requisitos que sustentan el válido nombramiento del CPD, el incumplimiento de los requisitos materiales y formales exigidas en el propio 1057 CC en sus tres párrafos o la extralimitación de las funciones legales que corresponden al Contador Partidor. No me parece aceptable dentro del concepto de aprobación, una resolución modificativa del acto particional del CPD que desnaturalizaría su función. El Secretario o el Notario aprueban o deniegan. En caso de denegación firme o de falta de aprobación, no cabrá otra solución jurisdiccional que la contenciosa. Hay ya jurisprudencia abundante. Del TS, Sala civil, Sección 1ª, Ss. 5 enero 2012 (RJA 174/2012) y de 4 de enero 2012 (RJA 4590/ 2013). AP de León (secc 2ª, Auto 12/2005): el Juez, al dar o no, su aprobación, debe controlar únicamente que el CPD no se haya extralimitado en el ejercicio de sus funciones". Por su parte doctrina autorizada entiende que en estos casos de denegación de la aprobación no cabe que el contador partidor presenta la misma a un nuevo Notario para su autorización[240].

La aprobación judicial plantea dudas significativas, como si resulta necesario que el notario o el secretario judicial puedan autorizar la correspondiente partición bastando que se les acredite que no obtuvo la confirmación de todos los herederos y legatarios, o será suficiente con la mera manifestación ante el notario o el secretario judicial del contador partidor dativo, o será necesario volverlos a citar. La doctrina entiende que no es necesario porque ni la Ley de Jurisdicción Voluntaria ni la Ley del Notariado lo exigen. Siendo en cualquier caso recomendable, criterio que expone la doctrina y que es razonable que se les notifique por los medios habituales como un burofax o correo certificado el borrador de cuaderno particional o la posibilidad de examinarlo bien en el despacho del secretario judicial o en la Notaria, sobre todo si tenemos en cuenta que el contador partidor responde de los perjuicios causados[241].

---

240   LORA-TAMAYO y PÉREZ RAMOS, op. cit., pp. 490-491.
241   LORA-TAMAYO y PÉREZ RAMOS, op. cit., p. 489.

Normativa

Art. 1057 y 1061 CC.

Jurisprudencia

STS (Sala de lo Civil, Sección1ª) Sentencia núm. 178/2009 de 12 marzo (*Tol 1485192*).
STS (Sala de lo Civil, Sección1ª) Sentencia núm. 2/2008 de 16 enero (*Tol 1235313*).
STS (Sala de lo Civil, Sección1ª) Sentencia núm. 178/2009 de 12 marzo (*Tol 1485192*).

Formulario 9. AUTORIZACIÓN JUDICIAL AL ACREEDOR/A PARA ACEPTAR LA HERENCIA QUE REPUDIA EL/LA DEUDOR/A

FUNDAMENTO LEGAL Y JURISPRUDENCIAL

Fase del procedimiento en la que se encuentra este formulario

Art. 1001 del Código Civil.

Jurisprudencia:

Tribunal Supremo/ 30/05/2003 (*Tol 274500*).

AP Las Palmas/ 27/11/2012 (*Tol 3020079*).

Fase: iniciación del expediente

ÓRGANO COMPETENTE

AL JUZGADO DE PRIMERA INSTANCIA

DE [................]

—que por turno de reparto corresponda—

ENCABEZAMIENTO

D./Dª [................], Procurador/a de los Tribunales, colegiado/a nº [................] del Ilustre Colegio de Procuradores de [................], actuando en nombre y representación de D./Dª [................], mayor de edad, DNI número [................], con domicilio en [................], calle [................] núm............... [................], piso [................], puerta [................] (CP...............) según acredito mediante la copia de escritura de poder que acompaño/poder otorgado "apud acta" electrónico/poder que será otorgado "apud acta" ante el/la sr/a Letrado/a de la Administración de Justicia; ante el Juzgado comparezco bajo la dirección técnica del/la Letrado/a D./Dª [...............], colegiado/a nº [...............] del Ilustre Colegio de Abogados de [...............]; como mejor proceda en Derecho, **DIGO**:

DIGO/MANIFIESTO

Que mediante el presente escrito y al amparo del artículo 93.2 c) de la Ley 15/2015, de 2 de junio, de la Jurisdicción Voluntaria, promuevo expediente de jurisdicción voluntaria a fin de obtener la autorización judicial para ACEPTAR LA HERENCIA de D./Dª [...............] EN NOMBRE DEL/LA DEUDOR/A de mi representado/a D./Dª [...............] en cuanto baste para cubrir el importe de su crédito, sobre la base de los siguientes hechos y fundamentos de derecho.

HECHOS

PRIMERO.– D./Dª [...............] falleció el día [...............] de [...............] de [...............] en la localidad de [...............].

En su prueba se acompaña:

Documento nº 1. Certificado de defunción expedido por el Registro Civil de [...............]

SEGUNDO.– D./Dª [...............] había otorgado testamento, no revocado por otro posterior, ante el/la notario de [...............], D./Dª [...............] el día [...............] de [...............] de [...............], bajo el nº [...............] de su protocolo.

Documento nº 2. Certificado del Registro de Actos de Última Voluntad

Documento nº 3. Copia autorizada del testamento

TERCERO.– En virtud de este testamento, D./Dª [...............] instituyó heredero/a a D./Dª [...............], el/la cual, mediante escritura pública de fecha [...............] repudió la herencia que le habría de adjudicar bienes por valor de [...............] en perjuicio del crédito que mi mandante mantenía frente a él.

En su prueba:

Documento nº 4. Cuaderno particional

Documento nº 5. Escritura de repudiación de la herencia

CUARTO.– Mi representado/a era acreedor de D./Dª [...............] en virtud de [...............] de fecha [...............] y no ha podido cobrar lo que se le adeuda por otra vía al no hallarle patrimonio.

En su prueba:

Documento nº 6. Manifestación de bienes y consulta patrimonial en procedimiento ejecutivo.

QUINTO.– A los efectos del art. 14.2 de la Ley 15/2015, de 2 de junio, de la Jurisdicción Voluntaria, hago constar que, al margen del/la solicitante son interesados/as en el expediente:

D./Dª [................]; DNI núm. [................]; con domicilio en la localidad de [................], calle [................], número [................], CP [................]; teléfono [................]; correo electrónico [................]; otros datos [................], en su condición de heredero.

D./Dª [................]; DNI núm. [................]; con domicilio en la localidad de [................], calle [................], número [................], CP [................]; teléfono [................]; correo electrónico [................]; otros datos [................]]

A los anteriores hechos son de aplicación los siguientes

FUNDAMENTOS DE DERECHO

(1) Jurisdicción y competencia

Corresponde a la jurisdicción civil de conformidad con lo dispuesto en el art. 36 de la LEC. Y es competente el Juzgado de Primera Instancia al que me dirijo con arreglo a lo dispuesto en el art. 2 y art. 94.1 de la Ley 15/2015, de 2 de julio, de la Jurisdicción Voluntaria. La competencia para conocer del presente expediente corresponde al Juzgado de Primera Instancia del último domicilio o, en su defecto, de la última residencia del causante y, si lo hubiere tenido en país extranjero, el lugar de su último domicilio en España o donde estuviere la mayor parte de sus bienes, a elección del solicitante.

(2) Capacidad y legitimación

Mi mandante tiene capacidad con arreglo al art. 6 de la LEC y se encuentra legitimado/a para promover este expediente a tenor de lo preceptuado en el art. 3.1 y 94.2 de la Ley 15/2015, de 2 de julio, de la Jurisdicción Voluntaria, por ser acreedor/a del/la heredero/a que ha repudiado la herencia.

(3) Representación y defensa

Art. 3.2 y art. 94.4 de la Ley de la Ley 15/2015, de 2 de julio, de la Jurisdicción Voluntaria. Es preceptiva la intervención de abogado y procurador cuando la cuantía del haber hereditario sea igual o superior a 6000 euros. Y en todo caso es necesaria la actuación de abogado y procurador a partir del momento en que se formule oposición.

(4) Procedimiento

Procede seguir el procedimiento con arreglo a las normas comunes, recogidas en los arts. 9 a 22 de la Ley de la Ley 15/2015, de 2 de julio, de la Jurisdicción Voluntaria.

(5) Fondo del asunto

Es de aplicación a este caso el siguiente fundamento legal:

Art. 1001 del Código Civil (CC): "Si el heredero repudia la herencia en perjuicio de sus propios acreedores, podrán éstos pedir al Juez que los autorice para aceptarla en nombre de aquél.

La aceptación sólo aprovechará a los acreedores en cuanto baste a cubrir el importe de sus créditos. El exceso, si lo hubiere, no pertenecerá en ningún caso al renunciante, sino que se adjudicará a las personas a quienes corresponda según las reglas establecidas en este Código".

Por lo expuesto,

SUPLICO AL JUZGADO

Que teniendo por presentado este escrito con sus documentos y copias, se sirva admitirlo y tenerme por personado/a y parte en la representación que ostento de D./Dª [...............] promoviendo expediente de jurisdicción voluntaria solicitando autorización para aceptar la herencia de D./Dª [...............] en nombre de D./Dª [...............] deudor de mi mandante y, en su virtud, estimando esta solicitud y tras los trámites legales, dicte Auto, por el que se autorice a mi representado/a como acreedor/a de D./Dª [...............], para aceptar la herencia de D./Dª [...............] en nombre de D./Dª [...............] en cuanto baste para cubrir el importe de su crédito.

OTROSÍ DIGO

Que a fin de acreditar la certeza de los hechos relatados, propongo como medios de prueba a practicar en el acto de la comparecencia, los siguientes:

TESTIFICAL, consistente en que sean examinados los siguientes testigos:

D./Dª [...............]; DNI núm. [...............]; con domicilio en la localidad de [...............], calle [...............], número [...............], CP [...............]; teléfono [...............]; correo electrónico [...............]; otros datos [...............]

D./Dª [...............]; DNI núm. [...............]; con domicilio en la localidad de [...............], calle [...............], número [...............], CP [...............]; teléfono [...............]; correo electrónico [...............]; otros datos [...............]

PERICIAL, consistente en que el perito D./Dª [...............] DNI núm. [...............]; con domicilio en la localidad de [...............], calle [...............], número [...............], CP [...............]; teléfono [...............]; correo electrónico [...............]; otros datos [...............], intervenga en la comparecencia al objeto de [...............]

SUPLICO AL JUZGADO: tenga por propuestos los medios de prueba a practicar en la comparecencia, solicitando que sean citados por la Oficina Judicial.

En [...............], a fecha [...............], de [...............], de [...............]

Firma del Letrado/a   Firma del Procurador/a

COMENTARIO

Este formulario tiene por objeto la solicitud de intervención judicial de la herencia por acreedor/a reconocido/a o con título ejecutivo. Téngase en cuenta la siguiente información:

DOCTRINA

9. *Solicitud de intervención judicial de la herencia por acreedor/a reconocido/a o con título ejecutivo*

Téngase en cuenta los comentarios en el epígrafe de los acreedores.

El artículo 792.2 de la Ley de Enjuiciamiento Civil establece la intervención judicial de la herencia durante la tramitación bien de la declaración de herederos o bien en el supuesto de división judicial de la herencia. Estableciendo determinados presupuestos para la solicitud, así como las partes que pueden solicitar la intervención judicial.

En primer lugar procede a instancia de parte o a instancia de los acreedores de la herencia. El artículo comprende dos supuestos de personas legitimadas para la solicitud de intervención judicial de la herencia, en primer lugar están el cónyuge o cualquiera de los parientes que se crea con derecho a la sucesión legítima, siempre que acrediten haber promovido la declaración de herederos abintestato ante Notario o se formule la solicitud de intervención judicial del caudal hereditario al tiempo de promover la declaración notarial de herederos. En segundo lugar la norma legitima también a cualquier coheredero o legatario de parte alícuota, al tiempo de solicitar la división judicial de la herencia, salvo que la intervención hubiera sido expresamente prohibida por disposición testamentaria y finalmente también podrá solicitar la intervención la Administración Pública que haya iniciado un procedimiento para su declaración como heredero abintestato[242]. En segundo lugar el artículo habilita o legitima a los acreedores reconocidos como tales en el testamento o por los coherederos y los que tengan su derecho documentado en un título ejecutivo.

---

[242] Cfr. Número 1 del artículo 792 redactado por el apartado diecisiete de la disposición final tercera de la Ley 15/2015, de 2 de julio, de la Jurisdicción Voluntaria ("BOE" 3 julio). Vigencia: 23 julio 2015. Téngase en este punto como referencia los llamamientos a suceder abintestatos previsto en los artículos 930 y ss. del CC.

En lo que respecta a los acreedores de la herencia reconocidos ostentan un interés obvio como nos dice la doctrina en el tema, porque la sustracción y ocultación de bienes de la herencia repercute en la garantía del cobro de sus créditos[243].

El artículo no establece el momento procesal oportuno en el cual los acreedores podrán solicitar la intervención judicial a diferencia del supuesto también contemplado en el propio artículo sobre los sucesores y cónyuge viudo, por lo que podrán hacerlo en el momento que estimen oportuno y necesario dice la doctrina en la materia[244], entendiendo además otro sector de la doctrina[245] que la intervención puede solicitarse antes de que se tramite la declaración de herederos abintestato o la división judicial de la herencia, dado que las medidas de intervención pueden adoptarse de oficio desde el fallecimiento de la persona, tal como regula el art. 790.1[246] y 791.2 de la LEC.

NORMATIVA

Art. 792.2 Ley de Enjuiciamiento Civil.
Ley 15/2015, de 2 de julio, de la Jurisdicción Voluntaria ("BOE" 3 julio). Vigencia: 23 julio 2015.

JURISPRUDENCIA

SAP de Bizkaia de 7 junio 2011 (*Tol 3720018*, (sobre art. 791 LEC).
SAP de las Palmas de 20 de febrero de 2006 (*Tol 888524*), (sobre art. 791 LEC).
SAP de Madrid de 15 diciembre 2017 (*Tol 6512160*), (sobre art. 792 LEC).
SAP de Madrid de 12 abril 2016 (*Tol 5896227*), (sobre art. 792 LEC).

---

[243] Vid. SANCHO GARGALLO, I., BRIONES JURDO, C., *El juicio sucesorio*, Atelier, 2002, op. cit., p. 107.
[244] GARGALLO, op. cit., p. 108.
[245] OSTOS MOTA, op. cit., p. 84.
[246] Cfr citado artículo de acuerdo a la Ley 8/2021, de 2 de junio por la que se reforma la legislación civil y procesal para el apoyo a las personas con discapacidad en el ejercicio de su capacidad jurídica. "BOE" núm. 132, de 03/06/2021.

Formulario 10. PROMOVIENDO EXPEDIENTE DE JURISDICCIÓN VOLUNTARIA POR EL CURADOR REPRESENTATIVO, SOLICITANDO AUTORIZACIÓN JUDICIAL PARA REPUDIAR LA HERENCIA DEFERIDA A FAVOR DE PERSONA CON DISCAPACIDAD (PERSONA CON DISCAPACIDAD CON MEDIDAS DE APOYO PARA EL EJERCICIO DE SU CAPACIDAD JURÍDICA), SIENDO LA CUANTÍA DEL HABER HEREDITARIO SUPERIOR A 6.000€

FUNDAMENTO LEGAL Y JURISPRUDENCIAL. Fase del procedimiento en la que se encuentra este formulario.

Art. 249 CC.

Art. 250 CC.

Art. 287 CC.

Art. 996 CC.

Art. 61 de la Ley de Jurisdicción Voluntaria. Ley 15/2015, de 2 de julio, de la Jurisdicción Voluntaria.

Art. 62 de la Ley de Jurisdicción Voluntaria. Ley 15/2015, de 2 de julio, de la Jurisdicción Voluntaria.

Art. 63 de la Ley de Jurisdicción Voluntaria. Ley 15/2015, de 2 de julio, de la Jurisdicción Voluntaria.

Art. 64 de la Ley de jurisdicción Voluntaria. Ley 15/2015, de 2 de julio, de la Jurisdicción Voluntaria.

Art. 65 de la Ley de Jurisdicción Voluntaria. Ley 15/2015, de 2 de julio, de la Jurisdicción Voluntaria.

Art. 66 de la Ley de Jurisdicción Voluntaria. Ley 15/2015, de 2 de julio, de la Jurisdicción Voluntaria.

Art. 93 de la Ley de Jurisdicción Voluntaria. Ley 15/2015, de 2 de julio, de la Jurisdicción Voluntaria.

Art. 94 de la Ley de Jurisdicción Voluntaria. Ley 15/2015, de 2 de julio, de la Jurisdicción Voluntaria.

Ley 8/2021, de 2 de junio por la que se reforma la legislación civil y procesal para el apoyo a las personas con discapacidad en el ejercicio de su capacidad jurídica.

Jurisprudencia:

STS número 654/2020, (Sala de lo Civil, Sección Primera), de 03/12/2020 (Tol 8232122).

STS número 142/2021, (Sala de lo Civil, Sección Primera) de 15 de marzo de 2021 (Tol 8369895).

Fase: iniciación del expediente

ÓRGANO COMPETENTE

AL JUZGADO DE PRIMERA INSTANCIA

DE [...............]

—que por turno de reparto corresponda—

ENCABEZAMIENTO

D./Dª [...............], Procurador/a de los Tribunales, colegiado/a nº [...............] del Ilustre Colegio de Procuradores de [...............], actuando en nombre y representación de D./Dª [...............], mayor de edad, DNI número [...............], con domicilio en [...............], calle [...............] núm.............. [...............], piso [...............], puerta [...............] (CP...............), que lo hace como curador/a representativo/a de D./Dª [...............]; según acredito mediante la copia de escritura de poder que acompaño/poder otorgado "apud acta" electrónico/poder que será otorgado "apud acta" ante el/la Sr/a Letrado/a de la Administración de Justicia; ante el Juzgado comparezco bajo la dirección técnica del/la Letrado/a D./Dª [...............], colegiado/a nº [...............] del Ilustre Colegio de Abogados de [...............]; como mejor proceda en Derecho, **DIGO**:

DIGO/MANIFIESTO

Que mediante el presente escrito y al amparo del artículo 93.2.b) de la Ley 15/2015, de 2 de junio, de la Jurisdicción Voluntaria, promuevo expediente de jurisdicción voluntaria solicitando la AUTORIZACIÓN PARA RENUNCIAR/REPUDIAR LA HERENCIA del/la causante D./Dª [...............] en nombre de persona con discapacidad con medidas de apoyo para el ejercicio de su capacidad jurídica, representada por mi mandante D./Dª [...............], sobre la base de los siguientes hechos y fundamentos de derecho.

HECHOS

PRIMERO.– Mi representado/a fue designado/a curador/a representativo/a con facultades representativas de D./Dª [...............], persona con discapacidad, en virtud de auto de este Juzgado de fecha [...............] dictado en el expediente de jurisdicción voluntaria nº [...............]

En su prueba se acompaña:

Documento nº 1. Certificación expedida por el Registro Civil de [...............] que acredita la inscripción de la citada resolución judicial.

SEGUNDO.– El/La causante de la herencia D./Dª [...............] falleció el día [...............] de [...............] de [...............] en la localidad de [...............].

Documento nº 2. Certificado de defunción expedido por el Registro Civil de [...............]

TERCERO.– D./Dª [...............] había otorgado testamento, no revocado por otro posterior, ante el/la notario de [...............], D./Dª [...............] el día [...............] de [...............] de [...............], bajo el nº [...............] de su protocolo.

Documento nº 3. Certificado del Registro de Actos de Última Voluntad

Documento nº 4. Copia autorizada del testamento

CUARTO.– En virtud del citado testamento, D./Dª [...............] instituyó heredero/a a D./Dª [...............], persona con discapacidad con medidas de apoyo para el ejercicio de su capacidad jurídica. Y en tiempo y forma y mediante escritura pública de fecha [...............] se manifestó ante el/la notario de [...............] la reserva del derecho a deliberar sobre la conveniencia de aceptar o repudiar la citada herencia, instando a su vez la formación de inventario y la citación a los/las acreedores/as y legatarios/as si les conviniere. Y siguiéndose el expediente notarial de jurisdicción voluntaria se finalizó con el acta de inventario de fecha [...............]

En su prueba se acompaña a la presente demanda:

Documento nº 5. Copia autorizada del acta notarial de inventario expedida por el/ la notario de [...............] D./Dª [...............] bajo el número [...............] de su protocolo.

QUINTO.– Del contenido del acta notarial se comprueba que el pasivo de la herencia es muy superior al activo, con un desbalance de [...............] euros, por lo que es indudable que la aceptación, aún a beneficio de inventario, es totalmente antieconómica para el heredero, pues, supondría una laboriosa liquidación patrimonial sin ninguna expectativa de rendimiento para el tutelado.

SEXTO.– A los efectos del art. 14.2 de la Ley 15/2015, de 2 de junio, de la Jurisdicción Voluntaria, hago constar que, al margen del/la solicitante son interesados/as en el expediente:

D./Dª [...............]; DNI núm. [...............]; con domicilio en la localidad de [...............], calle [...............], número [...............], CP [...............]; teléfono [...............]; correo electrónico [...............]; otros datos [...............]

D./Dª [...............]; DNI núm. [...............]; con domicilio en la localidad de [...............], calle [...............], número [...............], CP [...............]; teléfono [...............]; correo electrónico [...............]; otros datos [...............]

A los anteriores hechos son de aplicación los siguientes

FUNDAMENTOS DE DERECHO

(1) Jurisdicción y competencia

Corresponde a la jurisdicción civil de conformidad con lo dispuesto en el art. 36 de la LEC. Y es competente el Juzgado de Primera Instancia al que me dirijo con arreglo a lo dispuesto en el art. 2 y art. 94.1 de la Ley 15/2015, de 2 de julio, de la Jurisdicción Voluntaria. La competencia para conocer del presente expediente corresponde al Juzgado de Primera Instancia del último domicilio o, en su defecto, de la última residencia del causante y, si lo hubiere tenido en país extranjero, el lugar de su último domicilio en España o donde estuviere la mayor parte de sus bienes, a elección del solicitante.

(2) Capacidad y legitimación

Mi mandante tiene capacidad con arreglo al art. 6 de la LEC y se encuentra legitimado para promover este expediente a tenor de lo preceptuado en el art. 3.1 y 94.2 de la Ley 15/2015, de 2 de julio, de la Jurisdicción Voluntaria. Mi representado/a está legitimado/a en su condición de curador/a representativo/a de persona con discapacidad, conforme a lo dispuesto en el art. 287.5° del Código Civil.

(3) *Representación y defensa*

Art. 3.2 y art. 94.4 de la Ley 15/2015, de 2 de julio, de la Jurisdicción Voluntaria. Es preceptiva la intervención de abogado y procurador cuando la cuantía del haber hereditario sea igual o superior a 6000 euros. Y en todo caso será necesaria la actuación de abogado y procurador a partir del momento en que se formule oposición.

(4) *Procedimiento*

Procede seguir el procedimiento con arreglo a las normas comunes, recogidas en los arts. 9 a 22 de la Ley de la Ley 15/2015, de 2 de julio, de la Jurisdicción Voluntaria.

(5) Intervención del Ministerio Fiscal

Art. 4 y art. 94.3 *de la Ley 15/2015, de 2 de julio, de la Jurisdicción Voluntaria.* Asimismo es preceptiva la intervención del Ministerio Fiscal, conforme a lo dispuesto en el art. 290 del Código Civil, y según previene el art. 3.7° de la Ley 50/1981, 30 diciembre, por la que se regula el Estatuto Orgánico del Ministerio Fiscal.

(6) Fondo del asunto

Son de aplicación a este caso los siguientes fundamentos legales:

Art. 249 del Código Civil (CC) que, respecto de las medidas de apoyo a las personas con discapacidad para el ejercicio de su capacidad jurídica, establece: *"Las medidas de apoyo a las personas mayores de edad o menores emancipadas que las precisen para el adecuado ejercicio de su capacidad jurídica tendrán por finalidad permitir el desarrollo pleno de su personalidad y su desenvolvimiento jurídico en condiciones de igualdad. Estas medidas de apoyo deberán estar inspiradas en el respeto a la dignidad de la persona y en la tutela de sus derechos fundamentales. Las de origen legal o judicial solo procederán en defecto o insuficiencia de la voluntad de la persona de que se trate. Todas ellas deberán ajustarse a los principios de necesidad y proporcionalidad.*

Las personas que presten apoyo deberán actuar atendiendo a la voluntad, deseos y preferencias de quien lo requiera. Igualmente procurarán que la persona con discapacidad pueda desarrollar su propio proceso de toma de decisiones, informándola, ayudándola en su comprensión y razonamiento y facilitando que pueda expresar sus preferencias.

Asimismo, fomentarán que la persona con discapacidad pueda ejercer su capacidad jurídica con menos apoyo en el futuro.

En casos excepcionales, cuando, pese a haberse hecho un esfuerzo considerable, no sea posible determinar la voluntad, deseos y preferencias de la persona, las medidas de apoyo podrán incluir funciones representativas. En este caso, en el ejercicio de esas funciones se deberá tener en cuenta la trayectoria vital de la persona con discapacidad, sus creencias y valores, así como los factores que ella hubiera tomado en consideración, con el fin de tomar la decisión que habría adoptado la persona en caso de no requerir representación.

La autoridad judicial podrá dictar las salvaguardas que considere oportunas a fin de asegurar que el ejercicio de las medidas de apoyo se ajuste a los criterios resultantes de este precepto y, en particular, atienda a la voluntad, deseos y preferencias de la persona que las requiera".

Art. 250 del Código Civil (CC), que establece: *"Las medidas de apoyo para el ejercicio de la capacidad jurídica de las personas que lo precisen son, además de las de naturaleza voluntaria, la guarda de hecho, la curatela y el defensor judicial.*

La función de las medidas de apoyo consistirá en asistir a la persona con discapacidad en el ejercicio de su capacidad jurídica en los ámbitos en los que sea preciso, respetando su voluntad, deseos y preferencias.

Las medidas de apoyo de naturaleza voluntaria son las establecidas por la persona con discapacidad, en las que designa quién debe prestarle apoyo y con qué alcance. Cualquier medida de apoyo voluntaria podrá ir acompañada de las salvaguardas necesarias para garantizar en todo momento y ante cualquier circunstancia el respeto a la voluntad, deseos y preferencias de la persona.

La guarda de hecho es una medida informal de apoyo que puede existir cuando no haya medidas voluntarias o judiciales que se estén aplicando eficazmente.

La curatela es una medida formal de apoyo que se aplicará a quienes precisen el apoyo de modo continuado. Su extensión vendrá determinada en la correspondiente resolución judicial en armonía con la situación y circunstancias de la persona con discapacidad y con sus necesidades de apoyo.

El nombramiento de defensor judicial como medida formal de apoyo procederá cuando la necesidad de apoyo se precise de forma ocasional, aunque sea recurrente.

Al determinar las medidas de apoyo se procurará evitar situaciones en las que se puedan producir conflictos de intereses o influencia indebida.

No podrán ejercer ninguna de las medidas de apoyo quienes, en virtud de una relación contractual, presten servicios asistenciales, residenciales o de naturaleza análoga a la persona que precisa el apoyo".

Art. 287.5 del Código Civil (CC) que, respecto de la autorización judicial para el presente supuesto, establece: *"El curador que ejerza funciones de representación de la persona que precisa el apoyo necesita autorización judicial para los actos que determine la resolución y, en todo caso, para los siguientes:*

(...............)

5° Aceptar sin beneficio de inventario cualquier herencia o repudiar esta o las liberalidades".

Art. 996 del Código Civil (CC), que expresa que: *"La aceptación de la herencia por la persona con discapacidad se prestará por esta, salvo que otra cosa resulte de las medidas de apoyo establecidas".*

Por lo expuesto,

SUPLICO AL JUZGADO

Que teniendo por presentado este escrito con sus documentos y copias, se sirva admitirlo y tenerme por personado/a y parte en la representación que ostento de D./Dª [...............] promoviendo expediente de jurisdicción voluntaria en el que solicito autorización para renunciar/repudiar la herencia de D./Dª [...............] en nombre del/la heredero/a D./Dª [...............], persona con discapacidad, representada por mi mandante D./Dª [...............] que es su curador/a representativo/a y, en su virtud, estimando esta solicitud y tras los trámites legales, con audiencia de la persona con discapacidad con medidas de apoyo para el ejercicio de su capacidad jurídica e intervención del Ministerio Fiscal, se dicte auto, por el que se conceda a mi representado/a la autorización para renunciar/repudiar la referida herencia.

OTROSÍ DIGO

Que a fin de acreditar la certeza de los hechos relatados, propongo como medios de prueba a practicar en el acto de la comparecencia, los siguientes:

TESTIFICAL, consistente en que sean examinados los siguientes testigos:

D./Dª [...............]; DNI núm. [...............]; con domicilio en la localidad de [...............], calle [...............], número [...............], CP [...............]; teléfono [...............]; correo electrónico [...............]; otros datos [...............]

D./Dª [...............]; DNI núm. [...............]; con domicilio en la localidad de [...............], calle [...............], número [...............], CP [...............]; teléfono [...............]; correo electrónico [...............]; otros datos [...............]

PERICIAL, consistente en que el perito D./Dª [...............] DNI núm. [...............]; con domicilio en la localidad de [...............], calle [...............], número [...............], CP [...............]; teléfono [...............]; correo electrónico [...............]; otros datos [...............], intervenga en la comparecencia al objeto de [...............]

SUPLICO AL JUZGADO: tenga por propuestos los medios de prueba a practicar en la comparecencia, solicitando que sean citados por la Oficina Judicial.

En [...............], a fecha [...............], de [...............], de [...............]

Firma del Letrado/a   Firma del Procurador/a

COMENTARIO

Este formulario tiene por objeto la solicitud de autorización judicial para repudiar la herencia deferida a favor de una persona con discapacidad con medidas de apoyo para el ejercicio de su capacidad jurídica), siendo la cuantía del haber hereditario superior a 6.000€. Téngase en cuenta la siguiente información.

DOCTRINA

En cuanto a aceptación o repudiación de la herencia en su doctrina general se remite a los comentarios del epígrafe. Téngase en cuenta la nota de actos enteramente voluntarios y libres, y que la doctrina general en la materia nos indica que a tenor de lo previsto en el artículo 992 del CC, pueden aceptar o repudiar una herencia todos los que tienen la libre disposición de sus bienes.

La Ley 8/2021, de 2 de junio, por la que se reforma la legislación civil y procesal para el apoyo a las personas con discapacidad en el ejercicio de su capacidad jurídica ha significado un vuelco en materia de medidas tuitivas de la persona, ya que la norma significa un cambio estructural en el sistema jurídico, sustituyendo la toma de decisiones que afectan a las personas con discapacidad, por otro basado en el respeto a la voluntad y las preferencias de la persona quien, como regla general, será la encargada de tomar sus propias decisiones. Ello conlleva la supresión de figuras históricas y procedimientos consolidados, como la tutela y la incapacidad, que son sustituidas las medidas de apoyo a las personas con discapacidad para el ejercicio de su capacidad jurídica.

Las disposiciones generales resultan de lo previsto en el artículo 249[247] y 250 del CC[248].

También se modifica un aspecto del expediente de autorización o aprobación judicial de actos de enajenación o gravamen de bienes pertenecientes a menores o personas con discapacidad. De acuerdo con la nueva regulación del artículo 62.3 de la Ley de la Jurisdicción Voluntaria, la intervención de abogado y procurador ya no será preceptiva en todos los casos en que la cuantía de la opera-

---

[247] Cfr artículo 240.
[248] Cfr artículo 250

ción supere los 6.000 euros, sino solo cuando así resulte necesario por razones de complejidad de la operación o por la existencia de intereses contrapuestos. De esta manera se pretende ahorrar costes al menor y a la persona con discapacidad en relación con actos que carecen de dificultad técnica o jurídica, habida cuenta de que en este tipo de actuaciones siempre va a existir un control judicial en el momento de decidir sobre la aprobación de lo solicitado.

La finalidad de todas las medidas es permitir el libre desarrollo de la personalidad y el desenvolvimiento jurídico en condiciones de igualdad. El nuevo sistema impide que se produzca la privación de la capacidad de decidir, convirtiendo el acompañamiento en la fórmula principal y preferente que permite a la persona con discapacidad ser la protagonista de su propia decisión (art. 250.2, párrafo CC)[249].

Si la reforma pretende conceder amplia presunción de capacidad a todas las personas tanto mayores de edad como menores emancipados, podrán aceptar y repudiar libremente la herencia, por tanto todas las personas. Razón por la cual un sector de la doctrina[250] entiende innecesario el artículo 996 del CC[251].

Planteamiento que no deja de tener lógica, ya que si el llamado a suceder es una persona con discapacidad que tuviera medidas de apoyo, será la sentencia la que deba hacer el pronunciamiento correspondiente. No obstante hay que recordar que dada la importancia de la fase de aceptación y renuncia a la herencia dentro del proceso de constitución del derecho hereditario, y la ambigüedad de la propia Ley 8/2021, que ha dejado atrás la tradicional concepción de la capacidad entre otras cuestiones, no sobra el artículo, porque así no deja a manos de la interpretación, la solución de la cuestión, por demás de interés patrimonial. También hay que tener en cuenta que el CC contiene normas sustantivas, y no adjetivas, de ahí que las personas han de saber los derechos que ostentan, con independencia de que la normativa procesal luego trace el camino a seguir.

El artículo 996 por tanto indica siguiendo el tenor de la Ley 8/2021, de 2 de junio que las personas con discapacidad podrán aceptar la herencia si así les interesa y conviene, salvo que la sentencia indique que requiere curador o del

---

[249]   Vid. GUILARTE MARTÍN-CALERO, C., "Artículo segundo". *Modificación del Código Civil, Comentarios a la Ley 8/2021, por la que se reforma la legislación civil y procesal para el apoyo a las personas con discapacidad en el ejercicio de su capacidad jurídica*, Volumen III, Thomson Reuters Aranzadi, 2021, p. 515.

[250]   REPRESA POLO, M. P., "Artículo segundo". *Modificación del Código Civil, Comentarios a la Ley 8/2021, por la que se reforma la legislación civil y procesal para el apoyo a las personas con discapacidad en el ejercicio de su capacidad jurídica*, Volumen III, Thomson Reuters Aranzadi, 2021, p. 959.

[251]   Cfr artículo 996 del CC: "*La aceptación de la herencia por la persona con discapacidad se prestará por esta, salvo que otra cosa resulte de las medidas de apoyo establecidas*".

apoyo si lo hubiera nombrado, o si es necesario el nombramiento de un apoyo puntual para el negocio jurídico.

La aceptación realizada por persona con discapacidad debe entenderse realizada a beneficio de inventario según un sector de la doctrina[252]. Pero si nos atenemos a la nueva redacción de la Ley 8/2021, y si se ha optado por el amplio reconocimiento de la autodeterminación y libre elección de la persona, una persona con discapacidad que no tenga ni medidas de apoyo, ni nombrado curador será libre de aceptar pura o simplemente la herencia o a beneficio de inventario, porque se entiende que la persona tiene la capacidad necesaria para ejercer sus derechos. La norma (artículo 996 CC) sólo hace referencia a la aceptación de la herencia y no matiza como sucede por ejemplo en los supuestos de que el llamado sea el Estado[253], que la aceptación se haga siempre a beneficio de inventario.

En la aceptación de la herencia de la persona con apoyos deberán distinguirse varios supuestos.

La persona con discapacidad que no tenga nombramiento ni de curador, ni sistema de apoyos puede aceptar libremente la herencia y de igual forma repudiarla.

La persona con discapacidad que en el establecimiento de apoyos se indique de la necesidad de curador en el negocio jurídico de aceptación o renuncia de la herencia deberá contar con la asistencia de éste para la eficacia del acto.

La persona con discapacidad a la que se le haya nombrado curador representativo, éste deberá ser quien acepte o repudie la herencia en nombre del representado, previa autorización judicial para repudiar y para aceptar de manera pura y simple, tal como regula el artículo 287. 5 del CC[254].

JURISPRUDENCIA

STS número 199/1952 (Sala de lo Civil, Sección Primera), de 01/07/1952 *(Tol 4453315)*.
STS número 196/2020, (Sala de lo Civil, Sección Primera), de 26/05/2020 *(Tol 7966068)*.
STS número 654/2020, (Sala de lo Civil, Sección Primera), de 03/12/2020 *(Tol 8232122)*.

---

[252] DÍAZ ALABART, S., "Nuevas tendencias en torno a la responsabilidad del heredero por las deudas del causante y las cargas de la herencia", en *RDP*, marzo-abril 2021, p. 4.

[253] Cfr artículo 957 CC". *Los derechos y obligaciones del Estado serán los mismos que los de los demás herederos, pero se entenderá siempre aceptada la herencia a beneficio de inventario, sin necesidad de declaración alguna sobre ello, a los efectos que enumera el artículo 1023".*

[254] *"El curador que ejerza funciones de representación de la persona que precisa el apoyo necesita autorización judicial para los actos que determine la resolución y, en todo caso, para los siguientes: 5º Aceptar sin beneficio de inventario cualquier herencia o repudiar esta o las liberalidades".*

Formulario 11. AUTORIZACIÓN JUDICIAL AL/LA TUTOR/A PARA RENUNCIAR O REPUDIAR LA HERENCIA A LA QUE ES LLAMADO EL/LA TUTELADO/A

Nota aclaratoria.

La figura del tutor en materia de personas mayores de edad con discapacidad ha sido suprimida por la Ley 8/2021, de 2 de junio, sustituyéndola por la figura del curador. En el caso de los menores de edad se mantiene la figura del tutor. Se ha mantenido este formulario para que los destinatarios del mismo puedan apreciar comparativamente la reforma. Téngase en cuenta que el articulado ha variado y el tratamiento de las categorías igualmente[255]. Pero se ha decidido por los autores y la directora de la obra, mantener el formulario porque tiene la trayectoria de las figuras y resulta importante a la hora de trabajar. Teniendo además en cuenta que antes de la promulgación de la Ley 8/2021, el tutor era la figura designada en la mayoría de los casos por el juez para asumir la representación de las personas con discapacidad.

FUNDAMENTO LEGAL Y JURISPRUDENCIAL. Fase del procedimiento en la que se encuentra este formulario

Art. 271.4° del Código Civil.

Jurisprudencia:

Audiencia Provincial de Asturias/ 02/05/2018 *(Tol 6666765)*.

Audiencia Provincial de Santander/ 19/06/2015 *(Tol 5554401)*.

Fase: iniciación del expediente

ÓRGANO COMPETENTE

AL JUZGADO DE PRIMERA INSTANCIA

DE [...............]

—que por turno de reparto corresponda—

ENCABEZAMIENTO

D./Dª [...............], Procurador/a de los Tribunales, colegiado/a n° [...............] del Ilustre Colegio de Procuradores de [...............], actuando en nombre y representación de D./Dª [...............], mayor de edad, DNI número [...............], con domicilio en [...............], calle [...............] núm.............. [...............], piso [...............], puerta [...............] (CP...............), que lo hace en representación de su tutelado/a D./Dª [...............]; según acredito mediante la copia de escritura de poder que acompaño/ poder otorgado "apud acta" electrónico/poder que será otorgado "apud acta" ante el/la

---

[255]   La Ley 8/2021 ha modificado rúbrica y contenido del Título XI del Libro I

sr/a Letrado/a de la Administración de Justicia; ante el Juzgado comparezco bajo la dirección técnica del/la Letrado/a D./Dª [...............], colegiado/a n° [...............] del Ilustre Colegio de Abogados de [...............]; como mejor proceda en Derecho, **DIGO**:

DIGO/MANIFIESTO

Que mediante el presente escrito y al amparo del artículo 93.2.b) de la Ley 15/2015, de 2 de junio, de la Jurisdicción Voluntaria, promuevo expediente de jurisdicción voluntaria solicitando la AUTORIZACIÓN PARA RENUNCIAR/REPUDIAR LA HERENCIA del/la causante D./Dª [...............] en nombre del/la tutelado/a de mi mandante D./Dª [...............], sobre la base de los siguientes hechos y fundamentos de derecho.

HECHOS

PRIMERO.– Mi representado/a fue designado/a tutor/a del/la incapaz D./Dª [...............] en virtud de auto de este Juzgado de fecha [...............] dictado en el expediente de jurisdicción voluntaria n° [...............]

En su prueba se acompaña:

Documento n° 1. Certificación expedida por el Registro Civil de [...............] que acredita la inscripción de la citada resolución judicial.

SEGUNDO.– El/La causante de la herencia D./Dª [...............] falleció el día [...............] de [...............] de [...............] en la localidad de [...............].

Documento n° 2. Certificado de defunción expedido por el Registro Civil de [...............]

TERCERO.– D./Dª [...............] había otorgado testamento, no revocado por otro posterior, ante el/la notario de [...............], D./Dª [...............] el día [...............] de [...............] de [...............], bajo el n° [...............] de su protocolo.

Documento n° 3. Certificado del Registro de Actos de Última Voluntad

Documento n° 4. Copia autorizada del testamento

CUARTO.– En virtud del citado testamento, D./Dª [...............] instituyó heredero/a al/la tutelado/a D./Dª [...............]. Y en tiempo y forma y mediante escritura pública de fecha [...............] se manifestó ante el/la notario de [...............] la reserva del derecho a deliberar sobre la conveniencia de aceptar o repudiar la citada herencia, instando a su vez la formación de inventario y la citación a los/las acreedores/as y legatarios/as si les conviniere. Y siguiéndose el expediente notarial de jurisdicción voluntaria se finalizó con el acta de inventario de fecha [...............]

En su prueba:

Documento n° 5. Copia autorizada del acta notarial de inventario expedida por el/la notario de [...............] D./Dª [...............] bajo el número [...............] de su protocolo.

QUINTO.– Del contenido del acta notarial se comprueba que el pasivo de la herencia es muy superior al activo, con un desbalance de [...............] euros, por lo que es indudable que la aceptación, aun a beneficio de inventario, es totalmente antieconómica para el heredero, pues, supondría una laboriosa liquidación patrimonial sin ninguna expectativa de rendimiento para el tutelado.

SEXTO.– A los efectos del art. 14.2 de la Ley 15/2015, de 2 de junio, de la Jurisdicción Voluntaria, hago constar que, al margen del/la solicitante son interesados/as en el expediente:

D./Dª [...............]; DNI núm. [...............]; con domicilio en la localidad de [...............], calle [...............], número [...............], CP [...............]; teléfono [...............]; correo electrónico [...............]; otros datos [...............]

D./Dª [...............]; DNI núm. [...............]; con domicilio en la localidad de [...............], calle [...............], número [...............], CP [...............]; teléfono [...............]; correo electrónico [...............]; otros datos [...............]

A los anteriores hechos son de aplicación los siguientes

FUNDAMENTOS DE DERECHO

(1) Jurisdicción y competencia

Corresponde a la jurisdicción civil de conformidad con lo dispuesto en el art. 36 de la LEC. Y es competente el Juzgado de Primera Instancia al que me dirijo con arreglo a lo dispuesto en el art. 2 y art. 94.1 de la Ley 15/2015, de 2 de julio, de la Jurisdicción Voluntaria. La competencia para conocer del presente expediente corresponde al Juzgado de Primera Instancia del último domicilio o, en su defecto, de la última residencia del causante y, si lo hubiere tenido en país extranjero, el lugar de su último domicilio en España o donde estuviere la mayor parte de sus bienes, a elección del solicitante.

(2) Capacidad y legitimación

Mi mandante tiene capacidad con arreglo al art. 6 de la LEC y se encuentra legitimado para promover este expediente a tenor de lo preceptuado en el art. 3.1 y 94.2 de la Ley 15/2015, de 2 de julio, de la Jurisdicción Voluntaria. Mi representado/a está legitimado/a en su condición de tutor/a conforme a lo dispuesto en el art. 271.4° del Código Civil.

(3) *Representación y defensa*

Art. 3.2 y art. 94.4 de la Ley de la Ley 15/2015, de 2 de julio, de la Jurisdicción Voluntaria. Es preceptiva la intervención de abogado y procurador cuando la cuantía del haber hereditario sea igual o superior a 6000 euros. Y en todo caso será necesaria la actuación de abogado y procurador a partir del momento en que se formule oposición.

(4) *Procedimiento*

Procede seguir el procedimiento con arreglo a las normas comunes, recogidas en los arts. 9 a 22 de la Ley de la Ley 15/2015, de 2 de julio, de la Jurisdicción Voluntaria.

(5) Fondo del asunto

Son de aplicación a este caso los siguientes fundamentos legales:

Art. 216 del Código Civil (CC), que expresa que: *"Las funciones tutelares constituyen un deber, se ejercerán en beneficio del tutelado y estarán bajo la salvaguarda de la autoridad judicial"*.

Art. 271.4° CC que establece que el tutor necesita autorización judicial para aceptar sin beneficio de inventario cualquier herencia, o para repudiar ésta o las liberalidades.

Por lo expuesto,

SUPLICO AL JUZGADO

Que teniendo por presentado este escrito con sus documentos y copias, se sirva admitirlo y tenerme por personado/a y parte en la representación que ostento de D./Dª [................] promoviendo expediente de jurisdicción voluntaria en el que solicito autorización para renunciar // repudiar la herencia de D./Dª [................] en nombre del/la heredero/a y tutelado/a de mi representado/a D./Dª [................] y, en su virtud, estimando esta solicitud y tras los trámites legales, con audiencia del/la tutelado/a e intervención del Ministerio Fiscal, se dicte auto, por el que se conceda a mi representado/a la autorización para renunciar/repudiar la referida herencia.

OTROSÍ DIGO

Que a fin de acreditar la certeza de los hechos relatados, propongo como medios de prueba a practicar en el acto de la comparecencia, los siguientes:

TESTIFICAL, consistente en que sean examinados los siguientes testigos:

D./Dª [................]; DNI núm. [................]; con domicilio en la localidad de [................], calle [................], número [................], CP [................]; teléfono [................]; correo electrónico [................]; otros datos [................]

D./Dª [................]; DNI núm. [................]; con domicilio en la localidad de [................], calle [................], número [................], CP [................]; teléfono [................]; correo electrónico [................]; otros datos [................]

PERICIAL, consistente en que el perito D./Dª [................] DNI núm. [................]; con domicilio en la localidad de [................], calle [................], número [................], CP [................]; teléfono [................]; correo electrónico [................]; otros datos [................], intervenga en la comparecencia al objeto de [................]

SUPLICO AL JUZGADO: tenga por propuestos los medios de prueba a practicar en la comparecencia, solicitando que sean citados por la Oficina Judicial.

En [................], a fecha [................], de [................], de [................]

Firma del Letrado/a   Firma del Procurador/a

COMENTARIO

Este formulario tiene por objeto la autorización judicial al/ la tutora para renuncias o repudiar la herencia a la que es llamado el/la tutelado/a. Téngase en cuenta la siguiente información:

Doctrina

En cuanto a aceptación o repudiación de la herencia en su doctrina general se remite a los comentarios del epígrafe.

La doctrina general en esta materia es que pueden aceptar o repudiar una herencia todos los que tienen la libre disposición de sus bienes, a tenor de lo previsto en el artículo 992 CC. Pero a su vez existen reglas especiales o normas concretas en este sentido, en relación a los menores sujetos a patria potestad, los menores emancipados, o los menores e incapacitados sujetos a tutela, así como en el caso de los incapacitados sujetos a curatela, así como en el caso de los concursados[256].

En el supuesto de los menores sujetos a patria potestad: la aceptación corresponde al padre o padres titulares de la patria potestad, si uno de ellos tuviese conflicto de intereses con el menor, bastará la aceptación por el otro, si lo tuviesen ambos se nombrará un defensor judicial.

La situación de los menores emancipados no resulta demasiado pacífica a efectos de la doctrina, porque en principio pueden repudiar y aceptar la herencia a beneficio de inventario porque la citada modalidad de aceptación sólo afecta los bienes que están comprendido en el caudal hereditario. La problemática doctrinal viene en lo que concierne a la aceptación pura y simple, que plantea alguna duda por los efectos que conlleva y la responsabilidad ilimitada por parte del heredero, a lo que cabe añadir lo previsto en el artículo 323 del Código Civil que limita la actuación del menor emancipado, pero que no prohíbe expresamente la aceptación pura y simple[257].

---

[256] Vid. COBAS COBIELLA, M. E., "Aspectos sustantivos del Derecho hereditario", *Derecho de sucesiones*/Josefina ALVENTOSA DEL RÍO (dir.), MARÍA ELENA COBAS COBIELLA (dir.), Tirant lo Blanch, 2017, p. 310.

[257] La emancipación habilita al menor para regir su persona y bienes como si fuera mayor; pero hasta que llegue a la mayor edad no podrá el emancipado tomar dinero a préstamo, gravar o enajenar bienes inmuebles y establecimientos mercantiles o industriales u objetos de extraordinario valor sin consentimiento de sus padres y, a falta de ambos, sin el de su curador. El término "curador" contenido en el párrafo 1° del artículo 323 ha sido introducido por LO 1/1996, 15 enero ("BOE" 17 enero), de Protección Jurídica del Menor, en sustitución del anterior "tutor". El menor emancipado podrá por sí solo comparecer en juicio. Lo dispuesto en este artículo es

En el supuesto de los menores no emancipados e incapacitados o personas con capacidad modificada judicialmente sujetos a tutela a tenor del artículo 271.4 CC, el tutor necesita autorización judicial para aceptar sin beneficio de inventario cualquier herencia, o para repudiar ésta o las liberalidades[258]. La doctrina en la materia advierte que la patria potestad que tienen los progenitores sobre menores no emancipados, así como la tutela sobre los mayores de edad incapacitados, comprende amplias facultades de representación, con la excepción en este último caso, de los límites establecidos por la sentencia de incapacitación. En cualquier caso estas son normas garantistas al decir de GALVÁN GALLEGOS, dado que la repudiación es un acto de disposición que puede suponer un menoscabo en el patrimonio del representado[259].

Los incapacitados o con capacidad modificada judicialmente sujetos a curatela, estarán sujetos a la regulación de lo previsto en el artículo 996 CC que dice: *"si la sentencia de incapacitación por enfermedades o deficiencias físicas o psíquicas no dispusiere otra cosa, el sometido a curatela podrá, asistido del curador, aceptar la herencia pura y simplemente o a beneficio de inventario"*[260]. Si estuvieran sometidos a la patria potestad prorrogada o rehabilitada a que

---

aplicable también al menor que hubiere obtenido judicialmente el beneficio de la mayor edad. Artículo 323 redactado por Ley 11/1981, 13 mayo ("BOE" 19 mayo), de modificación del Código Civil en materia de filiación, patria potestad y régimen económico del matrimonio.

[258] La exigencia legal de autorización judicial contenida en el art. 271 CC (LEG 1889, 27) no va acompañada de un régimen jurídico que de manera expresa precise las consecuencias de la enajenación realizada por el tutor sin autorización judicial. La teoría de las nulidades de los contratos se caracteriza en la doctrina y la jurisprudencia actuales por un análisis funcional de los regímenes de invalidez que tiene en cuenta la finalidad de las normas y los intereses en juego. Aplicando este planteamiento al supuesto litigioso procede identificar el fundamento y la naturaleza de la exigencia de autorización y ponderar, de acuerdo con los criterios generales de nuestro Derecho, cuál es el tratamiento más adecuado para alcanzar un equilibrio entre la protección de los intereses de la persona sometida a representación legal y la seguridad jurídica.
Dentro del diseño de salvaguarda judicial de la tutela que proclama el art. 216 CC, la ley impone al tutor solicitar autorización para los actos de disposición y gravamen sobre algunos bienes, teniendo en cuenta el doble criterio de su clase y de su valor. Por el criterio de la clase se sujetan al requisito de la autorización judicial la enajenación o gravamen de los inmuebles, con independencia de su valor, por considerarse acto de relevancia suficiente como para requerir un control externo. Cfr. Tribunal Supremo (Sala de lo Civil, Sección Pleno) Sentencia núm. 2/2018 de 10 enero (Tol 6484713).

[259] Vid. VICANDI MARTÍNEZ, A., "La repudiación de la herencia. Una visión de conjunto", *El patrimonio sucesorio: reflexiones para un debate reformista*, LLEDÓ YAGÜE, F., FERRER VANRELL, M. P., TORRES LANA, J. A. (dir.). MONJE BALMASEDA, O., (coord.), Dykinson, 2014, p. 1218 y GALVÁN GALLEGOS, A., *La herencia: contenido y adquisición. La aceptación y repudiación de la herencia*, Madrid, 2000, op. cit., p. 84.

[260] Artículo 996 redactado por LO 1/1996, 15 enero ("BOE" 17 enero), de Protección Jurídica del Menor.

se refiere el art. 171 CC la regla será la misma que para los menores sujetos a patria potestad.

Téngase además en cuenta lo establecido en el artículo 93 de la LJV, que regula el ámbito de aplicación de la aceptación y repudiación de la herencia cuando sea necesaria la autorización judicial, para determinados supuestos. Precisando autorización judicial los progenitores que ejerzan la patria potestad para renunciar la herencia o legados en nombre de sus hijos menores de 16 años, o si aun siendo mayores de edad, sin llegar a la mayoría, no prestaren su consentimiento, a los tutores y defensores judiciales también se les requiere la autorización judicial, para aceptar sin beneficio de inventario cualquier herencia o legado o para repudiar los mismos. Igualmente los acreedores del heredero que hubiere repudiado la herencia a la que hubiere sido llamado en perjuicio de aquellos, para aceptar la herencia en su nombre, necesitan la citada autorización, asimismo será necesaria la aprobación judicial para la eficacia de la repudiación de la herencia realizada por los legítimos representantes de las asociaciones, corporaciones y fundaciones capaces de adquirir.

Finalmente, téngase en cuenta en materia de protección a las personas con capacidad modificada judicialmente la nueva doctrina en la materia: *"ante todo cabe decir que en esta materia se ha de partir de que la persona afectada sigue siendo titular de sus derechos fundamentales y que las cautelas que se imponen son sólo una forma de protección.*

La justificación de la citada doctrina la ofrece la STS de 29 de septiembre de 2009 [Rc. 1259/2006 SIC (RJ 2009, 2901)], de Pleno, que reitera la de 11 de octubre de 2012 (RJ 2012, 9713) (Rc. 617/2012 SIC), que en materia de incapacidad y en la interpretación de las normas vigentes a la luz de la Convención sobre los Derechos de las Personas con Discapacidad (RCL 2011, 1517), firmado en Nueva York el 13 de diciembre 2006 y ratificada por España el 23 de noviembre de 2007, señala lo siguiente: la incapacitación, al igual que la minoría de edad, no cambia para nada la titularidad de los derechos fundamentales, aunque sí que determina su forma de ejercicio. De aquí, que deba evitarse una regulación abstracta y rígida de la situación jurídica del discapacitado.............. Una medida de protección como la incapacitación, independientemente del nombre con el que finalmente el legislador acuerde identificarla, solamente tiene justificación con relación a la protección de la persona". El sistema de protección establecido en el Código Civil (LEG 1889, 27) sigue por tanto vigente, aunque con la lectura que se propone: "1.º Que se tenga siempre en cuenta que el incapaz sigue siendo titular de sus derechos fundamentales y que la incapacitación es sólo una forma de protección. 2.º La incapacitación no es una medida discriminatoria porque la situación merecedora de la protec-

*ción tiene características específicas y propias. Estamos hablando de una perso-
na cuyas facultades intelectivas y volitivas no le permiten ejercer sus derechos
como persona porque le impiden autogobernarse. Por tanto no se trata de un
sistema de protección de la familia, sino única y exclusivamente de la persona
afectada"*[261].

Normativa

Artículos 166, 171 271.4 323, 992, 996 del CC.

Artículos 93, 94, y 95 de la Ley de Jurisdicción Voluntaria.

LO 1/1996, 15 enero ("BOE" 17 enero), de Protección Jurídica del Menor.

Ley 11/1981, 13 mayo ("BOE" 19 mayo), de modificación del Código Civil en materia de filiación, patria potestad y régimen económico del matrimonio.

Artículos 199, 200, 201, 215, 217, 218, 222, 227, 267, 271, 272 CC.

Ley 13/1983, 24 octubre ("BOE" 26 octubre), de reforma del Código Civil en materia de tutela.
LO 1/1996, 15 enero ("BOE" 17 enero), de Protección Jurídica del Menor. Ley 26/2015, de
28 de julio, de modificación del sistema de protección a la infancia y a la adolescencia ("BOE"
29 julio). Vigencia: 18 agosto 2015.

Ley núm. 26/2011, de 1 de agosto. RCL/2011/1517. Convención sobre los Derechos de las
Personas con Discapacidad (RCL 2011, 1517), firmado en Nueva York el 13 de diciembre
2006 y ratificada por España el 23 de noviembre de 2007.

Jurisprudencia

STS (Sala de lo Civil, Sección Pleno) Sentencia núm. 2/2018 de 10 enero (*Tol 6484713*).

STS (Sala de lo Civil, Sección1ª) Sentencia núm. 21/2010 de 16 febrero (*Tol 1790747*).

STS (Sala de lo Civil, Sección1ª) Sentencia núm. 216/2006 de 3 marzo (*Tol 856110*).

STS (Sala de lo Civil, Sección1ª) Sentencia núm. 440/2014 de 28 octubre (*Tol 4561606*).

STS (Sala de lo Civil, Sección1ª) Sentencia núm. 558/2010 de 23 septiembre (*Tol 1952692*).

STS (Sala de lo Civil, Sección Pleno) Sentencia núm. 625/2011 de 21 septiembre (*Tol 2248621*).

STS (Sala de lo Civil, Sección1ª) Sentencia núm. 635/2015 de 19 noviembre (*Tol 5567440*).

STS (Sala de lo Civil, Sección1ª) Sentencia núm. 159/2012 de 23 marzo (*Tol 2494179*).

STS (Sala de lo Civil, Sección1ª) Sentencia núm. 216/2017 de 4 abril (*Tol 6033541*).

SAP de Guadalajara (Sección 1ª) Auto núm. 85/2006 de 4 julio (*Tol 6316853*).

---

[261] Tribunal Supremo (Sala de lo Civil, Sección1ª) Sentencia núm. 216/2017 de 4 abril (*Tol 6033541*).

III. FORMULARIOS COMENTADOS DE DERECHO TRIBUTARIO

Formulario ISUC-1. SOLICITUD DE PRÓRROGA DEL PLAZO DE PRESENTACIÓN DEL IMPUESTO SOBRE SUCESIONES (Artículo 68 del RISD)

1. ÓRGANO COMPETENTE

A LA ADMINISTRACIÓN TRIBUTARIA DE ..../ OFICINA LIQUIDADORA DE ....

2. ENCABEZAMIENTO

En .... a .... de.............. de 20..............

COMPARECE/N

D./Dª.............., con NIF ...., mayor de edad, vecino de ...., calle .... n° ....–..............–.............. (código postal).

Etc.

Interviene en su propio nombre y/o en representación de:

D./Dª.............., con NIF ...., mayor de edad, vecino de ...., calle .... n° ....–..............–.............. (código postal).

..............D./Dª.............., con NIF ...., mayor de edad, vecino de ...., calle .... n° ....–..............–.............. (código postal).

Etc.

Acredita la representación mediante documento que se adjunta, en los términos del artículo 46 de la Ley 58/2003, de 17 de diciembre, General Tributaria.

Ante este órgano comparece/n, y como mejor proceda en Derecho,

3. EXPONE/N LOS SIGUIENTES HECHOS

PRIMERO.– El .... de .... de .... falleció D./Dª ...., con NIF.............. Se adjunta copia del certificado de defunción.

SEGUNDO.– El/La causante había otorgado su último testamento el.............. de.............. de.............. ante el Notario de.............. Don/Dª.............., con número de su protocolo.............. Se aporta copia.

De acuerdo con el mismo, los herederos conocidos del causante son: ..../ No habiendo otorgado testamento y de acuerdo con las normas de la sucesión, tienen la condición de herederos legales provisionales del causante: .... (*enumerar los herederos, con nombre y apellidos, domicilio, residencia fiscal, y DNI/NIE*).

TERCERO.– No habiendo transcurrido cinco meses desde la fecha de fallecimiento del causante, de conformidad con el artículo 68 del Reglamento del Impuesto sobre Sucesiones y Donaciones, aprobado por el Real Decreto 1629/1991, de 8 de noviembre, SOLICITAN LA CONCESIÓN DE UNA PRÓRROGA PARA LA PRESENTACIÓN DE LOS DOCUMENTOS O DECLARACIONES RELATIVOS A SU HERENCIA POR UN PLAZO DE 6 MESES, POR LOS SIGUIENTES MOTIVOS:

Explicar brevemente los motivos (*dificultad o retraso en la confección del inventario de la herencia, etc.*)

CUARTO.– Declaración de inventario provisional

No habiendo finalizado las operaciones de inventario y evalúo de los bienes titularidad del causante en la fecha de fallecimiento, y a los efectos de la concesión de la prórroga del plazo de presentación del Impuesto sobre sucesiones devengado, se declara el siguiente inventario provisional de la herencia:

1. .... (*Realizar una descripción de los bienes inmuebles, muebles, etc., que conformen la masa hereditaria*)

Valor estimado provisional:............... €

En su virtud,

4. SOLICITA/N

Que, teniendo efectuadas las anteriores alegaciones, y por presentado este escrito, con los documentos que lo acompañan, se sirva admitirlos, tenga por solicitada, en tiempo y forma, la prórroga del plazo de presentación de la autoliquidación del Impuesto sobre sucesiones devengado a raíz del fallecimiento del causante D./Dª..............., y, previa la tramitación legal oportuna, dicte en su día resolución por la que se conceda la prórroga solicitada por otros 6 meses.

En............... a............... de............... De...............

Fdo. El obligado tributario o su representante.

COMENTARIO

Normativa

(1) Competencia (válido para todos los formularios del Impuesto sobre sucesiones)
Artículo 70 y 71 RISD.
Puntos de conexión Comunidades Autónomas de Régimen Común: artículo 32 Ley 22/2009, de 18 de diciembre, por la que se regula el sistema de financiación de las Comunidades Autónomas de régimen común y Ciudades con Estatuto de Autonomía y se modifican determinadas normas tributarias.
(2) Capacidad y legitimación (válido para todos los formularios del Impuesto sobre sucesiones)

Artículos 5 y ss LISD.
Artículos 16 y ss RISD
(3) Representación (válido para todos los formularios del Impuesto sobre sucesiones)
Artículo 46 de la Ley 58/2003, de 17 de diciembre, General Tributaria.
Artículo 66 del RISD.
(4) Procedimiento
Artículo 68 del RISD.

Debe tenerse en cuenta que la presentación y, en su caso, obtención, de la prórroga afecta a la posibilidad de presentar cualquier modalidad de aplazamiento y fraccionamiento específico del Impuesto, que únicamente pueden solicitarse en los 5 primeros meses tras el fallecimiento del causante (artículo 90 RISD).

Jurisprudencia y Doctrina Administrativa

STS de 16 de mayo de 2006, recurso núm. 3432/2000 (*Tol 987185*).
STSJ de Madrid, núm. 556/2016, de 19 de mayo de 2016, recurso núm. 319/2014 (*Tol 5810582*).
STSJ de Madrid, núm. 431/2015, de 19 de mayo de 2015, recurso núm. *316/2013*: con relación a cuándo comienza el plazo de prescripción del derecho a determinar la deuda tributaria, si los herederos han solicitado la prórroga del plazo para la presentación de la declaración o autoliquidación (*Tol 5204920*).
Resolución del TEAC 01357/2014/00/00, de 18 de mayo de 2017 (Criterio 2): sobre la legitimación del albacea para la presentación de la prórroga del Impuesto de sucesiones, y el alcance de su representación más allá de este supuesto (*Tol 6133029*).
Consulta vinculante DGT núm. V1986-09, de 10 de septiembre.
Consulta vinculante de la DGT núm. V0342-13, de 6 de febrero.

Bibliografía

[AAVV] dirigido por ALVENTOSA DEL RÍO J. y COBAS COBIELLA, M. E., *Derecho de sucesiones*, "Cap. VI: La liquidación del Impuesto sobre sucesiones", Tirant lo Blanch, 2017, pp. 1006 a 1014.

Formulario ISUC-2. SOLICITUD DE AUTORIZACIÓN BANCARIA PARA EL SUPUESTO DE AUTOLIQUIDACIONES

1. ÓRGANO COMPETENTE

A LA ADMINISTRACIÓN TRIBUTARIA DE.............../ OFICINA LIQUIDADORA DE ....

2. ENCABEZAMIENTO

En............... a............... de............... de 20...............

COMPARECE/N:

D./Dª..............., con NIF..............., mayor de edad, vecino de..............., calle............... nº...............–...............–............... (Código postal).

Etc.

Interviene en su propio nombre y/o en representación de:

D./Dª..............., con NIF..............., mayor de edad, vecino de..............., calle............... nº...............–...............–............... (código postal).

D./Dª..............., con NIF ...., mayor de edad, vecino de ...., calle .... nº ....–...............–............... (código postal).

Etc.

Acredita la representación mediante documento que se adjunta, en los términos del artículo 46 de la Ley 58/2003, de 17 de diciembre, General Tributaria.

Ante este órgano comparece/n, y como mejor proceda en Derecho,

3. EXPONE/N LOS SIGUIENTES HECHOS Y FUNDAMENTOS DE DERECHO

PRIMERO.– Como consecuencia del fallecimiento de D./Dª..............., acaecido el .... de .... de..............., se ha devengado el Impuesto sobre sucesiones para sus herederos.

La recopilación de la documentación relativa a la masa hereditaria del causante ha determinado la cuantificación de los respectivos Impuestos sobre sucesiones devengados por cada uno de los herederos con el siguiente resultado:

1. Autoliquidación número 650............... por importe de .... euros a nombre del sujeto pasivo .... con NIF...............

2. Autoliquidación número 650............... por importe de .... euros a nombre del sujeto pasivo .... con NIF...............

3. Autoliquidación número 650............... por importe de .... euros a nombre del sujeto pasivo .... con NIF...............

4. Etc.

Se adjuntan todos los ejemplares de cada una de las autoliquidaciones.

SEGUNDO.– Dentro del inventario de la herencia se encuentran los siguientes saldos de cuentas del causante:

1. IBAN: BANCO...............cuenta ES ....

2. IBAN BANCO...............cuenta ES ....

3. IBAN BANCO...............cuenta ES ....

4. VALORES..............entidad depositaria..............

5. VALORES..............entidad depositaria..............

TERCERO.– El artículo 80.3 del Real Decreto 1629/1991, de 8 de noviembre, por el que se aprueba el Reglamento del Impuesto sobre Sucesiones y Donaciones, establece que la Oficina Gestora podrá dirigirse, a solicitud de los interesados, a las Entidades financieras para enajenar valores depositados en las mismas a nombre del causante y, con cargo a su importe, o al saldo a favor de aquél en cuentas de cualquier tipo, librar los correspondientes talones a nombre del Tesoro Público por el exacto importe de las citadas liquidaciones

En su virtud,

4. SOLICITA/N

Que se autorice a las entidades identificadas para enajenar los valores/disponer de los saldos descritos en la cuantía procedente para proceder al pago de las autoliquidaciones identificadas.

En .... a .... de .... de ....

Fdo.: el obligado tributario o su representante.

COMENTARIO

NORMATIVA

(1) Procedimiento
Artículo 8.1 y artículo 32 apartados 5, 6 y 7 LISD.
Artículo 80.3 RISD.

BIBLIOGRAFÍA

[AAVV] dirigido por ALVENTOSA DEL RÍO J. y COBAS COBIELLA, M. E., *Derecho de sucesiones*, "Cap. VI: La liquidación del Impuesto sobre sucesiones", Tirant lo Blanch, 2017, p. 1017.

Formulario ISUC-3. SOLICITUD DE AUTORIZACIÓN BANCARIA PARA EL SUPUESTO DE LIQUIDACIONES RESULTANTES DEL RÉGIMEN DE PRESENTACIÓN POR DECLARACIÓN (SOLAMENTE PARA AQUELLAS COMUNIDADES AUTÓNOMAS QUE AÚN TIENEN PREVISTO ESTE RÉGIMEN DE DECLARACIÓN)

1. ÓRGANO COMPETENTE

A LA ADMINISTRACIÓN TRIBUTARIA DE ..../ OFICINA LIQUIDADORA DE ....

2. ENCABEZAMIENTO

En .... a.............. de.............. de 20..............

COMPARECE/N:

D./Dª.............., con NIF ...., mayor de edad, vecino de ...., calle .... nº ....–..............–.............. (código postal).

Etc.

Interviene en su propio nombre y/o en representación de:

D./Dª.............., con NIF ...., mayor de edad, vecino de ...., calle .... nº ....–..............–.............. (código postal).

D./Dª.............., con NIF ...., mayor de edad, vecino de ...., calle .... nº ....–..............–.............. (código postal).

Etc.

Acredita la representación mediante documento que se adjunta, en los términos del artículo 46 de la Ley 58/2003, de 17 de diciembre, General Tributaria.

Ante este órgano comparece/n, y como mejor proceda en Derecho,

3. EXPONEN LOS SIGUIENTES HECHOS Y FUNDAMENTOS DE DERECHO

PRIMERO.– Ante esta Administración fue presentada la documentación correspondiente a la herencia de D./Dª ...., con NIF ...., cuyo fallecimiento se produjo en ...., el día.............. de .... de ...., para que se efectuase la liquidación relativa al Impuesto sobre sucesiones y donaciones.

A la mencionada documentación se le asignó el siguiente número de expediente: ....

SEGUNDO.- En fecha .... de .... de ....han sido notificadas las siguientes liquidaciones:

1. Liquidación número .... por importe de .... euros a nombre del sujeto pasivo .... con NIF...............

2. Liquidación número .... por importe de .... euros a nombre del sujeto pasivo .... con NIF...............

3. Liquidación número .... por importe de .... euros a nombre del sujeto pasivo .... con NIF...............

Etc.

TERCERO.- Dentro del inventario de la herencia se encuentran los siguientes saldos de cuentas corrientes del causante:

1. BANCO...............cuenta ES ....

2. BANCO...............cuenta ES ....

3. BANCO...............cuenta ES ....

4. VALORES...............entidad depositaria...............

5. VALORES...............entidad depositaria...............

....

CUARTO.- El artículo 80.3 del Real Decreto 1629/1991, de 8 de noviembre, por el que se aprueba el Reglamento del Impuesto sobre Sucesiones y Donaciones, establece que la Oficina Gestora podrá autorizar a las Entidades financieras, a solicitud de los interesados, dentro de los ocho días siguientes al de la notificación de las liquidaciones, a enajenar valores depositados en las mismas a nombre del causante y, con cargo a su importe, o al saldo a favor de aquél en cuentas de cualquier tipo, librar los correspondientes talones a nombre del Tesoro Público por el exacto importe de las citadas liquidaciones

En su virtud,

4. SOLICITA/N

Que tenga por presentado, en tiempo y forma, este escrito, y se autorice a las entidades financieras identificadas en el cuerpo de este escrito para enajenar los valores/disponer de los saldos descritos en la cuantía procedente para proceder al pago de las liquidaciones identificadas.

En .... a .... de .... de ....

Fdo. El obligado tributario o su representante.

COMENTARIO

NORMATIVA

(1) Procedimiento
Artículo 8.1 y artículo 32 apartados 5, 6 y 7 LISD.
Artículo 80.3 RISD.

BIBLIOGRAFÍA

[AAVV] dirigido por ALVENTOSA DEL RÍO J. y COBAS COBIELLA, M. E., *Derecho de sucesiones*, "Cap. VI: La liquidación del Impuesto sobre sucesiones", Tirant lo Blanch, 2017, p. 1017.

Formulario ISUC-4. SOLICITUD DE AUTORIZACIÓN RELATIVA A PENSIONES, PRESTACIONES PÚBLICAS POR DEPENDENCIA Y HABERES PASIVOS DEVENGADOS Y NO PERCIBIDOS (artículos 32.4 LISD y 78 RISD)

1. ÓRGANO COMPETENTE

A LA ADMINISTRACIÓN TRIBUTARIA DE ..../ OFICINA LIQUIDADORA DE
....

2. ENCABEZAMIENTO

En .... a.............. de.............. de 20..............

COMPARECE/N:

D./Dª.............., con NIF ...., mayor de edad, vecino de ....,
calle .... nº ....–..............–.............. (código postal).

Etc.

Interviene en su propio nombre y/o en representación de:

D./Dª.............., con NIF ...., mayor de edad, vecino de ....,
calle .... nº ....–..............–.............. (código postal).

D./Dª.............., con NIF ...., mayor de edad, vecino de ....,
calle .... nº ....–..............–.............. (código postal).

Etc.

Acredita la representación mediante documento que se adjunta, en los términos del artículo 46 de la Ley 58/2003, de 17 de diciembre, General Tributaria.

Ante este órgano comparece/n, y como mejor proceda en Derecho,

3. DICE/N

PRIMERO.– El .... de .... de .... se produjo el fallecimiento de D./Dª ...., con NIF..............., con domicilio en ...., calle .... nº ....–...............–............... (código postal).

SEGUNDO.– Dentro del inventario de la herencia se encuentran los siguientes derechos del causante que, como consecuencia del fallecimiento, no han sido satisfechos [*PENSIONES, PRESTACIONES PÚBLICAS POR DEPENDENCIA Y HABERES PASIVOS DEVENGADOS Y NO PERCIBIDOS POR EL CAUSANTE*], tal como se acredita con los certificados que se incorporan al presente documento:

1.– ....

2.– ....

3.– ....

....

TERCERO.– De conformidad con lo dispuesto en el artículo 32.4 de la Ley 29/1987, de 18 de diciembre, del Impuesto sobre Sucesiones y Donaciones, y en el artículo 78 del Real Decreto 1629/1991, de 8 de noviembre, por el que se aprueba el Reglamento del Impuesto sobre Sucesiones y Donaciones, en los supuestos de haberes devengados y no percibidos procedentes de pensiones de la Seguridad Social, haberes pasivos del Ministerio de Economía y Hacienda o prestaciones de las entidades u organismos que participen en la gestión de las prestaciones derivadas de la aplicación de la Ley 39/2006, de 14 de diciembre, de Promoción de la Autonomía Personal y Atención a las personas en situación de dependencia, se podrá optar por presentar una solicitud de autorización relativa a pensiones, haberes pasivos y prestaciones públicas por dependencia devengados y no percibidos a los solos efectos de que las entidades correspondientes puedan proceder a la entrega de los bienes a persona distinta de su titular, sin necesidad de que previamente se acredite el pago del Impuesto o su exención. A tal efecto, deberá presentarse tal solicitud por duplicado, relacionando los haberes o prestaciones para los que se solicita la autorización, con expresión de su valor y de la situación en que se encuentren, del nombre de la persona o Entidad que, en su caso, deba proceder al pago o a la entrega de los bienes y del título acreditativo del derecho del solicitante o solicitantes, uno de cuyos justificantes será devuelto con el correspondiente justificante de presentación.

En su virtud,

4. SOLICITA/N

Que, teniendo por presentado este escrito, en tiempo y forma, y de acuerdo con los datos expuestos en la presente solicitud y que se desprenden de la documentación aportada, se autorice por esa Administración el pago de los haberes indicados, sin la acreditación previa del pago del Impuesto sobre sucesiones y donaciones o de la declaración de la exención al citado Impuesto, tal y como establece el artículo 32.4 de la citada Ley del Impuesto y el artículo 78 del Reglamento que lo desarrolla.

En .... a .... de .... de ....

Fdo. El obligado tributario o su representante.

COMENTARIO

NORMATIVA

(1) Procedimiento
Artículo 32.4 LISD.
Artículo 78 RISD.

Formulario ISUC-5. COMUNICACIÓN DE INICIO DE JUICIO DE TESTAMENTARÍA O LITIGIO, A EFECTOS DE LA SUSPENSIÓN DEL ARTÍCULO 69 RISD, RÉGIMEN DE AUTOLIQUIDACIÓN

1. ÓRGANO COMPETENTE

A LA ADMINISTRACIÓN TRIBUTARIA DE ..../ OFICINA LIQUIDADORA DE
....

2. ENCABEZAMIENTO

En .... a............... de............... de 20...............

COMPARECE/N:

D./Dª..............., con NIF ...., mayor de edad, vecino de ....,
calle .... n° ....–...............–............... (código postal).

Etc.

Interviene en su propio nombre y/o en representación de:

D./Dª.............., con NIF ...., mayor de edad, vecino de ...., calle .... n° ....–..............–.............. (código postal).

D./Dª.............., con NIF ...., mayor de edad, vecino de ...., calle .... n° ....–..............–.............. (código postal).

Etc.

Acredita la representación mediante documento que se adjunta, en los términos del artículo 46 de la Ley 58/2003, de 17 de diciembre, General Tributaria.

Ante este órgano comparece/n, y como mejor proceda en Derecho,

3. EXPONE/N LOS SIGUIENTES HECHOS Y FUNDAMENTOS DE DERECHO

PRIMERO.– El .... de .... de .... se produjo el fallecimiento de D./Dª .... con NIF.............. Se aporta copia del certificado de defunción.

SEGUNDO.– Con fecha .... de .... de .... se ha presentado una demanda [*para promover litigio o juicio voluntario de testamentaria/para promover un procedimiento penal sobre la falsedad del testamento o del documento determinante de la transmisión hereditaria*], y del que son parte D./Dª .... con NIF en su calidad de.............. [*posición alegada en la herencia*] ..../ y D./Dª.............. en su calidad de .... [*posición alegada en la herencia*] ....

Se aporta copia de la demanda [*donde conste fecha presentación*].

TERCERO.– El artículo 69 del Real Decreto 1629/1991, de 8 de noviembre, por el que se aprueba el Reglamento del Impuesto sobre Sucesiones y Donaciones, dispone: *"1. Cuando, en relación a actos o contratos relativos a hechos imponibles gravados por el Impuesto sobre Sucesiones y Donaciones, se promueva litigio o juicio voluntario de testamentaría, se interrumpirán los plazos establecidos para la presentación de los documentos y declaraciones, empezando a contarse de nuevo desde el día siguiente a aquel en que sea firme la resolución definitiva que ponga término al procedimiento judicial.*

2. Cuando se promuevan después de haberse presentado en plazo el documento o la declaración, la Administración suspenderá la liquidación hasta que sea firme la resolución definitiva".

CUARTO.– Resultando de aplicación, al caso que nos ocupa, lo establecido en dicho precepto reglamentario, se solicita expresamente la interrupción de los plazos fijados para la presentación de los documentos y declaraciones relativos al citado Impuesto sobre Sucesiones. Y que dicho plazo no comience a contar de nuevo hasta el día siguiente a aquel en que sea firme la resolución definitiva que ponga término al procedimiento judicial.

En su virtud,

4. SOLICITA/N

Que, teniendo por presentado este escrito y los documentos que lo acompañan, se sirva admitirlo, tenga por comunicada la presentación de la demanda *[para promover litigio o juicio voluntario de testamentaria/para promover un procedimiento penal sobre la falsedad del testamento o del documento determinante de la transmisión hereditaria]*, en relación con la correspondiente declaración/autoliquidación del que son parte D./ Dª.............., y, en consecuencia, se considere interrumpido el plazo de presentación de la correspondiente autoliquidación del Impuesto sobre sucesiones hasta la adquisición de firmeza de la resolución definitiva que ponga término al procedimiento judicial, o bien, en su caso, desde que todos los interesados desistieren del juicio promovido, lo cual será puesto en conocimiento de la Administración en plazo y forma.

En .... a .... de .... de ....

Fdo. El obligado tributario o su representante.

COMENTARIO

NORMATIVA

(1) Procedimiento
Artículo 69 RISD.

JURISPRUDENCIA Y DOCTRINA ADMINISTRATIVA

STS de 12 de marzo de 2015, recurso núm. 625/2013 (*Tol 4786303*).

STSJ de Madrid, núm. 556/2016, de 19 de mayo de 2016, recurso núm. 319/2014 (*Tol 5810582*).

STSJ de la Comunidad Valenciana núm. 240/2016, de 7 de abril de 2016, recurso núm. 1346/2012 (*Tol 5760061*).

STSJ de la Comunidad Valenciana núm. 150/2016, de 24 de febrero de 2016, recurso núm. 1521/2012 (*Tol 5759452*).

STSJ de Madrid núm. 424/2014, de 27 de marzo de 2014, recurso núm. 1072/2011 (*Tol 4497533*).

STSJ de la Comunidad Valenciana núm. 728/2013, de 28 de mayo de 2013, recurso núm. 030/2010 (*Tol 3884468*).

STSJ de Galicia, núm. 316/2012, de 30 de abril de 2012, recurso núm. 15562/2011 (*Tol 2542293*).

STSJ de Madrid núm. 1586/2008, de 10 de octubre de 2008, recurso núm. 2561/2004 (*Tol 1431535*).

Resolución TEAC núm. 00/849/2003 de 4 de junio de 2003 (*Tol 338507*).

Resolución TEAC núm. 00/2884/200315, de abril de 2004 (*Tol 1250842*).

Consulta vinculante DGT núm. V1375-15, de 30 de abril.

Consulta vinculante DGT núm. V1706-08, de 18 de septiembre.

Consulta vinculante DGT núm. V0407-04, de 13 de diciembre.

Bibliografía

[AAVV] dirigido por ALVENTOSA DEL RÍO J. y COBAS COBIELLA, M. E., *Derecho de sucesiones*, "Cap. VI: La liquidación del Impuesto sobre sucesiones", Tirant lo Blanch, 2017, pp. 1014 a 1016.

Formulario ISUC-6. COMUNICACIÓN DE INICIO DE JUICIO DE TESTAMENTARÍA O LITIGIO A EFECTOS DE LA SUSPENSIÓN DEL ARTÍCULO 69 RISD, EN RÉGIMEN DE DECLARACIÓN (SOLO PARA LAS COMUNIDADES AUTÓNOMAS QUE TIENEN PREVISTO ESTE RÉGIMEN DE PRESENTACIÓN) ANTES DE LA NOTIFICACIÓN DE LA LIQUIDACIÓN

1. ÓRGANO COMPETENTE

A LA ADMINISTRACIÓN TRIBUTARIA DE ..../ OFICINA LIQUIDADORA DE
....

2. ENCABEZAMIENTO

En .... a.............. de.............. de 20..............

COMPARECE/N:

D./Dª.............., con NIF ...., mayor de edad, vecino de ....,
calle .... nº ....–..............–.............. (código postal).

Etc.

Interviene en su propio nombre y/o en representación de:

D./Dª.............., con NIF ...., mayor de edad, vecino de ....,
calle .... nº ....–..............–.............. (código postal).

D./Dª.............., con NIF ...., mayor de edad, vecino de ....,
calle .... nº ....–..............–.............. (código postal).

Etc.

Acredita la representación mediante documento que se adjunta, en los términos del artículo 46 de la Ley 58/2003, de 17 de diciembre, General Tributaria.

Ante este órgano comparece/n, y como mejor proceda en Derecho,

3. EXPONE/N LOS SIGUIENTES HECHOS Y FUNDAMENTOS DE DERECHO

PRIMERO.– Ante esta Administración fue presentada la documentación correspondiente a la herencia de D./Dª ...., con NIF..............., cuyo fallecimiento se produjo en ...., el día............... de .... de ...., para que se efectuase la liquidación relativa al Impuesto sobre sucesiones y donaciones.

A la mencionada documentación se le asignó el siguiente número de expediente: ....

SEGUNDO.– A fecha de hoy, aún no se han notificado las liquidaciones del Impuesto sobre sucesiones.

TERCERO.– Con fecha .... de .... de .... se ha presentado una demanda [*para promover litigio o juicio voluntario de testamentaria/ para promover un procedimiento penal sobre la falsedad del testamento o del documento determinante de la transmisión hereditaria*], entre Don/Dª .... con NIF en su calidad de............... [posición alegada en la herencia] ..../ y Don/Dª............... en su calidad de .... [*posición alegada en la herencia*] ....

Se aporta copia de la demanda [*donde conste fecha presentación*].

CUARTO.– El artículo 69 del RISD dispone: "*1. Cuando, en relación a actos o contratos relativos a hechos imponibles gravados por el Impuesto sobre Sucesiones y Donaciones, se promueva litigio o juicio voluntario de testamentaría, se interrumpirán los plazos estableci-dos para la presentación de los documentos y declaraciones, empezando a contarse de nuevo desde el día siguiente a aquel en que sea firme la resolución definitiva que ponga término al procedimiento judicial.*

2. Cuando se promuevan después de haberse presentado en plazo el documento o la declaración, la Administración suspenderá la liquidación hasta que sea firme la resolución definitiva".

QUINTO.– Resultando de aplicación, al caso que nos ocupa, lo establecido en dicho precepto reglamentario, se solicita expresamente la interrupción de los plazos fijados para la presentación de los documentos y declaraciones, y que dicho plazo no comience a contar de nuevo hasta el día siguiente a aquel en que sea firme la resolución definitiva que ponga término al procedimiento judicial.

En su virtud,

4. SOLICITA/N

Que, teniendo por presentado este escrito y los documentos que lo acompañan, se sirva admitirlo, tenga por comunicada la presentación de la demanda [*para promover litigio o juicio voluntario de testamentaria/para promover un procedimiento penal sobre la falsedad del testamento o del documento determinante de la transmisión hereditaria*], y del que son parte D./Dª..............., y, en consecuencia, se considere interrumpido el plazo para liquidar el correspondiente Impuesto sobre sucesiones hasta la adquisición de firmeza de la resolución definitiva que ponga término al procedimiento judicial, o bien, en su caso, desde que todos los interesados desistieren del juicio promovido, lo cual será puesto en conocimiento de la Administración en plazo y forma.

En .... a .... de .... de ....

Fdo. El obligado tributario o su representante.

COMENTARIO

NORMATIVA

(1) Procedimiento
Artículo 8.1 y artículo 32 apartados 5, 6 y 7 LISD.
Artículo 80.3 RISD.

JURISPRUDENCIA Y DOCTRINA ADMINISTRATIVA

STS de 12 de marzo de 2015, recurso núm. *625/2013* (*Tol 4786303*).
Consulta vinculante DGT núm. V1375-15, de 30 de abril.

BIBLIOGRAFÍA

[AAVV] dirigido por ALVENTOSA DEL RÍO J. y COBAS COBIELLA, M. E., *Derecho de sucesiones*, "Cap. VI: La liquidación del Impuesto sobre sucesiones", Tirant lo Blanch, 2017, pp. 1014 a 1016.

Formulario ISUC-7. COMUNICACIÓN DE REANUDACIÓN DEL CÓMPUTO DEL PLAZO DE PRESENTACIÓN SUSPENDIDO POR JUICIO DE TESTAMENTARÍA O LITIGIO, EN VIRTUD DEL ARTÍCULO 69 RISD, RÉGIMEN DE AUTOLIQUIDACIÓN

1. ÓRGANO COMPETENTE

A LA ADMINISTRACIÓN TRIBUTARIA DE ..../ OFICINA LIQUIDADORA DE ....

2. ENCABEZAMIENTO

En .... a............... de............... de 20...............

COMPARECE/N:

D./Dª..............., con NIF ...., mayor de edad, vecino de ...., calle .... nº ....–...............–............... (código postal).

Etc.

Interviene en su propio nombre y/o en representación de:

D./Dª..............., con NIF ...., mayor de edad, vecino de ...., calle .... nº ....–...............–............... (código postal).

D./Dª..............., con NIF ...., mayor de edad, vecino de ...., calle .... nº ....–...............–............... (código postal).

Etc.

Acredita la representación mediante documento que se adjunta, en los términos del artículo 46 de la Ley 58/2003, de 17 de diciembre, General Tributaria.

Ante este órgano comparece/n, y como mejor proceda en Derecho,

3. EXPONE/N LOS SIGUIENTES HECHOS Y FUNDAMENTOS DE DERECHO

PRIMERO.– El .... de .... de .... se produjo el fallecimiento de D./Dª .... con NIF............... Se aporta copia del certificado de defunción.

SEGUNDO.– Con fecha .... de .... de .... se presentó una demanda *[para promover litigio o juicio voluntario de testamentaria/para promover un procedimiento penal sobre la falsedad del testamento o del documento determinante de la transmisión hereditaria]*, y del que son parte D./Dª .... con NIF en su calidad de............... *[posición alegada en la herencia]* .... / y D./Dª............... en su calidad de .... *[posición alegada en la herencia]* ....

TERCERO.– El artículo 69 del Real Decreto 1629/1991, de 8 de noviembre, por el que se aprueba el Reglamento del Impuesto sobre Sucesiones y Donaciones, dispone: "*1. Cuando, en relación a actos o contratos relativos a hechos imponibles gravados por el Impuesto sobre Sucesiones y Donaciones, se promueva litigio o juicio voluntario de testamentaría, se interrumpirán los plazos establecidos para la presentación de los documentos y declaraciones, empezando a contarse de nuevo desde el día siguiente a aquel en que sea firme la resolución definitiva que ponga término al procedimiento judicial.*

2. Cuando se promuevan después de haberse presentado en plazo el documento o la declaración, la Administración suspenderá la liquidación hasta que sea firme la resolución definitiva".

CUARTO.– Resultando de aplicación, al caso que nos ocupa, lo establecido en dicho precepto reglamentario, el............... de............... de..............., se solicitó expresamente la interrupción de los plazos fijados para la presentación de los documentos y declaraciones relativos al citado Impuesto sobre Sucesiones, aportando justificante de presentación de la demanda. Y también se solicitó a la Administración tributaria, en dicho escrito, que dicho plazo no comenzara a contar de nuevo hasta el día siguiente a aquel en que fuera firme la resolución definitiva que pusiese fin al procedimiento judicial.

Por tanto, contando desde el fallecimiento hasta la presentación de la demanda, han transcurrido .... días del plazo de presentación del Impuesto sobre sucesiones, habiendo quedado el mismo suspendido desde el .... de.............. de .... *(fecha de presentación de la demanda)*.

QUINTO.– El .... de .... de .... ha adquirido firmeza *[el auto de aprobación de las operaciones divisorias/la sentencia que ha puesto término al litigio en caso de oposición/el decreto de terminación del juicio promovido por desistimiento o acuerdo transaccional de las partes]*. Se aporta copia del documento, con justificante de la fecha de su notificación al Procurador, como documento número..............

Por tanto, y en aplicación del mismo precepto reglamentario, procede reanudar el plazo de presentación del Impuesto.

En su virtud,

4. SOLICITA/N

Que, teniendo por presentado este escrito y los documentos que lo acompañan, se sirva admitirlo, y tenga por comunicada en plazo y forma la finalización del juicio o litigio *[para promover litigio o juicio voluntario de testamentaria/para promover un procedimiento penal sobre la falsedad del testamento o del documento determinante de la transmisión hereditaria]*, y, en consecuencia, se considere reanudado el plazo de presentación de la correspondiente autoliquidación del Impuesto sobre sucesiones, a todos los efectos.

En .... a .... de .... de ....

Fdo. El obligado tributario o su representante.

COMENTARIO

Normativa

(1) Procedimiento
Artículo 69 RISD.

Jurisprudencia y Doctrina Administrativa

STS de 12 de marzo de 2015, recurso núm. 625/2013 (*Tol 4786303*).
STSJ de Madrid, núm. 556/2016, de 19 de mayo de 2016, recurso núm. 319/2014 (*Tol 5810582*).
STSJ de la Comunidad Valenciana núm. 240/2016, de 7 de abril de 2016, recurso núm. 1346/2012 (*Tol 5760061*).

STSJ de la Comunidad Valenciana núm. 150/2016, de 24 de febrero de 2016, recurso núm. 1521/2012 (*Tol 5759452*).

STSJ de Madrid núm. 424/2014, de 27 de marzo de 2014, recurso núm. 1072/2011 (*Tol 4497533*).

STSJ de la Comunidad Valenciana núm. 728/2013, de 28 de mayo de 2013, recurso núm. 030/2010 (*Tol 3884468*).

STSJ de Galicia, núm. 316/2012, de 30 de abril de 2012, recurso núm. 15562/2011 (*Tol 2542293*).

STSJ de Madrid núm. 1586/2008, de 10 de octubre de 2008, recurso núm. 2561/2004 (*Tol 1431535*).

Resolución TEAC núm. 00/849/2003 de 4 de junio de 2003 (*Tol 338507*).

Resolución TEAC núm. 00/2884/200315, de abril de 2004 (*Tol 1250842*).

Consulta vinculante DGT núm. V1375-15, de 30 de abril.

Consulta vinculante DGT núm. V1706-08, de 18 de septiembre.

Consulta vinculante DGT núm. V0407-04, de 13 de diciembre.

Bibliografía

[AAVV] dirigido por ALVENTOSA DEL RÍO J. y COBAS COBIELLA, M. E., *Derecho de sucesiones*, "Cap. VI: La liquidación del Impuesto sobre sucesiones", Tirant lo Blanch, 2017, pp. 1014 a 1016.

Formulario ISUC-8. COMUNICACIÓN DE REANUDACIÓN DEL CÓMPUTO DEL PLAZO DE PRESENTACIÓN SUSPENDIDO POR JUICIO DE TESTAMENTARÍA O LITIGIO, EN VIRTUD DEL ARTÍCULO 69 RISD, RÉGIMEN DE DECLARACIÓN.

1. ÓRGANO COMPETENTE

A LA ADMINISTRACIÓN TRIBUTARIA DE ..../ OFICINA LIQUIDADORA DE
....

2. ENCABEZAMIENTO

En .... a.............. de.............. de 20..............

COMPARECE/N:

D./Dª.............., con NIF ...., mayor de edad, vecino de ....,
calle .... nº ....–..............–.............. (código postal).

Etc.

Interviene en su propio nombre y/o en representación de:

D./Dª.............., con NIF ...., mayor de edad, vecino de ...., calle .... nº ....–..............–.............. (código postal).

D./Dª.............., con NIF ...., mayor de edad, vecino de ...., calle .... nº ....–..............–.............. (código postal).

Etc.

Acredita la representación mediante documento que se adjunta, en los términos del artículo 46 de la Ley 58/2003, de 17 de diciembre, General Tributaria.

Ante este órgano comparece/n, y como mejor proceda en Derecho,

3. EXPONE/N LOS SIGUIENTES HECHOS Y FUNDAMENTOS DE DERECHO

PRIMERO.– Ante esta Administración fue presentada la documentación correspondiente a la herencia de D./Dª ...., con NIF.............., cuyo fallecimiento se produjo en ...., el día.............. de .... de ...., para que se efectuase la liquidación relativa al Impuesto sobre sucesiones y donaciones.

A la mencionada documentación se le asignó el siguiente número de expediente: ....

SEGUNDO.– A fecha de hoy, aún no se han notificado las liquidaciones del Impuesto sobre sucesiones.

TERCERO.– Con fecha .... de .... de .... se presentó una demanda [para promover litigio o juicio voluntario de testamentaria/ para promover un procedimiento penal sobre la falsedad del testamento o del documento determinante de la transmisión hereditaria], entre Don/Dª .... con NIF en su calidad de.............. [posición alegada en la herencia] ..../ y Don/Dª.............. en su calidad de .... [posición alegada en la herencia] ....

Se aporta copia de la demanda [donde conste fecha presentación].

CUARTO.– El artículo 69 del Real Decreto 1629/1991, de 8 de noviembre, por el que se aprueba el Reglamento del Impuesto sobre Sucesiones y Donaciones, dispone: "1. Cuando, en relación a actos o contratos relativos a hechos imponibles gravados por el Impuesto sobre Sucesiones y Donaciones, se promueva litigio o juicio voluntario de testamentaría, se interrumpirán los plazos establecidos para la presentación de los documentos y declaraciones, empezando a contarse de nuevo desde el día siguiente a aquel en que sea firme la resolución definitiva que ponga término al procedimiento judicial.

2. Cuando se promuevan después de haberse presentado en plazo el documento o la declaración, la Administración suspenderá la liquidación hasta que sea firme la resolución definitiva".

QUINTO.– Resultando de aplicación, al caso que nos ocupa, lo establecido en dicho precepto reglamentario, el.............. de.............. de.............., se solicitó expresamente la interrupción de los plazos fijados para la presentación de los documentos y declaraciones relativos al citado Impuesto sobre Sucesiones, aportando justifcante de presentación de la demanda. Y también se solicitó a la Administración tributaria, en dicho escrito, que dicho plazo no comenzara a contar de nuevo hasta el día siguiente a aquel en que fuera firme la resolución definitiva que pusiese fin al procedimiento judicial...............

Por tanto, contando desde el fallecimiento hasta la presentación de la demanda, han transcurrido .... días del plazo de presentación del Impuesto sobre sucesiones, habiendo quedado el mismo suspendido desde el .... de.............. de .... (*fecha de presentación de la demanda*).

SEXTO.- El .... de .... de .... ha adquirido firmeza [*el auto de aprobación de las operaciones divisorias/la sentencia que ha puesto término al pleito en caso de oposición/el decreto de terminación del juicio promovido por desistimiento o acuerdo transaccional de las partes*]. Se aporta copia del documento, con justificante de la fecha de su notificación al Procurador, como documento número..............

Por tanto, y en aplicación del mismo precepto reglamentario, procede reanudar el plazo de presentación del Impuesto.

En su virtud,

4. SOLICITA/N

Que, teniendo por presentado este escrito y los documentos que lo acompañan, se sirva admitirlo, y tenga por comunicada, en plazo y forma, la finalización del juicio o litigio [*para promover litigio o juicio voluntario de testamentaria/para promover un procedimiento penal sobre la falsedad del testamento o del documento determinante de la transmisión hereditaria*], y, en consecuencia, se considere reanudado el plazo de presentación del Impuesto de sucesiones, y proceda a la confección y notificación de las liquidaciones que correspondan.

En .... a .... de .... de ....

Fdo. El obligado tributario o su representante.

COMENTARIO

Normativa

(1) Procedimiento
Artículo 8.1 y artículo 32 apartados 5, 6 y 7 LISD.
Artículo 80.3 RISD.

Jurisprudencia y Doctrina Administrativa

STS de 12 de marzo de 2015, recurso núm. 625/2013 (*Tol 4786303*).
Consulta vinculante DGT núm. V1375-15, de 30 de abril.

Bibliografía

[AAVV] dirigido por ALVENTOSA DEL RÍO J. y COBAS COBIELLA, M. E., *Derecho de sucesiones*, "Cap. VI: La liquidación del Impuesto sobre sucesiones", Tirant lo Blanch, 2017, pp. 1014 a 1016.

Formulario ISUC-9. DECLARACIÓN DE PÓLIZAS DE VIDA SUJETAS AL IMPUESTO DE SUCESIONES A EFECTOS DE SU AUTOLIQUIDACIÓN PARCIAL (Artículo 89 RISD), CON EL FIN DE COBRAR LAS INDEMNIZACIONES

1. ÓRGANO COMPETENTE

A LA ADMINISTRACIÓN TRIBUTARIA DE ..../ OFICINA LIQUIDADORA DE ....

2. ENCABEZAMIENTO

En .... a............... de............... de 20...............

COMPARECE/N:

[Beneficiarios de los seguros con independencia de que sean herederos o legatarios o no]:

D./Dº..............., con NIF ...., mayor de edad, vecino de ...., calle .... nº ....–...............–............... (código postal).

Etc.

Interviene en su propio nombre y/o en representación de:

D./Dº..............., con NIF ...., mayor de edad, vecino de ...., calle .... nº ....–...............–............... (código postal).

D./Dº..............., con NIF ...., mayor de edad, vecino de ...., calle .... nº ....–...............–............... (código postal).

Etc.

Acredita la representación mediante documento que se adjunta, en los términos del artículo 46 de la Ley 58/2003, de 17 de diciembre, General Tributaria.

Ante este órgano comparece/n y, como mejor proceda en Derecho,

3. EXPONE/N LOS SIGUIENTES HECHOS Y FUNDAMENTOS DE DERECHO

PRIMERO.– D./Dª ...., nacido el .... de .... de ....,
con NIF ...., falleció el .... de .... de .... —como se
acredita mediante certificado de defunción—.

El/la causante era vecino/a y residente desde hacía más de 5 años en
..............., estando ubicada su vivienda habitual en la calle .... nº
...............–...............–...............

SEGUNDO.– En el momento de su fallecimiento, el/la causante tenía suscritas las
siguientes PÓLIZAS DE VIDA (*se adjuntan certificados de las respectivas compañías
aseguradoras*).

TERCERO.– Todos los beneficiarios manifiestan su conformidad con la declaración y
autoliquidación parcial a cuenta de las pólizas de vida del causante.

En virtud de lo expuesto,

4. SOLICITA/N

Que tenga por presentado el presente documento de declaración parcial de pólizas
de vida del causante, junto con las correspondientes autoliquidaciones del Impuesto sobre
sucesiones devengados, y lo diligencie.

En .... a .... de .... de ....

Fdo. El obligado tributario o su representante.

COMENTARIO

(Válidos para este formulario y los siguientes sobre autoliquidaciones parciales
del Impuesto sobre sucesiones)

NORMATIVA

(1) Capacidad y legitimación
Artículo 5.c y 7 LISD.
Artículo 8.1.b) LISD y artículo 19.1.b) RISD sobre responsabilidad subsidiaria de las entidades
  aseguradoras.
(2) Procedimiento
Artículo 35 LISD.
Artículo 78 y 89 RISD.
(3) Fondo del asunto
Artículo 3.1.c), 7, 9, 24.1 y 32.5 LISD.
Artículo 39, 44.3, 91.5 RISD.

Jurisprudencia y Doctrina Administrativa

STSJ de la Comunidad Valenciana núm. 995/2011, de 21 de septiembre de 2011, Rec. núm. 3065/2008 (*Tol 2366779*).

STSJ de Extremadura núm. 919/2011, de 8 de noviembre de 2011, Rec. núm. *107/2010* (*Tol 2280707*).

Consulta vinculante DGT núm. V0607-05, de 11 de abril.

Consulta vinculante DGT: núm. V2299-05, de 14 de noviembre.

Consulta vinculante DGT núm. V0722-06, de 12 de abril.

Consulta vinculante DGT núm. V1636-06, de 31 de julio.

Consulta vinculante DGT núm. V0292-08, de 12 de febrero.

Consulta vinculante DGT núm. V2323-10, de 27 de octubre.

Bibliografía

PÉREZ-FADÓN MARTÍNEZ, J. J., "Impuesto sobre Sucesiones y Donaciones: Fiscalidad de los "trust" y de los seguros de vida", Carta tributaria. *Revista de opinión,* Nº 43, 2018.

[AAVV] dirigido por ALVENTOSA DEL RÍO J. y COBAS COBIELLA, M. E., "Derecho de sucesiones", *Cap. VI: La liquidación del Impuesto sobre sucesiones*, Tirant lo Blanch, 2017, pp. 913 a 917, 937 y 975.

Formulario ISUC-10. DECLARACIÓN DE PÓLIZAS DE VIDA SUJETAS AL IMPUESTO DE SUCESIONES A EFECTOS DE SU LIQUIDACIÓN PARCIAL (Artículo 78 RISD) CON EL FIN DE COBRAR LAS INDEMNIZACIONES

1. ÓRGANO COMPETENTE

A LA ADMINISTRACIÓN TRIBUTARIA DE ..../ OFICINA LIQUIDADORA DE ....

2. ENCABEZAMIENTO

En .... a.............. de.............. de 20..............

COMPARECE/N:

[Beneficiarios de los seguros con independencia de que sean herederos o legatarios o no]:

D./Dª.............., con NIF ...., mayor de edad, vecino de ...., calle .... nº ....–..............–.............. (código postal).

Etc.

Interviene en su propio nombre y/o en representación de:

D./Dª.............., con NIF ...., mayor de edad, vecino de ...., calle .... nº ....–..............–.............. (código postal).

D./Dª.............., con NIF ...., mayor de edad, vecino de ...., calle .... nº ....–..............–.............. (código postal).

Etc.

Acredita la representación mediante documento que se adjunta, en los términos del artículo 46 de la Ley 58/2003, de 17 de diciembre, General Tributaria.

Ante este órgano comparece/n y, como mejor proceda en Derecho,

3. EXPONE/N LOS SIGUIENTES HECHOS Y FUNDAMENTOS DE DERECHO

PRIMERO.– D./Dª ...., nacido el .... de .... de ...., con NIF ...., falleció el .... de .... de .... —como se acredita mediante certificado de defunción—.

El/la causante era vecino/a y residente desde hacía más de 5 años en ...., estando ubicada su vivienda habitual en la calle .... nº ....–..............–...............

SEGUNDO.– En el momento de su fallecimiento, el/la causante tenía suscritas las siguientes POLIZAS DE VIDA (*se adjuntan certificados de las respectivas compañías aseguradoras*)

Etc.

TERCERO.– Todos los beneficiarios manifiestan su conformidad con la declaración parcial de las pólizas de vida del causante.

En virtud de lo expuesto,

4. SOLICITO

Que tenga por presentado el presente documento de declaración parcial de pólizas de vida del causante y lo diligencie, y proceda a practicar liquidación parcial del Impuesto sobre sucesiones devengado para cada uno de los beneficiarios, de conformidad con lo dispuesto en el artículo 78 del Real Decreto 1629/1991, de 8 de noviembre, por el que se aprueba el Reglamento del Impuesto sobre Sucesiones y Donaciones.

En .... a .... de .... de ....

Fdo. El obligado tributario o su representante.

Formulario ISUC-11. DECLARACIÓN DE CRÉDITOS, HABERES DEVENGADOS, BIENES, VALORES, EFECTOS O DINERO A EFECTOS DE SU AUTOLIQUIDACIÓN PARCIAL CON EL FIN DE DISPONER DE ELLOS (Artículo 89 RISD), EN HERENCIA TESTADA

1. ÓRGANO COMPETENTE

A LA ADMINISTRACIÓN TRIBUTARIA DE ..../ OFICINA LIQUIDADORA DE ....

2. ENCABEZAMIENTO

En .... a.............. de.............. de 20..............

COMPARECE/N:

[Beneficiarios de los seguros con independencia de que sean herederos o legatarios o no]:

D./Dª.............., con NIF ...., mayor de edad, vecino de ...., calle .... nº ....–..............–.............. (código postal).

Etc.

Interviene en su propio nombre y/o en representación de:

D./Dª.............., con NIF ...., mayor de edad, vecino de ...., calle .... nº ....–..............–.............. (código postal).

D./Dª.............., con NIF ...., mayor de edad, vecino de ...., calle .... nº ....–..............–.............. (código postal).

Etc.

Acredita la representación mediante documento que se adjunta, en los términos del artículo 46 de la Ley 58/2003, de 17 de diciembre, General Tributaria.

Ante este órgano comparece, y como mejor proceda en Derecho,

3. EXPONGO LOS SIGUIENTES HECHOS Y FUNDAMENTOS DE DERECHO

PRIMERO.– D./Dª ...., nacido el .... de .... de ...., con NIF ...., falleció el .... de .... de .... —como se acredita mediante certificado de defunción—, habiendo otorgado su último testamento el ....de.............. de ...., ante el/la Notario/a de ...., D./Dª

……………, con número de su protocolo. Se adjunta copia del testamento y certificado del Registro General de Actos de Última voluntad.

El/la causante era vecino/a y residente desde hacía más de 5 años en ……………, estando ubicada su vivienda habitual en la calle …………… nº ……………‒……………‒…………….

SEGUNDO.‒ En el momento de su fallecimiento D/Dª…………… *[estaba casado/a en régimen de gananciales/separación de bienes, con D./Dª……………, de cuyo matrimonio dejó …………… hijos/as llamados/as ……………, …………… y ……………, tal como se acredita mediante copia del Libro de familia, que se adjunta al presente documento, se encontraba en estado de soltero/viudo/a sin descendientes conocidos/se encontraba en ……………].*

TERCERO.‒ En el citado testamento, el/la causante dispuso que ……………

En consecuencia, las cuotas hereditarias resultantes sobre la herencia del/de la causante son las siguientes:

A D./Dª …………… le corresponde una cuota del ……………% en usufructo/nuda propiedad/ pleno dominio

A D./Dª …………… le corresponde una cuota del ……………% en usufructo/nuda propiedad/ pleno dominio

A D./Dª …………… le corresponde una cuota del ……………% en usufructo/nuda propiedad/ pleno dominio

……………Etc.

CUARTO.‒ En el momento de su fallecimiento, el/la causante era titular de los siguientes bienes particularmente líquidos *[inventariar todos los créditos, haberes devengados, bienes, valores, efectos o dinero en efectivo que tuviera el/la causante en la fecha de fallecimiento]:*

……………

Etc.

Se aportan certificados de las respectivas entidades, acreditando la titularidad y el valor de los bienes y derechos inventariados en la fecha del devengo del Impuesto sobre sucesiones.

QUINTO.‒ Todos los beneficiarios/as manifiestan su conformidad con la declaración y autoliquidación parcial a cuenta de los bienes especialmente líquidos de la herencia del/ de la causante.

En virtud de lo expuesto,

4. SOLICITO

Que tenga por presentado el presente documento de declaración parcial de créditos, haberes devengados, bienes, valores, efectos o dinero en efectivo del/de la causante, junto con las correspondientes autoliquidaciones del Impuesto sobre sucesiones devengados, y lo diligencie.

En .... a .... de .... de ....

Fdo. El obligado tributario o su representante

COMENTARIO

Normativa

(1) Capacidad y legitimación
Artículo 5.a LISD.
Artículo 8.1 LISD y artículo 19.1 RISD sobre responsabilidad subsidiaria de las entidades depositarias.
(2) Procedimiento
Artículo 35 LISD.
Artículo 78 y 89 RISD.
(3) Fondo del asunto
Artículo 3.1.a), 7, 9, 24.1 y 32.4 LISD.
Artículo 91.4 RISD.

Jurisprudencia y Doctrina Administrativa

Consulta vinculante DGT núm. V1600-08, de 29 de julio.

Formulario ISUC-12. DECLARACIÓN DE CRÉDITOS, HABERES DEVENGADOS, BIENES, VALORES, EFECTOS O DINERO, A EFECTOS DE SU LIQUIDACIÓN PARCIAL (Artículo 78 RISD), CON EL FIN DE DISPONER DE ELLOS, EN HERENCIA TESTADA

1. ÓRGANO COMPETENTE

A LA ADMINISTRACIÓN TRIBUTARIA DE ..../ OFICINA LIQUIDADORA DE
....

2. ENCABEZAMIENTO

En .... a............... de............... de 20...............

D./Dª............., con NIF ...., mayor de edad, vecino de ...., calle .... nº ....–...............–............... (código postal).

Etc.

Interviene en su propio nombre y/o en representación de:

D./Dª............., con NIF ...., mayor de edad, vecino de ...., calle .... nº ....–...............–............... (código postal).

D./Dª............., con NIF ...., mayor de edad, vecino de ...., calle .... nº ....–...............–............... (código postal).

Etc.

Acredita la representación mediante documento que se adjunta, en los términos del artículo 46 de la Ley 58/2003, de 17 de diciembre, General Tributaria.

Ante este órgano comparece, y como mejor proceda en Derecho,

3. EXPONGO LOS SIGUIENTES HECHOS Y FUNDAMENTOS DE DERECHO

PRIMERO.– D./Dª ...., con NIF ...., falleció el .... de .... de .... —como se acredita mediante certificado de defunción—, habiendo otorgado su último testamento el día ....de............... de ...., ante el Notario de ...., D./Dª, con número de su protocolo .... Se adjunta copia del testamento y certificado del Registro General de Actos de Última voluntad.

El/la causante era vecino y residente desde hacía más de 5 años en ...., estando ubicada su vivienda habitual en la calle .... nº ....–...............–...............

SEGUNDO.– En el momento de su fallecimiento D/Dª............... *[estaba casado/a en régimen de gananciales con D./Dª..............., de cuyo matrimonio dejó .... hijos/as, llamados/as .... y ...., tal como se acredita mediante copia del Libro de familia, que se adjunta al presente documento/se encontraba en estado de soltero/viudo sin descendientes conocidos/se encontraba en ....].*

TERCERO.– En el citado testamento, el/la causante dispuso que ....

En consecuencia, las cuotas hereditarias resultantes sobre la herencia del/de la causante son las siguientes:

A D./Dª .... le corresponde una cuota del ....% en usufructo/nuda propiedad/ pleno dominio

A D./Dª .... le corresponde una cuota del ....% en usufructo/nuda propiedad/ pleno dominio

A D./Dª .... le corresponde una cuota del ....% en usufructo/nuda propiedad/ pleno dominio

Etc.

CUARTO.– En el momento de su fallecimiento, el/la causante era titular de los siguientes bienes particularmente líquidos [*inventariar todos los créditos, haberes devengados, bienes, valores, efectos o dinero en efectivo que tuviera el/la causante en la fecha de fallecimiento*]:

....

Se aportan certificados de las respectivas entidades, que acreditan la titularidad y el valor de los bienes y derechos inventariados en la fecha del devengo del Impuesto sobre sucesiones.

QUINTO.– Todos los beneficiarios/as manifiestan su conformidad con la declaración parcial a cuenta de los bienes especialmente líquidos de la herencia del/de la causante, a efectos de su liquidación a cuenta del Impuesto sobre sucesiones total devengado.

En virtud de lo expuesto,

4. SOLICITO

Que, teniendo por presentado este escrito, con los documentos que lo acompañan, se sirva admitirlo, tenga por comunicada la declaración parcial de créditos, haberes devengados, bienes, valores, efectos o dinero en efectivo del/de la causante, y proceda a practicar liquidación parcial del Impuesto sobre sucesiones devengado a cada uno de los beneficiarios desglosados en este escrito, de conformidad con lo dispuesto en el artículo 78 del Real Decreto 1629/1991, de 8 de noviembre, por el que se aprueba el Reglamento del Impuesto sobre Sucesiones y Donaciones.

En .... a .... de .... de ....

Fdo. El obligado tributario o su representante.

Formulario ISUC-13. DECLARACIÓN DE CONSOLIDACIÓN DE DOMINIO EN EL NUDO PROPIETARIO (Artículo 26 LISD y artículos 49, 50 y 51 RISD) POR FALLECIMIENTO DEL USUFRUCTUARIO. TÍTULO DEL DESMEMBRAMIENTO Y DE CONSOLIDACIÓN: HERENCIA

1. ÓRGANO COMPETENTE

A LA ADMINISTRACIÓN TRIBUTARIA DE ..../ OFICINA LIQUIDADORA DE ....

2. ENCABEZAMIENTO

En .... a............... de............... de 20...............

D./Dª..............., con NIF ...., mayor de edad, vecino de ...., calle .... n° ....–...............–............... (código postal).

Etc.

Interviene en su propio nombre y/o en representación de:

D./Dª..............., con NIF ...., mayor de edad, vecino de ...., calle .... n° ....–...............–............... (código postal).

D./Dª..............., con NIF ...., mayor de edad, vecino de ...., calle .... n° ....–...............–............... (código postal).

Etc.

Acredita la representación mediante documento que se adjunta, en los términos del artículo 46 de la Ley 58/2003, de 17 de diciembre, General Tributaria.

Ante este órgano comparece, y como mejor proceda en Derecho,

3. EXPONGO LOS SIGUIENTES HECHOS Y FUNDAMENTOS DE DERECHO

PRIMERO.– Que D./Dª .... es/son cotitular/titulares —en la proporción, y, por el título que se indica a continuación— de la nuda propiedad de los siguientes bienes:...............

SEGUNDO.– Dicha nuda propiedad fue adquirida por herencia, como consecuencia del fallecimiento de D./Dª ...., acaecido el .... de .... de ...., tal como se acredita aportando el documento de manifestación y adjudicación de herencia, correspondiendo el usufructo vitalicio a D/Dª............... Dicha herencia fue presentada en la Oficina Liquidadora de ...., asignándole el número de expediente ....

TERCERO.– Como consecuencia del fallecimiento de D/Dª............... [*usufructuario*], acaecido el .... de .... de..............., se ha producido la consolidación del dominio sobre los bienes descritos.

En virtud de lo expuesto,

4. SOLICITO

Que, teniendo por presentado este escrito, con los documentos que lo acompañan, se sirva admitirlo, tenga por comunicada la consolidación del dominio de las fincas descritas a los efectos de que se proceda a la cancelación registral del derecho de usufructo que sobre ellas recae.

En .... a .... de .... de ....

Fdo. El obligado tributario o su representante

5. DOCUMENTACIÓN QUE SE APORTA

a) DNI del fallecido usufructuario y de los nudos propietarios (fotocopia por ambas caras).

b) Certificado de defunción.

c) Copia del título previo por el que el causante adquirió el usufructo.

d) Autoliquidaciones, modelos 650, dado que el usufructo se adquirió por herencia.

e) Si la herencia del desmembramiento se presentó en otra Comunidad Autónoma, copia de los modelos de autoliquidaciones que presentaron, en su día, los nudos propietarios, a efectos de acreditación del valor incluido y del tipo medio aplicado.

COMENTARIO

Normativa

(1) Procedimiento

Artículo 49, 50 y 51.4 y 5 RISD.

Artículo 67.1.a) RISD sobre el plazo de presentación.

(2) Fondo del asunto

Artículo 513, 521, 834, 837 a 840 CC.

Artículo 192 del Reglamento Hipotecario.

Artículo 26.c y e LISD.

Artículo 51 RISD.

Jurisprudencia y Doctrina Administrativa

STS de 27 de julio de 2020, recurso núm. 7380/2018 *(Tol 8037312),* sobre la tributación de la atribución a herederos de bienes en pleno dominio en pago de la nuda propiedad que le correspondía por el título hereditario.

STS de 10 de junio de 2020, recurso núm. 4870/2017 *(Tol 7969793).*

STS núm. *1887/2016,* de 20 de julio de 2016, recurso nº 3262/2015 *(Tol 5785209).*

Consulta vinculante DGT núm. V-4732-16.

Consulta vinculante DGT núm. V-4597-16.

Consulta vinculante DGT núm. V-3010-16.

Consulta vinculante DGT núm. V-286-16.
Consulta vinculante DGT núm. V-1070-16.
Consulta vinculante DGT núm. V-1034-16.

BIBLIOGRAFÍA

DEL AMO GALÁN, O., "Extinción del usufructo y consolidación del dominio" Carta tributaria. *Revista de opinión*, nº 17-18, 2016, pp. 38 a 42.

GARCÍA SPÍNOLA, L., *La fiscalidad de la consolidación de dominio en el nudo propietario por causa de fallecimiento*, El notario del siglo XXI: revista del Colegio Notarial de Madrid, nº 81, 2018, pp. 172-175.

[AAVV] dirigido por ALVENTOSA DEL RÍO J. y COBAS COBIELLA, M. E., "Derecho de sucesiones," *Cap. VI: La liquidación del Impuesto sobre sucesiones*, Tirant lo Blanch, 2017, pp. 918 a 921, 992 a 993.

Formulario ISUC-14. DOCUMENTO PRIVADO DE MANIFESTACIÓN Y ADJUDICACIÓN DE HERENCIA TESTADA CON PREVIA DISOLUCIÓN DE SOCIEDAD DE GANANCIALES (HEREDEROS: VIUDO/A E HIJOS/AS; SIN LEGADOS NI EXCESOS DE ADJUDICACIÓN)

1. ÓRGANO COMPETENTE

A LA ADMINISTRACIÓN TRIBUTARIA DE ..../ OFICINA LIQUIDADORA DE ....

2. ENCABEZAMIENTO

DOCUMENTO PRIVADO DE MANIFESTACIÓN Y ADJUDICACIÓN DE LA HERENCIA DE DON/Dª..............., PREVIA LIQUIDACIÓN DE SU SOCIEDAD DE GANANCIALES

En .... a............... de............... de 20...............

COMPARECEN:

D./Dª..............., con NIF ...., mayor de edad, vecino de ...., calle .... nº ....–...............–............... (código postal).

D./Dª..............., con NIF ...., mayor de edad, vecino de ...., calle .... nº ....–...............–............... (código postal).

Y D./Dª..............., con NIF ...., mayor de edad, vecino de ...., calle .... nº ....–...............–............... (código postal).

Intervienen en su propio nombre y derecho, comparecen, y como mejor proceda en Derecho

3. EXPONGO LOS SIGUIENTES HECHOS Y FUNDAMENTOS DE DERECHO

PRIMERO.- D./Dª ...., nacido el .... de .... de ...., con NIF ...., falleció el .... de .... de .... —como se acredita mediante certificado de defunción—, habiendo otorgado su último testamento el ....de.............. de..............., ante el Notario de ...., D./ Dª..............., con número de su protocolo .... Se adjunta copia del testamento y certificado del Registro General de Actos de Última voluntad.

El/la causante era vecino/a y residente el mayor número de días durante los últimos 5 años en ...., estando ubicada su vivienda habitual en la calle .... nº ....−...............−...............

SEGUNDO.- En el momento de su fallecimiento D/Dª...............estaba casado/a en régimen de gananciales con D./Dª..............., de cuyo matrimonio dejó .... hijos/as llamados/as .... y ...., tal como se acredita mediante copia del Libro de familia, que se adjunta al presente documento.

TERCERO.- En el citado testamento el/la causante *[lega a su esposa/o el usufructo universal vitalicio de todos sus bienes y derechos, y, en el remanente, nombró a sus............... hijos/as herederos universales por partes iguales, con derecho de sustitución de sus descendientes en caso de premoriencia o renuncia.]*

CUARTO.- INVENTARIO Y AVALÚO

En el momento del fallecimiento, el patrimonio de D./Dª..............., estaba compuesto exclusivamente por los siguientes bienes:

I. *BIENES DE CARÁCTER PRIVATIVO:*

[INVENTARIO BIENES: INMUEBLES CON DESCRIPCIÓN REGISTRAL Y CATASTRAL; SALDOS BANCARIOS Y PRODUCTOS FINANCIEROS; BIENES MUEBLES, DINERO EN EFECTIVO...............]

1. ....
2. ....
3. ....

Se adjuntan las siguientes acreditaciones de titularidad del/de la causante de los bienes descritos en la fecha de fallecimiento: *[certificados expedidos por las entidades bancarias/depositarias de los saldos existentes en productos financieros/activos financieros depositados en la fecha del fallecimiento del/de la causante; certificaciones de dominio de los inmuebles; documentación de los vehículos; etc...............]*

II. *DEUDAS/GARGAS PRIVATIVAS:*

[INVENTARIO DE DEUDAS DEL/DE LA CAUSANTE Y CARGAS SOBRE BIENES DEL/ DE LA CAUSANTE, DE CARÁCTER PRIVATIVO]

Por tanto, el valor del patrimonio privativo del/de la causante, una vez deducidas del activo las deudas y cargas, asciende a .... euros.

III. *BIENES DE CARÁCTER GANANCIAL:*

[INVENTARIO BIENES: INMUEBLES CON DESCRIPCIÓN REGISTRAL Y CATASTRAL; SALDOS BANCARIOS Y PRODUCTOS FINANCIEROS; BIENES MUEBLES]

Se adjunta el certificado expedido por la entidad bancaria de los saldos existentes en la fecha del fallecimiento del/de la causante y las certificaciones que acreditan la titularidad de los bienes inmuebles o muebles.

Ascienden el total valor de los bienes inventariados a .... euros.

IV. *DEUDAS/GARGAS GANANCIALES:*

[INVENTARIO DE DEUDAS DEL/DE LA CAUSANTE Y CARGAS SOBRE BIENES DEL/DE LA CAUSANTE, DE CARÁCTER GANANCIAL]

Por tanto, el valor del patrimonio ganancial, una vez deducido del activo las deudas y cargas, asciende a .... euros.

Como conclusión, y, con carácter previo a la manifestación de la herencia, procede la liquidación de la sociedad de gananciales, resultando para cada cónyuge un derecho frente al patrimonio ganancial de la mitad del patrimonio ganancial, lo cual asciende a .... euros.

Se valora el AJUAR DOMÉSTICO del causante a efectos del Impuesto sobre sucesiones en la cantidad de .... euros *[3% del caudal relicto, menos el 3% del valor catastral de la vivienda habitual en caso de estar incluida la misma dentro de los bienes de la herencia y exista cónyuge supérstite, ponderando si la vivienda es privativa o ganancial del/de la causante y que se adjudique por herencia]*

En consecuencia, la MASA HEREDITARIA de D./Dª.............., queda valorada en ....euros.

[Debe tenerse en cuenta la doctrina fijada por la Sentencia del Tribunal Supremo, de 10/03/2020, Nº de Recurso: 4521/2017, en la que se establece que:

"En conclusión, la doctrina que debemos formar para esclarecer la interpretación procedente del artículo 15 LISD es la siguiente:

1.- El ajuar doméstico comprende el conjunto de bienes muebles afectos al servicio de la vivienda familiar o al uso personal del causante, conforme a las descripciones que contiene el artículo 1321 del Código Civil, en relación con el artículo 4, Cuatro de la LIP, interpretados ambos en relación con sus preceptos concordantes, conforme a la realidad social, en un sentido actual.

2.- En concreto, no es correcta la idea de que el tres por ciento del caudal relicto que, como presunción legal, establece el mencionado artículo 15 LISD, comprenda la totalidad de los bienes de la herencia, sino sólo aquéllos que puedan afectarse, por su identidad, valor y función, al uso particular o personal del causante, con exclusión de todos los demás.

3.– Las acciones y participaciones sociales, por no integrarse, ni aun analógicamente, en tal concepto de ajuar doméstico, por amplio que lo configuremos, no pueden ser tomadas en cuenta a efectos de aplicar la presunción legal del 3 por ciento.

4.– El contribuyente puede destruir tal presunción haciendo uso de los medios de prueba admitidos en Derecho, a fin de acreditar, administrativa o judicialmente, que determinados bienes, por no formar parte del ajuar doméstico, no son susceptibles de inclusión en el ámbito del 3 por 100, partiendo de la base de que tal noción sólo incluye los bienes muebles corporales afectos al uso personal o particular, según el criterio que hemos establecido.

En particular, no está necesitada de prueba la calificación de los bienes por razón de su naturaleza, que la Administración debe excluir. En otras palabras, sobre el dinero, títulos, los activos inmobiliarios u otros bienes incorporales no se necesita prueba alguna a cargo del contribuyente, pues se trata de bienes que, en ningún caso, podrían integrarse en el concepto jurídico fiscal de ajuar doméstico, al no guardar relación alguna con esta categoría)".

QUINTO.– ACEPTACIÓN Y ADJUDICACIONES

Todos los otorgantes del presente documento, en su calidad de únicos herederos/as del causante, declaran aceptar la herencia de D./Dª...............

I. *ADJUDICACIONES EN FAVOR DEL CÓNYUGE VIUDO/A*

De acuerdo con la disposición testamentaria y las normas de lo sucesión, corresponde al viudo/la viuda, D./Dª...............:

– En pago de su mitad de gananciales, que asciende a ....euros, se le adjudican los siguientes bienes:

1. ....

2. ....

3. ....

Iguala su derecho y queda pagada.

– En pago de sus derechos hereditarios, le corresponde el legado del usufructo universal de la herencia, el cual acatan todos los otros herederos. Dada su edad en el momento del fallecimiento del causante —............... años— el usufructo queda valorado en el ....% del caudal relicto; es decir, ... euros. En pago de dicha parte, se le adjudica:...............

1. ....

2. ....

3. ....

Iguala su haber y queda pagado/a.

II. *ADJUDICACIONES DE LOS HIJOS/LAS HIJAS*

De acuerdo con lo expuesto en el testamento y en la partición que se está realizando, corresponde a cada uno de los hijos/las hijas el remanente de la herencia, que equivale a una cuota hereditaria del...............% del caudal relicto, en pago de la cual se les adjudican los siguientes bienes:

...............A D./Dª..............., ...

1. ....

2. ....

3. ....

Iguala su haber y queda pagado/a.

A D./Dª..............., ...

1. ....

2. ....

3. ....

Iguala su haber y queda pagado/a.

SEXTO.– MANIFESTACIONES FISCALES

Todos los herederos/as declaran que su patrimonio en el momento del devengo es inferior a 390.657,87 euros *(si alguno/s tienen un patrimonio superior a esta cuantía se debe identificar e indicar la cuantía de su patrimonio).*

Todos los otorgantes tienen derecho a la reducción por parentesco vigente en el momento del fallecimiento del/de la causante, regulada en el artículo .... *[Norma aplicable, estatal o autonómica...............]* por estar incluidas en el Grupo II de parentesco con el/la causante.

[Otras reducciones: Asimismo, los otorgantes declaran cumplir los requisitos para beneficiarse de las siguientes reducciones: la reducción por adquisición de la vivienda habitual del causante, etc.]

De conformidad con el Real Decreto 398/2007, de 23 de marzo, por el que se desarrolla la Ley 120/2005, de 14 de noviembre, los otorgantes hacen constar que, con anterioridad a la firma del presente documento, han solicitado el certificado del Registro general de Seguros de cobertura de fallecimiento —que se adjunta— en el que se acredita que el/la causante no había suscrito ningún seguro con esta cobertura.

[Comunidad Valenciana: De conformidad con la Disposición adicional cuarta de la Ley 13/1997, de 23 de diciembre, de la Generalitat, por la que se regula el tramo autonómico del Impuesto sobre la Renta de las Personas Físicas y restantes tributos cedidos, en la redacción dada por el Decreto Ley 4/2013, de 2 de agosto, del Consell, por el que se establecen medidas urgentes para la reducción del déficit público y la lucha contra el fraude fiscal en la Comunitat Valenciana, se adjuntan —junto con la autoliquidación del Impuesto—, la acreditación de los movimientos en el año anterior a la fecha de fallecimiento del causante de las cuentas corrientes de las que era titular.]

SÉPTIMO.– MANDATO DE GESTIÓN

Los/las comparecientes autorizan y otorgan MANDATO DE GESTIÓN expreso a favor de Don/Dª.............. con NIF..............., con domicilio profesional en la .... de .... para que, en su nombre y representación, pueda presentar el presente documento a todos los efectos legales ante cualquier Administración, y realizar todas las gestiones y declaraciones administrativas que correspondan en relación con los actos que se contienen en el mismo, así como con cualquier otro documento que haya podido formalizarse con carácter previo o se suscriban con posterioridad, ya sean novatorios o subsanatorios, relacionados con la herencia declarada. Todo ello, en orden a comunicar a las Administraciones Públicas implicadas los datos necesarios para que se entiendan cumplidas todas las obligaciones tributarias derivadas de la defunción del/de la causante.

Igualmente queda facultado para atender requerimientos, presentar alegaciones y recursos y, en general, comunicarse o dirigirse ante las Administraciones implicadas a efectos de defender los derechos de los otorgantes.

OCTAVO.– OTORGAMIENTO

En virtud de las manifestaciones realizadas, por el presente documento los comparecientes aceptan la herencia de Don/Dª..............., y, en los términos expuestos en los antecedentes, dejan formalizadas las operaciones de inventario, avalúo, disolución de la sociedad de gananciales del causante con su viuda/o, división y adjudicación de la herencia del citado causante, dándose por satisfechos y pagados con las adjudicaciones realizadas, manifestando que no tienen conocimiento de que existan más bienes ni derechos, ni deudas del causante.

En virtud de lo expuesto,

4. SOLICITA/N

Que se tenga por presentado el presente documento de manifestación y adjudicación de herencia en forma y plazo, con toda la documentación necesaria, a efectos del Impuesto sobre sucesiones devengado.

En .... a .... de .... de ....

Fdo. El/los obligados tributarios

5. DOCUMENTACIÓN A APORTAR

(*Consultar en la Administración competente sobre la herencia*)

Documentación general:

– En los supuestos en que el sujeto pasivo no haya realizado previamente operaciones con trascendencia tributaria en España, autorización cumplimentada para el acceso a los datos personales de identidad o, en su defecto, original del NIF o NIE.

– Certificado de defunción del/de la causante y su copia.

– Certificado del Registro general de actos de última voluntad y su copia.

– Copia autorizada del testamento, o en su defecto, testimonio de declaración de herederos o acta de notoriedad o relación de los presuntos herederos con expresión del parentesco con el fallecido, y su copia.

– Relación del patrimonio preexistente de los sujetos pasivos a la fecha del devengo. Cuando el patrimonio sea inferior a 390.657,87 euros, así como cuando sea superior a 3.936.629,28 euros, bastará con presentar un escrito en el que se declare esta circunstancia.

Documentación a aportar, siempre que se declaren en la herencia:

a) En el caso de aplicación de beneficios fiscales asociados al parentesco o discapacidad:

– Original y copia del Libro de familia o certificado literal de nacimiento.

– Original y copia del certificado en que se indique el grado de minusvalía que padece el interesado, expedido por el órgano competente.

– Original y copia del título de adquisición por el causante de los bienes inmuebles incluidos en la sucesión.

b) Otros

– Ejemplar de los contratos de seguro concertados por el/la causante o certificación expedida por la entidad aseguradora en el caso del seguro colectivo, aun cuando hubieran sido objeto, con anterioridad, de liquidación parcial a cuenta por pólizas de seguro.

– Copia de la documentación de cada vehículo (ficha técnica y permiso de circulación) correspondiente a los vehículos incluidos en la sucesión.

– Original y copia de la justificación documental de las cargas, gravámenes, deudas y gastos cuya deducción se solicite.

– Justificación documental del valor teórico de las participaciones en el capital de entidades jurídicas cuyos títulos no coticen en Bolsa.

– Justificación documental de los saldos de cuentas en entidades financieras.

– En algunas Comunidades Autónomas, y para ciertos grupos de parentesco —normalmente III y IV— (consultar), documentación acreditativa en la que consten los movimientos efectuados hasta un año antes del fallecimiento respecto de cada uno de los bienes que se indican a continuación, de los que fuera titular el causante en el año natural anterior a su fallecimiento:

• Depósitos en cuenta corriente o de ahorro, a la vista o a plazo, cuentas financieras y otros tipos de imposiciones en cuenta.

• Deuda ....pública, obligaciones, bonos ....y ....demás ....valores ....equivalentes, negociados ....en ....mercados organizados.

• Acciones y participaciones en el capital social o en el fondo patrimonial de Instituciones de Inversión Colectiva (Sociedades y Fondos de Inversión), negociadas en mercados organizados.

• Acciones y participaciones en el capital social o en los fondos propios de cualesquiera otras entidades jurídicas, negociadas en mercados organizados.

COMENTARIO

NORMATIVA

(1) Procedimiento
Artículos 31y 34 LISD.
Artículos 48, 64 a 67 RISD.
(2) Fondo del asunto
Artículo 609, Título III, CC.
Artículos 3.1.a, 5.a y 9.a) LISD.
Artículos 10.1.a, 11 y 16 RISD.

JURISPRUDENCIA Y DOCTRINA ADMINISTRATIVA

STS de 10 de marzo de 2020, recurso núm. 4521/2017 *(Tol 7969679)*
SSTS de 19 de mayo de 2020, recurso núm. 490/2020 y 499/2020 *(Tol 8535685)*
STS de 24 de junio de 2021, recurso núm. 8000/2019 *(Tol 8511313)*
STS de 5 de junio de 2018, recurso núm. 1358/2017 *(Tol 6640058)*.
STS de 20 de julio de 2016, recurso núm. 790/2015 *(Tol 5781842)*.
STS de 3 de diciembre de 2012, recurso núm. 596/2011 *(Tol 2709539)*.
STS de 26 de octubre de 2012, recurso núm. 6745/2009 *(Tol 2675375)*.
STS de 12 de mayo de 2011, recurso núm. 6321/2008 *(Tol 2138127)*.
STS de 17 de febrero de 2011, recurso núm. 2124/06 *(Tol 2068546)*.
STS de 23 de septiembre de 2010, recurso núm. 6794/2005 *(Tol 1978070)*.
STS de 18 de marzo de 2009, recurso núm. 6739/2004 *(Tol 1490787)*.
STS de 28 de julio de 2001, recurso núm. 5309/1996 *(Tol 230722)*.
STS de 3 de diciembre de 1999, recurso núm. 2282/1995 *(Tol 1699901)*.
SAN de 12 de marzo de 2015, recurso núm. 164/2013 *(Tol 4817768)*.
SAN núm. 283/2016 de 12 de mayo de 2016, recurso núm. 327/2014 *(Tol 5769902)*.
STSJ de Cataluña, núm. 73/2016, de 1 de febrero de 2016, recurso núm. 392/2013 *(Tol 5684437)*.
STSJ de Andalucía, sede en Málaga, núm. 2930/2015, de 30 de diciembre de 2015, recurso núm. 649/2013 *(Tol 5723057)*.
STSJ de Andalucía, sede en Málaga, núm. 2936/2015, de 30 de diciembre de 2015, recurso núm. 639/2014 *(Tol 5723450)*.
STSJ de Cataluña núm. 705/2015, de 13 de mayo de 2015, recurso núm. 524/2013 *(Tol 5563509)*.
STSJ de Andalucía, sede en Granada, núm. 56/2011, de 7 de febrero de 2011, recurso núm. 488/2004 *(Tol 2148741)*.
STSJ de Castilla-León sede en Burgos, núm. 479/2011, de 14 de noviembre de 2011, recurso núm. 381/2010 *(Tol 2290867)*.

STSJ de Andalucía, sede en Sevilla, de 3 de febrero de 2011, recurso núm. 1034/2009 (*Tol 21273969*).

STSJ Comunidad Valenciana, núm. 1236/2010, de 3 de diciembre de 2010, recurso núm. 3464/2008 (*Tol 2086027*).

STSJ de Cataluña núm. *1195/2009*, de 27 de noviembre de 2009, recurso núm. 474/2006 (*Tol 1795786*).

STSJ de Cantabria núm. *241/2009*, de 1 de abril de 2009, recurso núm. 1/2008 (*Tol 1513670*).

STSJ de Madrid núm. *10577/2008*, de 17 de julio de 2008, recurso núm. 402/2005 (*Tol 1378248*).

STSJ de Asturias, de 22 de abril de 2002, recurso núm. 1725/1997 (*Tol 174812*).

Resolución del TEAC, de 16 de octubre de 2018, núm. 07330/2016/00/00 (*Tol 6877786*).

Resolución del TEAC de 15 de septiembre de 2016, núm. 00/06040/2013/00/0/1 (*Tol 5827985*).

Resolución del TEAC, de 13 de junio de 2006, núm. 07912/2008/00/00 (*Tol 1250764*).

Resolución del TEAC, de 13 de septiembre de 2006, núm. 00835/2005/00/00 (*Tol 6434089*).

Resolución del TEAC, de 16 de enero de 2014, núm. 05821/2011/00/00 (*Tol 4606569*).

Resolución 2/1999, de 23 de marzo, de la Dirección General de Tributos, relativa a la aplicación de las reducciones en la base imponible del Impuesto sobre Sucesiones y Donaciones, en materia de vivienda habitual y empresa familiar (BOE de 10 de abril de 1999).

Consulta vinculante DGT núm. V-1149/2007, de 1 de junio.

Consulta vinculante DGT núm. V-0512-06, de 28 de marzo de 2006.

BIBLIOGRAFÍA

CAÑAL GARCÍA, F. J., "Tributación de la aportación de bienes a la sociedad conyugal en el Impuesto sobre Sucesiones y Donaciones [Análisis de la STS de 23 de diciembre de 2015 (rec. núm. 1543/2015)]", *RCT*, nº 397, 2016, pp. 150 a 154.

ESCRIBANO LÓPEZ, F., "Capítulo IX. El Impuesto sobre Sucesiones y Donaciones", en AA.VV., *Curso de Derecho Tributario. Parte Especial*. Tecnos, 2016.

GALÁN SÁNCHEZ, R. M., "Impuesto sobre Sucesiones y Donaciones", en AA.VV., *Sistema fiscal español: (Impuestos estatales, autonómicos y locales)*. Iustel, Madrid, 2016.

PÉREZ-FADÓN MARTÍNEZ, J. J., "Concepto de ajuar doméstico en el Impuesto sobre Sucesiones y Donaciones: Sentencias del Tribunal Supremo, Sala Tercera de lo Contencioso-Administrativo de 10 de marzo de 2020 (no. 342/2020) y de 19 de mayo de 2020 (nos. 490/2020 y 499/2020)", *Carta tributaria*, nº. 65-66, 2020.

SÁNCHEZ MANZANO, J. D., "Cuestiones en torno a la liquidación de la sociedad de gananciales y su indirecta repercusión en el marco del Impuesto sobre Sucesiones. Particular alusión a los créditos contraídos entre los cónyuges y la sociedad conyugal", *Revista Impuestos*, año nº 31, nº 1, 2015, pp. 49 a 66.

SOLER BELDA, R. R., "Partición de herencia e Impuesto de sucesiones", *Actualidad civil*, nº 6, 2014.

VEGA BORREGO, F. A., "El ajuar doméstico en el impuesto sobre sucesiones: la configuración del ajuar tras la nueva doctrina del Tribunal Supremo", *Estudios financieros. Revista de contabilidad y tributación*, Nº 453, 2020, pp. 67-98.

[AAVV] dirigido por ALVENTOSA DEL RÍO J. y COBAS COBIELLA, M. E., *Derecho de sucesiones*, "Cap. VI: La liquidación del Impuesto sobre sucesiones", Tirant lo Blanch, 2017, pp. 1004 a 1016.

[AAVV] coordinado por RAMOS PRIETO, J., HORNERO MÉNDEZ, C y MACARRO OSUNA, J. M., *Derecho y fiscalidad de las sucesiones "mortis causa" en España: una perspectiva multidisciplinar*, Thomson Reuters Aranzadi, 2016, pp. 265 a 290, 719 a 736.

Formulario ISUC-15. SOLICITUD DE APLAZAMIENTO PARA LA PRESENTACIÓN DE LA AUTOLIQUIDACIÓN POR TÉRMINO DE HASTA UN AÑO (Artículo 38.1 LISD y artículo 82 RISD)

1. ÓRGANO COMPETENTE

AL ÓRGANO COMPETENTE PARA CONCEDER EL APLAZAMIENTO QUE SE SOLICITA (JEFATURA DE SERVICIO DE GESTIÓN DE LA OFICINA LIQUIDADORA AUTONÓMICA COMPETENTE)

2. ENCABEZAMIENTO

COMPARECE/N:

D./Dª.............., con NIF ...., mayor de edad, vecino de ...., calle .... nº ....–..............–.............. (código postal).

Etc.

Interviene en su propio nombre y/o en representación de:

D./Dª.............., con NIF ...., mayor de edad, vecino de ...., calle .... nº ....–..............–.............. (código postal).

D./Dª.............., con NIF ...., mayor de edad, vecino de ...., calle .... nº ....–..............–.............. (código postal).

Etc.

Acredita la representación mediante documento que se adjunta, en los términos del artículo 46 de la Ley 58/2003, de 17 de diciembre, General Tributaria.

Ante este órgano comparece/n, y como mejor proceda en Derecho

3. EXPONE/N LOS SIGUIENTES HECHOS Y FUNDAMENTOS DE DERECHO

PRIMERO.– Como consecuencia del fallecimiento de D./Dª.............., acaecido el .... de .... de.............., se ha devengado el Impuesto sobre sucesiones para sus herederos.

La recopilación de la documentación relativa a la masa hereditaria del/de la causante ha determinado la cuantificación de los respectivos Impuestos sobre sucesiones devengados para cada uno de los herederos con el siguiente resultado:

1. Autoliquidación número 650.............. por importe de .... euros a nombre del sujeto pasivo .... con NIF..............

2. Autoliquidación número 650.............. por importe de .... euros a nombre del sujeto pasivo .... con NIF..............

3. Autoliquidación número 650.............. por importe de .... euros a nombre del sujeto pasivo .... con NIF..............

4. Etc.

Se adjuntan a la presente solicitud todos los ejemplares de cada una de las autoliquidaciones.

SEGUNDO.– En cumplimiento de lo dispuesto en el artículo 90 del RISD, la presente solicitud se presenta antes de expirar el plazo reglamentario establecido en dicho precepto, que es de 5 meses desde el fallecimiento del/de la causante.

TERCERO.– Tal como queda justificado con la documentación de la herencia que se aporta, no existe inventariado, entre los bienes del/de la causante, ni efectivo, ni bienes de fácil realización suficientes para el abono de las cuotas liquidadas.

En su virtud,

4. SOLICITA/N

Que, teniendo por presentado este escrito, con los documentos que lo acompañan, se sirva admitirlos, tenga por solicitado, en los términos del artículo 38.1 de la Ley 29/1987, de 18 de diciembre, del Impuesto sobre Sucesiones y Donaciones, y del artículo 83 del Real Decreto 1629/1991, de 8 de noviembre, por el que se aprueba el Reglamento del Impuesto sobre Sucesiones y Donaciones, el APLAZAMIENTO de las liquidaciones referenciadas al siguiente vencimiento: .... de .... de .... [máximo un año y, en todo caso, con dispensa absoluta de garantía].

5. OTRO SÍ DICE/N

Subsidiariamente, si se denegara este aplazamiento específico solicitado, por causa motivada, se solicita expresamente que se conceda el aplazamiento/fraccionamiento de la deuda, de conformidad con lo dispuesto en los artículos 44 y ss. del Real Decreto 939/2005, de 29 de julio, por el que se aprueba el Reglamento General de Recaudación, en los siguientes términos: [por defecto 24 mensualidades], (en su caso, con dispensa de garantía por ser una deuda inferior a 30000 euros, de conformidad con lo dispuesto en el artículo 82 de la Ley 58/2003, General Tributaria y normativa de desarrollo; cfr. Orden HAP 2178/2015, o la Orden vigente en cada momento), en cuyo caso, además, se solicita que se remita la presente solicitud al órgano de recaudación competente para la tramitación y resolución de esta solicitud de aplazamiento.

6. DOCUMENTACIÓN APORTADA

En todo caso, se adjunta cumplimentada la ORDEN DE DOMICILIACIÓN DE ADEUDO DIRECTO SEPA PARA PAGO APLAZADO O FRACCIONADO DE LAS DEUDAS DE DERECHO PÚBLICO DE LA ADMINISTRACIÓN.

En .... a .... de .... de ....

Fdo. El obligado tributario o su representante.

COMENTARIO

NORMATIVA

(1) Procedimiento
Artículo 8.1 y artículo 32 apartados 5, 6 y 7 LISD.
Artículo 80.3 RISD.

JURISPRUDENCIA Y DOCTRINA ADMINISTRATIVA

STSJ de Andalucía, sede en Sevilla, núm. *380/2018*, de 2 de mayo de 2018, recurso núm. 358/2015 (*Tol 6819772*).

BIBLIOGRAFÍA

[AAVV] dirigido por ALVENTOSA DEL RÍO J. y COBAS COBIELLA, M. E., *Derecho de sucesiones*, "Cap. VI: La liquidación del Impuesto sobre sucesiones", Tirant lo Blanch, 2017, pp. 1017 a 1020.

Formulario ISUC-16. SOLICITUD DE APLAZAMIENTO POR TÉRMINO DE HASTA UN AÑO (artículo 38.1 LISD y artículo 82 RISD) PARA EL SUPUESTO DE LIQUIDACIONES RESULTANTES DEL RÉGIMEN DE PRESENTACIÓN POR DECLARACIÓN (SOLAMENTE PARA AQUELLAS COMUNIDADES AUTÓNOMAS QUE AÚN TIENEN PREVISTO ESTE RÉGIMEN DE DECLARACIÓN)

1. ÓRGANO COMPETENTE

AL ÓRGANO COMPETENTE PARA CONCEDER EL APLAZAMIENTO QUE SE SOLICITA (JEFATURA DE SERVICIO DE GESTIÓN DE LA OFICINA LIQUIDADORA AUTONÓMICA COMPETENTE)

2. ENCABEZAMIENTO

COMPARECE/N:

D./Dª..............., con NIF ...., mayor de edad, vecino de ...., calle .... nº ....–..............–.............. (código postal).

Etc.

Interviene en su propio nombre y/o en representación de:

D./Dª..............., con NIF ...., mayor de edad, vecino de ...., calle .... nº ....–..............–.............. (código postal).

D./Dª..............., con NIF ...., mayor de edad, vecino de ...., calle .... nº ....–..............–.............. (código postal).

Etc.

Acredita la representación mediante documento que se adjunta, en los términos del artículo 46 de la Ley 58/2003, de 17 de diciembre, General Tributaria.

Ante este órgano comparece/n, y como mejor proceda en Derecho

3. EXPONE/N LOS SIGUIENTES HECHOS Y FUNDAMENTOS DE DERECHO

PRIMERO.– Ante esta Administración fue presentada la documentación correspondiente a la herencia de Don/Dª ...., cuyo fallecimiento se produjo en.............., el día.............. de .... de ...., para que se efectuase la liquidación relativa al Impuesto sobre sucesiones y donaciones.

A la mencionada documentación se le asignó el siguiente número de expediente: ....

SEGUNDO.– En fecha .... de .... de ....han sido notificadas las siguientes liquidaciones:

1. Liquidación número .... por importe de .... euros a nombre del sujeto pasivo .... con NIF...............

2. Liquidación número .... por importe de .... euros a nombre del sujeto pasivo .... con NIF...............

3. Liquidación número .... por importe de .... euros a nombre del sujeto pasivo .... con NIF...............

Etc.

La presente solicitud se presenta antes de expirar el plazo reglamentario de pago.

TERCERO.– Tal como queda justificado con la documentación de la herencia que se aportó, no existe inventariado, entre los bienes del/de la causante, efectivo o bienes de fácil realización suficientes para el abono de las cuotas liquidadas.

En su virtud,

4. SOLICITA/N

Que, teniendo por presentado este escrito, con los documentos que lo acompañan, se sirva admitirlos, tenga por solicitado, en los términos del artículo 38.1 de la Ley 29/1987, de 18 de diciembre, del Impuesto sobre Sucesiones y Donaciones y el artículo 82 del Real Decreto 1629/1991, de 8 de noviembre, por el que se aprueba el Reglamento del Impuesto sobre Sucesiones y Donaciones, el APLAZAMIENTO de las liquidaciones referenciadas al siguiente vencimiento: .... de .... de .... *[máximo un año y, en todo caso, con dispensa absoluta de garantía]*.

5. OTRO SÍ DIGO

Subsidiariamente, en el caso de que se denegara dicho aplazamiento específico, por causa motivada, se conceda el aplazamiento/fraccionamiento de la deuda, de conformidad con lo dispuesto en los artículos 44 y ss del Real Decreto 939/2005, de 29 de julio, por el que se aprueba el Reglamento General de Recaudación, en los siguientes términos: *[por defecto 24 mensualidades], (en su caso, con dispensa de garantía por ser una deuda inferior a 30.000 euros, de conformidad con lo dispuesto en el artículo 82 de la Ley 58/2003, General Tributaria y normativa de desarrollo; cfr. Orden HAP 2178/2015, o la Orden vigente en cada momento)*, en cuyo caso se solicita expresamente que se remita la presente solicitud al órgano de recaudación competente para la tramitación y resolución de la solicitud de fraccionamiento.

6. DOCUMENTACIÓN APORTADA

En todo caso, se adjunta cumplimentada la ORDEN DE DOMICILIACIÓN DE ADEUDO DIRECTO SEPA PARA PAGO APLAZADO O FRACCIONADO DE LAS DEUDAS DE DERECHO PÚBLICO DE LA ADMINISTRACIÓN.

En .... a .... de .... de ....

Fdo. El obligado tributario o su representante.

COMENTARIO

Normativa

(1) Procedimiento
Artículo 8.1 y artículo 32 apartados 5, 6 y 7 LISD.
Artículo 80.3 RISD.

BIBLIOGRAFÍA

[AAVV] dirigido por ALVENTOSA DEL RÍO J. y COBAS COBIELLA, M. E., *Derecho de sucesiones*, "Cap. VI: La liquidación del Impuesto sobre sucesiones", Tirant lo Blanch, 2017, pp. 1017 a 1020.

Formulario ISUC-17. SOLICITUD DE FRACCIONAMIENTO ESPECÍFICO DEL IMPUESTO SOBRE SUCESIONES HASTA EN CINCO ANUALIDADES (artículo 38.2 LISD y artículo 83 RISD) PARA EL SUPUESTO DE AUTOLIQUIDACIONES

1. ÓRGANO COMPETENTE

AL ÓRGANO COMPETENTE PARA CONCEDER EL FRACCIONAMIENTO QUE SE SOLICITA (JEFATURA DE SERVICIO DE GESTIÓN DE LA OFICINA LIQUIDADORA AUTONÓMICA COMPETENTE)

2. ENCABEZAMIENTO

COMPARECE/N:

D./Dª.............., con NIF ...., mayor de edad, vecino de ...., calle .... n° ....–..............–.............. (código postal).

Etc.

Interviene en su propio nombre y/o en representación de:

D./Dª.............., con NIF ...., mayor de edad, vecino de ...., calle .... n° ....–..............–.............. (código postal).

D./Dª.............., con NIF ...., mayor de edad, vecino de ...., calle .... n° ....–..............–.............. (código postal).

Etc.

Acredita la representación mediante documento que se adjunta, en los términos del artículo 46 de la Ley 58/2003, de 17 de diciembre, General Tributaria.

Ante este órgano comparece/n, y como mejor proceda en Derecho

3. EXPONE/N LOS SIGUIENTES HECHOS Y FUNDAMENTOS DE DERECHO

PRIMERO.– Como consecuencia del fallecimiento de D./Dª..............., acaecido el .... de .... de..............., se ha devengado el Impuesto sobre sucesiones para sus herederos.

La recopilación de la documentación relativa a la masa hereditaria del/de la causante ha determinado la cuantificación de los respectivos Impuestos sobre sucesiones devengados para cada uno de los herederos con el siguiente resultado:

1. Autoliquidación número 650............... por importe de .... euros a nombre del sujeto pasivo .... con NIF...............

2. Autoliquidación número 650............... por importe de .... euros a nombre del sujeto pasivo .... con NIF...............

3. Autoliquidación número 650............... por importe de .... euros a nombre del sujeto pasivo .... con NIF...............

4. Etc.

Se adjuntan a la presente solicitud todos los ejemplares de cada una de las autoliquidaciones.

SEGUNDO.– En cumplimiento de lo dispuesto en el artículo 90 del Real Decreto 1629/1991, de 8 de noviembre, por el que se aprueba el Reglamento del Impuesto sobre Sucesiones y Donaciones, la presente solicitud se presenta antes de expirar el plazo establecido en dicho precepto, que es de 5 meses desde el fallecimiento del causante.

TERCERO.– Tal como queda justificado con la documentación de la herencia que se aportó, no existe inventariado, entre los bienes del/de la causante, dinero en efectivo o bienes de fácil realización suficientes para el abono de las cuotas liquidadas.

CUARTO.– Por la presente se realiza compromiso de constituir garantía suficiente que cubra el importe de la deuda principal e intereses de demora, más un 25 por 100 de la suma de ambas partidas [si no se aporta, se requerirá] / Por la presente se APORTA compromiso de constituir garantía suficiente que cubra el importe de la deuda principal e intereses de demora, más un 25 por 100 de la suma de ambas partidas [aval bancario,...............]

En su virtud,

4. SOLICITA/N

Que, teniendo por presentado este escrito, con los documentos que lo acompañan, se sirva admitirlos, tenga por solicitado, en los términos del artículo 38.2 de la Ley 29/1987, de 18 de diciembre, del Impuesto sobre Sucesiones y Donaciones, y el artículo 83 del Real Decreto 1629/1991, de 8 de noviembre, por el que se aprueba el Reglamento del Impuesto sobre Sucesiones y Donaciones, el FRACCIONAMIENTO de las autoliquidaciones referenciadas en .... anualidades [máximo 5].

5. OTRO SÍ MANIFIESTA/N

Subsidiariamente, en el caso de que se denegara el fraccionamiento específico anterior, por causa motivada, se solicita que se conceda el aplazamiento/fraccionamiento de la deuda, de conformidad con lo dispuesto en los artículos 44 y ss del Real Decreto 939/2005, de 29 de julio, por el que se aprueba el Reglamento General de Recaudación, en los siguientes términos: [*por defecto 24 mensualidades*], [*en su caso, con dispensa de garantía por ser una deuda inferior a 30000 euros, de conformidad con lo dispuesto en el artículo 82 de la Ley 58/2003, General Tributaria y normativa de desarrollo/ con compromiso de constituir garantía por ser una deuda superior a 30000 euros de conformidad con el artículo 46.3 RGR y la normativa de desarrollo, en cada momento vigente*], en cuyo caso, se solicita expresamente que se remita la presente solicitud al órgano de recaudación competente para la tramitación y resolución de la solicitud de fraccionamiento.

6. DOCUMENTACIÓN APORTADA

En todo caso, se adjunta cumplimentada la ORDEN DE DOMICILIACIÓN DE ADEUDO DIRECTO SEPA PARA PAGO APLAZADO O FRACCIONADO DE LAS DEUDAS DE DERECHO PÚBLICO DE LA ADMINISTRACIÓN.

En .... a .... de .... de ....

Fdo. El obligado tributario o su representante.

COMENTARIOS
(se aplican también al siguiente formulario)

NORMATIVA

(1) Procedimiento
Artículo 8.1 y artículo 32 apartados 5, 6 y 7 LISD.
Artículo 80.3 RISD.

ESQUEMA DE TRAMITACIÓN DEL FRACCIONAMIENTO ESPECIAL DEL IMPUESTO SUCESIONES HASTA EN 5 ANUALIDADES EN GENERAL (LIQUIDACIONES Y AUTOLIQUIDACIONES)

Junto a la solicitud de fraccionamiento —o, si no lo aporta junto a ésta, tras el requerimiento—, se debe aportar certificado bancario de concesión o denegación del aval bancario. Si es de concesión, debe cubrir el importe de la deuda en periodo voluntario, los intereses de demora que, genere el aplazamiento y un 25 por ciento de la suma de ambas partidas. Si no lo aporta, se le requerirá.

Si el certificado es de denegación, y el contribuyente se compromete en su escrito a aportar otra garantía (hipoteca, etc. el procedimiento es el siguiente:

1°) Tiene que aportar, junto con el certificado de denegación: certificado del Registro de la propiedad de que la finca que se quiere hipotecar, en garantía del fraccionamiento, está libre de cargas; y una valoración de la finca realizada por un perito particular. Si no lo aporta, se le requerirá

2°) Si no lo aporta, tras el requerimiento, resolución de desestimación. Si lo aporta, recibirá una Resolución estimatoria, emplazándole para que formalice la garantía en el plazo legal habilitado (2 meses).

3°) Cuando el contribuyente formalice la garantía, tiene que aportar la escritura original debidamente diligenciada por la Oficina Liquidadora competente (con el IAJD pagado) y por el Registro de la Propiedad correspondiente.

4°) La Administración debe aceptar fehacientemente la garantía.

5°) Se envía la aceptación de la Administración al Registro de la Propiedad correspondiente para que procedan a efectuar la anotación de la aceptación.

6°) El contribuyente recibe la copia de la Resolución de la Tesorería de la Administración, indicando que se ha efectuado el depósito, junto con la factura del Registro de la Propiedad para que la abone.

7°) Cuando haya vencido la última fracción del fraccionamiento solicitado, sólo se si han abonado íntegramente todas las fracciones, se levanta el depósito para que se pueda cancelar la hipoteca sobre el bien.

JURISPRUDENCIA Y DOCTRINA ADMINISTRATIVA

STSJ de Andalucía, sede en Sevilla, de 26 de septiembre de 2001 (*Tol 214357*).
Consulta vinculante DGT núm. V-0753-17, de 24 de marzo.
Consulta vinculante DGT núm. V-1241-12, de 7 de junio.

BIBLIOGRAFÍA

[AAVV] dirigido por ALVENTOSA DEL RÍO J. y COBAS COBIELLA, M. E., *Derecho de sucesiones*, "Cap. VI: La liquidación del Impuesto sobre sucesiones", Tirant lo Blanch, 2017, pp. 1017 a 1020.

Formulario ISUC-18. SOLICITUD DE FRACCIONAMIENTO ESPECÍFICO DE SUCESIONES HASTA EN CINCO ANUALIDADES (artículo 38.2 LISD y artículo 83 RISD) PARA EL SUPUESTO DE LIQUIDACIONES RESULTANTES DEL RÉGIMEN DE PRESENTACIÓN POR DECLARACIÓN (SOLAMENTE PARA AQUELLAS COMUNIDADES AUTÓNOMAS QUE AÚN TIENEN PREVISTO ESTE RÉGIMEN DE DECLARACIÓN)

1. ÓRGANO COMPETENTE

AL ÓRGANO COMPETENTE PARA CONCEDER EL FRACCIONAMIENTO QUE SE SOLICITA (JEFATURA DE SERVICIO DE GESTIÓN DE LA OFICINA LIQUIDADORA AUTONÓMICA COMPETENTE)

2. ENCABEZAMIENTO

COMPARECE/N:

D./Dª..............., con NIF ...., mayor de edad, vecino de ...., calle .... nº ....–...............–.............. (código postal).

Etc.

Interviene en su propio nombre y/o en representación de:

D./Dª..............., con NIF ...., mayor de edad, vecino de ...., calle .... nº ....–...............–.............. (código postal).

D./Dª..............., con NIF ...., mayor de edad, vecino de ...., calle .... nº ....–...............–.............. (código postal).

Etc.

Acredita la representación mediante documento que se adjunta, en los términos del artículo 46 de la Ley 58/2003, de 17 de diciembre, General Tributaria.

Ante este órgano comparece/n, y como mejor proceda en Derecho

3. EXPONEN LOS SIGUIENTES HECHOS Y FUNDAMENTOS DE DERECHO

PRIMERO.– Ante esta Administración fue presentada la documentación correspondiente a la herencia de D./Dª ...., cuyo fallecimiento se produjo en.............. El día.............. de .... de ...., para que se efectuase la liquidación relativa al Impuesto sobre sucesiones y donaciones.

A la mencionada documentación se le asignó el siguiente número de expediente: ....

SEGUNDO.- En fecha .... de .... de ....han sido notificadas las siguientes liquidaciones:

1. Liquidación número .... por importe de .... euros a nombre del sujeto pasivo .... con NIF...............

2. Liquidación número .... por importe de .... euros a nombre del sujeto pasivo .... con NIF...............

3. Liquidación número .... por importe de .... euros a nombre del sujeto pasivo .... con NIF...............

Etc.

La presente solicitud se presenta antes de expirar el plazo reglamentario de pago.

TERCERO.- Tal como queda justificado con la documentación de la herencia que se aportó, no existe inventariado, entre los bienes del/de la causante, dinero en efectivo o bienes de fácil realización suficientes para el abono de las cuotas liquidadas.

CUARTO.- Por la presente se realiza compromiso de constituir garantía suficiente que cubra el importe de la deuda principal e intereses de demora, más un 25 por 100 de la suma de ambas partidas *[si no se aporta, se requerirá]* / Por la presente se APORTA compromiso de constituir garantía suficiente que cubra el importe de la deuda principal e intereses de demora, más un 25 por 100 de la suma de ambas partidas *[aval bancario,...............].*

En su virtud,

4. SOLICITA/N

Que, teniendo por presentado este escrito, con los documentos que lo acompañan, se sirva admitirlos, tenga por solicitado, en los términos del artículo 38.2 de la Ley 29/1987, de 18 de diciembre, del Impuesto sobre Sucesiones y Donaciones, y el artículo 83 del Real Decreto 1629/1991, de 8 de noviembre, por el que se aprueba el Reglamento del Impuesto sobre Sucesiones y Donaciones, el FRACCIONAMIENTO de las liquidaciones referenciadas en .... anualidades *[máximo 5]*.

5. OTRO SÍ DICE/N

Subsidiariamente, en el caso de que se denegara el fraccionamiento específico anterior, por causa motivada, se solicita que se conceda el aplazamiento/fraccionamiento de la deuda, de conformidad con lo dispuesto en los artículos 44 y ss del Real Decreto 939/2005, de 29 de julio, por el que se aprueba el Reglamento General de Recaudación, en los siguientes términos: *[por defecto 24 mensualidades]*, *[en su caso, con dispensa de garantía por ser una deuda inferior a 30000 euros, de conformidad con lo dispuesto en el artículo 82 de la Ley 58/2003, General Tributaria y normativa de desarrollo, en cada momento vigente/ con compromiso de constituir garantía por ser una deuda superior a 30000 euros de conformidad con el artículo 46.3 RGR y la normativa de desarrollo en cada momento vigente]*, en cuyo caso, se solicita expresamente que se remita la presente solicitud al órgano de recaudación competente para la tramitación y resolución de la solicitud de fraccionamiento.

6. DOCUMENTACIÓN APORTADA

En todo caso, se adjunta cumplimentada la ORDEN DE DOMICILIACIÓN DE ADEUDO DIRECTO SEPA PARA PAGO APLAZADO O FRACCIONADO DE LAS DEUDAS DE DERECHO PÚBLICO DE LA ADMINISTRACIÓN...............

En .... a .... de .... de ....

Fdo. El obligado tributario o su representante.

COMENTARIO

Normativa

(1) Procedimiento
Artículo 8.1 y artículo 32 apartados 5, 6 y 7 LISD.
Artículo 80.3 RISD.

Formulario ISUC-19. SOLICITUD DE FRACCIONAMIENTO DE LA CUOTA DERIVADA DE LAS CANTIDADES PERCIBIDAS EN FORMA DE RENTA POR CONTRATOS DE SEGURO SOBRE LA VIDA (artículo 39.4 LISD y artículo 85.bis RISD) PARA EL SUPUESTO DE AUTOLIQUIDACIONES

1. ÓRGANO COMPETENTE

AL ÓRGANO COMPETENTE PARA CONCEDER EL APLAZAMIENTO/FRACCIONAMIENTO QUE SE SOLICITA (JEFATURA DE SERVICIO DE GESTIÓN DE LA OFICINA LIQUIDADORA AUTONÓMICA COMPETENTE)

2. ENCABEZAMIENTO

COMPARECE/N:

D./Dª..............., con NIF ...., mayor de edad, vecino de ...., calle .... nº ....–...............–............... (código postal).

Etc.

Interviene en su propio nombre y/o en representación de:

D./Dª..............., con NIF ...., mayor de edad, vecino de ...., calle .... nº ....–...............–............... (código postal).

D./Dª..............., con NIF ...., mayor de edad, vecino de ...., calle .... nº ....–...............–............... (código postal).

Etc.

Acredita la representación mediante documento que se adjunta, en los términos del artículo 46 de la Ley 58/2003, de 17 de diciembre, General Tributaria.

Ante este órgano comparece/n, y como mejor proceda en Derecho

3. EXPONE/N LOS SIGUIENTES HECHOS Y FUNDAMENTOS DE DERECHO

PRIMERO.– Como consecuencia del fallecimiento de D./Dª..............., acaecido el .... de .... de..............., se ha devengado el Impuesto sobre sucesiones para sus herederos.

La recopilación de la documentación relativa a la masa hereditaria del causante ha determinado la cuantificación del respectivo Impuesto sobre sucesiones devengado con el siguiente resultado:

1. Autoliquidación número 650............... por importe de .... euros, a nombre del sujeto pasivo .... con NIF...............

SEGUNDO.– En cumplimiento de lo dispuesto en el artículo 90 del Real Decreto 1629/1991, de 8 de noviembre, por el que se aprueba el Reglamento del Impuesto sobre Sucesiones y Donaciones, la presente solicitud se presenta antes de expirar el plazo establecido en dicho precepto, que es de 5 meses desde el fallecimiento del causante.

TERCERO.– Tal como queda justificado con la documentación de la herencia que se aportó, existe un seguro de vida en el que el/la causante fue *[a su vez, el contratante/o el asegurado en un seguro colectivo]* y cuyo importe se percibe en forma de renta.

Tal como se acredita mediante certificado de la entidad de seguros, el/los beneficiarios de dicho seguro es/son:

D./Dª..............., con NIF ....

D./Dª..............., con NIF ....,

....

Asimismo, tratándose de una renta temporal, el certificado acredita que el número de años en el que se va a percibir dicha renta es de .... años/el certificado (*acredita que se trata de una renta vitalicia*).

CUARTO.– La autoliquidación, respecto de la cual se solicita el fraccionamiento del artículo 85 bis del Real Decreto 1629/1991, de 8 de noviembre, por el que se aprueba el Reglamento del Impuesto sobre Sucesiones y Donaciones, no es una autoliquidación parcial a cuenta de las contempladas en el artículo 89 del citado texto reglamentario.

QUINTO.- La cuota a ingresar por la autoliquidación referenciada número 650.............. por importe de .... euros, deriva de las operaciones efectuadas, teniendo en cuenta el valor de todos los bienes y derechos que integran la porción hereditaria del beneficiario/a, incluido el valor actual de la renta. El importe de la parte de la cuota que no es objeto del presente fraccionamiento, se ha ingresado a su debido tiempo.

En consecuencia, se realiza la siguiente PROPUESTA DE PAGO:

Nº AUTOLIQUIDACIÓN:		
(1)	Cuota tributaria a ingresar	
(2)	Nº años percepción de la renta si es temporal, o 15 años si es vitalicia	
(3)	Base Liquidable (incluyendo todos los bienes y la renta vitalicia)	
(4)	Tipo Medio	(1) / (3) x 100
(5)	Valor actual de la renta	
(6)	- Reducción art. 20.2.B LISD	
(7)	= Base del fraccionamiento	(5) - (6)
(8)	Parte de la cuota que se puede fraccionar por art. 39.4 LISD = Base fracc x Tme	(7) x (4)
	IMPORTE DE CADA FRACCIÓN	(8) / (2)

Nº FRACCIÓN	IMPORTE DE LA FRACCIÓN	VENCIMIENTO
1		
2		
3		
4		
5		
Etc		

SEXTO.- De conformidad con lo previsto en la normativa de este fraccionamiento específico, este supuesto no exige la constitución de ningún tipo de caución, y tampoco devenga ningún tipo de interés.

En su virtud,

4. SOLICITA/N

Que, teniendo por presentado este escrito, con los documentos que lo acompañan, se sirva admitirlos, tenga por solicitado, en los términos del artículo 39.4 de la Ley 29/1987, de 18 de diciembre, del Impuesto sobre Sucesiones y Donaciones y el artículo 85.bis del Real Decreto 1629/1991, de 8 de noviembre, por el que se aprueba el Reglamento del Impuesto sobre Sucesiones y Donaciones, el FRACCIONAMIENTO de la/s autoliquidación/es referenciadas en .... [*duración de la renta si es temporal, o 15 años si la renta es vitalicia*].

5. OTROSÍ MANIFIESTA/N

Subsidiariamente, en el caso de que se denegara el fraccionamiento específico anterior, por causa motivada, se solicita que se conceda el aplazamiento/fraccionamiento de la deuda, de conformidad con lo dispuesto en los artículos 44 y ss del Real Decreto 939/2005, de 29 de julio, por el que se aprueba el Reglamento General de Recaudación, en los siguientes términos: [*por defecto 24 mensualidades*], [*en su caso, con dispensa de garantía por ser una deuda inferior a 30000 euros, de conformidad con lo dispuesto en el artículo 82 de la Ley 58/2003, General Tributaria y normativa de desarrollo, en cada momento vigente/con compromiso de constituir garantía por ser una deuda superior a 30000 euros de conformidad con el artículo 46.3 RGR y la normativa de desarrollo en cada momento vigente*], en cuyo caso, se solicita expresamente que se remita la presente solicitud al órgano de recaudación competente para la tramitación y resolución de la solicitud de fraccionamiento.

6. DOCUMENTACIÓN APORTADA

En todo caso, se adjunta cumplimentada la ORDEN DE DOMICILIACIÓN DE ADEUDO DIRECTO SEPA PARA PAGO APLAZADO O FRACCIONADO DE LAS DEUDAS DE DERECHO PÚBLICO DE LA ADMINISTRACIÓN.

En .... a .... de .... de ....

Fdo. El obligado tributario o su representante.

COMENTARIO

NORMATIVA

(1) Procedimiento
Artículo 8.1 y artículo 32 apartados 5, 6 y 7 LISD.
Artículo 80.3 RISD.

Formulario ISUC-20. SOLICITUD DE APLAZAMIENTO DE LIQUIDACIONES/ AUTOLIQUIDACIONES EN CASO DE TRANSMISIÓN DE EMPRESAS INDIVIDUALES DEL CAUSANTE (artículo 39.1 LISD y artículo 85 RISD)

1. ÓRGANO COMPETENTE

AL ÓRGANO COMPETENTE PARA CONCEDER EL APLAZAMIENTO/ FRACCIONAMIENTO QUE SE SOLICITA (JEFATURA DE SERVICIO DE GESTIÓN DE LA OFICINA LIQUIDADORA AUTONÓMICA COMPETENTE)

2. ENCABEZAMIENTO

COMPARECE/N:

D./Dª.............., con NIF ...., mayor de edad, vecino de ...., calle .... n° ....–..............–.............. (código postal).

Etc.

Interviene en su propio nombre y/o en representación de:

D./Dª.............., con NIF ...., mayor de edad, vecino de ...., calle .... n° ....–..............–.............. (código postal).

D./Dª.............., con NIF ...., mayor de edad, vecino de ...., calle .... n° ....–..............–.............. (código postal).

Etc.

Acredita la representación mediante documento que se adjunta, en los términos del artículo 46 de la Ley 58/2003, de 17 de diciembre, General Tributaria.

Ante este órgano comparece/n, y como mejor proceda en Derecho

3. EXPONE/N LOS SIGUIENTES HECHOS Y FUNDAMENTOS DE DERECHO

PRIMERO.– Como consecuencia del fallecimiento de D./Dª ...., acaecido el .... de .... de.............. se ha devengado el Impuesto sobre sucesiones para sus herederos.

La manifestación de la herencia se ha formalizado en documento privado/público el .... de .... de .... ante el Notario de .... D./Dª .... con número de su protocolo..............].

SEGUNDO.– Tal como queda justificado con la documentación de la herencia, en el inventario se encontraba la EMPRESA INDIVIDUAL con razón social (bien n° .... del inventario de la herencia) del causante.

TERCERO.– De conformidad con el artículo 39.1 de la Ley 29/1987, de 18 de diciembre, del Impuesto sobre Sucesiones y Donaciones: *"1. El pago de las liquidaciones giradas como consecuencia de la transmisión por herencia, legado o donación de una empresa individual que ejerza una actividad industrial, comercial, artesanal, agrícola o profesional o de participaciones en entidades a las que sea de aplicación la exención regulada en el punto dos del apartado octavo del artículo 4 de la Ley 19/1991, de 6 de junio, del Impuesto sobre el Patrimonio, podrá aplazarse, a petición del sujeto pasivo deducida antes de expirar el plazo reglamentario de pago o, en su caso, el de presentación de la autoliquidación, durante los cinco años siguientes al día en que termine el plazo para el pago, con obligación de constituir caución suficiente y sin que proceda el abono de intereses durante el período de aplazamiento".*

En aplicación de dicho precepto, y su desarrollo reglamentario, contenido en el artículo 85 del Real Decreto 1629/1991, de 8 de noviembre, por el que se aprueba el Reglamento del Impuesto sobre Sucesiones y Donaciones, se realiza la siguiente PROPUESTA DE PAGO:

Nº AUTOLIQUIDACIÓN/ LIQUIDACIÓN	IMPORTE A PAGAR	VENCIMIENTO

CUARTO.– A tal efecto, se constituyen las siguientes garantías/se aporta compromiso de constituir las siguientes garantías *(indicar la que proceda)*:

– AVAL DE ENTIDAD DE CRÉDITO/SGR/SEGURO DE CAUCIÓN

– OTRAS (AVAL PERSONAL, PRENDA, HIPOTECA MOBILIARIA, HIPOTECA INMOBILIARIA, ANOTACIÓN PREVENTIVA DE EMBARGO)

– DISPENSA DE GARANTÍA con base en...............

En su virtud,

4. SOLICITO

Que, teniendo por presentado este escrito, con los documentos que lo acompañan, se sirva admitirlos, tenga por solicitado, en los términos del artículo 39.1 de la Ley 29/1987, de 18 de diciembre, del Impuesto sobre Sucesiones y Donaciones, y el artículo 85 del Real Decreto 1629/1991, de 8 de noviembre, por el que se aprueba el Reglamento del Impuesto sobre Sucesiones y Donaciones, el APLAZAMIENTO de la/s autoliquidación/es referenciadas en ....

5. OTRO SÍ DIGO

Subsidiariamente, en el caso de que se denegara el aplazamiento específico anterior, por causa motivada, se solicita que se conceda el aplazamiento/fraccionamiento de la deuda, de conformidad con lo dispuesto en los artículos 44 y ss del Real Decreto 939/2005, de 29 de julio, por el que se aprueba el Reglamento General de Recaudación, en los siguientes términos: [*por defecto 24 mensualidades*], [*en su caso, con dispensa de garantía por ser una deuda inferior a 30000 euros, de conformidad con lo dispuesto en el artículo 82 de la Ley 58/2003, General Tributaria y normativa de desarrollo/con compromiso de constituir garantía por ser una deuda superior a 30000 euros de conformidad con el artículo 46.3 RGR y la normativa de desarrollo que esté, en cada momento, vigente*], en cuyo caso, se solicita expresamente que se remita la presente solicitud al órgano de recaudación competente para la tramitación y resolución de la solicitud de aplazamiento.

6. DOCUMENTACIÓN APORTADA

En todo caso, se adjunta cumplimentada la ORDEN DE DOMICILIACIÓN DE ADEUDO DIRECTO SEPA PARA PAGO APLAZADO O FRACCIONADO DE LAS DEUDAS DE DERECHO PÚBLICO DE LA ADMINISTRACIÓN.

En .... a .... de .... de ....

Fdo. El obligado tributario o su representante.

COMENTARIO

Normativa

(1) Procedimiento
Artículo 8.1 y artículo 32 apartados 5, 6 y 7 LISD.
Artículo 80.3 RISD.

Formulario ISUC-21. SOLICITUD DE FRACCIONAMIENTO DE LIQUIDACIONES/ AUTOLIQUIDACIONES EN CASO DE TRANSMISIÓN DE EMPRESAS INDIVIDUALES DEL CAUSANTE (Artículo 39.2 LISD y artículo 85 RISD)

1. ÓRGANO COMPETENTE

AL ÓRGANO COMPETENTE PARA CONCEDER EL APLAZAMIENTO/ FRACCIONAMIENTO QUE SE SOLICITA (JEFATURA DE SERVICIO DE GESTIÓN DE LA OFICINA LIQUIDADORA AUTONÓMICA COMPETENTE)

2. ENCABEZAMIENTO

COMPARECE/N:

D./Dª............, con NIF ...., mayor de edad, vecino de ...., calle .... nº ....–............–............ (código postal).

Etc.

Interviene en su propio nombre y/o en representación de:

D./Dª............, con NIF ...., mayor de edad, vecino de ...., calle .... nº ....–............–............ (código postal).

D./Dª............, con NIF ...., mayor de edad, vecino de ...., calle .... nº ....–............–............ (código postal).

Etc.

Acredita la representación mediante documento que se adjunta, en los términos del artículo 46 de la Ley 58/2003, de 17 de diciembre, General Tributaria.

Ante este órgano comparece/n, y como mejor proceda en Derecho

3. EXPONE/N LOS SIGUIENTES HECHOS Y FUNDAMENTOS DE DERECHO

PRIMERO.– Como consecuencia del fallecimiento de D./Dª ...., acaecido el .... de .... de............, se ha devengado el Impuesto sobre sucesiones para sus herederos.

La manifestación de la herencia se ha formalizado en documento privado/ [*público el* .... de .... de .... *ante el Notario de* .... D./Dª .... *con número de su protocolo*............].

SEGUNDO.– Tal como queda justificado con la documentación de la herencia, en el inventario se encontraba la EMPRESA INDIVIDUAL con razón social (*bien nº* .... *del inventario de la herencia*) del causante.

TERCERO.– En aplicación de los artículos 39.1 de la Ley 29/1987, de 18 de diciembre, del Impuesto sobre Sucesiones y Donaciones y 85 del Real Decreto 1629/1991, de 8 de noviembre, por el que se aprueba el Reglamento del Impuesto sobre Sucesiones y Donaciones, el .... de .... de ....se solicitó el aplazamiento específico de las siguientes autoliquidaciones/liquidaciones, que fue concedido:

Nº AUTOLIQUIDACIÓN/ LIQUIDACIÓN	IMPORTE A PAGAR	VENCIMIENTO	Nº EXP. APLAZAMIENTO CONCEDIDO ART. 39.1 LISD

CUARTO.– De conformidad con el artículo 39.2 del citado Texto legal: *"2. Terminado el plazo de cinco años podrá, con las mismas condiciones y requisitos, fraccionarse el pago en diez plazos semestrales, con el correspondiente abono del interés legal del dinero durante el tiempo de fraccionamiento".*

En aplicación de dicho precepto, y su desarrollo reglamentario, contenido en el artículo 85 del citado Real Decreto, se realiza la siguiente PROPUESTA DE PAGO:

Nº AUTOLIQUIDACIÓN/ LIQUIDACIÓN	IMPORTE A PAGAR	Nº SEMESTRES PARA FRACCIONAR

SEXTO.– A tal efecto se constituyen las siguientes garantías/ se aporta compromiso de constituir las siguientes garantías (indicar la que proceda):

– AVAL DE ENTIDAD DE CRÉDITO/SGR/SEGURO DE CAUCIÓN

– OTRAS (AVAL PERSONAL, PRENDA, HIPOTECA MOBILIARIA, HIPOTECA INMOBILIARIA, ANOTACIÓN PREVENTIVA DE EMBARGO)

– DISPENSA DE GARANTÍA con base en...............

En su virtud,

4. SOLICITA/N

Que, teniendo por presentado este escrito, con los documentos que lo acompañan, se sirva admitirlos, tenga por solicitado, en los términos del artículo 39.2 de la Ley 29/1987, de 18 de diciembre, del Impuesto sobre Sucesiones y Donaciones y el artículo 85 del Real Decreto 1629/1991, de 8 de noviembre, por el que se aprueba el Reglamento del Impuesto sobre Sucesiones y Donaciones, el FRACCIONAMIENTO de la/s autoliquidación/es referenciada/s, de acuerdo con la propuesta de pago efectuada.

5. OTRO SÍ MANIFIESTA/N

Subsidiariamente, en el caso de que se denegara el fraccionamiento específico anterior, por causa motivada, se solicita que se conceda el fraccionamiento de la deuda, de conformidad con lo dispuesto en los artículos 44 y ss. del Real Decreto 939/2005, de 29 de julio, por el que se aprueba el Reglamento General de Recaudación, en los siguientes términos: [*por defecto 24 mensualidades*], [*en su caso, con dispensa de garantía por ser una deuda inferior a 30000 euros, de conformidad con lo dispuesto en el artículo 82 de la Ley 58/2003, General Tributaria y normativa de desarrollo/ con compromiso de constituir garantía por ser una deuda superior a 30000 euros de conformidad con el artículo 46.3 RGR la normativa de desarrollo que esté, en cada momento, vigente*], en cuyo caso, se solicita expresamente que se remita la presente solicitud al órgano de recaudación competente para la tramitación y resolución de la solicitud de fraccionamiento.

6. DOCUMENTACIÓN APORTADA

En todo caso, se adjunta cumplimentada la ORDEN DE DOMICILIACIÓN DE ADEUDO DIRECTO SEPA PARA PAGO APLAZADO O FRACCIONADO DE LAS DEUDAS DE DERECHO PÚBLICO DE LA ADMINISTRACIÓN.

En .... a .... de .... de ....

Fdo. El obligado tributario o su representante.

COMENTARIO

NORMATIVA

(1) Procedimiento
Artículo 8.1 y artículo 32 apartados 5, 6 y 7 LISD.
Artículo 80.3 RISD.

Formulario ISUC-22. SOLICITUD DE APLAZAMIENTO DE LIQUIDACIONES/ AUTOLIQUIDACIONES EN CASO DE TRANSMISIÓN DE LA VIVIENDA HABITUAL DEL/DE LA CAUSANTE (Artículo 39.3 LISD y artículo 85 RISD)

---

1. ÓRGANO COMPETENTE

AL ÓRGANO COMPETENTE PARA CONCEDER EL APLAZAMIENTO/ FRACCIONAMIENTO QUE SE SOLICITA (JEFATURA DE SERVICIO DE GESTIÓN DE LA OFICINA LIQUIDADORA AUTONÓMICA COMPETENTE)

2. ENCABEZAMIENTO

COMPARECE/N:

D./Dª..............., con NIF ...., mayor de edad, vecino de ...., calle .... nº ....–...............–............... (código postal).

Etc.

Interviene en su propio nombre y/o en representación de:

D./Dª..............., con NIF ...., mayor de edad, vecino de ....,
calle .... nº ....–...............–............... (código postal).

D./Dª..............., con NIF ...., mayor de edad, vecino de ....,
calle .... nº ....–...............–............... (código postal).

Etc.

Acredita la representación mediante documento que se adjunta, en los términos del artículo 46 de la Ley 58/2003, de 17 de diciembre, General Tributaria.

Ante este órgano comparece/n, y como mejor proceda en Derecho

3. EXPONE/N LOS SIGUIENTES HECHOS Y FUNDAMENTOS DE DERECHO

PRIMERO.– Como consecuencia del fallecimiento de D./Dª ...., acaecido el .... de .... de............... se ha devengado el Impuesto sobre sucesiones para sus herederos.

La manifestación de la herencia se ha formalizado en documento privado/ [*público el .... de .... de .... ante el Notario de .... D./Dª .... con número de su protocolo...............]*.

SEGUNDO.– Tal como queda justificado con la documentación de la herencia, en el inventario se encontraba la VIVIENDA HABITUAL DEL/DE LA CAUSANTE sita en .... (*bien nº .... del inventario de la herencia*).

TERCERO.– De conformidad con el artículo 39.3 de la Ley 29/1987, de 18 de diciembre, del Impuesto sobre Sucesiones y Donaciones, cuando se produzca la transmisión hereditaria de la vivienda habitual de una persona, siempre que el causahabiente sea cónyuge, ascendiente o descendiente de aquél, o bien pariente colateral mayor de sesenta y cinco años, que hubiese convivido con el/la causante durante los dos años anteriores al fallecimiento, se podrá aplazar el pago a petición del sujeto pasivo deducida antes de expirar el plazo reglamentario de pago o, en su caso, el de presentación de la autoliquidación, durante los cinco años siguientes al día en que termine el plazo para el pago, con obligación de constituir caución suficiente y sin que proceda el abono de intereses durante el período de aplazamiento.

En aplicación de dicho precepto, y su desarrollo reglamentario, contenido en el artículo 85 del Real Decreto 1629/1991, de 8 de noviembre, por el que se aprueba el Reglamento del Impuesto sobre Sucesiones y Donaciones, se realiza la siguiente PROPUESTA DE PAGO:

Nº AUTOLIQUIDACIÓN/LIQUIDACIÓN	IMPORTE A PAGAR	VENCIMIENTO

SEXTO.– A tal efecto se constituyen las siguientes garantías/se aporta compromiso de constituir las siguientes garantías (indicar la que proceda):

– AVAL DE ENTIDAD DE CRÉDITO/SGR/SEGURO DE CAUCIÓN

– OTRAS (AVAL PERSONAL, PRENDA, HIPOTECA MOBILIARIA, HIPOTECA INMOBILIARIA, ANOTACIÓN PREVENTIVA DE EMBARGO)

– DISPENSA DE GARANTÍA con base en..............

En su virtud,

4. SOLICITA/N

Que, teniendo por presentado este escrito, con los documentos que lo acompañan, se sirva admitirlos, tenga por solicitado, en los términos del artículo 39.3 de la Ley 29/1987, de 18 de diciembre, del Impuesto sobre Sucesiones y Donaciones y el artículo 85 del Real Decreto 1629/1991, de 8 de noviembre, por el que se aprueba el Reglamento del Impuesto sobre Sucesiones y Donaciones, el APLAZAMIENTO de la/s autoliquidación/es/liquidación/es referenciada/s.

5. OTRO SÍ MANIFIESTA/N

Subsidiariamente, en el caso de que se denegara el aplazamiento específico anterior, por causa motivada, se solicita que se conceda el aplazamiento de la deuda, de conformidad con lo dispuesto en los artículos 44 y ss. del Real Decreto 939/2005, de 29 de julio, por el que se aprueba el Reglamento General de Recaudación, en los siguientes términos: [*por defecto 24 mensualidades*], [*en su caso, con dispensa de garantía por ser una deuda inferior a 30000 euros, de conformidad con lo dispuesto en el artículo 82 de la Ley 58/2003, General Tributaria y normativa de desarrollo/ con compromiso de constituir garantía por ser una deuda superior a 30000 euros de conformidad con el artículo 46.3 RGR y la normativa de desarrollo que esté, en cada momento, vigente*], en cuyo caso, se solicita expresamente que se remita la presente solicitud al órgano de recaudación competente para la tramitación y resolución de la solicitud de aplazamiento.

6. DOCUMENTACIÓN APORTADA

En todo caso, se adjunta cumplimentada la ORDEN DE DOMICILIACIÓN DE ADEUDO DIRECTO SEPA PARA PAGO APLAZADO O FRACCIONADO DE LAS DEUDAS DE DERECHO PÚBLICO DE LA ADMINISTRACIÓN.

En .... a .... de .... de ....

Fdo. El obligado tributario o su representante.

COMENTARIO

Normativa

(1) Procedimiento
Artículo 8.1 y artículo 32 apartados 5, 6 y 7 LISD.
Artículo 80.3 RISD.

Formulario ISUC-23. SOLICITUD DE FRACCIONAMIENTO DE LIQUIDACIONES/ AUTOLIQUIDACIONES EN CASO DE TRANSMISIÓN DE LA VIVIENDA HABITUAL DEL/DE LA CAUSANTE (artículo 39.3 LISD y artículo 85 RISD)

1. ÓRGANO COMPETENTE

AL ÓRGANO COMPETENTE PARA CONCEDER EL APLAZAMIENTO/ FRACCIONAMIENTO QUE SE SOLICITA (JEFATURA DE SERVICIO DE GESTIÓN DE LA OFICINA LIQUIDADORA AUTONÓMICA COMPETENTE)

2. ENCABEZAMIENTO
COMPARECE/N:

D./Dª..............., con NIF ...., mayor de edad, vecino de ...., calle .... nº ....–...............–.............. (código postal).

Etc.

Interviene en su propio nombre y/o en representación de:

D./Dª..............., con NIF ...., mayor de edad, vecino de ...., calle .... nº ....–...............–.............. (código postal).

D./Dª..............., con NIF ...., mayor de edad, vecino de ...., calle .... nº ....–...............–.............. (código postal).

Etc.

Acredita la representación mediante documento que se adjunta, en los términos del artículo 46 de la Ley 58/2003, de 17 de diciembre, General Tributaria.

Ante este órgano comparece/n, y como mejor proceda en Derecho

3. EXPONE/N LOS SIGUIENTES HECHOS Y FUNDAMENTOS DE DERECHO

PRIMERO.– Como consecuencia del fallecimiento de D./Dª ...., acaecido el .... de .... de............... se ha devengado el Impuesto sobre sucesiones para sus herederos.

La manifestación de la herencia se ha formalizado en documento privado/ [*público el* .... *de* .... *de* .... *ante el Notario de* .... D./Dª .... *con número de su protocolo*...............].

SEGUNDO.– Tal como queda justificado con la documentación de la herencia, en el inventario se encontraba la VIVIENDA HABITUAL DEL/DE LA CAUSANTE sita en.............. (*bien nº* .... *del inventario de la herencia*).

TERCERO.– De conformidad con el artículo 39.3 de la Ley 29/1987, de 18 de diciembre, del Impuesto sobre Sucesiones y Donaciones, y el 85 del Real Decreto 1629/1991, de 8 de noviembre, por el que se aprueba el Reglamento del Impuesto sobre Sucesiones y Donaciones, el .... de .... de ....se solicitó el aplazamiento específico de las siguientes autoliquidaciones/liquidaciones, que fue concedido:

Nº AUTOLIQUIDACIÓN/ LIQUIDACIÓN	IMPORTE A PAGAR	VENCIMIENTO	Nº EXP. APLAZAMIENTO CONCEDIDO ART. 39.1 LISD

QUINTO.– De conformidad con el artículo 39.2 de la citada Ley 29/1987: "2. *Terminado el plazo de cinco años podrá, con las mismas condiciones y requisitos, fraccionarse el pago en diez plazos semestrales, con el correspondiente abono del interés legal del dinero durante el tiempo de fraccionamiento*".

En aplicación de dicho precepto, y su desarrollo reglamentario, contenido en el artículo 85 del Real Decreto 1629/1991, de 8 de noviembre, por el que se aprueba el Reglamento del Impuesto sobre Sucesiones y Donaciones, se realiza la siguiente PROPUESTA DE PAGO:

Nº AUTOLIQUIDACIÓN/LIQUIDACIÓN	IMPORTE A PAGAR	Nº SEMESTRES PARA FRACCIONAR

SEXTO.– A tal efecto se constituyen las siguientes garantías/se aporta compromiso de constituir las siguientes garantías (indicar la que proceda):

– AVAL DE ENTIDAD DE CRÉDITO/SGR/SEGURO DE CAUCIÓN

– OTRAS (AVAL PERSONAL, PRENDA, HIPOTECA MOBILIARIA, HIPOTECA INMOBILIARIA, ANOTACIÓN PREVENTIVA DE EMBARGO)

– DISPENSA DE GARANTÍA con base en..............

En su virtud,

4. SOLICITA/N

Que, teniendo por presentado este escrito, con los documentos que lo acompañan, se sirva admitirlos, tenga por solicitado, en los términos del artículo 39.2 de la Ley 29/1987, de 18 de diciembre, del Impuesto sobre Sucesiones y Donaciones, y el artículo 85 del Real Decreto 1629/1991, de 8 de noviembre, por el que se aprueba el Reglamento del Impuesto sobre Sucesiones y Donaciones, el FRACCIONAMIENTO de la/s autoliquidación/es referenciadas en ....

5. OTRO SÍ MANIFIESTA/N

Subsidiariamente, en el caso de que se denegara el fraccionamiento específico anterior, por causa motivada, se solicita que se conceda el aplazamiento/fraccionamiento de la deuda, de conformidad con lo dispuesto en los artículos 44 y ss del Real Decreto 939/2005, de 29 de julio, por el que se aprueba el Reglamento General de Recaudación, en los siguientes términos: [*por defecto 24 mensualidades*], [*en su caso, con dispensa de garantía por ser una deuda inferior a 30000 euros, de conformidad con lo dispuesto en el artículo 82 de la Ley 58/2003, General Tributaria y normativa de desarrollo/con compromiso de constituir garantía por ser una deuda superior a 30000 euros de conformidad con el artículo 46.3 RGR y la normativa de desarrollo que esté, en cada momento, vigente*], en cuyo caso, se solicita expresamente que se remita la presente solicitud al órgano de recaudación competente para la tramitación y resolución de la solicitud de aplazamiento/fraccionamiento.

6. DOCUMENTACIÓN APORTADA

En todo caso, se adjunta cumplimentada la ORDEN DE DOMICILIACIÓN DE ADEUDO DIRECTO SEPA PARA PAGO APLAZADO O FRACCIONADO DE LAS DEUDAS DE DERECHO PÚBLICO DE LA ADMINISTRACIÓN.

En .... a .... de .... de ....

Fdo. El obligado tributario o su representante.

COMENTARIO

NORMATIVA

(1) Procedimiento
Artículo 8.1 y artículo 32 apartados 5, 6 y 7 LISD.
Artículo 80.3 RISD.

Formulario ISUC-24. SOLICITUD DE APLAZAMIENTO DE LIQUIDACIONES/ AUTOLIQUIDACIONES EN CASO DE CAUSAHABIENTES DESCONOCIDOS (artículo 84 RISD)

1. ÓRGANO COMPETENTE

AL ÓRGANO COMPETENTE PARA CONCEDER EL APLAZAMIENTO/ FRACCIONAMIENTO QUE SE SOLICITA (JEFATURA DE SERVICIO DE GESTIÓN DE LA OFICINA LIQUIDADORA AUTONÓMICA COMPETENTE)

. . . .

2. ENCABEZAMIENTO
COMPARECE/N:

D./Dª.............., con NIF ...., mayor de edad, vecino de ...., calle .... nº ....–...............–.............. (código postal).

Etc.

Interviene en su propio nombre y/o en representación de:

D./Dª.............., con NIF ...., mayor de edad, vecino de ...., calle .... nº ....–...............–.............. (código postal).

D./Dª.............., con NIF ...., mayor de edad, vecino de ...., calle .... nº ....–...............–.............. (código postal).

Etc.

Acredita la representación mediante documento que se adjunta, en los términos del artículo 46 de la Ley 58/2003, de 17 de diciembre, General Tributaria.

Ante este órgano comparece/n, y como mejor proceda en Derecho

3. EXPONE/N LOS SIGUIENTES HECHOS Y FUNDAMENTOS DE DERECHO

PRIMERO.– El .... de .... de .... tuvo lugar el fallecimiento de D./Dª............... No obstante, en la fecha de presentación de la presente solicitud no se conoce quién es/son el/los causahabiente/s del/la causante.

Por tanto, en aplicación del artículo 75 del Real Decreto 1629/1991, de 8 de noviembre, por el que se aprueba el Reglamento del Impuesto sobre Sucesiones y Donaciones, se ha devengado el Impuesto sobre sucesiones por importe de .... euros, sin perjuicio de la devolución que proceda de lo satisfecho de más, una vez que el/los causahabientes sean conocidos y esté justificado su parentesco con el/la causante y su patrimonio preexistente. Dicha deuda se documenta en la/s siguiente/s autoliquidación/es/liquidación/es:

1. .... Por importe de .... euros
2. ....Por importe de .... euros
   ....

Se aportan todos los ejemplares de los documentos.

SEGUNDO.– De acuerdo con el artículo 84 del Real Decreto 1629/1991, de 8 de noviembre, por el que se aprueba el Reglamento del Impuesto sobre Sucesiones y Donaciones: *"A solicitud de los administradores o poseedores de los bienes hereditarios, los órganos competentes para la gestión y liquidación del Impuesto podrán conceder el aplazamiento de las liquidaciones giradas por adquisiciones "mortis causa", hasta que fueren conocidos los causahabientes en una sucesión siempre que concurran las condiciones siguientes:*

a) Que se solicite antes de expirar el plazo reglamentario de pago.

b) Que no exista inventariado entre los bienes del causante efectivo o bienes de fácil realización suficientes para el abono de las cuotas liquidadas.

c) Que se acompañe compromiso de constituir garantía suficiente que cubra el importe de la deuda principal e intereses de demora, más un 25 por 100 de la suma de ambas partidas. [...............]"

TERCERO.– Tal como queda justificado con la documentación de la herencia que se aporta, no existe inventariado, entre los bienes del/la causante, dinero en efectivo o bienes de fácil realización suficientes para el pago de la autoliquidación/es / liquidación/es referenciada/s.

CUARTO.– En aplicación de dicho precepto, se realiza la siguiente PROPUESTA DE PAGO:

Nº AUTOLIQUIDACIÓN/LIQUIDACIÓN	IMPORTE A PAGAR VENCIMIENTO

QUINTO.- A tal efecto se constituyen las siguientes garantías/ se aporta compromiso de constituir las siguientes garantías (indicar la que proceda):

– AVAL DE ENTIDAD DE CRÉDITO/SGR/SEGURO DE CAUCIÓN

– OTRAS (AVAL PERSONAL, PRENDA, HIPOTECA MOBILIARIA, HIPOTECA INMOBILIARIA, ANOTACIÓN PREVENTIVA DE EMBARGO)

– DISPENSA DE GARANTÍA con base en..............

En su virtud,

4. SOLICITA/N

Que, teniendo por presentado este escrito, con los documentos que lo acompañan, se sirva admitirlos, tenga por solicitado, en los términos del artículo 39.4 de la Ley 29/1987, de 18 de diciembre, del Impuesto sobre Sucesiones, el APLAZAMIENTO de la autoliquidación/es/liquidación/es referenciadas.

5. OTRO SÍ MANIFIESTA/N

Subsidiariamente, en el caso de que se denegara el aplazamiento específico anterior, por causa motivada, se solicita que se conceda el aplazamiento/fraccionamiento de la deuda, de conformidad con lo dispuesto en los artículos 44 y ss del Real Decreto 939/2005, de 29 de julio, por el que se aprueba el Reglamento General de Recaudación, en los siguientes términos: [*por defecto 24 mensualidades*], [*en su caso, con dispensa de garantía por ser una deuda inferior a 30000 euros, de conformidad con lo dispuesto en el artículo 82 de la Ley 58/2003, General Tributaria y normativa de desarrollo/con compromiso de constituir garantía por ser una deuda superior a 30000 euros de conformidad con el artículo 46.3 RGR y la normativa de desarrollo que esté, en cada momento, vigente*], en cuyo caso, se solicita expresamente que se remita la presente solicitud al órgano de recaudación competente para la tramitación y resolución de la solicitud de aplazamiento.

6. DOCUMENTACIÓN APORTADA

En todo caso, se adjunta cumplimentada la ORDEN DE DOMICILIACIÓN DE ADEUDO DIRECTO SEPA PARA PAGO APLAZADO O FRACCIONADO DE LAS DEUDAS DE DERECHO PÚBLICO DE LA ADMINISTRACIÓN.

En .... a .... de .... de ....

Fdo. El obligado tributario o su representante.

COMENTARIO

Normativa

(1) Procedimiento
Artículo 8.1 y artículo 32 apartados 5, 6 y 7 LISD.
Artículo 80.3 RISD.

Formulario ISUC-25. CONSTITUCIÓN MORTIS CAUSA DE COMUNIDAD DE BIENES PARA CONTINUAR CON LAS ACTIVIDADES ECONÓMICAS DEL CAUSANTE HASTA LA ADJUDICACIÓN DE LA HERENCIA (SOLICITUD CIF A LA AGENCIA TRIBUTARIA)

1. ÓRGANO COMPETENTE
A LA AGENCIA ESTATAL DE LA ADMINISTRACIÓN TRIBUTARIA

CENSOS

2. ENCABEZAMIENTO

COMUNICACIÓN DE FALLECIMIENTO Y CONSTITUCIÓN *OPE LEGIS* DE COMUNIDAD DE BIENES MORTIS CAUSA SOBRE LOS BIENES DEL CAUSANTE

NIF CAUSANTE:

COMPARECE/N:

D./Dª.............., con NIF ...., mayor de edad, con domicilio a efectos de notificaciones en ...., calle .... nº ....–..............–.............. (código postal).

Interviene en su propio nombre y/o en representación de:

D./Dª.............., con NIF ...., mayor de edad, vecino de ...., calle .... nº ....–..............–.............. (código postal).

Acredita la representación mediante documento que se adjunta, en los términos del artículo 46 de la Ley 58/2003, de 17 de diciembre, General Tributaria.

Todos ellos se declaran con capacidad legal necesaria para otorgar la presente comunicación en relación con la HERENCIA de Don/Dª ...., con base en los siguientes,

3. HECHOS

PRIMERO.– El .... de .... de .... falleció .... Don/
Dª ...., con NIF ...., y (si no es de nacionalidad española) Pasaporte en
vigor de .... (país) .... número.

a) Si los herederos son cónyuge y/o hijos: En el momento del fallecimiento se encontraba en estado de separado/divorciado/viudo/casado en únicas/segundas/...............
nupcias con Don/Dª..............., de cuyo matrimonio tuvieron .... hijos, siendo
los únicos descendientes conocidos del causante.

Se adjunta copia del certificado de defunción y libro de familia. Por tanto, los comparecientes son los únicos herederos conocidos del causante.

b) Si los herederos son otros (hermanos/sobrinos/extraños/...............): En el momento del fallecimiento carecía de herederos forzosos, siendo sus herederos legales los
otorgantes del presente documento, tal como se acredita mediante...............

SEGUNDO.– El causante había otorgado su último testamento el ...., ante el/
la Notario de..............., Don/Dª, con número,............... de su protocolo ....
Se adjunta copia del testamento y del certificado del Registro General de Actos de Última
voluntad. / El causante no había otorgado testamento por lo que se aporta declaración de
herederos abintestato formalizada el .... ante el/la Notario de..............., Don/
Dª, con número,............... de su protocolo...............

En el citado testamento, el causante dispuso: ....

Por tanto, el porcentaje de cada heredero en la comunidad de bienes es la siguiente:/
En ausencia de disposición testamentaria, y de acuerdo con las normas de la sucesión, la
proporción de derechos hereditarios que le corresponde a cada uno de los miembros de
la herencia yacente es la siguiente............... *(indicar distribución de derechos hereditarios, que será el porcentaje que cada comunero tendrá en la comunidad de bienes mortis
causa)*.

TERCERO: En el momento del fallecimiento, en el patrimonio del causante existían los
siguientes bienes y derechos de contenido económico que requieren una gestión por parte
de la herencia yacente a efectos de cumplir con los trámites y obligaciones inherentes a la
misma, hasta que se adjudiquen dichos bienes:

1) Local arrendado sito en la calle............... nº...............de .... Ref. catastral............... *(indicar datos contrato alquiler)*

2) Vivienda arrendada sita en la calle............... nº...............de .... Ref.
catastral............... (indicar datos contrato alquiler)

3) Inmuebles no ocupados pero que están en alquiler...............

4) Negocio:............... *(identificar)*

5) Otros:...............

Por ello, a causa del fallecimiento de Don/Doña................, y NO HABIÉNDOSE ADJUDICADO AÚN LA HERENCIA, se ha constituido *ope legis* una COMUNIDAD DE BIENES MORTIS CAUSA formada por los miembros de la herencia yacente, para la gestión del patrimonio del causante hasta que se produzca dicha adjudicación.

Dicha comunidad de bienes precisa de un NIF con el fin de cumplir con las obligaciones con las Administraciones Tributarias y con terceros, así como para poder obtener la firma digital —al estar obligada legalmente a ello para relacionarse con las Administraciones—, habiendo convenido las partes las siguientes,

ESTIPULACIONES:

PRIMERA.– DENOMINACIÓN.

La denominación de la comunidad de bienes *mortis causa* será: "HEREDEROS DE................".

SEGUNDA.– ACTIVIDAD Y DURACIÓN.

La Comunidad de Bienes se constituye *ope legis* a causa del fallecimiento del propietario de los bienes y derechos identificados, como solución jurídica transitoria hasta que se adjudiquen los bienes de la herencia, teniendo como actividad la gestión de los bienes y derechos del causante y el cumplimiento de sus obligaciones con terceros de derecho público y privado.

TERCERA.– DERECHOS Y OBLIGACIONES.

Los comparecientes tienen una participación en la comunidad de bienes equivalente, a todos los efectos, a sus derechos hereditarios.

CUARTA.– REPRESENTACIÓN

Los comparecientes nombran como representantes solidarios para realizar todos los trámites y gestiones legales y administrativas que sean necesarias a Don/Dº.............. con NIF................, y a Don/Dº.............. con NIF ....

En particular se les autoriza a:

• Obtener la firma digital de la comunidad de bienes.

• Abrir una cuenta bancaria a nombre de la comunidad de bienes para facilitar su gestión y operar con ella para realizar cualquier clase de operación.

• Y a actuar en nombre de la comunidad de bienes ante cualquier Administración Pública, así como con agentes privados, en caso de ser necesario.

(A estos efectos, los representantes se autorizan, mutua y recíprocamente, a realizar de manera indistinta cualquier operación bancaria ante entidades de las que sea cliente la comunidad de bienes, reconociéndose, por tanto, que pueden actuar de forma SOLIDARIA ante dichas entidades bancarias en nombre de HEREDEROS DE .... CB).

Los representantes se obligan a comunicar a los terceros contratantes con el causante, cuyos contratos quedan en vigor, la subrogación de la comunidad de bienes en dichos contratos, con mantenimiento de todas las cláusulas acordadas con ellos por el causante cuando los suscribió.

QUINTA.– DOMICILIO Y DATOS A EFECTOS DE NOTIFICACIONES

La comunidad de bienes fija su domicilio a efectos de notificaciones en la calle.............. número.............. de..............

SEXTA.– MANDATO DE GESTIÓN

Los comparecientes autorizan y otorgan MANDATO DE GESTIÓN expreso a favor de Don/Dª.............. con NIF.............., para que, en su nombre y representación, pueda presentar el presente documento a todos los efectos legales ante cualquier Administración, y realizar todas las gestiones y declaraciones administrativas que correspondan en relación con los actos que se contienen en el mismo, así como con cualquier otro documento que haya podido formalizarse con carácter previo o se suscriban con posterioridad, ya sean novatorios o subsanatorios, relacionados con la herencia de Don/Dª.............. y la comunidad de bienes *mortis causa* constituida a causa de su fallecimiento.

Todo ello en orden a comunicar a las Administraciones Públicas implicadas los datos necesarios para que se entiendan cumplidas todas las obligaciones tributarias derivadas de la defunción del causante.

Igualmente queda facultada para atender requerimientos, presentar alegaciones y recursos y, en general, comunicarse o dirigirse ante las Administraciones implicadas a efectos de defender los derechos de los otorgantes.

En virtud de lo expuesto,

SOLICITAN:

1.– Que se tenga por presentado el presente documento de manifestación de la constitución de la comunidad de bienes mortis causa "HEREDEROS DE ....CB", con toda la documentación necesaria.

2.– Y SE EXPIDA UN NÚMERO DE IDENTICACIÓN FISCAL DEFINITIVO (NIF) a la comunidad de bienes para que pueda obtener la firma digital y cumplir con sus obligaciones legales, en general, y tributarias, en particular.

En .... a ....de .... de ....

Fdo. D./Dª..............

(TODOS LOS COMPARECIENTES O SUS REPRESENTANTES ACREDITADOS)

COMENTARIO

Normativa

(1) Procedimiento

Para la obtención del CIF se debe presentar este documento firmado por todos los comuneros junto a:

• Un modelo censal 036 obtenido mediante la opción de la web de la Agencia Tributaria "Modelo 036. Cumplimentación, validación y obtención en PDF para su impresión":

• Declaración Censal - Modelo 036 (agenciatributaria.gob.es)

• En este modelo se deben rellenar obligatoriamente las páginas 1, 2B, 3 y 8. Y se aconseja indicar un móvil y un correo electrónico.

• Libro de familia (en caso de que los comuneros figuren en él)

• Último testamento o acta de herederos abintestato

• Certificados del Registro de últimas voluntades

Toda esta documentación se presenta presencialmente mediante cita previa u online mediante firma digital de un colaborador con la Agencia Tributaria a través de la opción específica habilitada en la sede electrónica de la Agencia Tributaria: "Modelo 036. Solicitud de asignación de NIF de entidad - no presencial":

https://sede.agenciatributaria.gob.es/Sede/censos-nif-domicilio-fiscal/modelos-036-037-censo-empresarios-retenedores.html

En unos pocos días se obtiene el CIF, que ya es definitivo. Según la Administración de la Agencia Tributaria, la tarjeta del NIF se notifica al presentador por sede electrónica, o se envía al correo electrónico que se indica en el 036, o la envían por correo al domicilio indicado en el 036.

Orden HAC/609/2021, de 16 de junio, por la que se modifican la Orden EHA/1274/2007, de 26 de abril, por la que se aprueban los modelos 036 de Declaración censal de alta, modificación y baja en el Censo de empresarios, profesionales y retenedores y 037 de Declaración censal simplificada de alta, modificación y baja en el Censo de empresarios, profesionales y retenedores y la Orden EHA/3695/2007, de 13 de diciembre, por la que se aprueba el modelo 030 de Declaración censal de alta en el Censo de obligados tributarios, cambio de domicilio y/o variación de datos personales, que pueden utilizar las personas físicas, se determinan el lugar y forma de presentación del mismo.

JURISPRUDENCIA Y DOCTRINA ADMINISTRATIVA

Consulta vinculante de la DGT número V0234/2017, de 31-01-2017.

BIBLIOGRAFÍA

LINARES NOCI, R., "La herencia yacente", en *La sucesión "mortis causa" y los elementos de la relación sucesoria, la delación de la herencia y la incapacidad para suceder* / coord. por Óscar Monje Balmaseda, 2011, Dykinson, pp. 51-66.

MADRIÑÁN VAZQUEZ, M., "La herencia yacente", en *Tratado de derecho de sucesiones: código civil y normativa civil autonómica: Aragón, Baleares, Cataluña, Galicia, Navarra, País Vasco* / coord. por Judith Solé Resina; Mª del Carmen Gete-Alonso Calera (dir.), Vol. 1, 2011: Thomson Reuters, pp. 149-174.

[AAVV] dirigido por ALVENTOSA DEL RÍO J. y COBAS COBIELLA, M. E., *Derecho de sucesiones*, "Cap. VI: La liquidación del Impuesto sobre sucesiones", Tirant lo Blanch, 2017, pp. 922 a 936, 1026 y 1027.

[AAVV] coordinado por RAMOS PRIETO, J., HORNERO MÉNDEZ, C y MACARRO OSUNA, J. M., *Derecho y fiscalidad de las sucesiones "mortis causa" en España: una perspectiva multidisciplinar*, Thomson Reuters Aranzadi, 2016, pp. 447 a 474, y 491 a 506.

NIETO MONTERO, J. J., "Las herencias yacentes como obligados tributarios", en *Tratado sobre la Ley General Tributaria: homenaje a Álvaro Rodríguez Bereijo* / coord. por Andrés Báez Moreno, Domingo Jesús Jiménez-Valladolid de L'Hotellerie-Fallois; Juan Arrieta Martínez de Pisón (dir.), Miguel Ángel Collado Yurrita (dir.), Juan Zornoza Pérez (dir.), Álvaro Rodríguez Bereijo (hom.), Vol. 1, 2010 (Tomo I), Aranzadi Thomson Reuters, pp. 829-852.

Formulario ISUC-26. SOLICITUD DE INICIO DE PROCEDIMIENTO PARA LA DEDUCCIÓN DE DEUDAS DEL CAUSANTE PUESTAS DE MANIFIESTO CON POSTERIORIDAD AL INGRESO DEL IMPUESTO (Artículo 94 RISD)

1. ÓRGANO COMPETENTE

A LA OFICINA LIQUIDADORA DE...............

2. ENCABEZAMIENTO
COMPARECEN

D./Dª..............., con NIF ...., mayor de edad, vecino de ...., calle .... nº ....–...............–............... (código postal).

Interviene en su propio nombre y/o en representación de:

D./Dª..............., con NIF ...., mayor de edad, vecino de ...., calle .... nº ....–...............–............... (código postal).

D./Dª.............., con NIF ...., mayor de edad, vecino de ...., calle .... nº ....–..............–.............. (código postal).

Etc.

Acredita la representación mediante documento que se adjunta, en los términos del artículo 46 de la Ley 58/2003, de 17 de diciembre, General Tributaria.

Ante este órgano comparece/n, y como mejor proceda en Derecho

3. EXPONE/N LOS SIGUIENTES HECHOS Y FUNDAMENTOS DE DERECHO

PRIMERO.– El .... de .... de .... falleció D./Dª ...., con NIF..............

SEGUNDO.– El .... de .... de .... se presentó la documentación de la herencia ante la Oficina Liquidadora competente, asignándose el siguiente número de expediente..............:

En dicha documentación se incluían las siguientes autoliquidaciones que fueron ingresadas en fecha .... de .... de ..../aplazadas con el siguiente número de expediente ....

TERCERO.– Por desconocimiento, en el inventario de la herencia, no se incluyó/eron la/s siguiente/s deuda/s:

[Identificación del deudor/a, el importe de la deuda pendiente y documento que se presenta para acreditar la realidad, cuantía y liquidez de las deudas]

1.– ....

2.– ....

CUARTO.– El artículo 94 del Real Decreto 1629/1991, de 8 de noviembre, por el que se aprueba el Reglamento del Impuesto sobre Sucesiones y Donaciones, regula el procedimiento especial para la deducción de deudas del causante puestas de manifiesto con posterioridad al ingreso del Impuesto.

QUINTO.– La inclusión de dicha deuda determina las siguientes diferencias entre las cuotas ingresadas y las que hubieran resultado procedentes, y determinan la existencia de un ingreso indebido por la diferencia entre ambas:

Nº AUTOLIQUIDACIÓN	CUOTA INGRESADA	CUOTA PROCEDENTE	INGRESO INDEBIDO

En su virtud,

4. SOLICITA/N

Que, teniendo por presentado este escrito, se sirva admitirlo, tenga por solicitada la tramitación del PROCEDIMIENTO PARA LA DEDUCCIÓN DE DEUDAS DEL CAUSANTE PUESTAS DE MANIFIESTO CON POSTERIORIDAD AL INGRESO DEL IMPUESTO, y se resuelva en sentido estimatorio, incluyéndose la/s deuda/s acreditada/s en el inventario de la herencia, procediéndose a ordenar la devolución de la cuota excesiva ingresada, en los términos del artículo 94 del Real Decreto 1629/1991, de 8 de noviembre, por el que se aprueba el Reglamento del Impuesto sobre Sucesiones y Donaciones.

En .... a............... de............... de 20...............

Fdo. El obligado tributario o su representante.

COMENTARIOS

Normativa

(1) Procedimiento
Artículo 94 RISD.

Bibliografía

[AAVV] dirigido por ALVENTOSA DEL RÍO J. y COBAS COBIELLA, M. E., *Derecho de sucesiones*, "Cap. VI: La liquidación del Impuesto sobre sucesiones", Tirant lo Blanch, 2017, p. 1022.

Formulario ISUC-27. SOLICITUD DE CONSULTA TRIBUTARIA A LA DIRECCIÓN GENERAL DE TRIBUTOS DEL ESTADO/COMUNIDAD AUTÓNOMA

1. ÓRGANO COMPETENTE

A LA DIRECCIÓN GENERAL DE TRIBUTOS DEL ESTADO/COMUNIDAD AUTÓNOMA CON COMPETENCIA SOBRE EL IMPUESTO SOBRE SUCESIONES DEVENGADO

2. ENCABEZAMIENTO

D./Dª............., con NIF ...., mayor de edad, vecino de ...., calle .... nº ....–..............–.............. (código postal).

Interviene en su propio nombre y/o en representación de:

D./Dª............., con NIF ...., mayor de edad, vecino de ...., calle .... nº ....–..............–.............. (código postal).

D./Dª............., con NIF ...., mayor de edad, vecino de ...., calle .... nº ....–..............–.............. (código postal).

Etc.

Acredita la representación mediante documento que se adjunta, en los términos del artículo 46 de la Ley 58/2003, de 17 de diciembre, General Tributaria.

Ante este órgano comparece/n, y como mejor proceda en Derecho

3. EXPONE/N LOS SIGUIENTES HECHOS Y FUNDAMENTOS DE DERECHO

El artículo 88 de la Ley 58/2003, de 17 de diciembre, General Tributaria, en su apartado primero, permite que los obligados formulen consultas escritas a la Administración tributaria respecto al régimen, la clasificación o la calificación tributaria que, en cada caso, les corresponda.

El artículo 66 del RD 1065/2007, de 27 de julio, por el que se aprueba el Reglamento General de las actuaciones y los procedimientos de gestión e inspección tributaria y de desarrollo de las normas comunes de los procedimientos de aplicación de los tributos, establece los requisitos los requisitos que debe cumplir el escrito en el que se formule la consulta.

Con base en dichos preceptos, se formula la siguiente consulta:

A.– Antecedentes y circunstancias del caso sobre las que pivote la consulta que se plantea.

B.– Objeto de la consulta.

(Se debe realizar una explicación detallada del porqué de las dudas o cuestiones que se planteen. Se pueden acompañar datos, elementos y documentos que puedan contribuir a la formación de juicio por parte de la Administración tributaria autonómica).

C.– Consulta *(concreta, con claridad y precisión)* sobre el régimen, clasificación o calificación tributaria del supuesto de hecho planteado en relación con el Impuesto sobre Sucesiones y Donaciones.

En cumplimiento de lo establecido en el art. 88 LGT, esta consulta tributaria se plantea antes de que haya finalizado el plazo establecido para el ejercicio del derecho, de la presentación de declaración o autoliquidación o del cumplimiento de otras obligaciones tributarias, relacionadas con el supuesto de hecho planteado.

Además, de conformidad con lo previsto en el artículo 66.1.a del RD 1065/2007, de 27 de julio, se deja constancia expresa de que en el momento de presentar el escrito sí/no se está tramitando un procedimiento, recurso o reclamación económico-administrativa interpuesta por este mismo obligado tributario, relacionado con el régimen, clasificación o calificación tributaria que le corresponda planteado en la consulta (salvo que ésta sea formulada por las entidades del art. 88.3 LGT).

En su virtud,

4. SOLICITA/N

Que, teniendo por presentado este escrito, con el/los documentos que lo acompaña/n, se sirva admitirlo/s, tenga por formulada la consulta, en los términos redactados en el cuerpo de este escrito, de conformidad con lo previsto en el artículo 88 LGT y artículo 66 del citado Real Decreto 1065/2007, de 27 de julio, y, previa la tramitación legal procedente, dicte en su día Resolución por la que se conteste a dicha consulta tributaria, con los efectos previstos en la citada normativa.

En ....lugar y fecha.

Fdo. Obligado tributario o su representante.

Formulario ISUC-28. ESCRITO DE SOLICITUD DE DEVOLUCIÓN DE INGRESO TRIBUTARIO INDEBIDO

1. ÓRGANO COMPETENTE

A LA OFICINA LIQUIDADORA DE.............. (ADMINISTRACIÓN EN LA QUE SE HAYA REALIZADO EL INGRESO INDEBIDO)

2. ENCABEZAMIENTO

D./Dª.............., con NIF ...., mayor de edad, vecino de ...., calle .... nº ....–..............–.............. (código postal).

Interviene en su propio nombre y/o en representación de:

D./Dª.............., con NIF ...., mayor de edad, vecino de ...., calle .... nº ....–..............–.............. (código postal).

D./Dª.............., con NIF ...., mayor de edad, vecino de ...., calle .... nº ....–..............–.............. (código postal).

Etc.

Acredita la representación mediante documento que se adjunta, en los términos del artículo 46 de la Ley 58/2003, de 17 de diciembre, General Tributaria.

Ante este órgano comparece/n, y como mejor proceda en Derecho

3. EXPONE/N LOS SIGUIENTES HECHOS Y FUNDAMENTOS DE DERECHO

PRIMERO.– Como heredero del/la causante D./Dª ...., el día .... ha efectuado el pago de una deuda tributaria por el Impuesto sobre Sucesiones y Donaciones que, sin embargo, no tenía obligación de abonar, por lo que, de conformidad con lo establecido en los artículos 32 y 221 de la Ley 58/2003, de 17 de diciembre, General Tributaria, así como en los artículos 14 y siguientes del Real Decreto 520/2005, de 13 de mayo, por el que se aprueba el Reglamento general de desarrollo de la Ley 58/2003, de 17 de diciembre, General Tributaria, en materia de revisión en vía administrativa en materia tributaria, mediante el presente escrito insta la devolución de lo indebidamente ingresado junto con sus intereses de demora.

SEGUNDO.– Concretamente, dicho ingreso tributario resulta indebido dado que: *(Se tiene que explicar detalladamente cuál ha sido el motivo que permite alegar la devolución de lo que se solicita)*

– se ha producido duplicidad en el pago de la deuda tributaria referida (o de la sanción tributaria)

– se ha pagado una cantidad superior al importe que resultaba a ingresar establecido en el acto de liquidación reseñado (o en la autoliquidación)

– se ha ingresado dicha cantidad por esa deuda (o sanción) tributaria identificada en este escrito cuando ya había transcurrido el plazo de prescripción legalmente establecido.

– se ha ingresado dicho tributo y un acto administrativo o una resolución económico-administrativa o Sentencia judicial *(identificarla, aportando copia como DOCUMENTO NÚMERO ....)* ha decidido que no era ajustado a Derecho, resultando procedente su devolución.

Concretamente, como se deduce del/los documento/s que se adjunta/n con nº ...., esta parte .... *(se ha de acreditar documentalmente la concurrencia del motivo que se alega para solicitar la devolución).*

TERCERO.– Para que se haga efectiva la cantidad a devolver a que pueda tener derecho esta parte, se señala, como medio de pago, la transferencia bancaria a la cuenta abierta en la entidad de crédito ...., en la sucursal ubicada en..............., con el siguiente IBAN: .... *(o mediante cheque cruzado, o solicitud de compensación con otras deudas tributarias).*

CUARTO.– No ha prescrito el derecho del obligado tributario a solicitar y a obtener la devolución del ingreso indebido, de conformidad con lo establecido en los artículos 66 y siguientes de la Ley 58/2003, General Tributaria, pues dicho ingreso fue efectuado el día ...., y el derecho a obtener la devolución se ha producido el día..............., a raíz de .... *(indicar el acto, resolución, etc., que provoca el nacimiento del de-*

recho a obtener la devolución, en cada caso) sin que, hasta la fecha, hayan transcurrido 4 años.

QUINTO.- De conformidad con lo establecido en los artículos 32.2 y 221.5 LGT y el artículo 16.c del citado Real Decreto 520/2005, de 13 de mayo, junto con la devolución de la cantidad que conforma el ingreso indebido, se debe abonar a esta parte el interés de demora regulado en el artículo 26 LGT, que se devengará desde la fecha en que hemos acreditado que se ha realizado el ingreso indebido —concretamente, el día ....—, hasta la fecha en que se produzca efectivamente el pago de la devolución.

En su virtud, a este órgano

4. SOLICITA/N

Que teniendo por presentado en tiempo y forma este escrito, con el/los documento/s que lo acompaña/n, se sirva admitirlos, y, de conformidad con lo establecido en los artículos 32 y 221 de la LGT y en los artículos 14 y siguientes del citado RD 520/2005, de 13 de mayo, tenga por solicitada la devolución de............... Euros —ingresados indebidamente el día ...., por el concepto tributario Impuesto sobre Sucesiones y Donaciones— y de sus intereses de demora —al tratarse de un ingreso tributario indebido—, y, previa la tramitación legal procedente, dicte en su día Resolución por la que se declare el derecho a la devolución del ingreso indebido por el importe referido, junto con los intereses de demora que se hayan devengado desde el día en que se ha efectuado ese ingreso indebido hasta el día en que se efectúe el ingreso efectivo de la devolución a esta parte, y se disponga lo oportuno para que se proceda a la devolución solicitada, haciéndose efectiva la misma por el medio señalado.

En ....lugar y fecha.

Fdo. Obligado tributario o su representante.

COMENTARIOS

BIBLIOGRAFÍA

[AAVV] dirigido por ALVENTOSA DEL RÍO J. y COBAS COBIELLA, M. E., *Derecho de sucesiones*, "Cap. VI: La liquidación del Impuesto sobre sucesiones", Tirant lo Blanch, 2017, pp. 922 a 936, 1026 y 1027.

Formulario ISUC-29. SOLICITUD DE RECTIFICACIÓN DE LA AUTOLIQUIDACIÓN, CON DEVOLUCIÓN DE INGRESO

1. ÓRGANO COMPETENTE

A LA OFICINA LIQUIDADORA DE.............. (EN LA QUE SE HAYA PRESENTADO LA AUTOLIQUIDACIÓN A RECTIFICAR)

2. ENCABEZAMIENTO

D./Dª..............., con NIF ...., mayor de edad, vecino de ...., calle .... nº ....–...............–.............. (código postal).

Interviene en su propio nombre y/o en representación de:

D./Dª..............., con NIF ...., mayor de edad, vecino de ...., calle .... nº ....–...............–.............. (código postal).

D./Dª..............., con NIF ...., mayor de edad, vecino de ...., calle .... nº ....–...............–.............. (código postal).

Etc.

Acredita la representación mediante documento que se adjunta, en los términos del artículo 46 de la Ley 58/2003, de 17 de diciembre, General Tributaria.

Ante este órgano comparece/n, y como mejor proceda en Derecho,

3. EXPONE/N LOS SIGUIENTES HECHOS Y FUNDAMENTOS DE DERECHO

PRIMERO.– Que el día .... presentó autoliquidación por el concepto tributario Impuesto sobre Sucesiones y Donaciones, modalidad Sucesiones, a raíz del fallecimiento de D./Dª.............., habiendo satisfecho una cuota tributaria de .... €, según copia del modelo presentado, que se acompaña al presente escrito como DOCUMENTO ADJUNTO Nº ....

SEGUNDO.– El artículo 120.3 de la Ley 58/2003, de 17 de diciembre, General Tributaria establece que: *"3. Cuando un obligado tributario considere que una auto-liquidación ha perjudicado de cualquier modo sus intereses legítimos, podrá instar la rectificación de dicha autoliquidación de acuerdo con el procedimiento que se regule reglamentariamente".*

Estimando que la presentación de dicha autoliquidación ha perjudicado mis intereses legítimos y, al amparo de lo dispuesto en el citado art. 120.3 de la Ley 58/2003, de 17 de diciembre, General Tributaria, y de conformidad con el procedimiento regulado en los artículos 126 a 129 del Real Decreto 1065/2007, de 27 de julio, por el que se aprueba el Reglamento General de las actuaciones y los procedimientos de gestión e inspección tributaria y de desarrollo de las normas comunes de los procedimientos de aplicación de los tributos, interesa su RECTIFICACIÓN, debiendo tenerse en cuenta los siguientes antecedentes:

a) *(Dado que la rectificación de la autoliquidación se puede instar si el obligado tributario ingresó más cantidad que la debida, será necesario describir concretamente el perjuicio originado por la propia autoliquidación presentada, y deberán acompañarse los documentos que justifiquen el derecho que se impetra; por ejemplo, no se aplicó, teniendo derecho, una deducción, bonificación o exención; se cometió un error en la consignación de alguna partida que ha dado lugar a un mayor ingreso que el debido; no se realizó definitivamente el hecho imponible porque se anuló la adjudicación o valoración de la herencia por sentencia firme; etc.).*

b) *(o bien: La cuota tributaria satisfecha fue de .... €, en lugar de los ....€, según resultaría de la aplicación del artículo .... de la Ley/ Reglamento del Impuesto sobre Sucesiones y Donaciones, debiendo restituirse el exceso ingresado a esta parte).*

c) Por todo ello, se ha originado un derecho de crédito a la devolución por este exceso en el ingreso/defecto en la devolución de...............€

TERCERO.- Se hace constar expresamente que no ha prescrito la potestad de la Administración tributaria para determinar la deuda tributaria mediante la correspondiente liquidación, ni, en su caso, ha prescrito el derecho a solicitar y a obtener la devolución correspondiente, de conformidad con lo establecido en los artículos 66 y siguientes de la LGT y artículo 126 del RD 1065/2007, pues el fin del período voluntario de ingreso del tributo afectado fue el día ....

CUARTO.- Para que se haga efectiva la cantidad a devolver a que pueda tener derecho esta parte, se señala, como medio de pago, el de la transferencia bancaria a la cuenta abierta en la entidad de crédito ...., en la sucursal ubicada en..............., con el siguiente IBAN: .... *(o mediante cheque cruzado)*, de conformidad lo establecido en los artículos 126.4.b y 132.1 del RD 1065/2007.

QUINTO.- La Administración no ha practicado liquidación definitiva, ni se está tramitando ningún procedimiento de comprobación o investigación cuyo objeto incluya la obligación tributaria a la que se refiere la autoliquidación presentada, de conformidad con lo establecido en el artículo 126 del RD 1065/2007.

SEXTO.- Se solicita la devolución de las cantidades indebidamente ingresadas, junto con los intereses de demora correspondientes, desde el día en que se efectuó el ingreso indebido, hasta el día en que se proceda a la efectiva devolución a esta parte, de conformidad con lo establecido en el artículo 32.2 y 120.5 *in fine* LGT.

En su virtud,

4. SOLICITA/N

Que teniendo por presentado en tiempo y forma este escrito, con el/los documento/s que lo acompaña/n, se sirva admitirlo/s, y, de conformidad con lo establecido en el artículo 120.3 LGT y en los artículos 126 a 129 del RD 1065/2007, de 27 de julio, tenga por solicitada la rectificación de la autoliquidación presentada el día ....,
por el concepto tributario Impuesto sobre Sucesiones, a raíz del fallecimiento de D./Dª
..............., por el que se ingresaron .... €, y tenga por solicitada la devolución del ingreso efectuado por importe de .... (*en su caso, junto con sus intereses de demora —de conformidad con lo establecido en los artículos 32.2 y 120.5 LGT—*), y, previa la tramitación legal procedente, dicte en su día Resolución por la que se declare el derecho a la devolución por el importe referido (en su caso, junto con los intereses de demora desde el día en que se efectuó el ingreso indebido hasta el día en que se proceda a la devolución efectiva a esta parte), y se disponga lo oportuno para que se proceda a la devolución solicitada, haciéndose efectiva la misma por el medio señalado.

En ...., lugar y fecha.

Fdo. Obligado tributario, o su representante.

Formulario ISUC-30. COMUNICACIÓN DE INCUMPLIMIENTO SOBREVENIDO DE LOS REQUISITOS DE UN BENEFICIO FISCAL APLICADO

1. ÓRGANO COMPETENTE

A LA OFICINA LIQUIDADORA DE.............. (EN LA QUE SE HAYA PRESENTADO LA AUTOLIQUIDACIÓN A RECTIFICAR)

2. ENCABEZAMIENTO

D./Dª..............., con NIF ...., mayor de edad, vecino de ....,
calle .... nº ....–...............–............... (código postal).

Interviene en su propio nombre y/o en representación de:

D./Dª..............., con NIF ...., mayor de edad, vecino de ....,
calle .... nº ....–...............–............... (código postal).

D./Dª..............., con NIF ...., mayor de edad, vecino de ....,
calle .... nº ....–...............–............... (código postal).

Etc.

Acredita la representación mediante documento que se adjunta, en los términos del artículo 46 de la Ley 58/2003, de 17 de diciembre, General Tributaria.

Ante este órgano comparece/n, y como mejor proceda en Derecho,

3. EXPONE/N LOS SIGUIENTES HECHOS Y FUNDAMENTOS DE DERECHO

PRIMERO.– Que el día .... presentó autoliquidación por el concepto tributario Impuesto sobre Sucesiones y Donaciones, modalidad Sucesiones, a raíz del fallecimiento de D./Dª..............., habiendo satisfecho una cuota tributaria de .... €, según copia el modelo presentado que se acompaña al presente escrito como DOCUMENTO ADJUNTO Nº ....

SEGUNDO.– En dicha autoliquidación se aplicó el siguiente beneficio fiscal regulado en el artículo............... de la Ley .... por cumplirse en aquel momento los requisitos para ello, y ser la intención del sujeto pasivo cumplirlos en el futuro *[reducción por adquisición de vivienda habitual del causante/reducción por transmisión de empresa o participaciones en determinadas entidades/...............].* No obstante se han producido causas sobrevenidas que han determinado que haya dejado de cumplirse el requisito de *[permanencia,...............].*

TERCERO.– El artículo 122 de la Ley 58/2003, de 17 de diciembre, General Tributaria establece que: *"1. Los obligados tributarios podrán presentar autoliquidaciones complementarias, o declaraciones o comunicaciones complementarias o sustitutivas, dentro del plazo establecido para su presentación o con posterioridad a la finalización de dicho plazo, siempre que no haya prescrito el derecho de la Administración para determinar la deuda tributaria. En este último caso tendrán el carácter de extemporáneas.*

2. Las autoliquidaciones complementarias tendrán como finalidad completar o modificar las presentadas con anterioridad y se podrán presentar cuando de ellas resulte un importe a ingresar superior al de la autoliquidación anterior o una cantidad a devolver o a compensar inferior a la anteriormente autoliquidada. En los demás casos, se estará a lo dispuesto en el apartado 3 del artículo 120 de esta ley.

No obstante lo dispuesto en el párrafo anterior y salvo que específicamente se establezca otra cosa, cuando con posterioridad a la aplicación de una exención, deducción o incentivo fiscal se produzca la pérdida del derecho a su aplicación por incumplimiento de los requisitos a que estuviese condicionado, el obligado tributario deberá incluir en la autoliquidación correspondiente al período impositivo en que se hubiera producido el incumplimiento la cuota o cantidad derivada de la exención, deducción o incentivo fiscal aplicado de forma indebida en los períodos impositivos anteriores junto con los intereses de demora".

En el ámbito del Impuesto sobre sucesiones, de acuerdo con la normativa autonómica de la Comunidad Autónoma competente sobre el Impuesto devengado *[en el caso de la Comunidad Valenciana, el artículo 12.ter de la Ley 13/1997, de 23 de diciembre, por la que se regula el tramo autonómico del Impuesto sobre la Renta de las Personas Físicas y restantes tributos cedidos], "cuando con posterioridad a la aplicación de un beneficio fiscal se produzca la pérdida del derecho a su aplicación por incumplimiento de los requisitos a que estuviese condicionado, se deberá presentar la autoliquidación correspondiente en el plazo de un mes contado desde el día en que se hubiera producido el incumplimiento. La regularización que se practique incluirá la parte del Impuesto que se hubiere dejado de ingresar como consecuencia de la aplicación del beneficio fiscal, así como los intereses de demora"].*

CUARTO.- Por ello, se presenta [*autoliquidación/se efectúa declaración*] en tiempo y forma, declarando el incumplimiento del requisito en los términos expuestos y se presenta autoliquidación/declaración complementaria del Impuesto sobre sucesiones, calculando la cuota resultante sin la aplicación de dicho beneficio fiscal, e ingresando su importe.

QUINTO.- La Administración no ha practicado liquidación definitiva, ni se está tramitando ningún procedimiento de comprobación o investigación cuyo objeto incluya la obligación tributaria a la que se refiere la autoliquidación presentada, de conformidad con lo establecido en el artículo 126 del RD 1065/2007.

En su virtud,

4. SOLICITA/N

Que, teniendo por presentado en tiempo y forma este escrito, con el/los documento/s que lo acompaña/n, se sirva admitirlo/s, y, de conformidad con lo establecido en el artículo 122 LGT, tenga por presentada la autoliquidación/declaración complementaria del Impuesto sobre sucesiones y, previa calificación de la misma, se dé conformidad al Impuesto pagado.

En ...., lugar y fecha.

Fdo. Obligado tributario, o su representante.

COMENTARIO

Debe tenerse en cuenta que la presentación extemporánea en tiempo y forma, sin que medie requerimiento previo de la Administración, determinará el devengo de los recargos del artículo 27 LGT. A partir del 01/01/2022, se aplica la nueva redacción de dicho precepto realizada por la Ley 11/2021, de 9 de julio, de medidas de prevención y lucha contra el fraude fiscal, de transposición de la Directiva (UE) 2016/1164, del Consejo, de 12 de julio de 2016, por la que se establecen normas contra las prácticas de elusión fiscal que inciden directamente en el funcionamiento del mercado interior, de modificación de diversas normas tributarias y en materia de regulación del juego.

Por el contrario, si la presentación del documento explicativo del incumplimiento, junto con la autoliquidación en la que se abone el Impuesto correcto —es decir, la diferencia entre la cuota inicialmente ingresada y la resultante de no aplicar el beneficio fiscal—, se realiza después de que la Administración haya iniciado un procedimiento de comprobación del Impuesto —sea de gestión o de inspección tributaria—, no se producirá el devengo de dichos recargos, sino que el ingreso realizado por el contribuyente se considerará simplemente un pago a cuenta del que finalmente resulte de la comprobación administrativa, y se devengarán intereses de demora, sin perjuicio de la tramitación, por parte de la Administración, de un procedimiento sancionador, generalmente por la infracción tipificada en el artículo 191 de la LGT.

Vid. STS de 23 de noviembre de 2020, recurso núm. 491/2019 *(Tol 8262211)*.

Bibliografía

BOSCH CHOLBI, J. L., y URIOL EGIDO, C., "Matizaciones a la imposición automática del recargo por presentar, extemporánea pero espontáneamente, una declaración tributaria o una autoliquidación con ingreso", *Tribuna Fiscal*, nº 242, 2010.

TORIBIO BERNÁRDEZ, L., "Sombras y luces de los recargos por declaración extemporánea: el concepto de requerimiento previo y los discutibles requisitos introducidos para las autoliquidaciones presentadas a la vista de una anterior regulación", *Revista Quincena Fiscal*, nº 3, 2022.

Formulario ISUC-31. SOLICITUD DE VALORACIÓN PREVIA A LA ADQUISICIÓN DE INMUEBLES

1. ÓRGANO COMPETENTE

AL SERVICIO DE VALORACIÓN DE LA ADMINISTRACIÓN TRIBUTARIA COMPETENTE EN FUNCIÓN DE DÓNDE RADIQUE EL INMUEBLE

2. ENCABEZAMIENTO

D./Dª.............., con NIF ...., mayor de edad, vecino de ...., calle .... nº ....–..............–.............. (código postal).

Interviene en su propio nombre y/o en representación de:

D./Dª.............., con NIF ...., mayor de edad, vecino de ...., calle .... nº ....–..............–.............. (código postal).

D./Dª.............., con NIF ...., mayor de edad, vecino de ...., calle .... nº ....–..............–.............. (código postal).

Etc.

Acredita la representación mediante documento que se adjunta, en los términos del artículo 46 de la Ley 58/2003, de 17 de diciembre, General Tributaria.

Ante este órgano comparece/n, y como mejor proceda en Derecho

3. EXPONE/N LOS SIGUIENTES HECHOS Y FUNDAMENTOS DE DERECHO

1°.– Está interesado/a directamente en la adquisición *mortis causa* del bien inmueble que se describe en este escrito, para lo cual precisa conocer el valor que esta Administración le asigna a efectos de tributar por el Impuesto sobre Sucesiones.

2°.– Con carácter previo a la aceptación de la herencia y, en su caso, correlativa adquisición, y al amparo de lo previsto en el art. 90 de la Ley 58/2003, de 17 de diciembre, General Tributaria y en el art. 69 del Reglamento General de las actuaciones y los procedimientos de Gestión e Inspección tributaria y de Desarrollo de las normas comunes de los procedimientos de aplicación de los tributos, aprobado por el Real Decreto 1065/2007, de 27 de julio, SOLICITA a la Administración tributaria la determinación de su valor, a efectos de su declaración en la base imponible del Impuesto Sucesiones.

3°.– Los datos del inmueble cuya valoración se solicita son:

a) Situación (*vía pública, número y municipio*) y referencia catastral completa.

b) Suelo (*superficie de la parcela*)

c) Edificación (*año de construcción, superficie construida sobre rasante, superficie construida bajo rasante, total superficie construida*...............m^2).

d) Uso: ....

e) Descripción completa del inmueble:...............

3°.– La presente solicitud se formula con carácter previo a la finalización del plazo para presentar la correspondiente autoliquidación o declaración tributaria a efectos del Impuesto sobre Sucesiones, habiéndose proporcionado datos verdaderos y suficientes a la Administración tributaria.

En su virtud

4. SOLICITA/N

Que, teniendo por presentado este escrito y los documentos que lo acompañan, se sirva admitirlo, tenga por solicitada la correspondiente VALORACIÓN PREVIA del inmueble solicitada, a efectos de declararla, en caso de aceptación de la herencia, en la base imponible del Impuesto sobre Sucesiones.

En ...., lugar y fecha.

Fdo. El obligado tributario o su representante.

COMENTARIO

Debe tenerse en cuenta, para devengos a partir del 1 de enero de 2022, la entrada en vigor del VALOR DE REFERENCIA CATASTRAL, aplicable a todos los Impuestos cedidos, incluyendo, por tanto, al Impuesto sobre sucesiones. Para obtenerlo de forma inmediata, se accede a la web de la Dirección General del Catastro:

https://www1.sedecatastro.gob.es/Accesos/SECAccvr.aspx

Se marca la opción "Consulta de valor de referencia". El trámite requiere identificación del consultante (existiendo varias opciones), fecha de valor y justificación del motivo de la consulta entre los Impuestos cedidos o meramente efectos informativos. Introduciendo la referencia catastral del inmueble en cuestión se obtiene un CERTIFICADO del valor de referencia.

Está prevista la actualización anual de estos valores, por lo que deben consultarse para cada operación que se vaya a realizar.

No todos los inmuebles tienen aún este valor; por motivos jurídico-técnicos, para algunos inmuebles, aún no se puede obtener.

El nuevo valor de referencia catastral fue introducido por la Ley 11/2021, de 9 de julio, de medidas de prevención y lucha contra el fraude fiscal, de transposición de la Directiva (UE) 2016/1164, del Consejo, de 12 de julio de 2016, por la que se establecen normas contra las prácticas de elusión fiscal que inciden directamente en el funcionamiento del mercado interior, de modificación de diversas normas tributarias y en materia de regulación del juego que dio nueva redacción a la disposición final 3ª del Real Decreto Legislativo 1/2004, de 5 de marzo, por el que se aprueba el texto refundido de la Ley del Catastro Inmobiliario, configurando dicho valor como la determinación "de forma objetiva y con el límite del valor de mercado, a partir de los datos obrantes en el Catastro, el valor de referencia, resultante del análisis de los precios comunicados por los fedatarios públicos en las compraventas inmobiliarias efectuadas".

Y añade que:

1º) Que la Dirección General del Catastro elaborará anualmente un mapa de valores. Para 2022, se publicaron en la sede electrónica del Catastro, el 14/10/2021.

2º) Que se fijará —mediante orden del Ministerio—, un factor de minoración al mercado para los bienes de una misma clase, con el fin de que el valor de referencia de los inmuebles no supere el valor de mercado. Lo que se ha realizado mediante Orden HFP/1104/2021, de 7 de octubre (BOE 14/10/2021), fijándose en el 0,9, tanto en inmuebles rústicos como urbanos.

3º) Que la Dirección general del Catastro, anualmente, aprobará mediante una resolución, los elementos precisos para la determinación del valor de referencia de cada inmueble, sujeta a audiencia colectiva y a recurso de reposición potestativo y reclamación económico-administrativa, y a fiscalización jurisdiccional. Y, en tal sentido, se ha procedido, previos los trámites de audiencia colectiva, a dictar sendas resoluciones por la Dirección General del Catastro, el 10 de noviembre de 2021 (BOE 11/11/2021).

Puede consultarse la CIRCULAR 04.01/2021, DE 9 DE SEPTIEMBRE, SOBRE EL VALOR DE REFERENCIA DE LOS BIENES INMUEBLES (https://www.catastro.meh.es/documentos/04012021.pdf).

Bibliografía

HERNÁNDEZ GUIJARRO, F., "La prueba y la motivación en la doctrina del Tribunal Supremo ante la reforma del «valor de referencia»", *Quincena fiscal*, Nº 9, 2021, pp. 145-165.

LASARTE LÓPEZ, R., "La nueva configuración legal de la base imponible en los impuestos patrimoniales: El valor de referencia", *Tributos locales*, Nº. 153, 2021, pp. 243-270.

MARÍN-BARNUEVO FABO, D., HERRERO DE EGAÑA Y ESPINOSA DE LOS MONTEROS, J. M., "La impugnación del valor de referencia", *Revista técnica tributaria*, Nº. 134, 2021, pp. 15-48.

PATÓN GARCÍA, G., "Causas y posibles efectos de la dualidad en la valoración de inmuebles: ¿es el valor de referencia la solución?", *Civitas. Revista española de derecho financiero*, Nº 190, 2021, pp. 15-34.

ROZAS VALDÉS, J. A., "El valor de referencia desde la jurisprudencia del Supremo", *Revista técnica tributaria*, Nº. 134, 2021, pp. 119-140.

VARONA ALABERN, J. E., "El valor de referencia y el valor catastral: Su incidencia en el sistema impositivo español", *Tributos locales*, Nº. 153, 2021, pp. 17-58.

VARONA ALABERN, J. E., "El valor de referencia en el Proyecto de Ley de Medidas de Prevención y Lucha contra el Fraude Fiscal", *Estudios financieros. Revista de contabilidad y tributación*, Nº 458, 2021, pp. 5-50.

Formulario ISUC-32. ALEGACIONES A LA PROPUESTA DE VALORACIÓN Y A LA DE REGULARIZACIÓN NOTIFICADA CONJUNTAMENTE, REALIZADAS POR LA ADMINISTRACIÓN

1. ÓRGANO COMPETENTE

A LA ADMINISTRACIÓN TRIBUTARIA/OFICINA LIQUIDADORA DE ....

2. ENCABEZAMIENTO

D./Dª..............., con NIF ...., mayor de edad, vecino de ...., calle .... nº ....–...............–.............. (código postal).

Interviene en su propio nombre y/o en representación de:

D./Dª..............., con NIF ...., mayor de edad, vecino de ...., calle .... nº ....–...............–.............. (código postal).

D./Dª..............., con NIF ...., mayor de edad, vecino de ...., calle .... nº ....–...............–.............. (código postal).

Etc.

Acredita la representación mediante documento que se adjunta, en los términos del artículo 46 de la Ley 58/2003, de 17 de diciembre, General Tributaria.

Ante este órgano comparece/n, y como mejor proceda en Derecho

3. EXPONE/N LOS SIGUIENTES HECHOS Y FUNDAMENTOS DE DERECHO

1º. Que el día .... se le notificó la propuesta de liquidación de fecha ...., dictada por .... (*órgano administrativo*), por el concepto tributario Impuesto sobre Sucesiones, a raíz del fallecimiento, el día ...., de D./Dª ...., y en la que se propone exigir una deuda tributaria de .... €.

2º. Dicha propuesta se acompaña de otra propuesta que le sirve de base sobre la valoración administrativa resultante de la comprobación de valores realizada utilizando como medio de valoración el dictamen de perito de la Administración (*o la estimación por referencia a los valores que figuren en los registros oficiales de carácter fiscal o en precios medios de mercado o cualquier de los medios previstos en el art. 57.1 de la Ley General Tributaria*).

3º. Que, finalizadas las actuaciones de valoración y comprobación, se me notifican las referidas propuestas para que, en el plazo de quince días, contados a partir del día siguiente a su notificación, alegue lo que convenga a mi derecho, acompañándose los documentos que considere pertinentes.

4º. Dentro del plazo conferido al efecto, y de conformidad con lo dispuesto en el art. 134.2 de la Ley 58/2003, de 17 de diciembre, General Tributaria, formula las siguientes

ALEGACIONES

PRIMERA.– ....

SEGUNDA.– ....

TERCERA.– ....

En prueba de sus afirmaciones adjunta la siguiente documentación

Documento n°.............., consistente en..............

Documento n°.............., consistente en..............

De conformidad con las alegaciones formuladas y con las pruebas que se han aportado

4. SOLICITA/N

Que, teniendo por presentado este escrito con los documentos que lo acompañan, se sirva admitirlos, teniendo por evacuado, en tiempo y forma, el trámite de alegaciones, y, previos los trámites legales oportunos, se dicte Resolución por la que acuerde la improcedencia de dictar acto de valoración y de la liquidación derivada del mismo (o lo que se solicite).

En .... (Lugar), a (fecha)

Firmado: el obligado tributario o su representante.

Formulario ISUC-33. RECURSO DE REPOSICIÓN CONTRA LA VALORACIÓN RESULTANTE DE LA COMPROBACIÓN DE VALORES, CON EXPRESA RESERVA DEL DERECHO A PROMOVER LA TASACIÓN PERICIAL CONTRADICTORIA

1. ÓRGANO COMPETENTE

A LA ADMINISTRACIÓN TRIBUTARIA/OFICINA LIQUIDADORA DE ....

2. ENCABEZAMIENTO

D./Dª.............., con NIF ...., mayor de edad, vecino de ...., calle .... n° ....–..............–.............. (código postal).

Interviene en su propio nombre y/o en representación de:

D./Dª.............., con NIF ...., mayor de edad, vecino de ...., calle .... n° ....–..............–.............. (código postal).

D./Dª.............., con NIF ...., mayor de edad, vecino de ...., calle .... n° ....–..............–.............. (código postal).

Etc.

Acredita la representación mediante documento que se adjunta, en los términos del artículo 46 de la Ley 58/2003, de 17 de diciembre, General Tributaria.

Ante este órgano comparece/n, y como mejor proceda en Derecho

3. EXPONE/N LOS SIGUIENTES HECHOS Y FUNDAMENTOS DE DERECHO

1°. Que el día .... se le notificó la valoración administrativa resultante de la comprobación de valores realizada utilizando, como medio de valoración, el dictamen de perito de la Administración (o la estimación por referencia a los valores que figuren en los registros oficiales de carácter fiscal o en precios medios de mercado o cualquiera de los medios de comprobación del valor previstos en el art. 57.1 de la LGT), según consta en el Acto de fecha..............., dictado por .... (el órgano), por el que se fija el valor de la renta (o productos, bienes y demás elementos determinantes de la obligación tributaria) que se acompaña al presente escrito con el número uno.

2°. Que, contra ese acto, no se ha interpuesto reclamación económico-administrativa.

3°. Que, por medio del presente escrito y al amparo de lo que disponen los artículos 222 y siguientes de la Ley 58/2003, de 17 de diciembre, General Tributaria, contra ese Acto de valoración interpone RECURSO DE REPOSICIÓN, manifestando la expresa reserva del derecho a promover la tasación pericial contradictoria (art. 135.1 LGT) por considerar que no se ajusta a Derecho. Recurso que basamos en los siguientes

ANTECEDENTES

PRIMERO.– ....

SEGUNDO.– ....

TERCERO.– ....

A los hechos anteriores les resultan de aplicación las siguientes

ALEGACIONES (resulta insuficientemente motivada, inidoneidad del perito, del medio de comprobación elegido, del valor otorgado, etc.).

PRIMERA.– ....

SEGUNDA.– ....

TERCERA.– ....

En prueba de sus afirmaciones, adjunta la siguiente documentación

Documento n°..............., consistente en...............

Documento n°..............., consistente en...............

De conformidad con las alegaciones formuladas, y con las pruebas que se han aportado,

4. SOLICITA/N

Que, teniendo por presentado este escrito con los documentos que lo acompañan, se sirva admitirlos, teniendo por interpuesto el RECURSO DE REPOSICIÓN contra el Acuerdo de valoración dictado por .... (órgano administrativo) ...., el día ...., en el que se atribuye un valor de ...., y previa la tramitación que corresponda, de conformidad con las alegaciones efectuadas, se dicte Resolución por la que anule (o revoque y deje sin efecto) el acto objeto del recurso, declarándose la suspensión de la ejecución de la liquidación y del plazo para interponer recurso o reclamación contra la misma.

(En su caso: Por la presente comunico que ME RESERVO MI DERECHO A INTERPONER TASACIÓN PERICIAL CONTRADICTORIA, con el efecto suspensivo del plazo de ingreso de la deuda contemplado en el artículo 135.1 LGT).

En...............

Firmado: el obligado tributario o su representante.

Formulario ISUC-34. RECLAMACIÓN ECONÓMICO-ADMINISTRATIVA CONTRA LA LIQUIDACIÓN EN LA QUE SE RESERVA EL DERECHO A PROMOVER LA TASACIÓN PERICIAL CONTRADICTORIA

1. ÓRGANO COMPETENTE

A LA ADMINISTRACIÓN TRIBUTARIA/OFICINA LIQUIDADORA DE ....

PARA SU REMISIÓN AL TRIBUNAL ECONÓMICO-ADMINISTRATIVO REGIONAL DE ..../CENTRAL

2. ENCABEZAMIENTO

D./Dª..............., con NIF ...., mayor de edad, vecino de ...., calle .... nº ....–...............–............... (código postal).

Interviene en su propio nombre y/o en representación de:

D./Dª..............., con NIF ...., mayor de edad, vecino de ...., calle .... nº ....–...............–............... (código postal).

D./Dª..............., con NIF ...., mayor de edad, vecino de ...., calle .... nº ....–...............–............... (código postal).

Etc.

Acredita la representación mediante documento que se adjunta, en los términos del artículo 46 de la Ley 58/2003, de 17 de diciembre, General Tributaria.

Ante este órgano comparece/n, y como mejor proceda en Derecho

3. EXPONE/N LOS SIGUIENTES HECHOS Y FUNDAMENTOS DE DERECHO

PRIMERO.- Que el día .... se le notificó la liquidación tributaria (o, en su caso, la resolución del recurso de reposición interpuesto contra ella...............) de fecha ...., dictada por .... (*órgano administrativo*), por el concepto tributario Impuesto sobre sucesiones, a raíz del fallecimiento de D./Dª ...., producido el día ...., en la que se me exige una deuda tributaria de .... €, correspondiendo .... € a la cuota liquidada, y el resto............... €, a los intereses de demora, cuya copia se adjunta a este escrito como documento número UNO.

SEGUNDO.- La liquidación se ha servido de la valoración administrativa resultante de la comprobación de valores realizada, utilizando, como medio de valoración, el dictamen de perito de la Administración *(o la estimación por referencia a los valores que figuren en los registros oficiales de carácter fiscal o en precios medios de mercado u otro previsto en el artículo 57.1 de la Ley General Tributaria)*, según consta en el Acto de fecha..............., dictado por .... *(el órgano)*, por el que se fija el valor de la renta *(o productos, bienes y demás elementos determinantes de la obligación tributaria)*, que se acompaña al presente escrito con el número DOS.

TERCERO.- Que, por medio del presente escrito y al amparo de lo que dispone los artículos 64 y 65 del RD 520/2005, de 13 de mayo, por el que se aprueba el Reglamento General de Desarrollo de la Ley 58/2003, de 17 de diciembre, General Tributaria, en materia de Revisión en Vía Administrativa, en relación con los artículos 245 y siguientes de la Ley 58/2003, de 17 de diciembre, General Tributaria, INTERPONGO contra la misma RECLAMACIÓN ECONÓMICO-ADMINISTRATIVA.

(En caso de reclamación económico-administrativa en primer instancia, puede optarse por efectuar alegaciones en el mismo escrito de interposición, o no; artículo 235.2 Ley General Tributaria. De conformidad con el art. 245 LGT y art. 64 del Real Decreto 520/2005, "las reclamaciones económico-administrativas se tramitarán por el procedimiento abreviado cuando sean de cuantía inferior a 6.000 euros o 72.000 euros, si se trata de reclamaciones contra bases o valoraciones", debiendo efectuarse alegaciones en el mismo escrito de interposición de la reclamación económico-administrativa).

En su caso, ALEGACIONES que baso en los siguientes

ANTECEDENTES

PRIMERO.– ....

SEGUNDO.– ....

TERCERO.– ....

A los hechos anteriores les resultan de aplicación las siguientes

ALEGACIONES

PRIMERA.– ....

SEGUNDA.– ....

TERCERA.– ....

En prueba de sus afirmaciones adjunta la siguiente documentación:

– Documento n°..............., consistente en...............

– Documento n°..............., consistente en...............

De conformidad con las alegaciones formuladas y con las pruebas que se han aportado

4. SUPLICA

Que, teniendo por presentado el presente escrito junto con los documentos que lo acompañan, se sirva admitirlos, tenga por interpuesta, en tiempo y forma, RECLAMACIÓN ECONÓMICO-ADMINISTRATIVA contra la liquidación dictada el día ...., por ...., en la que se exige una deuda tributaria de..............., y, previa la tramitación legal que corresponda, SE SIRVA REMITIRLOS, junto con el correspondiente expediente administrativo, al Tribunal Económico Administrativo competente Regional de ..../ Central, para que, previos los trámites oportunos, *(o bien, si no se han efectuado alegaciones, se nos conceda plazo para presentar las alegaciones y pruebas que se estimen oportunas; si se trata de una tramitación abreviada, deberán efectuarse alegaciones en el mismo acto de interposición de la Reclamación)* y, en su día, se DICTE RESOLUCIÓN ACORDANDO DECLARAR NULO *(O REVOCANDO Y DEJANDO SIN EFECTO)* el acuerdo impugnado, por ser contrario a Derecho. *(En su caso, declarándose la suspensión de la ejecución de la liquidación)*.

(En su caso: Por la presente comunico que ME RESERVO MI DERECHO A INTERPONER TASACIÓN PERICIAL CONTRADICTORIA, con el efecto suspensivo del plazo de ingreso de la deuda contemplado en el artículo 135.1 LGT).

En...............

Fdo. El obligado tributario o su representante.

Formulario ISUC-35. SOLICITUD DE TASACIÓN PERICIAL CONTRADICTORIA HABIÉNDOSE RESERVADO EL DERECHO A PROMOVERLA EN EL CORRESPONDIENTE RECURSO O RECLAMACIÓN

1. ÓRGANO COMPETENTE

A LA ADMINISTRACIÓN TRIBUTARIA/OFICINA LIQUIDADORA DE ....

2. ENCABEZAMIENTO

D./Dª.............., con NIF ...., mayor de edad, vecino de ...., calle .... n° ....–..............–.............. (código postal).

Interviene en su propio nombre y/o en representación de:

D./Dª.............., con NIF ...., mayor de edad, vecino de ...., calle .... n° ....–..............–.............. (código postal).

D./Dª.............., con NIF ...., mayor de edad, vecino de ...., calle .... n° ....–..............–.............. (código postal).

Etc.

Acredita la representación mediante documento que se adjunta, en los términos del artículo 46 de la Ley 58/2003, de 17 de diciembre, General Tributaria.

Ante este órgano comparece, y como mejor proceda en Derecho

3. EXPONGO LOS SIGUIENTES HECHOS Y FUNDAMENTOS DE DERECHO

PRIMERO.- Que el día .... se le notificó la liquidación tributaria *(o, en su caso, la resolución del recurso de reposición interpuesto contra ella..............)* de fecha ...., dictada por .... *(órgano administrativo)*, por el concepto tributario Impuesto sobre sucesiones, a raíz del fallecimiento de D./Dª ...., producido el día ...., en la que se me exige una deuda tributaria de .... €, correspondiendo .... € a la cuota liquidada, y el resto.............. €, a los intereses de demora, cuya copia se adjunta a este escrito como documento número UNO.

SEGUNDO.- La liquidación se ha servido de la valoración administrativa resultante de la comprobación de valores realizada, utilizando, como medio de valoración, el dictamen de perito de la Administración *(o la estimación por referencia a los valores que figuren en los registros oficiales de carácter fiscal o en precios medios de mercado u otro previsto en el artículo 57.1 de la Ley General Tributaria)*, según consta en el Acto de fecha.............., dictado por .... *(el órgano)*, por el que se fija el valor de la renta *(o productos, bienes y demás elementos determinantes de la obligación tributaria)* que se acompaña al presente escrito con el número DOS.

TERCERO.- Que, no conforme con este acto de valoración, se interpuso recurso de reposición *(o reclamación económico-administrativa)*, cuya copia se adjunta como DOCUMENTO NÚMERO TRES, en el que, expresamente, se reservaba el derecho a promover la tasación pericial contradictoria, solicitando que se declarase la suspensión de la ejecución de la liquidación.

CUARTO.- Que habiéndose resuelto el recurso o la reclamación, estimándose la pretensión y tras subsanarse los vicios apreciados, según Acuerdo de fecha.............. dictado por .... *(órgano que lo ha dictado)*, por medio del presente escrito, y al amparo de lo que establece el artículo 135 de la Ley 58/2003, de 17 de diciembre, General Tributaria, viene a PROMOVER la TASACIÓN PERICIAL CONTRADICTORIA, en

corrección de los medios de comprobación fiscal de valores señalados en el artículo 57 de esta Ley, que han supuesto la asignación de un valor de ....€ al ....
(descripción del elemento patrimonial cuyo valor ha revisado la Administración).

En su virtud,

4. SOLICITO

Que, teniendo por presentado en tiempo y forma este escrito, se sirva admitirlo, teniendo por SOLICITADA la TASACIÓN PERICIAL CONTRADICTORIA en el procedimiento de COMPROBACIÓN DE VALORES, seguido por la Administración para valorar el .... *(descripción del elemento patrimonial)*, acordándose lo oportuno para su práctica.

En...............

Firmado: el obligado tributario o su representante.

COMENTARIO

Normativa

(1) Procedimiento
Artículo 8.1 y artículo 32 apartados 5, 6 y 7 LISD.
Artículo 80.3 RISD.

Jurisprudencia y Doctrina Administrativa

STS de 15 de febrero de 2022, recurso núm. 2269/2020 *(Tol 8810367)*.
STS de 21 de octubre de 2021, recurso núm. 7769/2019 *(Tol 8630428)*.
STS de 9 de julio de 2021, recurso núm. 7615/2019 *(Tol 8523885)*.
STS de 17 de marzo de 2021, recurso núm. 4132/2019 *(Tol 8379053)*.
STS de 17 de enero de 2019, recurso núm. 212/2017, sobre el plazo para llevar a cabo la tasación pericial contradictoria y los efectos que conlleva su incumplimiento *(Tol 7028700)*.
STS de 26 de enero de 2017, recurso núm. 2090/2015 *(Tol 5949934)*.
SSTS de 1 de febrero de 2003 *(Tol 253928 y Tol 253821)*.
STSJ de Andalucía de 29 de febrero de 2008, recurso núm. 583/2006 *(Tol 1301076)*.
STSJ de Cataluña núm. *166/2008*, de 14 de febrero de 2008, recurso núm. *560/2004 (Tol 1298635)*.
STSJ de Cataluña núm. 475/2007, de 3 de mayo de 2007, recurso núm. 974/2003 *(Tol 1134175)*.
Resolución TEAC núm. 00/924/1998, de 8 de octubre de 1998 *(Tol 324020)*.
Resolución TEAC núm. 03720/2010/00/00, de 16 de febrero de 2012 *(Tol 2464756)*.
Consulta vinculante DGT núm. V1785-08, de 8 de octubre, con relación a la determinación del momento a partir del cual comienza el cómputo del plazo para el planteamiento de la tasación pericial contradictoria, y si esta se puede simultanear con otros recursos y reclamaciones.
Consulta vinculante DGT núm. V1777-14, de 8 de julio.

BIBLIOGRAFÍA

ÁLVAREZ BARBEITO, P., "Problemas suscitados por la regulación de la tasación pericial contradictoria en algunas Comunidades Autónomas", *Revista Impuestos*, nº 1, 2011, pp. 15-28.

ÁLVAREZ MARTÍNEZ, J., "Aspectos materiales de la tasación pericial contradictoria", *Tratado sobre la Ley General Tributaria: Homenaje a Álvaro Rodríguez Bereijo*, Vol. 2, 2010, pp. 525-540.

ÁLVAREZ MARTÍNEZ, J., *La tasación pericial contradictoria: Cuestiones generales y aspectos sustantivos*. Reus, 2020.

DE MIGUEL CANUTO, E., *La tasación pericial contradictoria*. Thomson Aranzadi, 2008.

ESEVERRI MARTÍNEZ, E., "La tasación pericial contradictoria", *Comentarios a la Ley general tributaria al hilo de su reforma*. Lex Nova, Valladolid, 2016, pp. 221-240.

ESEVERRI MARTÍNEZ, E., "La tasación pericial contradictoria: Efectos de su prolongada duración (Un tema de interés casacional)", *Nueva fiscalidad*, nº 3, 2017, pp. 17 a 28.

FERNÁNDEZ DE BUJÁN Y ARRANZ, A., "Una revisión de la tasación pericial contradictoria como instrumento de corrección de los medios de comprobación fiscal", *Estudios financieros. Revista de contabilidad y tributación*, Nº 446, 2020, pp. 113-150.

LUCHENA MOZO, G. M., "Procedimiento de comprobación de valores: Tasación pericial contradictoria", *Quincena Fiscal*, nº 5, 2018, pp. 131 a 148.

PÉREZ BERNABEU, B., *La tasación pericial contradictoria*. Laborum, Murcia, 2011.

[AAVV] dirigido por ALVENTOSA DEL RÍO J. y COBAS COBIELLA, M. E., *Derecho de sucesiones*, "Cap. VI: La liquidación del Impuesto sobre sucesiones", Tirant lo Blanch, 2017, pp. 1023 a 1025.

[AAVV] coordinado por MERINO JARA, I., CALVO VERGEZ, J. "La tasación pericial contradictoria", *Estudios sobre la reforma de la ley general tributaria*, Huygens, 2016, pp. 167 a 192.

Formulario ISUC-36. SOLICITUD DE TASACIÓN PERICIAL CONTRADICTORIA TRAS LA LIQUIDACIÓN ADMINISTRATIVA, SIN HABERSE RESERVADO EL DERECHO PARA PROMOVERLA

1. ÓRGANO COMPETENTE

A LA ADMINISTRACIÓN TRIBUTARIA/OFICINA LIQUIDADORA DE ....

2. ENCABEZAMIENTO

D./Dª.............., con NIF ...., mayor de edad, vecino de ...., calle .... nº ....–..............–.............. (código postal).

Interviene en su propio nombre y/o en representación de:

D./Dª.............., con NIF ...., mayor de edad, vecino de ...., calle .... nº ....–..............–.............. (código postal).

D./Dª..............., con NIF ...., mayor de edad, vecino de ...., calle .... nº ....–...............–.............. (código postal).

Etc.

Acredita la representación mediante documento que se adjunta, en los términos del artículo 46 de la Ley 58/2003, de 17 de diciembre, General Tributaria.

Ante este órgano comparece, y como mejor proceda en Derecho

3. EXPONGO LOS SIGUIENTES HECHOS Y FUNDAMENTOS DE DERECHO

PRIMERO.- Que el día .... se le notificó la liquidación tributaria (o, en su caso, la resolución del recurso de reposición interpuesto contra ella..............) de fecha ...., dictada por .... (*órgano administrativo*), por el concepto tributario Impuesto sobre sucesiones, a raíz del fallecimiento de D./Dª ...., producido el día ...., en la que se me exige una deuda tributaria de .... €, correspondiendo .... € a la cuota liquidada, y el resto.............. €, a los intereses de demora, cuya copia se adjunta a este escrito como documento número UNO.

SEGUNDO.- La liquidación se ha servido de la valoración administrativa resultante de la comprobación de valores realizada, utilizando, como medio de valoración, el dictamen de perito de la Administración (*o la estimación por referencia a los valores que figuren en los registros oficiales de carácter fiscal o en precios medios de mercado u otro previsto en el artículo 57.1 de la Ley General Tributaria*), según consta en el Acto de fecha.............., dictado por .... (*el órgano*), por el que se fija el valor de la renta (o productos, bienes y demás elementos determinantes de la obligación tributaria) que se acompaña al presente escrito con el número DOS.

TERCERO.- Que, no conforme con este acto de valoración, por medio del presente escrito y al amparo de lo que establece el artículo 135 de la Ley 58/2003, de 17 de diciembre, General Tributaria, viene a PROMOVER la TASACIÓN PERICIAL CONTRADICTORIA, en corrección de los medios de comprobación fiscal de valores señalados en el artículo 57 de esta Ley, que han supuesto la asignación de un valor de ....€ al .... (*descripción del elemento patrimonial cuyo valor ha revisado la Administración*).

En su virtud,

4. SOLICITO

Que, teniendo por presentado en tiempo y forma este escrito, se sirva admitirlo, tenga por SOLICITADA la TASACIÓN PERICIAL CONTRADICTORIA en el procedimiento de COMPROBACIÓN DE VALORES, seguido por la Administración para valorar el .... (*descripción del elemento patrimonial*), acordándose lo oportuno para su práctica.

En..............a.............. de .... de ....

Firmado: el obligado tributario o su representante.

Formulario ISUC-37. DESIGNACIÓN DEL PERITO POR PARTE DEL OBLIGADO TRIBUTARIO

1. ÓRGANO COMPETENTE

A LA ADMINISTRACIÓN TRIBUTARIA/OFICINA LIQUIDADORA DE ....

2. ENCABEZAMIENTO

D./Dª.............., con NIF ...., mayor de edad, vecino de ...., calle .... nº ....–..............–.............. (código postal).

Interviene en su propio nombre y/o en representación de:

D./Dª.............., con NIF ...., mayor de edad, vecino de ...., calle .... nº ....–..............–.............. (código postal).

D./Dª.............., con NIF ...., mayor de edad, vecino de ...., calle .... nº ....–..............–.............. (código postal).

Etc.

Acredita la representación mediante documento que se adjunta, en los términos del artículo 46 de la Ley 58/2003, de 17 de diciembre, General Tributaria.

Ante este órgano comparecen, y como mejor proceda en Derecho

3. EXPONEN LOS SIGUIENTES HECHOS Y FUNDAMENTOS DE DERECHO

PRIMERO.– Que con fecha .... promovió la tasación pericial contradictoria contra la valoración administrativa resultante de la comprobación de valores que sirvió de base para dictar el Acuerdo de liquidación de fecha ...., dictado por .... (*órgano administrativo*), por el concepto tributario Impuesto sobre Sucesiones, a raíz del fallecimiento de D./Dª ...., el día ...., por el que se me exige una deuda tributaria de .... €, correspondiendo .... € a la cuota liquidada, y el resto.............. €, a los intereses de demora.

SEGUNDO.– Con fecha ...., se me ha notificado la valoración realizada mediante el dictamen de peritos, concediéndome un plazo de diez días, contados a partir del siguiente al de la notificación, para que pueda proceder al nombramiento de un perito, que deberá tener título adecuado a la naturaleza de los bienes y derechos a valorar, advirtiéndonos de que la omisión de la atención de este trámite podría suponer el desistimiento a la tasación pericial contradictoria, dándose por terminado el procedimiento.

TERCERO.– Que, dentro del plazo conferido al efecto, se propone a D.............., con NIF.............., y domicilio a efectos de notificaciones en .... (*describir los datos personales*), cuya titulación es de ...., y pertenece al Colegio Profesional

..............., siendo que el bien a valorar es .... (*descripción del bien*), teniendo naturaleza .... (*mobiliaria, inmobiliaria, etc.*).

En su virtud,

4. SOLICITO

Que, teniendo por presentado en tiempo y forma este escrito, se sirva admitirlo, y tenga por designado, en el plazo concedido, al perito arriba identificado, para que se proceda a su nombramiento, y así, tras los trámites oportunos, se le entregue la relación de bienes y derechos a valorar, requiriéndole a fin de que, en el plazo de un mes a contar a partir del siguiente a la notificación, formule la correspondiente hoja de aprecio, debidamente motivada.

En.............. a...............de...............de...............

Firmado: el obligado tributario o su representante.

Formulario ISUC-38. PRESENTACIÓN DE LA VALORACIÓN (HOJA DE APRECIO) REALIZADA POR EL PERITO DESIGNADO POR EL OBLIGADO TRIBUTARIO

1. ÓRGANO COMPETENTE

A LA ADMINISTRACIÓN TRIBUTARIA/OFICINA LIQUIDADORA DE ....

2. ENCABEZAMIENTO

D./Dª..............., con NIF ...., mayor de edad, vecino de ...., calle .... nº ....–..............–.............. (código postal).

Interviene en su propio nombre y/o en representación de:

D./Dª..............., con NIF ...., mayor de edad, vecino de ...., calle .... nº ....–..............–.............. (código postal).

D./Dª..............., con NIF ...., mayor de edad, vecino de ...., calle .... nº ....–..............–.............. (código postal).

Etc.

Acredita la representación mediante documento que se adjunta, en los términos del artículo 46 de la Ley 58/2003, de 17 de diciembre, General Tributaria.

Ante este órgano comparece/n, y como mejor proceda en Derecho

3. EXPONE/N LOS SIGUIENTES HECHOS Y FUNDAMENTOS DE DERECHO

PRIMERO.- Que, con fecha ...., promovió la tasación pericial contradictoria contra la valoración administrativa resultante de la comprobación de valores que sirvió de base para dictar el Acuerdo de liquidación de fecha ...., dictado por .... (*órgano administrativo*), por el concepto tributario Impuesto sobre Sucesiones, a raíz del fallecimiento de D./Dª ...., el día ...., por el que se me exige una deuda tributaria de .... €, correspondiendo .... € a la cuota liquidada, y el resto.............. €, a los intereses de demora.

SEGUNDO.- Con fecha ...., se me ha notificado la valoración realizada mediante el dictamen de peritos, concediéndome un plazo de diez días, contados a partir del siguiente al de la notificación, para que pueda proceder al nombramiento de un perito, que deberá tener título adecuado a la naturaleza de los bienes y derechos a valorar, advirtiéndonos de que la omisión de la atención de este trámite podría suponer la el desistimiento a la tasación pericial contradictoria, dándose por terminado el procedimiento.

TERCERO.- Que, dentro del plazo conferido al efecto, se propuso a D..............., con NIF..............., y domicilio a efectos de notificaciones en .... (*describir los datos personales*), cuya titulación es de ...., y pertenece al Colegio Profesional ...., siendo que el bien a valorar es .... (*descripción del bien*), teniendo naturaleza .... (*mobiliaria, inmobiliaria, etc.*).

CUARTO.- Con fecha .... se nombró como perito del obligado tributario a D. ...., perteneciente al Ilustre Colegio profesional de.............. (*en su caso*), con título adecuado para valorar los bienes y derechos dada su naturaleza inmobiliaria (*o mobiliaria*), y se le requirió para que, en el plazo de un mes, contado a partir del siguiente al de la notificación, formulara la correspondiente hoja de aprecio, debidamente motivada, y advirtiéndonos de que, de no atender dicho trámite, se entendería desistido de la tasación pericial contradictoria, dándose por terminado el procedimiento.

QUINTO.- Que, dentro del plazo conferido al efecto se ha formulado la hoja de aprecio por el referido perito, según se acompaña al presente escrito como Anexo número UNO.

En su virtud,

4. SOLICITA/N

Que, teniendo por presentado en tiempo y forma este escrito con los documentos que lo acompañan, se sirva admitirlos, teniendo por presentada la hoja de aprecio, cuyo original se adjunta a este escrito, y dando por terminado el procedimiento de tasación pericial contradictoria, ya que no es necesaria la designación de un perito tercero, de acuerdo con lo dispuesto en el art. 135.3 de la Ley 58/2003, de 17 de diciembre, General Tributaria, tomándose el valor determinado por dicho perito a efectos de la liquidación que pudiera dictarse.

En...............

Firmado: el obligado tributario o su representante.

COMENTARIO

Normativa

(1) Procedimiento
Artículo 8.1 y artículo 32 apartados 5, 6 y 7 LISD.
Artículo 80.3 RISD.

Bibliografía

[AAVV] dirigido por ALVENTOSA DEL RÍO J. y COBAS COBIELLA, M. E., *Derecho de sucesiones*, "Cap. VI: La liquidación del Impuesto sobre sucesiones", Tirant lo Blanch, 2017, pp. 942 a 952.

Formulario ISUC-39. SOLICITUD A LA ADMINISTRACIÓN PARA QUE INICIE UN PROCEDIMIENTO DE REVOCACIÓN (ARTÍCULO 219 LGT).

1. ÓRGANO COMPETENTE

A LA ADMINISTRACIÓN TRIBUTARIA/OFICINA LIQUIDADORA DE ....

2. IDENTIFICACIÓN DEL DOCUMENTO:

Expediente:

Ref. Liquidación:

NIF/NIE SUJETO PASIVO:

3. ENCABEZAMIENTO

D./Dª..............., con NIF ...., mayor de edad, vecino de ....,
calle .... n° ...............-...............-............... (código postal).

Interviene en su propio nombre y/o en representación de:

D./Dª..............., con NIF ...., mayor de edad, vecino de ....,
calle .... nº ....–...............–............... (código postal).

Acredita la representación mediante documento que se adjunta, en los términos del
artículo 46 de la Ley 58/2003, de 17 de diciembre, General Tributaria.

Ante este órgano comparece, y como mejor proceda en Derecho

4. EXPONE LOS SIGUIENTES HECHOS Y FUNDAMENTOS DE DERECHO

En el año..............., el sujeto pasivo fue objeto de un procedimiento de ....
sobre el Impuesto sobre sucesiones devengado como consecuencia del fallecimiento de
D/Dª.............. Dicho procedimiento finalizó con la notificación de la Resolución y la
liquidación número..............., el .... de.............. de..............., con una
cuota a pagar de.............. euros.

Dicha liquidación es firme

SEGUNDO.– De acuerdo con el artículo 219 de la LGT. *"1. La Administración tributaria
podrá revocar sus actos en beneficio de los interesados cuando se estime que infringen
manifiestamente la ley, cuando circunstancias sobrevenidas que afecten a una situación
jurídica particular pongan de manifiesto la improcedencia del acto dictado, o cuando en
la tramitación del procedimiento se haya producido indefensión a los interesados.*

*La revocación no podrá constituir, en ningún caso, dispensa o exención no permitida
por las normas tributarias, ni ser contraria al principio de igualdad, al interés público o al
ordenamiento jurídico. 2. La revocación sólo será posible mientras no haya transcurrido el
plazo de prescripción.*

*3. El procedimiento de revocación se iniciará siempre de oficio, y será competente
para declararla el órgano que se determine reglamentariamente, que deberá ser distinto
del órgano que dictó el acto.*

*En el expediente se dará audiencia a los interesados y deberá incluirse un informe del
órgano con funciones de asesoramiento jurídico sobre la procedencia de la revocación
del acto.*

*4. El plazo máximo para notificar resolución expresa será de seis meses desde la noti-
ficación del acuerdo de iniciación del procedimiento.*

*Transcurrido el plazo establecido en el párrafo anterior sin que se hubiera notificado
resolución expresa, se producirá la caducidad del procedimiento".*

Por su parte, el artículo art. 10.1 del Real Decreto 520/2005, de 13 de mayo, por
el que se aprueba el Reglamento general de desarrollo de la Ley 58/2003, de 17 de
diciembre, General Tributaria, en materia de revisión en vía administrativa, señala que *"el
procedimiento de revocación se iniciará exclusivamente de oficio, sin perjuicio de que los
interesados puedan promover su iniciación por la Administración competente mediante un
escrito que dirigirán al órgano que dictó el acto. En este caso, la Administración quedará
exclusivamente obligada a acusar recibo del escrito".*

TERCERO.– Contra dicho acto, NO se ha interpuesto RECURSO PARA LA DECLARACIÓN DE NULIDAD DE PLENO DERECHO con base en ell artículo 217 de la LGT.

En virtud de todo ello, se presenta la siguiente SOLICITUD DE REVOCACIÓN de la liquidación referenciada, con base en las siguientes,

5. ALEGACIONES

PRIMERA.– INFRACCIÓN MANIFIESTA DE LA LEY/CIRCUNSTANCIAS SOBREVENIDAS QUE PONEN DE MANIFIESTO LA IMPROCEDENCIA DEL ACTO DICTADO/INDEFENSIÓN A LOS INTERESESADOS.

En nuestro caso, concurre la siguiente causa jurídica, prevista en el art. 219.1 de la LGT (.............. citar cuál), dado que (explicar cuál de las causas de revocación, previstas en el primer apartado del art. 219.1 LGT se produce en el caso concreto).

Ejemplo en el caso de aparición de circunstancias sobrevenidas: Posteriormente a la adquisición de firmeza de la liquidación, se ha producido la siguiente circunstancia que determina su improcedencia (se aporta copia del documento que lo prueba):

Por tanto, se trata de una circunstancia probada que apareció con posterioridad a la firmeza de la liquidación impugnada, y que prueba —sin género de dudas— su ilicitud.

Por todo ello, con base en las alegaciones expuestas y en aplicación del artículo 219 LGT, que permite a la Administración actuante la revocación de sus actos cuando se dé cualquiera de los siguientes supuestos contemplados en dicho precepto:

1) Infringen manifiestamente la Ley

2) Cuando circunstancias sobrevenidas que afecten a una situación jurídica particular pongan de manifiesto la improcedencia del acto dictado.

3) Cuando en la tramitación del procedimiento se haya producido indefensión a los interesados el principio de confianza legítima.

6.– SOLICITAN

Que, teniendo por presentado en tiempo y forma este escrito con los documentos que lo acompañan, se sirva admitirlos, acuerde el inicio del procedimiento de REVOCACIÓN, y, previa la tramitación legal procedente, de conformidad con las alegaciones efectuadas en este escrito, revoque la liquidación referenciada, procediendo a la devolución de las cantidades indebidamente ingresadas, con los intereses de demora correspondientes, de conformidad con el artículo 221.3 de la LGT.

En..............

Firmado: el obligado tributario o su representante.

COMENTARIO

NORMATIVA

(1) Procedimiento

Artículo 219 y 221.3 LGT, y arts. 10 a 12 del Real Decreto 520/2005, de 13 de mayo, por el que se aprueba el Reglamento general de desarrollo de la Ley 58/2003, de 17 de diciembre, General Tributaria, en materia de revisión en vía administrativa.

Artículos 38 y 40 LO 2/1979, LOTC sobre el alcance y efectos de las sentencias declaratorias de la inconstitucionalidad de las leyes, si el motivo alegado es la infracción de la ley a consecuencia de la declaración de inconstitucionalidad de un precepto legal por el TC.

(2) **Jurisprudencia**

STS núm. 279/2022, de 4 de marzo de 2022, recurso núm. 7052/2019 *(Tol 8874354).*

STS núm. 178/2020, de 14de febrero, recurso núm. 442/2019 *(Tol 8820466).*

STS 154/2022, de 9 de febrero de 2022, recurso núm. 126/2019. Contra la resolución desestimatoria de la Administración o el silencio negativo provocado por su inacción, se podrá acudir a la vía judicial.

STS núm. 155/2022, de 9 de febrero de 2022, recurso núm. 7371/2019 *(Tol 8810324).*

STS núm. 2567/2021, de 17 de junio de 2021, recurso núm. 1123/2020 *(Tol 8499440).*

BIBLIOGRAFÍA

[AAVV] dirigido por ALVENTOSA DEL RÍO J. y COBAS COBIELLA, M. E., *Derecho de sucesiones,* "Cap. VI: La liquidación del Impuesto sobre sucesiones", Tirant lo Blanch, 2017, pp. 942 a 952.

BOSCH CHOLBI, J. L., "La revocación de actos tributarios locales: algunas cuestiones problemáticas", *El Consultor de los Ayuntamientos*, Nº II, junio 2021.

GARCÍA MORENO, V. ALBERTO, *Claves Prácticas. Plusvalía municipal (IIVTNU): inconstitucionalidad, devolución y pago derivado de la nueva regulación*, Francis Lefebvre, 2021.

GARCÍA NOVOA, C., "El procedimiento de revocación tributaria en el Reglamento de revisión", *Revista Quincena fiscal*, Nº 16, 2005, pp. 11-25.

MARTÍN QUERALT, J. B., "Revocación de actos firmes en beneficio del interesado. Habla el Derecho. Sentencia de la Audiencia Nacional de 30 de julio de 2020 (recurso 283/2017)", *Carta tributaria*. Nº 68, 2020.

MORENO SÁNCHEZ, B., ""Plusvalía": crónica de una muerte anunciada", *El Consultor de los Ayuntamientos*, 4 de noviembre de 2021.

MORENO SÁNCHEZ, B., "El Tribunal Supremo zanja la polémica sobre la revocación del IIVTNU", *El Consultor de los Ayuntamientos*, LA LEY 1436/2022.

MORENO SÁNCHEZ, B., "Reforma exprés de la «plusvalía»", *Consultor de los ayuntamientos y de los juzgados*, Nº 1, 2022.

SÁNCHEZ BLÁZQUEZ, V., "El debate sobre la revocación tributaria en el Tribunal Supremo una evolución hacia su mayor control jurisdiccional", *Nueva fiscalidad*, Nº 4, 2020, pp. 67-106.

Formulario ISUC-40. RECURSO EXTRAORDINARIO DE REVISIÓN (ARTÍCULO 244 LGT).

1. ÓRGANO COMPETENTE

AL TRIBUNAL ECONÓMICO ADMINISTRATIVO CENTRAL

2. IDENTIFICACIÓN DEL DOCUMENTO:

Administración:

Expediente:

Ref. Liquidación:

NIF/NIE SUJETO PASIVO:

3. ENCABEZAMIENTO

D./Dª..............., con NIF ...., mayor de edad, vecino de ...., calle .... nº ....–...............–............... (código postal).

Interviene en su propio nombre y/o en representación de:

D./Dª..............., con NIF ...., mayor de edad, vecino de ...., calle .... nº ....–...............–............... (código postal).

Acredita la representación mediante [*poder notarial/documento privado con firma legitimada notarialmente/inscripción en registro público de apoderamientos (2) / poderes especiales apud acta*], en los términos del artículo 46 de la Ley 58/2003, de 17 de diciembre, General Tributaria.

Ante este órgano comparece, y como mejor proceda en Derecho

4. EXPONE LOS SIGUIENTES HECHOS Y FUNDAMENTOS DE DERECHO

PRIMERO.– En el año..............., el sujeto pasivo fue objeto de un procedimiento de .... sobre el Impuesto sobre sucesiones devengado a consecuencia del fallecimiento de D/Dª.............. Dicho procedimiento finalizó con la notificación de la Resolución y la liquidación número..............., el .... de............... de..............., con una cuota a pagar de............... euros.

Dicha liquidación es firme.

SEGUNDO.– De acuerdo con el artículo 244 de la LGT. "*1. El recurso extraordinario de revisión podrá interponerse por los interesados contra los actos firmes de la Administración* *tributaria y contra las resoluciones firmes de los órganos económico-administrativos cuando concurra alguna de las siguientes circunstancias:*

a) Que aparezcan documentos de valor esencial para la decisión del asunto que fueran posteriores al acto o resolución recurridos o de imposible aportación al tiempo de dictarse los mismos y que evidencien el error cometido.

b) Que al dictar el acto o la resolución hayan influido esencialmente documentos o testimonios declarados falsos por sentencia judicial firme anterior o posterior a aquella resolución.

c) Que el acto o la resolución se hubiese dictado como consecuencia de prevaricación, cohecho, violencia, maquinación fraudulenta u otra conducta punible y se haya declarado así en virtud de sentencia judicial firme.

2. La legitimación para interponer este recurso será la prevista en el apartado 3 del artículo 241.

3. Se declarará la inadmisibilidad del recurso cuando se aleguen circunstancias distintas a las previstas en el apartado anterior.

4. Será competente para resolver el recurso extraordinario de revisión el Tribunal Económico-Administrativo Central.

Para declarar la inadmisibilidad el tribunal podrá actuar de forma unipersonal.

5. El recurso se interpondrá en el plazo de tres meses a contar desde el conocimiento de los documentos o desde que quedó firme la sentencia judicial.

6. La resolución del recurso extraordinario de revisión se dictará en el plazo de seis meses. Transcurrido ese plazo sin haberse notificado resolución expresa, el interesado podrá entender desestimado el recurso".

TERCERO.– Contra dicho acto, NO se ha interpuesto RECURSO PARA LA DECLARACIÓN DE NULIDAD DE PLENO DERECHO en virtud del artículo 217 de la LGT.

En cumplimiento de dicho precepto, y con base en las siguientes consideraciones, no ha transcurrido el plazo de prescripción; los actos recurridos son firmes; y se ha verificado el supuesto recogido en el apartado [a/b/c] del artículo 244 LGT, se presenta el siguiente RECURSO EXTRAORDINARIO DE REVISIÓN, con base en las siguientes,

5. ALEGACIONES

PRIMERA.– [*DESCRIBIR LA CIRCUNSTANCIA QUE SE HAYA PRODUCIDO DE LAS RECOGIDAS EN EL APARTADO 1 DEL ART. 244 LGT*]

[*Ejemplo en el caso de aparición de documentos sobrevenidos: Posteriormente a la adquisición de firmeza de la liquidación, se ha obtenido el siguiente documento que evidencia el error cometido en la resolución impugnada (se aporta copia del documento):*

Dicho documento prueba el siguiente error en la Resolución impugnada: ....]

Por todo ello, con base en las alegaciones expuestas y el/los documento/s aportado/s, en aplicación del artículo 244.1 LGT

6.– SOLICITA

Que, teniendo por presentado en tiempo y forma este escrito, con los documentos que lo acompañan, se sirva admitirlos y, con base en las alegaciones efectuadas en este escrito, acuerde la Resolución del RECURSO EXTRAORDINARIO DE REVISIÓN, en sentido estimatorio y, en consecuencia, se ordene la anulación de la liquidación referenciada, y la devolución de las cantidades indebidamente ingresadas, de conformidad con el artículo 221.3 de la LGT.

En...............

Firmado: el obligado tributario o su representante.

COMENTARIO

Normativa
(1) **Procedimiento**
Artículo 244 y 221.3 LGT
(2) **Apoderamiento en registro electrónico** (*)
Sede Punto Acceso General - Registro Electrónico de Apoderamientos (REA) (administracion. gob.es)
Acceso con certificado electrónico, clave PIN o clave permanente, primero del poderdante para otorgar y luego del apoderado para aceptar: Apodera (administracion.gob.es)

Formulario IIVTNU-1. IIVTNU (DEVENGOS ANTERIORES AL 10/11/2021): SOLICITUD AL ENTE LOCAL DE NO LIQUIDACIÓN O NULIDAD DE LIQUIDACIÓN, CON BASE EN LA SENTENCIA DEL TC DE 26/10/2021 Y EL REAL DECRETO LEY 26/2021, DE 8 DE NOVIEMBRE.

1. ÓRGANO COMPETENTE

AL AYUNTAMIENTO DE...............

GESTIÓN TRIBUTARIA —IIVTNU—

2. ENCABEZAMIENTO
COMPARECE/N:

D./D°..............., con NIF ...., mayor de edad, con domicilio a efectos de notificaciones en ...., calle .... n° ....–...............–............... (código postal).

Interviene en su propio nombre y/o en representación de:

D./D°..............., con NIF ...., mayor de edad, vecino de ...., calle .... n° ....–...............–............... (código postal).

Acredita la representación mediante documento que se adjunta, en los términos del artículo 46 de la Ley 58/2003, de 17 de diciembre, General Tributaria.

Ante este órgano comparece/n, y como mejor proceda en Derecho

3. EXPONE/N LOS SIGUIENTES HECHOS Y FUNDAMENTOS DE DERECHO

PRIMERO.– El .... de .... de .... falleció .... Don/ D° ...., con NIF ...., y (*si no es de nacionalidad española*) Pasaporte en vigor de .... (*país*) .... número.

a) Si los herederos son cónyuge y/o hijos: En el momento del fallecimiento, se encontraba en estado de separado/divorciado/viudo/casado en únicas/segundas/............... nupcias con Don/D°..............., de cuyo matrimonio tuvieron .... hijos, siendo los únicos descendientes conocidos del causante.

Se adjunta copia del certificado de defunción y libro de familia. Por tanto, los comparecientes son los únicos herederos conocidos del causante.

b) Si los herederos son otros (hermanos/sobrinos/extraños/...............): En el momento del fallecimiento carecía de herederos forzosos, siendo sus herederos legales los otorgantes del presente documento, tal y como se acredita mediante...............

SEGUNDO.– El causante había otorgado su último testamento el ...., ante el/ la Notario de..............., Don/D°..............., con número,............... de su protocolo .... Se adjunta copia del testamento y del certificado del Registro General de Actos de Última voluntad. / El causante no había otorgado testamento por lo que se aporta declaración de herederos abintestato formalizada el .... ante el/la Notario de..............., Don/D°, con número,............... de su protocolo...............

En el citado testamento el causante dispuso: ..../En ausencia de disposición testamentaria y de acuerdo con las normas de la sucesión, la proporción de derechos·hereditarios que le corresponde a cada uno de los herederos legales es la siguiente...............

TERCERO.– En la herencia del causante se encuentran los siguientes bienes inmuebles sito en el término municipal de:

INMUEBLE URBANO 1: calle............... N°............... Ref. catastral:...............

INMUEBLE URBANO 2: calle............... N°............... Ref. catastral:...............

INMUEBLE URBANO 3: calle............... N°............... Ref. catastral:...............
Etc.

CUARTO.– Dada la fecha de fallecimiento, el hecho imponible del Impuesto sobre el incremento de valor de terreno de naturaleza urbana (IIVTNU) se produjo el .... *(fecha fallecimiento)*; es decir, antes de la entrada en vigor del Real Decreto Ley 26/2021, de 8 de noviembre, habiéndose verificado que la Administración no ha emitido liquidación alguna/ el .... de .... de............... se notificó la liquidación del Impuesto, con número de referencia..............., pero la misma no es firme, dado que el .... de .... de .... se presentó recurso de............... ante..............., estando el mismo pendiente de resolución/los sujetos pasivos, no han presentado autoliquidación del Impuesto.

QUINTO.– La Sentencia del tribunal Constitucional n° 182/2021, de 26 de octubre ha declarado "[...............] la inconstitucionalidad y nulidad de los arts. 107.1, segundo párrafo, 107.2.a) y. 107.4 del texto refundido de la Ley reguladora de las haciendas locales, aprobado por el Real Decreto Legislativo 2/2004, de 5 de marzo, en los términos previstos en el fundamento jurídico 6".

En su Fundamento Jurídico sexto, dispone que tal declaración de inconstitucionalidad y nulidad: "[...............] Supone su expulsión del ordenamiento jurídico, dejando un vacío normativo sobre la determinación de la base imponible que impide la liquidación, comprobación, recaudación y revisión de este tributo local y, por tanto, su exigibilidad". Remitiéndose al legislador para que actúe.

Con relación a los efectos retroactivos de la Sentencia, en dicho fundamento jurídico 6° en su apartado B), se establece:

"B) Por otro lado, no pueden considerarse situaciones susceptibles de ser revisadas con fundamento en la presente sentencia aquellas obligaciones tributarias devengadas por este Impuesto que, a la fecha de dictarse la misma, hayan sido decididas definitivamente mediante sentencia con fuerza de cosa juzgada o mediante resolución administrativa firme. A estos exclusivos efectos, tendrán también la consideración de situaciones consolidadas (i) las liquidaciones provisionales o definitivas que no hayan sido impugnadas a la fecha de dictarse esta sentencia y (ii) las autoliquidaciones cuya rectificación no haya sido solicitada ex art. 120.3 LGT a dicha fecha".

En respuesta a esta Sentencia, se dictó el RDLey 26/2021 —que entró en vigor el 10/11/2021—. Tal y como dispone el propio texto normativo, el mismo NO TIENE CARÁCTER RETROACTIVO, al disponer que tiene efectos desde su entrada en vigor.

También, la Dirección General de Tributos ha dictado la contestación a la Consulta Vinculante (V3074-21), de 7 de diciembre de 2021, en la que se ha establecido que:

"Trasladando lo anterior al caso objeto de consulta, tal como se ha indicado anteriormente, el hecho imponible del IIVTNU se ha realizado con la transmisión de la propiedad del terreno de naturaleza urbana y se ha devengado el Impuesto. Sin embargo, la declaración de inconstitucionalidad y nulidad de los preceptos reguladores de la base imponible del Impuesto imposibilitan, tal y como señala el Tribunal Constitucional, la liquidación y exigibilidad del Impuesto, hasta la fecha en la que el legislador estatal lleve a cabo las modificaciones o adaptaciones pertinentes en el régimen legal del Impuesto para adecuarlo a las exigencias del artículo 31.3 de la Constitución puestas de manifiesto en los pronunciamientos constitucionales sobre los preceptos legales anulados.

Y esta modificación de la normativa legal del Impuesto no se ha producido hasta la aprobación del Real Decreto-Ley 26/2021, de 8 de noviembre, por el que se adapta el texto refundido de la Ley Reguladora de las Haciendas Locales, aprobado por el Real Decreto Legislativo 2/2004, de 5 de marzo, a la reciente jurisprudencia del Tribunal Constitucional respecto del Impuesto sobre el Incremento de Valor de los Terrenos de Naturaleza Urbana, que se publicó en el BOE el 9 de noviembre, entrando en vigor al día siguiente de su publicación.

En consecuencia, el consultante estará obligado a la presentación de la declaración del IIVTNU, ya que el hecho imponible se ha realizado y se ha devengado el Impuesto, pero no está obligado al pago del Impuesto, de acuerdo con lo establecido por el Tribunal Constitucional en su sentencia 182/2021".

En consecuencia, para los hechos imponibles devengados con anterioridad al 10/11/2021, siguen vigentes los efectos retroactivos declarados por el TC, en la sentencia de 26 de octubre de 2021.

En su virtud,

4. SOLICITA/N

Que, teniendo por presentado en tiempo y forma este escrito, con los documentos que lo acompañan, se sirva admitirlos y, en su virtud, se reconozca la no sujeción del hecho imponible al IIVTNU, en aplicación de las sentencias y la normativa expuesta.

En...............a ....de ....

Firmado: el obligado tributario o su representante

COMENTARIO

Normativa

(1) Real Decreto-ley 26/2021, de 8 de noviembre, por el que se adapta el texto refundido de la Ley Reguladora de las Haciendas Locales, aprobado por el Real Decreto Legislativo 2/2004, de 5 de marzo, a la reciente jurisprudencia del Tribunal Constitucional respecto del Impuesto sobre el Incremento de Valor de los Terrenos de Naturaleza Urbana.

(2) Real Decreto Legislativo 2/2004, de 5 de marzo, por el que se aprueba el texto refundido de la Ley Reguladora de las Haciendas Locales.

JURISPRUDENCIA

STC 59/2017, de 11 de mayo *(Tol 6092482)*.
STC 126/2019, de 31 de octubre *(Tol 7587398)*.
STC 182/2021, de 26 de octubre *(Tol 8641521)*.

BIBLIOGRAFÍA

CUBILES SÁNCHEZ-POBRE, P., "Análisis de cuestiones controvertidas en relación con la tributación local de la muerte", *Tributos locales*, ISSN 1577-2233, Nº 135, 2018, pp. 57-78.
GARCÍA MORENO, V. ALBERTO, *Claves Prácticas. Plusvalía municipal (IIVTNU): inconstitucionalidad, devolución y pago derivado de la nueva regulación*, Francis Lefebvre, 2021.
GOMAR SÁNCHEZ, J. I., "El sujeto pasivo del IIVTNU en las transmisiones mortis causa", *Tributos locales*, ISSN 1577-2233, Nº 133, 2017, pp. 59-84
MANZANO SILVA, M. E., "La liquidación del IIVTNU ante la herencia yacente", *Tributos locales*, Nº 127, 2016, pp. 41-65.

Formulario IIVTNU-2. IIVTNU (DEVENGOS POSTERIORES AL 10/11/2021): COMUNICACIÓN DE NO SUJECIÓN AL IIVTNU POR INEXISTENCIA DE INCREMENTO DE VALOR (STC NÚM. 59/2017, DE 11/5/2017 Y REAL DECRETO LEY 26/2021)

1. ÓRGANO COMPETENTE

AL AYUNTAMIENTO DE...............
GESTIÓN TRIBUTARIA —IIVTNU—

2. ENCABEZAMIENTO

DECLARACIÓN DE NO SUJECIÓN AL IIVTNU

COMPARECE/N:

D./Dª..............., con NIF ...., mayor de edad, con domicilio a efectos de notificaciones en ...., calle .... nº ....–...............–............... (código postal).

Interviene en su propio nombre y/o en representación de:

D./Dª..............., con NIF ...., mayor de edad, vecino de ...., calle .... nº ....–...............–............... (código postal).

Acredita la representación mediante documento que se adjunta, en los términos del artículo 46 de la Ley 58/2003, de 17 de diciembre, General Tributaria.

Ante este órgano comparece/n, y como mejor proceda en Derecho

3. EXPONE/N LOS SIGUIENTES HECHOS Y FUNDAMENTOS DE DERECHO

PRIMERO.- El .... de .... de .... falleció .... Don/Dª ...., con NIF ...., y (*si no es de nacionalidad española*) Pasaporte en vigor de .... (*país*) .... número.

a) Si los herederos son cónyuge y/o hijos: En el momento del fallecimiento se encontraba en estado de separado/divorciado/viudo/casado en únicas/segundas/.............. nupcias con Don/Dª.............., de cuyo matrimonio tuvieron .... hijos siendo los únicos descendientes conocidos del causante.

Se adjunta copia del certificado de defunción y libro de familia. Por tanto, los comparecientes son los únicos herederos conocidos del causante.

b) Si los herederos son otros (*hermanos/sobrinos/extraños/*..............): En el momento del fallecimiento carecía de herederos forzosos, siendo sus herederos legales los otorgantes del presente documento tal como se acredita mediante..............

SEGUNDO.- El causante había otorgado su último testamento el ...., ante el/la Notario de.............., Don/Dª.............., con número,.............. de su protocolo .... Se adjunta copia del testamento y del certificado del Registro General de Actos de Última voluntad. / El causante no había otorgado testamento por lo que se aporta declaración de herederos abintestato formalizada el .... ante el/la Notario de.............., Don/Dª, con número,.............. de su protocolo..............

En el citado testamento el causante dispuso: ..../En ausencia de disposición testamentaria, y de acuerdo con las normas de la sucesión, la proporción de derechos hereditarios que le corresponde a cada uno de los herederos legales es la siguiente..............

TERCERO.- En la herencia del causante se encuentran los siguientes bienes inmuebles sito en el término municipal de:

INMUEBLE URBANO 1: calle.............. Nº.............. Ref. catastral:..............

INMUEBLE URBANO 2: calle.............. Nº.............. Ref. catastral:..............

INMUEBLE URBANO 3: calle.............. Nº.............. Ref. catastral:..............

Etc.

CUARTO.- Dada la fecha de fallecimiento, el hecho imponible del Impuesto sobre el incremento de valor de terreno de naturaleza urbana (IIVTNU) se produjo el .... (fecha fallecimiento); es decir, después de la entrada en vigor del Real Decreto Ley 26/2021, de 8 de noviembre.

QUINTO.- La Sentencia del Tribunal Constitucional número 59/2017, de 11 de mayo de 2017 (BOE núm. 142, de 15 de junio de 2017), ha declarado que: "*los artículos 107.1, 107.2 a) y 110.4, todos ellos del Texto Refundido de la Ley reguladora de las* haciendas locales, aprobado por el Real Decreto Legislativo 2/2004, de 5 de marzo, son inconstitucionales y nulos, pero únicamente en la medida que someten a tributación situaciones de inexistencia de incrementos de valor".

En definitiva, de acuerdo con el TC, se debe tributar por la capacidad económica real o potencial, nunca por una inexistente o ficticia. Por tanto, si no ha habido incremento del valor del suelo, no se ha realizado el hecho imponible del IIVTNU, por lo que su pago fue indebido.

De acuerdo con el artículo 164.1 CE, las Sentencias del Tribunal Constitucional que declaren la inconstitucionalidad de una ley o de una norma con fuerza de ley y todas las que no se limiten a la estimación subjetiva de un derecho, tienen plenos efectos frente a todos.

El TSJ de la Comunidad Valenciana —Sentencia n° 812/2017, de 6 de julio, Rec. número 3/2017 (Roj: STSJ CV 4675/2017), reiterada posteriormente en otras— ha interpretado esta jurisprudencia del TC en el sentido de reconocer la nulidad del IIVTNU en aquellos supuestos en los que se somete a tributación situaciones de inexistencia de incrementos de valor, como es este caso.

El Tribunal Supremo, en Sentencia número 5/2021, de 7 de enero de 2021, ha reiterado la jurisprudencia de este tribunal sobre la prueba del decremento o minusvalía respecto de la trasmisión de la propiedad de un terreno o inmueble, o en su caso, cualquier otro derecho real de goce. Y se remite a la doctrina fijada por la Sentencia de 9 de julio de 2018, recurso núm. 6226/2017, en virtud del cual se prevén los medios de prueba al objeto de acreditar la inexistencia de plusvalía, con el siguiente tenor: "Para acreditar que no ha existido la plusvalía gravada por el IIVTNU podrá el sujeto pasivo (a) ofrecer cualquier principio de prueba, que al menos indiciariamente permita apreciarla, como es la diferencia entre el valor de adquisición y el de trasmisión que se refleja en las correspondientes escrituras públicas...; (b) optar por una prueba pericial que confirme tales indicios; o, en fin, (c) emplear cualquier otro medio probatorio ex artículo 106.1 de la Ley General Tributaria que ponga de manifiesto el decremento de valor del terreno transmitido y la consiguiente improcedencia de girar liquidación por el IIVTNU". Con idéntica orientación, STS n° 123/2022, de 4 de febrero de 2022, recurso núm. 1348/2019.

Finalmente, tras la Sentencia del Tribunal Constitucional número 182/2021, de 26 de octubre, y la entrada en vigor del real Decreto Ley 26/2021, resulta incuestionable que el IIVTNU no se devenga si no hay incremento de valor del suelo.

SEXTO.- Con estos fundamentos jurídicas, tal como se acredita con la documentación aportada, el .... de ....de..............., se formalizó en documento privado/escritura pública formalizada ante el/la Notario de .... Don/Dª..............., con número de su protocolo .... (se aporta COPIA), la transmisión de la siguiente finca urbana del municipio de...............:

Calle...............n° ...., puerta...............: Ref. catastral ....

SÉPTIMO.- El .... de .... de .... se ha producido la transmisión de dicha finca por............... (título) .... (se aporta COPIA del documento).

Comparando los valores de adquisición y transmisión, se obtienen la siguiente variación en el valor del suelo:

1°) De acuerdo con los datos del catastro, se obtiene que el porcentaje que representa el suelo respecto al valor catastral total en el año de transmisión, es del ....%:

2°) El VALOR DE ADQUISICIÓN fue el siguiente ...., tal como queda acreditado mediante la escritura aportada:

3°) En cuanto al VALOR DE TRANSMISIÓN, tal como se comprueba en los documentos aportados, es el siguiente ....:

4°) Computando de ambos valores únicamente la parte correspondiente al suelo (..............%), se obtiene un DECREMENTO DEL VALOR DEL SUELO entre la adquisición y la transmisión de la finca de .... euros teniendo en cuenta los gastos; y de .... euros, si no se tienen en cuenta los gastos:

Conclusión: en el período comprendido entre la adquisición y la transmisión de la finca, el valor del inmueble en general, y del suelo en particular, NO experimentó plusvalía.

SÉPTIMO.- Con base en los medios de prueba aportados, el apartado 5 del artículo 104 de la Ley Reguladora de las Haciendas Locales, aprobado por el Real Decreto Legislativo 2/2004, de 5 de marzo, añadido por el Real Decreto Ley 26/2021, incorporando la jurisprudencia del TC y el TS citadas, dispone: *"5. No se producirá la sujeción al Impuesto en las transmisiones de terrenos respecto de los cuales se constate la inexistencia de incremento de valor por diferencia entre los valores de dichos terrenos en las fechas de transmisión y adquisición.*

Para ello, el interesado en acreditar la inexistencia de incremento de valor deberá declarar la transmisión, así como aportar los títulos que documenten la transmisión y la adquisición, entendiéndose por interesados, a estos efectos, las personas o entidades a que se refiere el artículo 106.

Para constatar la inexistencia de incremento de valor, como valor de transmisión o de adquisición del terreno se tomará en cada caso el mayor de los siguientes valores, sin que a estos efectos puedan computarse los gastos o tributos que graven dichas operaciones: el que conste en el título que documente la operación o el comprobado, en su caso, por la Administración tributaria.

Cuando se trate de la transmisión de un inmueble en el que haya suelo y construcción, se tomará como valor del suelo a estos efectos el que resulte de aplicar la proporción que represente en la fecha de devengo del Impuesto el valor catastral del terreno respecto del valor catastral total y esta proporción se aplicará tanto al valor de transmisión como, en su caso, al de adquisición.

Si la adquisición o la transmisión hubiera sido a título lucrativo se aplicarán las reglas de los párrafos anteriores tomando, en su caso, por el primero de los dos valores a comparar señalados anteriormente, el declarado en el Impuesto sobre Sucesiones y Donaciones.

En la posterior transmisión de los inmuebles a los que se refiere este apartado, para el cómputo del número de años a lo largo de los cuales se ha puesto de manifiesto el incremento de valor de los terrenos, no se tendrá en cuenta el periodo anterior a su adquisición.

Lo dispuesto en este párrafo no será de aplicación en los supuestos de aportaciones o transmisiones de bienes inmuebles que resulten no sujetas en virtud de lo dispuesto en el apartado 3 de este artículo o en la disposición adicional segunda de la Ley 27/2014, de 27 de noviembre, del Impuesto sobre Sociedades".

Es por ello que,

5.– DECLARA/N

LA NO SUJECIÓN AL IIVTNU DE LA TRANSMISIÓN DE LA FINCA DESCRITA, solicitando al Ayuntamiento de .... que dé por cumplidas todas las obligaciones relativas a dicho Impuesto, en tiempo y forma, y que certifique dicha no sujeción mediante la correspondiente Resolución.

En .... a .... de .... de ....

Firmado: el obligado tributario o su representante

COMENTARIO

Normativa

(1) Real Decreto-ley 26/2021, de 8 de noviembre, por el que se adapta el texto refundido de la Ley Reguladora de las Haciendas Locales, aprobado por el Real Decreto Legislativo 2/2004, de 5 de marzo, a la reciente jurisprudencia del Tribunal Constitucional respecto del Impuesto sobre el Incremento de Valor de los Terrenos de Naturaleza Urbana Incremento de Valor de los Terrenos de Naturaleza Urbana.
(2) Real Decreto Legislativo 2/2004, de 5 de marzo, por el que se aprueba el texto refundido de la Ley Reguladora de las Haciendas Locales.

Jurisprudencia

STC 59/2017 de 11 de mayo.
STC 126/2019 de 31 de octubre.
STC 182/2021, de 26 de octubre.
STS 134/2022, de 4 de febrero de 2022, recurso núm. 1348/2019 *(Tol 8800628).*
STS 81/2020, de 27 de enero de 2020, recurso núm. 7275/2018 *(Tol 7735680).*
STS 291/2019, de 6 de marzo de 2019, recurso núm. 2815/2017 *(Tol 7119251).*
STS 419/2019, de 27 de marzo, de 2019, recurso núm. 4924/2017 *(Tol 7177974).*
STS 1163/2018, de 9 de julio, recurso núm. 6226/2017 *(Tol 6660672).*
STS 1248/2018, de 17 de julio de 2018, recurso núm. 5664/2017 *(Tol 6677561).*
STS 1300/2018, de 18 de julio de 2018, recurso núm. 4777/2017 *(Tol 6677662).*
STS 1617/2018, de 14 de noviembre de 2018, recurso núm. 6148/2017 *(Tol 6940676).*
SSTS de 12 de diciembre de 2018, recursos núm. 6047/2017 *(Tol 6976867),* 163/2018 *(Tol 6976736)* y 186/2018 *(Tol 6980890).*

BIBLIOGRAFÍA

CUBILES SÁNCHEZ-POBRE, P., "Análisis de cuestiones controvertidas en relación con la tributación local de la muerte", *Tributos locales*, N° 135, 2018, pp. 57-78.
GARCÍA MORENO, V. ALBERTO, *Claves Prácticas. Plusvalía municipal (IIVTNU): inconstitucionalidad, devolución y pago derivado de la nueva regulación*, Francis Lefebvre, 2021.
GOMAR SÁNCHEZ, J. I., "El sujeto pasivo del IIVTNU en las transmisiones mortis causa", *Tributos locales*, N° 133, 2017, pp. 59-84.
MANZANO SILVA, M. E., "La liquidación del IIVTNU ante la herencia yacente", *Tributos locales*, N° 127, 2016, pp. 41-65.

Formulario IIVTNU-3. IIVTNU (DEVENGOS POSTERIORES AL 10/11/2021): COMUNICACIÓN DE NO SUJECIÓN AL IIVTNU PORQUE LA CUOTA DEL IMPUESTO ES SUPERIOR AL INCREMENTO DE VALOR ACREDITADO (STC NÚM. 126/2019 DE 31/10/2019).

1. ÓRGANO COMPETENTE

AL AYUNTAMIENTO DE..............

GESTIÓN TRIBUTARIA —IIVTNU—

2. ENCABEZAMIENTO

DECLARACIÓN DE NO SUJECIÓN AL IIVTNU

COMPARECE/N:

D./Dª.............., con NIF ...., mayor de edad, con domicilio a efectos de notificaciones en ...., calle .... n° ....–..............–.............. (código postal).

Interviene en su propio nombre y/o en representación de:

D./Dª.............., con NIF ...., mayor de edad, vecino de ...., calle .... n° ....–..............–.............. (código postal).

Acredita la representación mediante documento que se adjunta, en los términos del artículo 46 de la Ley 58/2003, de 17 de diciembre, General Tributaria.

Ante este órgano comparece/n, y como mejor proceda en Derecho

3. EXPONE/N LOS SIGUIENTES HECHOS Y FUNDAMENTOS DE DERECHO

PRIMERO.– El .... de .... de .... falleció .... Don/Dª ...., con NIF ...., y (*si no es de nacionalidad española*) Pasaporte en vigor de .... (país) .... número.

a) Si los herederos son cónyuge y/o hijos: En el momento del fallecimiento se encontraba en estado de separado/divorciado/viudo/casado en únicas/segundas/............... nupcias con Don/Dª, de cuyo matrimonio tuvieron .... hijos, siendo los únicos descendientes conocidos del causante.

Se adjunta copia del certificado de defunción y libro de familia. Por tanto, los comparecientes son los únicos herederos conocidos del causante.

b) Si los herederos son otros (*hermanos/sobrinos/extraños/...............*): En el momento del fallecimiento carecía de herederos forzosos, siendo sus herederos legales los otorgantes del presente documento tal como se acredita mediante...............

SEGUNDO.– El causante había otorgado su último testamento el ...., ante el/la Notario de..............., Don/Dª..............., con número,............... de su protocolo .... Se adjunta copia del testamento y del certificado del Registro General de Actos de Última voluntad. / El causante no había otorgado testamento por lo que se aporta declaración de herederos abintestato formalizada el .... ante el/la Notario de..............., Don/Dª, con número............... de su protocolo...............

En el citado testamento el causante dispuso: ..../En ausencia de disposición testamentaria y de acuerdo con las normas de la sucesión, la proporción de derechos hereditarios que le corresponde a cada uno de los herederos legales es la siguiente...............

TERCERO.– En la herencia del causante se encuentran los siguientes bienes inmuebles sito en el término municipal de:

INMUEBLE URBANO 1: calle............... Nº............... Ref. catastral:...............

INMUEBLE URBANO 2: calle............... Nº............... Ref. catastral:...............

INMUEBLE URBANO 3: calle............... Nº............... Ref. catastral:...............

Etc.

CUARTO.– Dada la fecha de fallecimiento, el hecho imponible del Impuesto sobre el incremento de valor de terreno de naturaleza urbana (IIVTNU) se produjo el .... (fecha fallecimiento), es decir, después de la entrada en vigor del Real Decreto Ley 26/2021, de 8 de noviembre,

QUINTO.– La Sentencia del Tribunal Constitucional STC núm. 126/2019 de 31/10/2019, declaró la inconstitucionalidad del IIVTNU cuando la cuota del Impuesto a pagar sea superior al incremento de valor del suelo. Así el fallo dispone que "*cuando existe un incremento de la transmisión y la cuota que sale a pagar es mayor al incremento realmente obtenido por el ciudadano, se estaría tributando por una renta inexistente, virtual o ficticia, produciendo un exceso de tributación contrario a los principios constitucionales de capacidad económica y no confiscatoriedad, vulnerando así el art. 31.1 CE*".

SEXTO.– Con estos fundamentos jurídicos, tal como se acredita con la documentación aportada, el .... de ....de...............25 de febrero de 2021, se formalizó en documento privado/escritura pública formalizada ante el/la Notario de .... Don/Dª..............., con número de su protocolo .... (se aporta COPIA), la transmisión de la siguiente finca urbana del municipio de...............: Calle...............nº ...., puerta...............: Ref. catastral ....

SÉPTIMO.– El .... de .... de .... se ha producido la transmisión de dicha finca por.............. *(título)* .... (se aporta COPIA del documento).

Comparando los valores de adquisición y transmisión, se obtienen la siguiente variación en el valor del suelo:

1°) De acuerdo con los datos del catastro, se obtiene que el porcentaje que representa el suelo, respecto al valor catastral total, en el año de transmisión, es del ....%:

2°) El VALOR DE ADQUISICIÓN fue el siguiente, tal como queda acreditado mediante la escritura aportada: .... euros.

3°) En cuanto al VALOR DE TRANSMISIÓN, tal como se comprueba en los documentos aportados, es el siguiente:.............. euros.

4°) Computando de ambos valores únicamente la parte correspondiente al suelo (..............%), se obtiene un AUMENTO DEL VALOR DEL SUELO entre la adquisición y la transmisión de la finca de .... euros, teniendo en cuenta los gastos; y de .... euros, si no se tienen en cuenta los gastos.

5°) El IIVTNU a pagar correspondiente a dicho incremento de valor asciende a ....euros.

Conclusión: la cuota a pagar es superior al beneficio obtenido con la transmisión por el incremento del valor del suelo urbano, en el período comprendido entre la adquisición y la transmisión de la finca.

Es por ello que,

5.– DECLARA/N

LA NO SUJECIÓN AL IIVTNU DE LA TRANSMISIÓN DE LA FINCA DESCRITA, solicitando al Ayuntamiento de .... que dé por cumplidas todas las obligaciones relativas a dicho Impuesto, en tiempo y forma, y que certifique dicha no sujeción mediante la correspondiente Resolución.

En .... a .... de .... de ....

Firmado: el obligado tributario o su representante

COMENTARIO

NORMATIVA

(1) Real Decreto-ley 26/2021, de 8 de noviembre, por el que se adapta el texto refundido de la Ley Reguladora de las Haciendas Locales, aprobado por el Real Decreto Legislativo 2/2004, de 5 de marzo, a la reciente jurisprudencia del Tribunal Constitucional respecto del Impuesto sobre el Incremento de Valor de los Terrenos de Naturaleza Urbana.

JURISPRUDENCIA

STC 59/2017 de 11 de mayo.
STC 126/2019 de 31 de octubre.
STC 182/2021, de 26 de octubre.
STS 123/2022, de 4 de febrero de 2022, recurso núm. 1348/2019.
STS 81/2020, de 27 de enero de 2020, recurso núm. 7275/2018.
STS 291/2019, de 6 de marzo de 2019, recurso núm. 2815/2017.
STS 419/2019, de 27 de marzo, de 2019, recurso núm. 4924/2017.
STS 1163/2018, de 9 de julio, recurso núm. 6226/2017.
STS 1248/2018, de 17 de julio de 2018, recurso núm. 5664/2017.
STS 1300/2018, de 18 de julio de 2018, recurso núm. 4777/2017.
STS 1617/2018, de 14 de noviembre de 2018, recurso núm. 6148/2017.
SSTS de 12 de diciembre de 2018, recursos núm. 6047/2017, 163/2018 y 186/2018.

BIBLIOGRAFÍA

CUBILES SÁNCHEZ-POBRE, P., "Análisis de cuestiones controvertidas en relación con la tributación local de la muerte", *Tributos locales,* Nº 135, 2018, pp. 57-78.
GARCÍA MORENO, V. ALBERTO, "Claves Prácticas. Plusvalía municipal (IIVTNU): inconstitucionalidad, devolución y pago derivado de la nueva regulación", Francis Lefebvre, 2021.
GOMAR SÁNCHEZ, J. I., "El sujeto pasivo del IIVTNU en las transmisiones mortis causa", *Tributos locales*, 2017, pp. 59-84.
MANZANO SILVA, M. E., "La liquidación del IIVTNU ante la herencia yacente", *Tributos locales*, Nº 127, 2016, pp. 41-65.

Apuesta por Tirant Online, la base de datos jurídica de la editorial más prestigiosa de España.*

www.tirantonline.com

Suscríbete a nuestro servicio de base de datos jurídica y tendrás acceso a todos los documentos de Legislación, Doctrina, Jurisprudencia, Formularios, Esquemas, Consultas o Voces, y a muchas herramientas útiles para el jurista:

* Biblioteca Virtual
* Herramientas Salariales
* Calculadoras de tasas y pensiones
* Tirant TV
* Personalización

* Foros y Consultoría
* Revistas Jurídicas
* Gestión de despachos
* Biblioteca GPS
* Ayudas y subvenciones
* Novedades

* Según ranking del CSIC

 96 369 17 28

 96 369 41 51

 atencionalcliente@tirantonline.com

www.tirantonline.com